LA VENGEANCE DES TÉNÉBRYSS

TOME I

Pour Léonie,
bon aventure
avec Eà et Kaledoyn,
vont ils réussir à pa
sauver de leurs nombreux
poursuivants ?
[signature] xxx

LA VENGEANCE DES TÉNÉBRYSS

TOME I

LA DESCENDANTE

CLAUDE JUTRAS

Éditeur : François Doucet
Révision linguistique : Féminin pluriel
Correction d'épreuves : Éliane Boucher, Suzanne Turcotte
Conception de la couverture : Paulo Salgueiro
Photo de la couverture : © Thinkstock
Mise en pages : Sébastien Michaud
ISBN papier 978-2-89667-686-6
ISBN PDF numérique 978-2-89683-645-1
ISBN ePub 978-2-89683-646-8
Première impression : 2012
Dépôt légal : 2012
Bibliothèque et Archives nationales du Québec
Bibliothèque Nationale du Canada

Éditions AdA Inc.
1385, boul. Lionel-Boulet
Varennes, Québec, Canada, J3X 1P7
Téléphone : 450-929-0296
Télécopieur : 450-929-0220
www.ada-inc.com
info@ada-inc.com

Diffusion
Canada :   Éditions AdA Inc.
France :   D.G. Diffusion
                 Z.I. des Bogues
                 31750 Escalquens — France
                 Téléphone : 05.61.00.09.99
Suisse :   Transat — 23.42.77.40
Belgique :   D.G. Diffusion — 05.61.00.09.99

Imprimé au Canada

Participation de la SODEC.   ЅОDЕC
Nous reconnaissons l'aide financière du gouvernement du Canada par l'entremise du Fonds du livre du Canada (FLC) pour nos activités d'édition.
Gouvernement du Québec — Programme de crédit d'impôt pour l'édition de livres — Gestion SODEC.

Catalogage avant publication de Bibliothèque et Archives nationales du Québec et Bibliothèque et Archives Canada

Jutras, Claude, 1979-

La vengeance des ténébryss
Sommaire: t. 1. La descendante -- t. 2. Les marais.
Pour les jeunes de 12 ans et plus.
ISBN 978-2-89667-686-6 (v. 1)
ISBN 978-2-89667-687-3 (v. 2)
I. Titre. II. Titre: La descendante. III. Titre: Les marais.

PS8619.U883V46 2012   jC843'.6   C2012-941373-9
PS9619.U883V46 2012

TABLE DES MATIÈRES

INDEX DES PERSONNAGES

Éli, alias Éléonore Deschênes, Louiss, Balka et Éthanie
    Roland Deschênes (père)
    Moïra Zéleste (mère)
    Kyll (frère aîné)
    Hugh (second frère)
    Ramaël (frère cadet)
    Kyrsha (ancêtre, 1000 ans avant)

Rebelles :
    Eldérick Desmonts (chef)
    Éric Desmonts (fils d'Eldérick)
    Malek (fils adoptif d'Eldérick)
    Zyruas Valleburg (chef)
    Karok Dergainte (chef)
    Dowan (tribu de Nejmahw, fils de Ménaï et Feilaw)
    Kaito (Arkéïrite)
    Myral Desmonts (frère cadet d'Eldérick)
    Émilia Desmonts (femme de Myral)
    Suzie Desmonts (fille d'Émilia et de Myral)

Famille royale de Dulcie :
    Kordéron Dechâtelois (roi de Dulcie)
    Laurent Dechâtelois (prince aîné de Dulcie)
    Julior Dechâtelois (prince cadet de Dulcie)
    Martéal Le Borgne (roi de Dulcie, 1000 ans avant)

Nobles de Dulcie :

    Edward Delongpré (membre du conseil royal)

    Mylène Delongpré (fille aînée d'Edward)

    Anna Delongpré (fille cadette d'Edward)

    Dame Katherine (matrone du carrosse)

    Krilin Lelkar (premier conseiller royal)

Soldats dulciens :

    Franx Remph (capitaine)

    Galator Lamorie (lieutenant)

Famille royale d'Ébrême :

    Ferral Hergot (roi d'Ébrême)

    Ludovick Hergot (fils unique de Ferral)

Citadelle des magiciens :

    Arkiel Lilmïar (archimage)

    Eldébäne Moralta (apprenti magicien)

    Méléar (membre du conseil des magiciens)

    Zélorie (membre du conseil des magiciens)

    Fesba (membre du conseil des magiciens)

    Îléa (membre du conseil des magiciens)

    Beldariane (professeure d'art pictural)

Bûcherons :

    Keldîm (chef du groupe)

    Zélir

    Koll

    Lalko

    Romaré

Habitants de Tabem :
    Wiltor (chef de la guilde)
    Livianne (tenancière de bordel)
    Lilas (prostituée, amie d'Éli)
    Tinné (ami d'Éli)
    Novalté Brawm (ami d'Arkiel, ancien pirate)

Myrkoj (ténébryss)

Ghor (chef des mercenaires)

Ergatséï (reine du désert, 1000 ans avant)

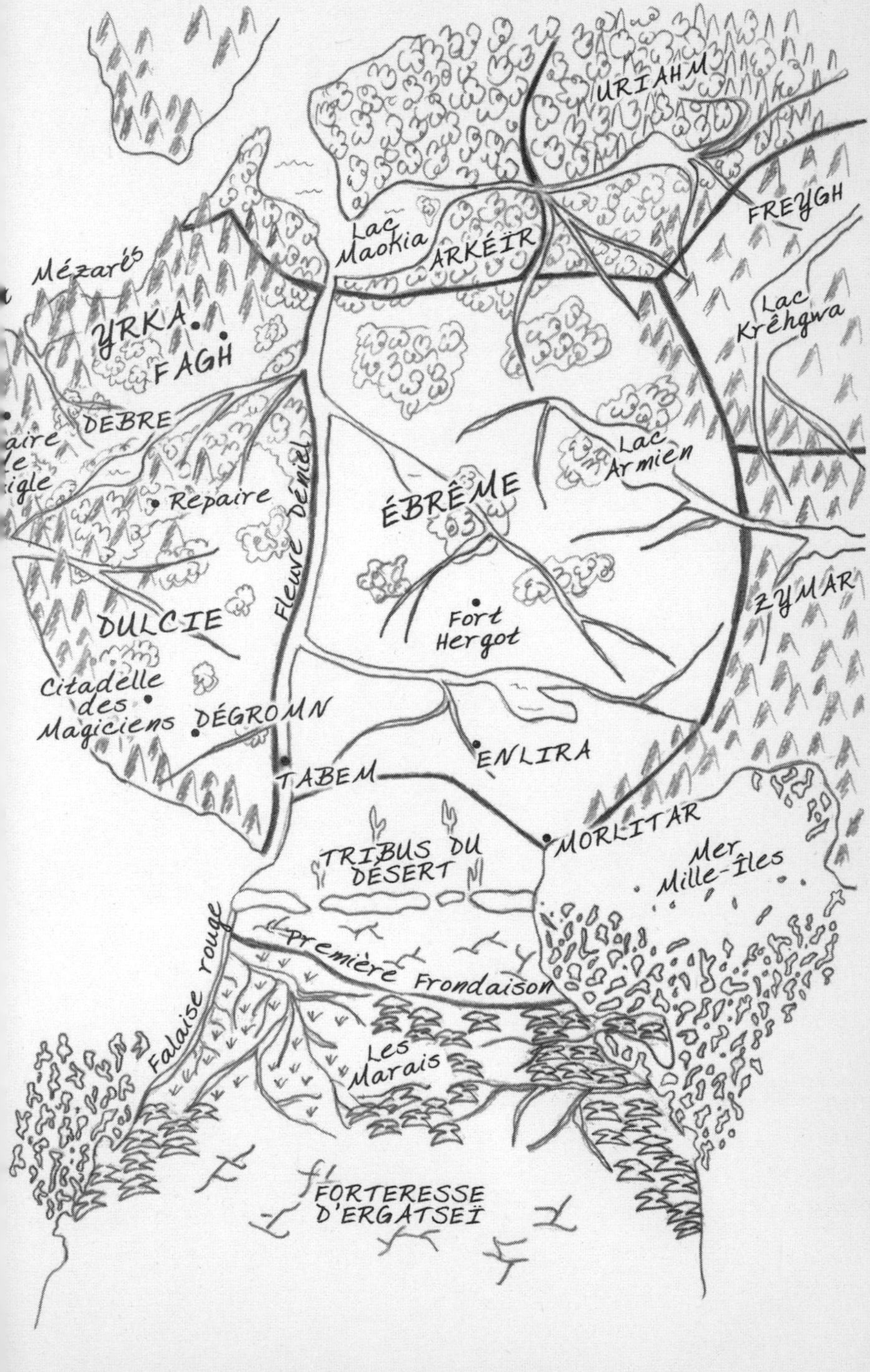

URIAHM
FREYGH
Lac Maokia
ARKÉÏR
Mézarès
YRKA
FAGH
Lac Krêhgwa
DEBRE
Lac Armien
Repaire
ÉBRÊME
Fleuve Déniel
ZYMAR
Fort Hergot
DULCIE
Citadelle des Magiciens
DÉGROMN
ENLIRA
TABEM
MORLITAR
TRIBUS DU DÉSERT
Mer Mille-Îles
Falaise rouge
Première Frondaison
Les Marais
FORTERESSE D'ERGATSEÏ

PROLOGUE

Le mineur observa la cavité dans la paroi rocheuse. Il y avait des mois que lui et ses acolytes travaillaient dans cette mine au nord de la Dulcie, et ils avaient progressé à des dizaines de mètres de profondeur.

Il piocha de nouveau, agrandissant l'ouverture. Rapidement, celle-ci fut assez large pour qu'un homme puisse s'y faufiler. Il se pencha, mais la lueur des vieilles torches qui leur servaient encore à guider leur travail se perdait dans le noir. Une odeur rance émanait du trou, laissant deviner que cet endroit recelait plus que de la terre et quelques cailloux.

Ses compagnons se groupèrent derrière lui et observèrent l'ouverture avec curiosité. Pour une raison qu'ils n'arrivaient pas à déterminer, une étrange sensation s'empara d'eux et ils restèrent à fixer les ténèbres qui habitaient la cavité.

— Que se passe-t-il ici ? cria le contremaître en approchant. Pourquoi cette soudaine pause ?

Il s'immobilisa en voyant le trou et poussa les mineurs hors de son chemin.

— Une grotte naturelle, dit-il. Et alors, il n'y a rien de si exceptionnel ! Depuis quand est-ce une raison pour s'arrêter de travailler ?

Il se tut en observant l'antre obscur, soudain pris du même malaise que ses travailleurs. Il demeura ainsi muet un moment, à tenter de comprendre pourquoi le rythme de son cœur s'accélérait. Ce n'était pourtant pas la première fois qu'ils découvraient une caverne naturelle. Chassant ses émotions inexpliquées, il se tourna vers ses hommes et ordonna :

— Retournez à vos tâches ! Je vais aller explorer cet endroit. Peut-être y trouverons-nous du fer plus facile à extraire.

— Je ne sais pas, chef, dit le mineur qui avait découvert la grotte. Il y a quelque chose d'anormal avec cette... L'odeur est...

Le contremaître plissa le nez et haussa les épaules.

— On ne saura pas si on ne va pas voir, conclut-il.

Il se pencha dans l'ouverture et y avança sa torche. Il ne distinguait rien devant, mais il aperçut le sol à un peu plus d'un mètre sous lui. Introduisant la jambe droite, il appuya le pied sur la roche et s'assura de la solidité du sol avant d'y porter tout son poids.

— Toi, tu viens avec moi, ordonna-t-il au mineur qui avait tenté sans succès de se fondre aux autres.

Dressant sa torche devant lui, le contremaître chercha les parois, mais la lueur des flammes se perdait dans l'obscurité.

— Cet endroit est immense, murmura-t-il, pressentant que s'il élevait la voix, celle-ci se répercuterait dangereusement contre les roches.

Il savait par expérience que l'écho, aussi anodin pût-il paraître, pouvait provoquer l'écroulement d'une paroi trop fragile. Il s'avança et quelque chose craqua sous ses pieds. Il abaissa aussitôt la torche pour voir ce qu'il venait d'écraser et ce qu'il découvrit lui arracha une exclamation d'horreur. Délaissant les parois, le contremaître examina le sol. Celui-ci était jonché d'ossements si anciens qu'ils s'égrenaient dès qu'on y posait le pied.

— Chef, vous ne croyez pas qu'on devrait partir ? suggéra le mineur, craintif.

— Voyons, répliqua le contremaître, ces ossements ont plus de cent ans.

Il promena la torche à ses pieds et continua d'avancer sans pouvoir éviter les carcasses ancestrales. Il y en avait tout autour d'eux et aussi loin que se portait le faisceau lumineux. Le contremaître reconnut plusieurs squelettes d'herbivores semblables à ceux qu'il avait déjà vus dans les bois, abandonnés par des carnassiers. Il s'arrêta en remarquant un spécimen inconnu qu'il devina justement être un carnassier en observant ses dents pointues. La présence des herbivores était explicable, mais pas celle des carnivores, d'autant que certains semblaient de la taille d'un ours des montagnes de la Dulcie du Nord. Ce tombeau ne pouvait être que l'œuvre des hommes. Cela rassura le contremaître.

Il continua d'avancer, mais les flammes n'éclairaient toujours aucune paroi dans cette caverne. Près de lui, le mineur respirait bruyamment, apparemment très nerveux. Il serrait le manche de son pic à s'en blanchir les jointures. Derrière eux, l'entrée n'était plus qu'un point lumineux, assombri par les ouvriers qui s'y agglutinaient pour suivre leur progression.

Le contremaître soupira en pensant au travail qui se perdait. Encore quelques pas et ils retourneraient dans la mine pour les remettre à l'ordre. Il pourrait toujours revenir avec plus d'hommes et de torches. Il se remit en marche, éclairant le plus loin possible devant lui. Rien…

— Bon, capitula-t-il, revenons.

Soulagé, le mineur fit quelques pas de côté en se retournant. C'est alors qu'il poussa une exclamation de surprise et s'écarta vivement, bousculant le contremaître.

— Quoi ? s'emporta celui-ci, que la peur de l'homme commençait à irriter.

— Je viens de heurter quelque chose, dit l'autre, le souffle court.

Le contremaître éclaira sur leur droite, mais la même noirceur infinie s'étendait dans cette direction.

— Voyons, il n'y a rien, constata-t-il.

— Je vous le jure, chef.

Le mineur fit mine d'étendre le bras, mais à mi-chemin, quelque chose bloqua son mouvement. Le bras plié, il posa sa main sur une surface transparente et la retira aussitôt en reculant, poussant de nouveau le contremaître. Celui-ci l'écarta sans ménagement, soudain intéressé, et approcha la torche jusqu'à rencontrer une résistance. Il s'agissait bien d'un mur. Il appuya fortement le flambeau contre cette surface, sans résultat : les flammes dansaient près d'elle sans s'y propager et sans même y laisser de trace. Le contremaître éloigna la torche et approcha sa main.

— Chef… commença le mineur, mais il l'ignora et posa le bout des doigts à l'endroit qu'avaient léché les flammes.

Ne sentant aucune chaleur, il y plaqua sa paume et la glissa sur la paroi. Celle-ci était absolument lisse, sans aucune imperfection. Il se pencha en la suivant de la main et remarqua l'absence d'ossements à sa base. Ils ne réapparaissaient qu'une bonne trentaine de centimètres plus loin. Était-ce là l'épaisseur de cette cloison ? Il se redressa et, la paume toujours contre celle-ci, revint sur ses pas afin de savoir jusqu'où elle allait.

Prenant l'entrée lumineuse comme point de repère, il constata que la surface formait un cercle, ou plutôt une sphère, remarqua-t-il ensuite en levant le regard. Revenu au même endroit, il s'arrêta et chercha à voir en son centre, mais n'y remarqua rien de particulier.

À nouveau, il tenta de brûler la surface, sans plus de résultat. Pourtant, d'après ce qu'il savait des matériaux, tous réagissaient à la chaleur. En fait, il ne connaissait qu'une seule matière absolument inaltérable.

— Chef, je n'aime pas ça, gémit le mineur, qui restait collé à ses semelles.

Le contremaître se tourna vers lui, mais au lieu de lui répondre, il lui planta la torche dans une main et s'empara de son pic.

— Non, chef! Vous êtes fou!

— Cesse de pleurnicher, ordonna-t-il, et éclaire l'intérieur de cette bulle.

Dans un grand élan, il frappa la paroi transparente. Le choc lui résonna jusque dans le dos, mais pas le moindre son ne s'éleva du point d'impact. Son cœur, qui avait déjà commencé à s'emballer, s'affola alors que ses doutes se vérifiaient. Un deuxième élan et il frappa de nouveau la paroi, puis encore, une troisième fois. Le contremaître s'interrompit; la douleur s'insinuait dans chaque muscle de ses bras. Il posa la main sur la surface pour constater qu'il ne l'avait même pas ébréchée.

Un sourire flotta sur ses lèvres. Il y avait des dizaines d'années qu'il travaillait dans les mines et ses bras pouvaient enfoncer son pic dans les roches les plus dures. Dans ses jeunes années, le roi l'avait engagé, ainsi que d'autres mineurs particulièrement robustes, pour tenter de briser une paroi de cristal du château d'Yrka.

Cette matière était appelée «cristal» pour sa transparence et sa pureté, mais elle était plus solide que le diamant. On racontait qu'elle avait été créée par les dragons, mais ces êtres n'étaient que des créatures mythiques et personne ne croyait plus à leur existence depuis des centaines d'années. Malgré tout, personne n'était capable d'altérer ce cristal.

Le contremaître se souvenait parfaitement de la sensation éprouvée en luttant contre cette matière immuable. Sa main caressant la surface, son sourire s'accentua. On ne pouvait trouver le cristal qu'au château d'Yrka ; personne n'en avait jamais vu ailleurs. Néanmoins, il en avait la certitude, ce qu'ils avaient devant eux, dans l'obscurité, était bel et bien du cristal.

— Du cristal… dit-il à haute voix.

— Cette étrange matière dont est fait le château d'Yrka ? demanda le mineur.

Le contremaître ne répondit pas. Mû par une idée soudaine, il récupéra la torche et éclaira l'intérieur de la sphère. Il savait maintenant ce qu'il cherchait. Après quelques minutes d'inspection minutieuse, ses yeux s'arrêtèrent sur un objet. Haut d'une trentaine de centimètres pour une quinzaine de large, qui grossissait jusqu'à vingt centimètres à sa base, cela ressemblait à une simple pierre. Sombre, elle était là, abandonnée au milieu des ossements. Le regard glissait sur elle sans qu'on la remarquât, mais le contremaître ne se laissa pas prendre. Il connaissait la légende. Tous les mineurs âgés de la Dulcie du Nord connaissaient la légende.

Mille ans auparavant, le roi Martéal Le Borgne de Dulcie avait vaincu la sorcière du désert grâce aux pouvoirs d'un objet magique, sauvant ainsi tous les royaumes de Melbïane. Après la guerre, il avait dissimulé l'objet, qu'on nommait « la pierre de la guerre », trop puissante pour être laissée aux mains des hommes, et l'avait enfermée au cœur d'une enceinte de cristal. La légende précisait qu'il avait caché la pierre de la guerre au cœur des montagnes, où nul homme ne pourrait la trouver.

On racontait que pendant des siècles, les aventuriers, les voleurs et les mercenaires l'avaient cherchée en vain. Puis, son existence était entrée dans la légende. Plus personne ne la cherchait et seuls les mineurs des montagnes de la Dulcie du Nord se contaient cette histoire, sans vraiment y croire. Néanmoins, chacun s'imaginait secrètement être celui qui découvrirait par hasard la cachette du roi Martéal.

S'approchant le plus possible de la paroi transparente, le contremaître fixa la pierre. Se pouvait-il? Était-ce vraiment l'instrument de la victoire du roi Martéal? La légende était-elle réalité?

Soudain, comme pour répondre à son interrogation, un éclair rouge parcourut la surface. Les deux hommes poussèrent une exclamation de surprise en reculant.

— Chef, vous avez vu ça?

Bien sûr qu'il avait vu! Bien sûr. Il l'avait trouvée. Il avait trouvé la pierre de la guerre. Mais comment l'atteindre? Il lui fallait plus de lumière. Refusant de délaisser cet objet légendaire, il se tourna vers le mineur.

— Va chercher les autres et amenez des torches, beaucoup de torches. Et avisez le hautmaître. Ce que nous venons de découvrir pourrait bien changer tout Melbïane.

Heureux de pouvoir s'éloigner de cette chose, le mineur fit volte-face et partit à la course en trébuchant sur les ossements. Le contremaître reporta son attention sur la pierre et s'approcha de la surface de cristal, empreint d'un profond respect. Comme si elle appréciait cette attention, la pierre s'illumina, mais beaucoup plus doucement, cette fois. Des veinules rouges la traversèrent lentement et palpitèrent dans l'obscurité de la caverne. Le contremaître sourit et posa sa paume sur la paroi, mais la pierre s'illumina vivement. Il retira aussitôt la main, comprenant l'avertissement, et la pierre redevint calme. Toutefois, il avait eu le temps d'en sentir la chaleur. À l'intérieur, la cloison de cristal se teintait de rose. Il dirigea la torche vers le sol et vit les ossements accotés contre la paroi intérieure se désintégrer.

— Seigneur, jura-t-il. Seigneur...

La pierre de la guerre faisait fondre comme la cire ce cristal réputé indestructible. La chaleur augmenta, forçant le contremaître à reculer. Ses mineurs vinrent se grouper derrière lui, ébahis. La lueur rosée de la sphère de cristal éclairait maintenant la caverne jusqu'aux lointaines parois. La chaleur devint si suffocante qu'ils durent retourner dans la mine. Aussitôt, le contremaître entreprit d'agrandir le trou.

Il ignorait que la rumeur de sa découverte venait déjà de s'échapper de sa mine et qu'elle se répandait dans les montagnes à la vitesse d'un incendie. Bientôt, elle atteindrait Yrka, tirant le roi de sa léthargie. Puis, elle franchirait les limites du royaume, traversant les terres et les océans jusqu'aux endroits les plus reculés. Commencerait alors une course effrénée, à qui mettrait la main sur cet objet légendaire. Car le contremaître avait raison : la découverte de la pierre de la guerre allait bouleverser tous les peuples de Melbïane.

CHAPITRE 1

ÉLÉONORE
DESCHÊNES

Le luxueux carrosse cahotait doucement sur la route sinueuse qui traversait le royaume de Dulcie du nord au sud. Depuis les derniers jours, il n'y avait eu que des champs à l'horizon. L'étendue verdoyante se perdait à l'ouest pour laisser place aux monts Mézarès, qui formaient une ligne gris foncé entre le ciel et la terre. D'innombrables villages apparaissaient à bonne distance de la route, petites taches sombres dans l'océan vert. Les rayons du soleil perçaient à peine la brume matinale, mais les paysans sillonnaient déjà leurs champs, où ils travailleraient jusqu'à la tombée de la nuit.

Une brise entra par la fenêtre de la cabine et vint caresser le visage de la jeune femme qui s'appuyait au cadre, agitant ses longs cheveux noirs. Éli observa avec nostalgie les branches des rares arbres qui se balançaient doucement. Il y avait déjà plusieurs semaines qu'elle n'avait pas mis les pieds dans une forêt et les arbres lui manquaient. Sortant légèrement la tête, elle regarda, au-devant de l'attelage, la longue ligne vert foncé qui barrait l'horizon au sud. Heureusement, elle y serait bientôt.

Le carrosse se dirigeait vers les bois les plus vastes du royaume de Dulcie, si vastes qu'ils séparaient celui-ci en deux, d'est en ouest. La forêt était entamée à plusieurs endroits par les bûcherons, mais même après des années de coupe, ils en avaient à peine percé l'immensité. Dans sa partie la plus étroite, il fallait près de trois jours de marche pour la traverser. C'était cette voie qu'ils empruntaient. Plusieurs chemins parcouraient ces bois, mais s'avéraient tous moins sûrs les uns que les autres. Même celui-ci, qui était le plus achalandé, était risqué. Cela expliquait la présence des quinze soldats qui les escortaient.

Éli savait que le roi tentait de débarrasser ces bois immenses des brigands qui y vivaient, mais les cachettes ne manquaient pas dans ces bois et les hommes en armure avaient peu de chance de neutraliser ces bandits qui, selon son expérience, connaissaient les lieux comme le fond de leurs poches. Il s'agissait donc là d'une lutte que le monarque était loin d'avoir gagnée.

Le soleil, d'un éclat aveuglant, apparut à l'est, au-dessus des champs, et la jeune femme dut rentrer la tête à l'intérieur de la cabine. Assise face à elle, sa voisine, assoupie depuis leur départ de l'auberge, poussa un grognement et tira son côté du rideau pour se protéger des rayons.

Les soldats avaient entrepris le voyage très tôt le matin même, afin de s'assurer d'atteindre un des villages fortifiés de la forêt avant la nuit. Malgré tout, les hommes semblaient nerveux. Deux d'entre eux chevauchaient près de sa fenêtre et, bien qu'Éli ne comprît pas ce qu'ils chuchotaient, elle devinait à leur regard soucieux qu'ils n'aimaient pas avoir à s'approcher de cet endroit. Leur main se portait sans cesse à la poignée de l'épée pendue à leur ceinture, comme pour y puiser de l'assurance. Pourtant, cette anxiété n'avait pas été aussi forte à l'aller, alors qu'ils avaient emprunté cette même route en sens inverse. Sans doute cela était-il dû à la découverte du vol de la pierre de la guerre qui venait de mettre le palais sens dessus dessous, provoquant le départ de tous les nobles visiteurs de la cité royale. Les soldats craignaient à coup sûr que les bandits aient également décidé de prendre ce chemin pour fuir vers le sud et ils se tenaient prêts à toutes rencontres.

Face à Éli, un nouveau grognement de sa voisine l'extirpa de ses pensées et, du coin de l'œil, elle vit celle-ci qui regardait d'un air maussade le rideau qui s'était soulevé à sa fenêtre. Les rayons du soleil naissant s'infiltraient maintenant dans le carrosse et l'empêchaient de se rendormir. Éli l'ignora. Malgré la monotonie du paysage, elle préférait nettement cette vue à l'intérieur sombre de la cabine. La mine irritée, sa voisine soupira et tenta de se cacher les yeux sous sa couverture de laine.

La jeune noble, nommée Mylène Delongpré, était la fille du duc Edward Delongpré, qui demeurait dans le sud du royaume de Dulcie, à Dégromn. Cette ville était leur première destination. Mylène portait de longs cheveux blonds gracieusement relevés au-dessus de sa tête en entrelacs de boucles qui retombaient par vagues sur ses minces épaules. Cette coiffure élaborée, ainsi que le maquillage discret qui l'accompagnait, avaient retardé leur départ d'une bonne heure, au grand désespoir des soldats. Appuyée sur le coussin de la banquette, elle plaçait sa tête en prenant soin de ne pas déranger sa chevelure. Une femme de son rang devait surveiller son apparence en toutes circonstances, peu importait son confort.

Détournant son regard de Mylène, Éli jeta un coup d'œil à ses propres cheveux noirs qui tombaient librement sur ses épaules, sans autre artifice qu'une chaînette garnie d'un diadème, pour les écarter de son visage. Son maquillage était tout aussi recherché que sa coiffure : trop de poudre blanche pour camoufler sa peau tannée par le soleil, un rouge à lèvres qui lui donnait l'air d'une poupée et un fard à paupières qui, loin de mettre son regard en valeur, paraissait lui enfoncer les yeux dans les orbites. C'était affreux, mais voulu, car cet accoutrement ridicule servait ses desseins. Néanmoins, elle ne pouvait s'empêcher de grimacer chaque fois qu'elle se voyait dans une glace.

Lors de leur première rencontre, la jeune noble l'avait tout bonnement dévisagée de façon si peu subtile qu'Éli avait failli éclater de rire. Mylène lui avait tout d'abord offert ses conseils pour améliorer son maquillage, mais, l'air offensé, elle les avait refusés et la noble n'avait plus abordé ce sujet. Cependant, Mylène prenait grand soin de ne pas se tenir à ses côtés en public et ainsi, Éli se retrouvait seule. Celle-ci ne se désolait toutefois pas de cette solitude qui confortait ses plans.

Elle n'avait pas été envoyée dans ce royaume pour se lier d'amitié avec les nobles dulciens. D'autant que Mylène était l'exemple parfait de la jeune femme artificielle et insipide dont le seul but était de conquérir un riche seigneur. L'ennui qui les habitait toutes deux à ce moment dans cette voiture était bien leur seul point commun.

Éli détourna son regard du délicat visage blanc de Mylène pour le reporter sur le paysage monotone des champs. Un grand oiseau noir surgit dans le ciel, volant gracieusement au-dessus de l'étendue verte, cherchant de quoi picorer dans les champs en ce début de printemps. Soudain, comme s'il sentait l'attention qu'elle lui portait, le corbeau effectua un large cercle et vint se poser sur la branche d'un arbre solitaire qui bordait la route. Lissant son plumage bleu-noir, il attendit que le carrosse arrive à sa hauteur et fixa alors un œil curieux sur Éli.

Celle-ci concentra davantage son esprit sur l'oiseau et apprit ainsi qu'il avait vu des cavaliers fouler cette route seulement quelques heures plus tôt. Ses sœurs se préparaient donc à l'attaque. Son séjour parmi les nobles tirait réellement à sa fin. Elle ébaucha un sourire qu'elle réprima aussitôt afin d'éviter que sa voisine ne le remarquât et ne la questionnât. Remerciant mentalement l'oiseau, elle lui permit de partir. Il vint alors se poser sur le rebord de sa fenêtre, croassa pour lui rendre son salut et s'envola vers les champs d'où il était venu.

— Quelle bête immonde! s'écria Mylène d'une voix stridente qui fit presque sursauter Éli. Je les déteste. Ma mère dit que c'est un mauvais présage. Messieurs les soldats, cria-t-elle en entrouvrant son rideau, pouvez-vous, je vous prie, empêcher ces bestioles d'approcher la voiture? Celle-ci a bien failli entrer.

Un «oui, mademoiselle» leur parvint de l'extérieur et Mylène soupira en agitant un éventail devant son visage hautain et indigné.

— Je déteste ces horribles bêtes, répéta-t-elle d'une voix plaintive. Et je déteste les voyages en carrosse.

Éli leva les yeux, désespérée par les lamentations qui allaient reprendre. Elle regretta d'avoir, malgré elle, tiré la jeune noble du sommeil.

— L'air est nauséabond, continuait Mylène, et les auberges des villages sont miteuses. Vous vous rendez compte! Les draps de mon lit n'étaient même pas parfumés.

La femme assise à gauche de la noble acquiesça avec vigueur. Le duc Delongpré et son épouse ne pouvant accompagner leurs filles, ils avaient chargé dame Katherine Demiléberg de veiller sur elles durant le voyage. Un large chapeau beige orné de rubans de soie bleus retenait ses cheveux bruns, dévoilant ainsi un long cou d'un blanc d'albâtre. Malgré sa cinquantaine, elle n'avait rien perdu de la grâce de sa jeunesse. Ses yeux bruns arboraient une expression aristocratique et altière témoignant de sa bonne éducation et de son respect absolu des convenances propres à la haute société. Ses lèvres minces esquissèrent un sourire méprisant.

— Oui, je suis parfaitement d'accord avec vous, ma chère, approuva dame Katherine. Par contre, il ne faut pas en vouloir à ces paysans. Ce sont des primitifs qui dorment sur la paille et se lavent à peine une fois tous les six mois, ils ignorent même probablement ce qu'est un parfum.

Éli allait exprimer son désaccord lorsque la petite fille, assise près d'elle, dit tout bas :

— Ils font ce qu'ils peuvent avec ce qu'ils ont. Comment sauraient-ils ce qu'est le parfum quand ils ont à peine de quoi manger ? Et surtout, pourquoi s'échineraient-ils pour nous, tandis qu'ils dorment sur la paille, justement ?

Mylène regarda sa sœur comme si sa remarque était d'une insignifiance rare, et s'indigna :

— Anna, que dis-tu encore ? Nous sommes des nobles et les paysans sont là pour nous servir.

Elle chercha du regard l'assentiment de dame Katherine.

— Tout à fait, ma chérie. Et vous, jeune fille, vous devriez apprendre à tenir votre langue au lieu de raconter des âneries. Contredire ainsi vos aînées et émettre des critiques hors de votre jugement, voilà un comportement que nous ne pouvons tolérer ! Soyez certaine que j'en ferai part à votre mère et vous savez combien votre attitude la chagrine.

Anna baissa les yeux sur sa robe, les joues rouges de honte.

— Je suis désolée, dame Katherine, murmura-t-elle.

L'enfant avait hérité des mêmes cheveux blonds que sa sœur, mais son regard bleu azur lui promettait déjà une plus longue liste de prétendants. Enjouée, elle montrait plus d'intérêt pour la plupart des sujets que les gens de son rang. Éli avait appris à aimer son esprit vif et son innocence. Elle se mordit les lèvres pour réprimer une remarque cinglante à l'intention de ces deux nobles dames, à propos d'esprits primitifs, et reporta son attention sur la forêt qui approchait. Bientôt, elle aurait fini de subir ces mégères.

Bien que cette quête fût loin d'être l'une des plus ardues qu'elle avait dû accomplir, celle-ci restait, de beaucoup, la plus pénible mentalement. Éli détestait les gens de la noblesse, surtout en Dulcie, où ils se considéraient comme des êtres supérieurs à qui il était permis, par la grâce de leur dieu, d'asservir le peuple. Leur vie était si superficielle, si dénuée de valeurs et de sens moral ! N'ayant jamais pénétré aussi loin dans ce royaume, elle n'avait pas remarqué le degré de décadence de cette société. Mais tout cela ne la concernait pas, sa quête était terminée, elle allait retrouver ses sœurs et s'en retourner chez elle, loin des nobles et au plus profond de la plus dense forêt de Melbïane.

— Comtesse Deschênes !

S'apercevant que dame Katherine s'adressait à elle, Éli tourna la tête.

— Vous semblez perdue dans vos pensées, très chère. Ma pauvre petite, votre première visite au palais n'aura pas été de tout repos, je vous l'accorde.

L'air affligé, elle poursuivit :

— Cette terrible affaire a bouleversé tout le royaume, vous n'êtes pas la seule à être perturbée.

Mylène l'interrompit d'une voix tremblante :

— Et dire que ces bandits se trouvaient dans la même bâtisse que moi. Oh ! J'en tremble encore. Je les imagine très bien : des voleurs mal fagotés, d'une laideur et d'une puanteur…

Tremblante, elle jeta pour se rassurer un regard inquiet aux soldats qui les escortaient et Éli leva son éventail pour dissimuler son sourire. Si seulement elle savait… Elle reporta son attention sur dame Katherine et fut soulagée de voir que celle-ci regardait Mylène. Elle n'avait aucune envie de répondre à cette fausse démonstration de sollicitude. C'était son titre qui lui valait un tel élan de gentillesse ; la dame n'avait aucun sentiment aimable à son égard. La comtesse Éléonore Deschênes maintenait une distance par rapport aux autres, ce qui lui conférait une allure prétentieuse et convenait parfaitement à son personnage de noble.

Les rayons du soleil qui pénétraient dans la cabine furent soudain masqués. La douce musique du vent dans les feuilles s'accentua et les soldats se rapprochèrent du carrosse tandis que la route se rétrécissait légèrement. Les arbres entourèrent peu à peu le groupe, puis la forêt l'engloutit entièrement. Éli oublia les deux nobles et respira longuement cet air, empli de l'odeur des bois, qu'elle avait tant attendue. Les oiseaux s'envolèrent en pépiant, annonçant à tous l'approche des humains. Elle sourit. Tous signalaient la même chose : il y avait eu plusieurs passages d'hommes dans les parages.

Le feuillage des arbres cachait maintenant complètement le soleil, et derrière les arbustes et les branches basses se perdaient les profondeurs de la forêt. Ils étaient isolés. Même le bruit des armures de leurs gardes du corps était absorbé par les mille bruissements de la forêt. Les hommes s'étaient tus, afin d'être aussi attentifs que possible à ce qui les entourait. Leur anxiété était contagieuse. Mylène porta une main à sa bouche et commença à se ronger un ongle en jetant des coups d'œil inquiets vers la forêt qui apparaissait à la fenêtre encore découverte d'Éli. Après quelques minutes, la jeune noble rencontra le regard réprobateur de dame Katherine.

— C'est disgracieux, très chère, dit-elle sèchement.

— Mais ces bois me rendent si nerveuse, avec ces histoires de voleurs ! expliqua Mylène.

Elle observa de nouveau craintivement les arbres qui défilaient.

— Ils pourraient se cacher n'importe où, supposa-t-elle plus bas, attendant le moment propice pour nous attaquer et...

— Voyons, en voilà assez, l'interrompit dame Katherine d'un ton sévère. Vous allez effrayer votre sœur avec ces sornettes !

Elle ajouta doucement :

— Les soldats à qui le roi a donné pour mission de nous escorter sont braves et forts. Ils sauront nous protéger.

Mylène se détendit un peu, mais fit un effort évident pour ne pas regarder à l'extérieur. Puis, n'y tenant plus, elle finit par fermer complètement le rideau, au grand désespoir d'Éli. Toutefois, celle-ci n'osa pas le repousser et provoquer ainsi un conflit avec la jeune noble. Après tout, cette dernière avait des raisons de se montrer craintive.

Elle repensa aux paroles de dame Katherine à propos des soldats. Forts, peut-être, mais braves… Éli se retint de rire. Avec leur armure rouge et or finement ouvragée, ils avaient fière allure, mais elle savait que l'épée qui pendait à leur ceinture ne servait qu'à effrayer des paysans déjà opprimés. Les soldats dulciens n'étaient pas réputés pour leur courage et encore moins pour leur habileté à manier les armes. Leur anxiété en était la preuve flagrante. Bien que ses sœurs vinssent rarement dans le royaume, elles aboutiraient rapidement à la même conclusion et pourraient simuler son enlèvement sans tuer personne. Éli sentit soudain Anna se blottir contre elle, sa petite main cherchant la sienne. Les yeux bleus croisèrent les siens et l'enfant demanda :

— Croyez-vous qu'il y ait vraiment du danger à traverser cette forêt, comtesse ?

— « Éléonore », Anna, la reprit la jeune femme pour la énième fois. Tu peux m'appeler par mon prénom.

Éli réfléchit un moment. Que devait-elle lui répondre, elle qui savait ce qu'il adviendrait ? Elle se sentait incapable de mentir à la fillette, l'unique personne avec laquelle elle avait établi un certain lien d'amitié durant son séjour et certainement la seule qui lui manquerait véritablement.

— Je pourrais te répondre non, mais ça ne serait pas honnête.

Dame Katherine lui lança un regard désapprobateur, mais resta muette, ne trouvant pas d'argument pour la contredire. Éli comprenait le désir de celle-ci de ne pas inquiéter ses protégées, mais était-ce le moyen approprié pour les préparer à faire face aux épreuves lorsque celles-ci surviendraient ? Elle ne le croyait pas. Ignorant dame Katherine, elle expliqua :

— La vie n'est pas toujours une joyeuse randonnée, Anna. Parfois, il y a des obstacles. Des obstacles qui font peur et même, qui font mal. Et si tu ne te sens pas la force de les surmonter seule, tourne-toi vers ceux qui t'entourent.

Anna regarda aussitôt Mylène et Éli poursuivit avec satisfaction, s'adressant cette fois aux deux sœurs :

— Et si vous êtes vraiment seules, tournez-vous vers le Créateur. Remettez vos craintes entre ses mains et demandez-lui la force de continuer. Il vous répondra.

Elle eut un léger sourire énigmatique et ajouta :

— Peut-être pas de la façon que vous espérez, mais il répondra. S'il survient quelque chose dans cette forêt, je suis certaine que tu sauras y faire face, bien mieux que plusieurs jeunes filles que j'ai connues.

La fillette se redressa avec fierté.

— Oui, déclara-t-elle avec force, j'en serai capable. Mon père dit souvent : «Garde la tête bien haute et le loup devant toi pliera l'échine. »

Éli hocha la tête.

— Mais s'il est vraiment affamé, continua Anna, alors prends tes jambes à ton cou et demande pardon à Dieu pour tes bêtises, car ton heure est proche.

— Anna ! s'écria Mylène, horrifiée à l'idée de la mort.

La fillette éclata de rire et Éli sourit en la serrant contre elle, bien qu'elle regrettât déjà la frayeur que l'attaque de ses sœurs allait lui infliger. Ces dernières ne feraient aucun mal aux femmes, mais elles ne les épargneraient pas verbalement. Elle passa une main dans les cheveux blonds d'Anna en se répétant amèrement que la fin justifiait les moyens.

Enveloppées dans la pénombre de la cabine, toutes restèrent silencieuses, chacune perdue dans ses pensées. Au-dehors, le souffle du vent dans le feuillage et le pépiement des oiseaux se mêlaient au bruit des roues et des sabots foulant la terre battue de la route. Bercées par l'oscillation du carrosse, Mylène et dame Katherine s'appuyèrent contre les cloisons et finirent par s'assoupir. Contre l'épaule d'Éli, Anna respirait doucement.

Éli, qui tentait de rester bien droite sur son siège, sentit bientôt le sommeil la gagner à son tour. Elle ouvrit discrètement le rideau et exposa son visage à la clarté à peine plus prononcée des bois et contempla ce paysage familier. Elle ne devait pas s'endormir. Rîamka, sa maîtresse d'armes, lui administrerait une raclée si elle ne la trouvait pas alerte et ses sœurs se moqueraient d'elle durant le reste du voyage. Surtout avec cette robe et ce maquillage grotesque… Éli soupira à cette idée et ses pensées se portèrent ailleurs.

Elle allait enfin retrouver Kalessyn. Le cheval l'avait suivie de loin durant toute sa quête, aussi impatient qu'elle de partir à bride abattue à travers ces champs interminables, pour regagner la maison. Sans doute y aurait-il une grande fête… Là-bas, toutes les raisons étaient bonnes pour faire la fête. Puis Krog… elle lui raconterait sa quête. Le rawgh était toujours friand des histoires d'humains. Ensuite, ils feraient la course dans la jungle, se baigneraient dans l'océan, grimperaient aux arbres pour contempler la voûte étoilée… Ses yeux se fermèrent alors qu'elle imaginait ce spectacle qu'elle connaissait par cœur. Elle se vit enveloppée d'étoiles et, sans y prendre garde, elle rejoignit ses voisines dans le monde des rêves.

CHAPITRE 2

L'EMBUSCADE

Des cris mêlés au vacarme d'armes s'entrechoquant sortirent Éli de son sommeil. Se redressant vivement, elle écouta ce qui se passait à l'extérieur et observa les trois autres occupantes. Les femmes s'éveillaient lentement et se regardaient d'un air interrogateur.

Le carrosse fit alors une violente embardée, ce qui les réveilla pour de bon. Des cris d'hommes leur parvenaient du chemin et Mylène, réalisant ce qui se tramait, se mit également à hurler. Dame Katherine n'émettait aucun son, mais son visage était l'exemple même de la terreur. La petite main d'Anna lui effleura le bras et Éli abaissa le regard vers elle. Les yeux de la fillette s'étaient agrandis d'effroi, mais elle restait muette. Un sentiment de culpabilité envahit Éli, mais elle se contenta toutefois de lui flatter les cheveux et de saisir sa main pour la tendre à sa sœur. Mylène la prit sans sembler s'en apercevoir, tournant un regard terrifié vers le rideau tiré.

Les épées se heurtaient les unes contre les autres dans un grand fracas et des corps tombaient à terre, au pied des montures. Le sergent vociférait des ordres incompréhensibles qui se perdaient dans les hurlements sauvages des assaillants. Le carrosse accéléra sa course, comme si le cocher tentait de fuir, mais le martèlement des sabots le rejoint rapidement. Une secousse laissa penser que l'un des cavaliers venait de sauter sur le siège du cocher et l'on entendit les éclats d'une altercation.

Mylène avait cessé de crier et se tassait contre dame Katherine, tentant de s'éloigner de son mieux de la fenêtre et de la portière. Elle tenait toujours la main de sa sœur entre les siennes tandis que leur accompagnatrice restait immobile, les doigts crispés sur sa robe, ignorant les deux filles apeurées.

Le carrosse s'immobilisa soudain, les propulsant les unes sur les autres, et elles entendirent le cocher chuter. Peu à peu, les cris des soldats, plus loin en arrière, se turent. Un silence de mort s'installa. Puis, des bruits de pas s'approchèrent de la portière, du côté d'Éli et de Mylène. Celle-ci émit un glapissement et se pressa davantage contre dame Katherine qui, toujours immobile, fixait des yeux hagards sur la portière. Anna se leva d'un bond en tirant les mains de sa sœur vers elle, prise d'une peur soudaine d'en être séparée. Feignant la même détresse, Éli s'éloigna aussi tout en prenant soin de demeurer au-devant des femmes.

Les pas s'arrêtèrent et l'assaillant ouvrit à la volée la mince portière de bois qui alla violemment frapper la cloison, provoquant un hurlement collectif des occupantes. Une silhouette noire, plus large que la portière, se détacha dans l'encadrement. Le cri qu'Éli se préparait à pousser pour laisser croire à son enlèvement resta coincé dans sa gorge.

Très habiles à se faire passer pour des hommes, ses sœurs, déguisées en bandits ou en mercenaires, devaient aisément parvenir à tromper les soldats. Or, le visage qui se penchait dans la pénombre de la cabine n'avait rien de féminin : c'était celui d'un homme, d'un vrai.

Il avait une quarantaine d'années, une mâchoire carrée sous des traits robustes et durs et la peau tannée par le soleil. Des cheveux roux en bataille tombaient sur ses épaules et son front, masquant en partie son regard.

Ses lèvres esquissèrent un sourire indéfinissable qui se perdait dans une barbe fournie, à peine plus rousse que sa chevelure. Le regard d'Éli s'arrêta soudain sur les dents que découvrait le sourire.

La dentition permettait d'évaluer l'adversaire : s'il avait toutes ses dents, cela laissait entendre que personne n'avait pu lui porter de coup assez fort pour les lui briser. Or, les dents de celui-ci étaient bien alignées… et blanches. Étonnée, Éli fronça les sourcils, oubliant un instant qu'elle était censée avoir peur. Blanches ! Depuis quand un brigand s'occupait-il de son hygiène buccale ? Elle reporta son regard sur le reste du visage, cherchant à y déceler une autre anomalie, mais dut remettre son enquête à plus tard, car l'homme étendit un large bras couvert d'une armure poussiéreuse et la saisit par l'épaule.

Sans ménagement, il la tira hors de la voiture et elle se retrouva devant une vingtaine d'hommes vêtus de pièces d'armure hétéroclites. Éli voulut évaluer la situation et se rappela soudain à nouveau qu'elle devait avoir peur. Trop sidérée par les événements pour émettre le moindre son, la jeune femme se contenta de s'adosser au carrosse et de jeter un regard terrifié autour d'elle.

Tout comme celui qui l'avait sortie de la cabine, les hommes étaient couverts de la poussière de la route, sans pourtant être crasseux. Elle pouvait le remarquer, tout d'abord parce qu'ils ne sentaient pas mauvais, ensuite à leur barbe propre. S'obligeant à détacher son regard du groupe, elle tourna la tête vers la route qui s'étendait derrière eux, et ses yeux s'arrêtèrent sur les soldats qui se trouvaient à une cinquantaine de mètres derrière la voiture. Les brigands les avaient attachés et assis en rond. Sept hommes les surveillaient tandis que trois autres rassemblaient leurs chevaux. Elle ne voyait aucun cadavre.

— Je vous en prie, gémit Mylène, extirpée à son tour du carrosse par le rouquin, ne me faites pas de mal. Je vous en prie…

Elle atterrit sur la route avec beaucoup moins d'aisance qu'Éli et faillit tomber, mais l'homme qui la tenait toujours par le bras la soutint et la stabilisa avant de la relâcher. Tous les regards se portèrent sur la noble blonde, qui sembla rapetisser. Complètement terrorisée, elle restait immobile devant les hommes qu'elle dévisageait de ses grands yeux gris. Éli interrompit son évaluation de la situation pour attraper le bras de Mylène et la tirer vers elle. La jeune noble cacha aussitôt son visage contre son épaule pour fuir la vision de leurs assaillants et fondit en larmes.

Plus doucement, le rouquin déposa Anna au sol et entra dans la cabine pour aller chercher la dernière occupante. Moins terrorisée que sa sœur, elle regarda autour d'elle et Éli écarta un bras. Sans attendre, Anna courut se réfugier à son tour contre elle et s'enveloppa dans les pans de sa robe. Éli referma son bras sur elle sans cesser de fixer les hommes.

La première fois qu'elle avait croisé leurs yeux, elle n'y avait lu que du mépris, teinté, pour certains, de concupiscence à la vue de Mylène. Or à cet instant, devant la fillette, elle voyait nettement se dérober le regard des hommes et même, pour certains, se baisser sous la honte. Ces forbans n'aimaient apparemment pas ce qu'ils faisaient. Pourtant, elles étaient bien toutes quatre l'objet de leur attaque, puisque rien de précieux n'était à voler dans le carrosse.

Le rouquin ressortit en tirant dame Katherine et la poussa vers elles pour ensuite leur faire face. Éli serra les deux sœurs contre elle et observa l'homme en prenant soin de bien conserver son expression terrifiée.

— Eldérick ! cria l'un des brigands qui se tenaient près des soldats. Que fait-on de ceux-là ?

Le rouquin se tourna vers eux et répondit :

— Entassez-les dans la cabine et ceux qui ne rentreront pas, attachez-les sur le toit et renvoyez cette joyeuse bande vers le palais !

Étonnée, Éli haussa un sourcil tandis que les hommes ricanaient. Le carrosse s'ébranla, les forçant à s'en éloigner, et les brigands lui firent faire demi-tour afin qu'il aille rejoindre leurs comparses. S'assurant qu'ils étaient bien attachés, les hommes poussèrent les soldats dans la cabine. Des injures s'élevaient de chaque côté, néanmoins, aucun coup n'était porté. L'attention d'Éli revint vers Eldérick, qui fixait ses quatre victimes. Les hommes encerclèrent celles-ci, attendant l'ordre de leur chef.

Eldérick était conscient qu'il ne pouvait perdre son temps sur la route, mais il se permit d'observer son nouveau butin. Même s'il savait que le carrosse transportait quatre femmes de la noblesse, il ignorait leur identité. Comme la plupart de ses hommes, il porta tout d'abord son regard sur la jolie blonde d'une vingtaine d'années, dont la beauté était frappante. Elle portait une robe bleu ciel couverte de minuscules perles blanches entrelacées de broderies compliquées. De fines dentelles garnissaient les extrémités du tissu aux poignets et à l'encolure. Le corsage étroitement lié révélait ses atouts et nul homme digne de ce nom ne se serait montré indifférent à ce spectacle. Un collier orné de pierres précieuses allait se nicher droit dans ce décolleté au charme dangereux. Cet arrangement avait certainement eu vocation d'attirer d'éventuels prétendants, mais, remarquant les yeux du bandit s'attarder sur sa poitrine,

Mylène remonta la dentelle de sa robe en gémissant. Il détourna le regard, satisfait de cette réaction : il ne souhaitait pas voir ses hommes tentés de porter la main où ils ne le devaient pas.

Il examina la femme plus âgée, qu'il devinait être l'accompagnatrice, puisqu'elle ne semblait pas être la mère des trois autres. Une large robe gris pâle ornée de rubans mauves laissait deviner une taille encore fine, voire un peu trop chétive. Quelques mèches s'échappaient de son chapeau et adoucissaient les traits hautains de cette femme sévère. Elle serrait les lèvres à tel point qu'elles fondaient en une sorte de cicatrice. Son regard flottait et elle semblait perdue dans un autre monde. Elle ne devrait pas lui opposer de résistance.

Par contre, la femme qui serrait les filles contre elle risquait de se défendre. Il regarda la fillette qui se cachait entre les plis de sa robe. Sa ressemblance avec l'autre blonde laissait penser qu'elles étaient sœurs. Les coups d'œil qu'elle jetait révélaient plus de curiosité que de crainte. Sa petite robe blanc et rose dessinait une silhouette robuste pour son âge.

Il marcha vers elles et fixa ses yeux sur la grande femme aux cheveux noirs qui les tenait. Elle le dépassait d'au moins cinq centimètres et levait le menton d'un air de défi. Eldérick, qui ne l'avait pas encore vraiment regardée, resta interdit. Elle avait un regard pénétrant qui vieillissait les vingt-cinq ans qu'on lui devinait pourtant. Simple et dépourvue d'ornement, sa robe verte, dont le collet montait jusqu'en haut du cou, dissimulait parfaitement ce qui, chez la noble blonde, était dévoilé. La femme avait un nez légèrement retroussé, des lèvres bien dessinées et des pommettes hautes qui rehaussaient son air hautain. Elle aurait pu être belle, n'eût été l'excès de maquillage. Toutefois, c'était assurément son regard qui le figeait ainsi. Il y avait, dans ces yeux vert émeraude, quelque chose de singulièrement dangereux qui éveillait le sixième sens du guerrier.

Les bras d'Éli se resserrèrent autour de ses deux protégées et Eldérick voulut ignorer cette impression ; elle n'était qu'une jeune femme courageuse, qui le défiait pour protéger ses amies. S'efforçant de paraître le moins dur possible, il déclara d'une voix douce, mais autoritaire :

— Vous allez venir avec nous, Mesdames. Restez calmes et obéissantes et il ne vous sera fait aucun mal.

Éli resta muette, à fixer l'homme. Elle avait espéré l'arrivée de ses sœurs, mais la forêt était si immense que celles-ci se trouvaient peut-être à des kilomètres de distance. Une seconde, elle s'était imaginée précipitant Mylène et Anna sur Eldérick pour le surprendre, frapper le brigand qui se tenait derrière elle et courir jusqu'aux chevaux regroupés quelques mètres plus loin. Elle aurait frappé l'un des hommes qui se trouvaient proches et aurait sauté sur une monture avant que les autres n'aient pu l'intercepter.

Mais la seconde était passée et, au lieu de jeter les deux sœurs dans les bras du brigand pour s'enfuir, elle avait resserré son étreinte. Bien qu'elle eût le sentiment grandissant que ces hommes ne constituaient pas un grand danger, elle ne pouvait se résoudre à abandonner les autres femmes.

Eldérick fit un signe à l'un de ses hommes, sans détacher son regard d'Éli. Autant entrevoyait-elle qu'ils n'étaient pas mauvais, autant pressentait-il que cette femme était plus dangereuse qu'elle ne le paraissait. Et avec raison. Cependant, Éli était plus curieuse que furieuse. Qui étaient ces hommes et que voulaient-ils faire d'elles ? Elle avait vu le regard d'Eldérick s'attarder sur la poitrine de Mylène, mais il ne lui avait pas échappé que l'étincelle d'envie s'était vite muée en lueur de désapprobation, celle d'un père face à l'impudeur de sa fille.

Un jeune homme d'une vingtaine d'années s'approcha d'Eldérick et ne regarda Éli que quelques secondes avant de fixer son regard sur Mylène. Ses cheveux blonds étaient retenus par un bandeau de cuir et sa barbe fournie se séparait en deux tresses. Aussi large que grand, il dépassait son chef d'une vingtaine de centimètres. Retirant ses gants de cuir épais, il questionna Eldérick du regard et celui-ci pointa Anna.

— Prends la petite, Éric.

Le grand blond sembla déçu et détourna ses yeux bleu clair de Mylène, qui, à la mention de « petite », avait relevé la tête qu'elle gardait jusque-là contre l'épaule d'Éléonore. S'arrêtant à la gauche d'Éli, il la fixa et posa sa main sur le bras dont elle entourait Anna. Elle sentit les doigts puissants du brigand lui enserrer le poignet, mais il interrompit sa pression avant de lui faire mal et tira doucement.

— Je vous en prie, supplia Éli d'une petite voix, nous vous suivrons, mais ne nous séparez pas.

— C'est impossible, répondit Eldérick, mes hommes vont vous prendre avec eux sur leur monture. Vous ne serez pas séparées de bien loin.

Elle hésita, mais Éric continuait de lui soulever le bras. Lorsque Anna fut dégagée, il se pencha et agrippa la petite par la taille. La fillette s'agrippa un instant à la robe d'Éli, mais, craignant de la déchirer, elle lâcha prise et Éric la prit sous son bras. Puis, abandonnant enfin le poignet de la jeune femme, il s'éloigna. À peine eut-il fait quelques pas que Mylène repoussa le bras d'Éli et, avant que celle-ci n'ait pu la retenir, courut vers lui. Stupéfaite, Éli fixa la noble qui s'élançait vers le grand brigand et le frappait de ses petits poings.

— Ne touche pas à ma sœur, sale porc, cracha-t-elle en se pendant d'une main au bras de l'homme et en tirant Anna de l'autre.

Sans s'énerver, Éric éloigna le bras qui tenait la fillette et attrapa l'un des poings de Mylène, qu'il leva jusqu'à ce qu'elle se retrouve sur la pointe des pieds. Anna en profita pour mordre le bras du bandit, qui la laissa tomber en grognant. Elle réitéra son attaque en lui administrant un bon coup de poing dans le bas-ventre. L'homme jura et tenta de saisir la fillette d'une main, l'autre retenant toujours Mylène, mais Anna lui échappa et tourna autour de lui en le frappant. Les hommes ricanèrent, puis s'esclaffèrent ouvertement, tandis qu'Eldérick et Éli, sidérés, fixaient Éric qui se débattait avec les deux filles.

— Pa! s'écria-t-il, un demi-sourire aux lèvres, en tenant les deux sœurs par les poignets le plus loin qu'il pouvait.

Eldérick chassa son sourire, soupira et marcha vers son fils en oubliant Éli. Cette dernière était trop surprise par la réaction de Mylène pour même penser à s'enfuir. Jamais elle n'aurait pu imaginer que la noble aurait eu le courage d'attaquer un homme de cette taille pour sauver sa sœur. Son amour avait réveillé en elle une force qu'elle devait ignorer, ce qui amena Éli à penser qu'il lui faudrait revoir son jugement à l'égard de la jeune noble. «Sale porc!» Elle se retint de rire et suivit Eldérick.

Le chef des brigands attrapa Anna qui se débattit comme un petit diable dans ses bras. Éli allait tenter de la calmer quand la fillette se figea brusquement, fixant Eldérick de ses grands yeux surpris et effrayés. La jeune femme s'arrêta près du brigand et remarqua sa main derrière la cuisse d'Anna; il venait de la pincer à travers sa robe.

Éli revit soudain toutes les fois où le comte Deschênes lui pinçait la cuisse sous la table pour l'empêcher de dire des bêtises lors de soupers mondains. Ce souvenir la cingla comme un coup de fouet. Il y avait dix ans qu'elle n'avait plus pensé à lui et elle n'aima pas le chagrin qui l'envahit.

Chassant ce visage de sa mémoire, elle s'obligea à regarder Eldérick, qui avait installé Anna, soudain très calme, sur sa hanche. Elle croisa les yeux bleus du brigand et dit doucement :

— Ce n'est qu'une enfant, je vous en prie, soyez indulgent !

— Mais je suis indulgent, répliqua-t-il. Et je le serais davantage si vous arriviez à calmer cette furie.

Éli se tourna vers Mylène, qui se tortillait toujours entre les bras d'Éric, qui ne semblait pas dérangé par le fait de devoir serrer la jeune femme contre lui. Elle s'approcha d'eux et faillit sourire en voyant un léger dégoût se peindre sur les traits de l'homme alors qu'il détaillait manifestement son maquillage. Mylène avait le dos appuyé contre le torse du brigand qui l'entourait de ses bras.

— Mylène, dit-elle tout bas en posant les mains sur les épaules de la jeune femme, nous devons obéir à ces hommes.

Elle se pencha et ajouta plus bas :

— Laisse au Créateur les obstacles que tu ne peux surmonter, Mylène. Fais-lui confiance.

Des larmes coulèrent sur les joues de la noble, mais elle parvint à retenir ses sanglots. Voyant qu'elle se calmait à son tour, Eldérick s'exclama avec satisfaction :

— Bien, très bien. Je vous sais gré, Madame. Si vous restez calmes, tout se passera très bien. Compris, petite démone ? ajouta-t-il à l'adresse d'Anna.

Cette dernière lui lança un regard plus boudeur qu'apeuré. Éli se doutait que la fillette n'avait déjà plus mal ; Eldérick l'avait mise sous ses ordres sans la blesser.

— Compris, petite démone ? répéta Éric en se penchant vers Mylène, leurs têtes se touchant presque.

La noble blêmit au ton suave du jeune homme et sembla se recroqueviller sur elle-même.

— Éric, nous ne sommes pas ici pour nous amuser, le réprimanda son père.

— Je sais, dit-il en souriant, je voulais simplement lui changer les idées.

Et ça fonctionne, se dit Éli en observant la rougeur sur les joues de Mylène. Malgré son armure rapiécée et ses manières rustaudes, Éric était un beau jeune homme et semblait très charmeur. Elle l'observa en souhaitant qu'il obéisse à son père et ne s'amuse pas trop avec Mylène.

Elle sentit soudain une présence près d'elle et se retourna pour se retrouver face à un grand homme au regard perçant. Il avait le nez droit et des lèvres sévères qu'entourait une barbe de quelques jours. Des cheveux bruns tombaient en mèches sur son visage, dissimulant à demi une cicatrice qui en barrait tout le côté gauche. Cette marque blanche sur sa peau bronzée lui donnait un air mauvais que démentait l'éclat rieur de ses yeux de jais.

Éli recula d'instinct pour ne pas avoir à lever la tête pour le regarder, mais il la rejoignit aussitôt, la saisissant par la taille. Surprise par ce geste, elle appuya une main sur son torse pour le repousser et dressa le poing, prête à lui décocher un coup bien placé sur la mâchoire. Les yeux noirs s'agrandirent et elle le sentit se raidir. Freinant brusquement son geste, la jeune femme se souvint qu'en tant que noble, il ne lui seyait point de frapper à coups de poing un homme. Elle revit Mylène criant et frappant en vain le corps massif d'Éric; Éli doutait de pouvoir y mettre un tel réalisme. Jouer les femmes de la noblesse était une chose, mais devoir agir en noble devant l'attaque d'un brigand en était une autre.

Voyant les sourcils froncés du bandit perplexe, Éli abaissa le poing qu'elle avait l'intention de lui écraser dans la figure et l'abattit sur son torse d'une force à peine capable de tuer un moustique. L'étonnement de Malek ne changea pas et la jeune femme prit l'expression la plus terrifiée qu'elle put, appuyant ses deux mains sur le pectoral de fer pour le repousser.

— Je vous en prie, murmura-t-elle d'une voix éplorée. Ne me faites pas de mal. J'ai dit que je vous suivrais.

— Malek, dit Eldérick, qui approchait sur son cheval, Anna assise devant lui, mon ordre tient aussi pour toi. Ne traîne pas.

Malek hocha la tête et reporta sur Éli ses yeux noirs étrangement brillants. Elle resta silencieuse, attendant, l'air éperdu, le prochain geste du brigand. Un sourire se dessina lentement sur les lèvres du jeune homme. Le coin gauche de sa bouche, empêché par la cicatrice, ne put imiter le côté droit et son sourire se mua en rictus mesquin. Son visage était effrayant et Éli remercia le Créateur d'avoir épargné le supplice de cette confrontation aux sœurs Delongpré. À l'inverse d'Eldérick et d'Éric qui n'avaient fait naître en elle aucune animosité, le regard impérieux et un rien méprisant de Malek l'irrita. Il semblait prendre plaisir à l'effrayer. Autant Éric devait se savoir plaisant à regarder, autant cet homme avait conscience de ne pas l'être. Immobile au milieu de la route, il la fixait intensément et Éli soutenait son regard, décidée à ne pas baisser les yeux.

Soudain, les yeux de Malek furent attirés par un éclat doré sur son cou. Elle porta les doigts à l'encolure de sa robe sans penser qu'elle accentuait ainsi l'intérêt qu'il portait à la chaîne. Une main plaquée dans le dos de la jeune femme pour la retenir, il saisit la chaînette et voulut sortir le collier, mais elle l'en empêcha. Lâchant la chaîne, il lui attrapa les poignets et, d'une main, les emprisonna derrière son dos. Éli fit mine de tenter de se dégager et s'aperçut, furieuse, que même en le voulant, elle n'y serait pas parvenue. Avec un sourire railleur, il tira la chaîne jusqu'à sortir le médaillon en or.

— C'est un joli bijou que tu as là, ma petite biche, fit-il d'un ton doucereux. Ça ne te dérangera pas que je le prenne, n'est-ce pas ?

Il glissa ses doigts sous la chevelure d'Éli et dégrafa d'un geste d'expert le collier qu'il recueillit agilement de la même main. Il le fit tourner devant ses yeux et le contempla un moment. C'était un médaillon en or de quatre centimètres de diamètre, sur lequel de fins sillons argentés représentaient un dragon et une femme. Chaque détail était minutieusement dessiné, ne laissant place à aucun défaut. La chaîne elle-même était une imposante tresse de fils d'or et d'argent. Ce magnifique objet devait valoir une fortune.

Le bijou s'ornait également de petits animaux de bois qui tintaient contre le médaillon. Ils étaient grossièrement taillés, comme de la main d'un enfant. Le jeune homme en isola trois cerfs et son sourire s'accentua alors qu'il les fit balancer sous le nez d'Éli. D'un ton moqueur, il déclara :

— Tout porte à croire que je vois juste, n'est-ce pas ma petite biche ?

La jeune femme le fusilla du regard avec une telle intensité qu'il eut, un bref moment, la certitude qu'elle aurait pu l'égorger sans aucune hésitation. Éli n'avait d'autre bien que celui qu'il tenait si négligemment à la main et qui était pour elle d'une extrême valeur. D'une voix mauvaise qui n'avait plus rien de noble, elle commença :

— Sale…

Mais elle se mordit aussitôt la langue pour ne pas lui lancer les pires injures, dignes des plus vils pirates de sa connaissance. Elle répéta finalement, d'une voix hésitante aux accents plus féminins :

— Sale… malotru !

Son insulte ressemblant davantage à une question, Malek se retint de répondre : « Oui, en effet, c'est ce que je suis. »

Il resta à la fixer, ses doigts jouant avec le pendentif. Cette jeune femme avait quelque chose d'étrange.

— Malek, c'est pour demain ou quoi ? s'écria l'un des brigands.

Le carrosse chargé de soldats était déjà loin et il ne restait que lui sur la route. Secouant la tête pour chasser ses pensées, il mit le bijou dans sa poche et fit basculer la demoiselle sur son épaule pour se diriger rapidement vers sa monture. Éli émit un bref cri de surprise, et il sentit ses deux mains pousser contre son dos alors qu'elle essayait de se redresser. Il resserra davantage son bras sur ses jambes pour éviter qu'elle ne tombe. Elle pouvait se vanter d'avoir du nerf, la petite biche.

Il la souleva en s'étonnant de son poids et l'assit sur son cheval. Elle avait pourtant l'air toute menue. Haussant les épaules, il sauta derrière elle, saisit les rênes d'une main et, de l'autre, empoigna la taille de la jeune femme. Elle était grande et il dut lui repousser la tête de côté à l'aide de son menton pour bien voir devant. Il s'était attendu à un parfum agressif qui lui aurait brûlé les sinus, mais elle embaumait l'air d'une étrange senteur de conifères. Il respira profondément en conduisant sa monture vers la forêt. C'était exactement l'odeur que devait répandre une fée des bois. Malek sourit : le voyage serait plus agréable qu'il ne l'avait cru.

Il rejoignit rapidement ses compères et ils zigzaguèrent entre les arbres jusqu'à ce que le soleil fût à son zénith. La jeune femme s'était calmée et s'efforçait à présent de rester droite afin ne pas le toucher. Les écarts du cheval, provoqués par Malek, la projetaient sans arrêt contre lui et Malek pensait qu'ainsi, elle finirait par se résigner. Pourtant, ils atteignirent le camp sans qu'elle eût renoncé à se maintenir à distance. Vraiment, elle débordait d'énergie et se révélait même plutôt forte pour une femme.

Eldérick arrêta le groupe aux abords du camp pour ne pas trop attirer l'attention sur les quatre nobles. Malek observait Éli par-dessus son épaule. Durant le trajet, son étrange sentiment était revenu. Elle était solide et il avait cru surprendre une lueur dure dans son regard. C'était insensé, mais depuis le début, il se surprenait à la surveiller comme si elle risquait de l'attaquer. Sautant à bas de sa monture, il se tourna vivement vers elle. Leurs regards se croisèrent et les yeux verts de la jeune femme se détournèrent aussitôt d'un air craintif. Malek se moqua de lui-même. Cette douce créature semblait aussi inoffensive qu'un chaton. Levant les bras, il la saisit par la taille et l'aida à descendre de cheval.

Eldérick arriva près d'eux et attrapa le poignet d'Éli. Il tenait la fillette sur sa hanche ; Éric suivait avec la belle blonde et la matrone. Ils les emmenèrent vers la cabane qu'ils avaient réservée aux prisonnières. Malek les regarda s'éloigner et se surprit de nouveau à surveiller les gestes de la grande femme. Il secoua la tête et dirigea sa monture vers les écuries, avec les autres. Il réfléchirait plus tard à la cause de ce sentiment, car pour le moment, il avait du travail.

CHAPITRE 3
QUELLE IRONIE!

Les mains croisées derrière la tête, Éli fixait le plafond fait de bois et de paille. Quelle ironie du sort la retenait, elle, la guerrière dont les échecs se comptaient sur les doigts d'une seule main, prisonnière d'une bande de paysans ? Innombrables étaient les occasions où elle aurait pu leur fausser compagnie, au prix, peut-être, de quelques coups, mais elle ne pouvait toujours pas se résoudre à abandonner Mylène et Anna.

Elle eut un soupir et se tourna vers elles. Terrassées d'épuisement, Mylène, Anna et dame Katherine dormaient depuis déjà plus d'une heure. Elle revoyait les larmes qui avaient trempé le col de leur robe. Elle s'était bien efforcée de les rassurer, mais elle ne pouvait se permettre de paraître trop confiante. Il était difficile d'imaginer comment les sortir d'ici sans leur dévoiler qu'elle n'était pas vraiment noble et, bien qu'ayant pensé inventer une histoire, elle ne se voyait pas expliquer à ces dames qu'elle avait appris à se battre dans son enfance. Elle avait donc abandonné cette idée. Mylène et Anna la croiraient peut-être, mais leur accompagnatrice aurait tôt fait de lui poser des questions.

De plus, elle avait bien tenté de situer le campement dans la forêt, mais Malek avait effectué plusieurs détours qui l'avaient complètement désorientée. Avec les femmes à la traîne, Éli serait rapidement capturée et les brigands ne se laisseraient pas duper une deuxième fois. Plus elle réfléchissait, plus elle se disait qu'elle n'avait d'autre choix que de se sauver seule.

Éli considéra Anna assoupie près de sa sœur, puis releva les yeux vers le plafond en évoquant les fréquentes mises en garde de sa maîtresse d'armes : elle ne devait s'attacher à personne lors de ses quêtes. Solitaire de nature, elle n'avait pas alors porté une attention particulière à ce conseil. Or, voilà qu'à présent, elle en comprenait la raison.

Elle songea à ses sœurs. Elles l'avaient sûrement cherchée. Éli les imaginait clairement suivant la route qui traversait la forêt jusqu'à l'endroit où s'était déroulée l'attaque. Elles avaient dû observer les empreintes pour saisir ce qui s'était produit et comprendre que les assaillants avaient fui dans les bois ; puis elles avaient scruté les profondeurs sombres, pour finalement repartir. Elles n'étaient probablement qu'une demi-douzaine et ne pouvaient risquer de s'enfoncer dans une forêt si vaste sans connaître les alentours ni l'identité de l'ennemi. Peut-être l'attendraient-elles à l'orée du bois une journée, tout au plus. Après quoi, elle serait laissée à elle-même. Après tout, ses sœurs ne venaient que pour la sortir de ce carrosse et lui permettre de quitter le royaume sans perdre sa couverture de noble. Ces brigands l'en ayant déjà sortie, il lui restait maintenant à s'enfuir de ce camp, avec ou sans les femmes. Éli soupira de nouveau.

Elle savait que sa quête importait plus que tout. En fermant les paupières, elle se revit quelques mois auparavant, debout face à la roche du conseil, aux côtés des mères, chefs de son peuple. Les eldéïrs, des êtres non humains qui veillaient sur les bois et leurs occupants, étaient venus lui confier la tâche de récupérer la pierre découverte par le roi Kordéron du royaume de Dulcie. Ils ne lui avaient pas précisé en quoi cet objet était si particulier et bien que les mères eussent hésité à l'envoyer seule à la recherche d'un trésor dont elles ignoraient les pouvoirs, les eldéïrs avaient insisté.

Éli avait un don. C'est pourquoi elle parvenait à accomplir les quêtes les plus ardues. De même, cela expliquait qu'elle ait été choisie pour cette mission, sans pour autant que cela soit dit formellement. Très sages, les eldéïrs voyaient souvent dans les événements ce que les autres ne pouvaient voir et les mères avaient finalement accepté de leur faire confiance et de la laisser partir seule. Éli avait deviné qu'il y avait un lien entre la pierre et son don, mais les eldéïrs n'avaient pas voulu être plus précis tant qu'elle ne l'aurait pas entre les mains.

Ensemble, les mères et les maîtresses avaient imaginé une couverture et élaboré un plan d'action pour reprendre la pierre au roi. Les maîtresses avaient consacré plusieurs jours à lui enseigner comment adopter le parfait comportement d'une noble et penser comme telle. Cela ne lui avait pas été bien difficile, puisque noble, Éli l'avait été dans son enfance. C'est elle-même qui avait proposé de reprendre sa propre identité pour se rendre dans le royaume. Elle savait que le comte Deschênes d'Ébrême n'entretenait aucun lien avec les nobles de Dulcie et que personne n'aurait eu connaissance de la disparition de sa fille, dix ans auparavant.

Les mères avaient de nouveau hésité, mais puisque cet expédient allait permettre à Éli de se fondre davantage dans la peau du personnage, elles avaient accepté. Toutefois, ce n'était pas pour cette raison qu'elle avait décidé de prendre son ancien nom. Dangereusement douée pour le mensonge, elle pouvait se faire passer pour n'importe qui. Non. C'était plutôt le côté ironique du procédé qui avait guidé sa décision. Éli collectionnait ce genre de situation et ne pouvait passer à côté de celle-ci. Même lors de ses quêtes les plus sérieuses, elle réussissait à trouver une pointe d'amusement. Ce que lui reprochaient souvent les mères et les maîtresses.

Anna s'agita dans son sommeil et, en articulant des mots incompréhensibles, ramena Éli à sa préoccupation initiale. Les eldéïrs lui avaient confié que le succès de cette mission permettrait de sauver plusieurs vies, indirectement peut-être, mais il ne fallait surtout pas que cette pierre, découverte par le roi, tombe en de mauvaises mains. Elle se tourna vers le petit visage endormi. À quoi bon épargner des milliers de personnes qu'elle ne connaissait pas si elle ne pouvait même pas sauver la vie d'une fillette qu'elle aimait et qui était réellement en danger ?

Elle passa les mains sur son visage. Le Créateur avait parfois le don de vous plier à des choix difficiles. Des obstacles, comme elle-même l'avait déclaré. Confiance, se dit-elle. Fais-lui confiance.

— Que voulez-vous de moi, au juste ? implora-t-elle en fixant le plafond. Vous savez à quel point ma quête est importante, mais faut-il pour cela que j'abandonne ceux que j'ai appris à connaître ? Je ne sais que faire. Éclairez-moi, je vous en prie !

Dehors, un silence profond régnait. Fermant les yeux, Éli tenta de s'endormir, mais le sommeil la boudait. Elle se leva, se mit à faire les cent pas et s'arrêta brusquement alors que son regard tomba sur les femmes. Le plancher craquait et elle risquait de les réveiller.

Avec un soupir consterné, Éli se rassit sur le lit et examina la cabane dans laquelle les brigands les avaient enfermées. Elle connaissait déjà chaque interstice pouvant lui permettre de déloger les planches et de s'enfuir. Elle chassa cette pensée. Si elle continuait à réfléchir à sa quête, elle ne s'endormirait jamais. Les yeux rivés sur la porte verrouillée, elle se remémora leur arrivée au camp.

Eldérick s'était arrêté en bordure d'une clairière aux arbres à peine moins rapprochés que dans le reste de la forêt. Des cabanes de rondins et de planches se distinguaient entre les troncs, adroitement camouflés par le feuillage. Éli n'avait pu les compter, mais ils étaient au moins une centaine au sol et dans les arbres. Des passerelles, également dissimulées dans les branchages, enjambaient le camp d'une cabane à l'autre. Dans les endroits les plus dégagés, chèvres, cochons et moutons broutaient dans de petits enclos. En les interrogeant mentalement, Éli avait appris qu'ils étaient bien traités. Un autre point pour les brigands. En outre, les chevaux semblaient dévoués envers leurs maîtres, celui de Malek, tout particulièrement.

Éli avait tenté d'obtenir de l'animal qu'il s'arrête ou dévie de sa route ; non pour se sauver, mais pour ennuyer son agresseur. Toutefois, le cheval avait résisté. Elle aurait pu insister jusqu'à l'y contraindre, mais elle respectait trop les animaux pour agir ainsi. Malek devait être un excellent cavalier pour que son destrier lui montre tant de loyauté et, en y repensant, elle ne pouvait nier avoir ressenti une certaine admiration pour cet homme, même si celui-ci l'irritait.

Elle porta la main à son cou qu'avait orné le médaillon depuis ses plus jeunes années. Malek le lui avait volé, simplement parce qu'elle ne s'était pas abaissée devant lui comme il l'aurait souhaité. Il y avait, dans son regard, une sorte de rancœur qu'elle devinait être de la haine envers la noblesse.

Cette pensée en fit naître une autre. Éli revit les marmites dont le contenu bouillait au-dessus des feux et les vêtements qui flottaient au vent, pendus à des cordes attachées entre les arbres. Elle n'avait pas pu examiner le campement plus en détail, car le chef des brigands les avait immédiatement conduites dans cette cabane. Les hommes les avaient rapidement entourées, comme pour les cacher, et les y avaient enfermées en indiquant qu'ils ne leur feraient rien, à la condition qu'elles restent tranquilles. L'un des guerriers leur avait apporté de la nourriture dans la soirée, et c'est à peine s'il leur avait accordé un regard. Éli n'avait donc pas eu le temps d'apercevoir quiconque dans le campement. Par contre, de l'intérieur de leur prison, elle pouvait entendre les cris d'enfants et les réprimandes des mères. Elle avait connu plusieurs camps de bandits et une chose leur était commune : aucun ne s'encombrait d'autant de femmes et d'enfants.

Elle passa la main sur l'épaisse fourrure qui recouvrait son lit et regarda celles des dames. Cet endroit ressemblait davantage à un campement de réfugiés qu'à un repaire de brigands. Cette considération la frappa. Mais bien sûr ! Des paysans réfugiés ! C'était donc cela ! Mais que comptaient-ils faire d'elles ? Éli dut s'avouer qu'elle était plutôt curieuse de connaître leurs intentions. La curiosité était l'un de ses principaux défauts, après la témérité et l'orgueil.

La jeune femme s'étendit sur la douce fourrure, un sourire aux lèvres. Sa quête pouvait attendre. Elle resterait quelques jours, juste pour voir. Et qui sait ? La solution se présenterait peut-être d'elle-même ; c'était déjà arrivé, à plusieurs reprises. De toute façon, tant que ses ravisseurs la croiraient aussi inoffensive que ses compagnes de captivité, elle tenait la clé de sa prison entre les mains et pourrait s'en servir au moment voulu. Pour l'instant, elle avait besoin de sommeil. Depuis bien longtemps, Éli avait compris qu'il lui fallait se reposer chaque fois que l'occasion lui en était donnée, car elle ignorait combien de temps elle allait devoir rester éveillée les jours suivants. Elle ferma les paupières dans une seconde tentative et se laissa bercer par les bruits légers de la nuit.

CHAPITRE 4

CELLE QUI N'EST PAS CE QU'ELLE PARAÎT

— Arrête de jouer avec ce truc, sinon je te l'arrache et je te le fais bouffer, s'écria Éric d'un ton menaçant.

Le grand blond se débattait avec ses longs cheveux pour les tresser. Il sauta à bas de son hamac et s'avança vers Malek, qui le regardait avec méfiance sans cesser de faire tourner le pendentif devant ses yeux. Un sourire taquin apparut sur ses lèvres et il répliqua :

— Tu crois vraiment que j'ai peur d'un homme qui s'occupe de ses cheveux comme une femme ?

Éric croisa les bras et dévisagea Malek, cherchant comment répondre à cet affront. L'expérience lui avait enseigné qu'en portant des coups à son compagnon, on ne gagnait que des blessures, ce dont il n'avait pas envie ce soir. Malek avait beau ne pas être aussi large que lui, sa rapidité compensait largement ce désavantage. Non ! Il devrait se défendre par la parole, même sans grande habileté. Il se gratta la tête sous le regard moqueur de son ami.

— Eh bien ! dit-il avec suffisance. Étant bel homme, enfin, selon l'opinion de toutes les femmes que j'ai fréquentées, il est normal que je m'occupe de mon apparence. Contrairement à quelqu'un de ma connaissance qui est d'une laideur à effrayer un rawgh!

Malek observait le médaillon en se berçant négligemment sur son hamac. Leur cabane, construite entre trois arbres, était légèrement de guingois, ce qui les empêchait de dormir dans un lit. Certaines cabanes étaient mieux construites, mais ils avaient eux-mêmes fabriqué celle-là dans leur jeunesse, ce qui lui conférait une valeur sentimentale. Elle ne contenait aucun meuble et leurs effets étaient éparpillés sur le plancher de bois : vêtements, armures, armes et plusieurs livres. Ces derniers se trouvaient tous du côté de Malek. Un petit espace libre entre les deux hamacs leur permettait de se rendre jusqu'à la porte ou à l'une des trois fenêtres. Ils ne rangeaient rien, sauf lorsqu'une odeur désagréable laissait deviner un reste de repas oublié par Éric près de son hamac.

— Bien envoyé, Éric, répondit Malek. Mais si tu veux savoir, j'aime mieux être un homme laid qu'une belle femmelette.

Il sourit et lança un coup d'œil à son compagnon. Ce dernier grogna. Ils pouvaient continuer comme cela longtemps. Éric préféra donc changer de sujet, d'autant qu'il savait d'avance qui gagnerait.

— Veux-tu un peu m'expliquer pourquoi tu t'acharnes à examiner ce bijou? Il vaut cher, mon père te l'a déjà dit.

— Je réfléchis, répondit Malek. Quoique je doute que tu saches ce que ce mot signifie…

Éric reprit sa lutte avec sa longue chevelure et déclara :

— Je ne vois pas à quoi tu peux bien réfléchir en regardant ce pendentif. Certainement pas à sa propriétaire!

— Justement!

Le géant blond haussa les sourcils et s'écria :

— Quoi? Cette mocheté? Je veux dire, si l'objet appartenait à une fille comme celle que j'ai ramenée, je comprendrais.

Éric sourit et moula l'air de ses mains.

— Tu aurais dû la sentir contre toi, sentir toutes ses courbes. J'avais même une vue splendide sur la naissance de sa poitrine. Wouf! Mon gars, c'était du spectacle! À en donner l'eau à la bouche, je te le dis.

Dans un profond soupir, il se jeta sur son hamac.

— Et dire qu'elle est couchée dans une cabane, tout près…

Il se tourna vers Malek, les yeux rêveurs.

— Je pense que je ne dormirai pas de la nuit…

Son compagnon émit un rire sec.

— Moi non plus!

Éric se leva sur un coude et le dévisagea en remettant en question son acuité visuelle.

— Pourtant, dit-il, je ne vois rien d'attirant chez cette fille. Elle est trop mince, trop maquillée, trop grande et, en plus, elle ne semble pas avoir beaucoup de poitrine. En fait, elle n'a absolument rien de spécial.

Secouant la tête d'un air songeur, Malek répliqua :

— Si, justement, elle a quelque chose de spécial. Et cette impression m'est venue à l'esprit un bref instant, l'espace de quelques secondes, et je suis à la fois incapable de me débarrasser de ce sentiment ni de me l'expliquer. Par contre, je sais que ça a commencé au moment où j'ai pris ce pendentif. Et je veux comprendre. En me remémorant cet instant, j'aurai peut-être la chance de me rappeler d'autres sensations. Tu comprends?

Éric secoua la tête de désespoir.

— Pourquoi t'amuses-tu toujours à te torturer ainsi l'esprit? Tu as le don de compliquer les choses pour rien.

Le hamac de Malek se remit à craquer alors qu'il recommençait à se balancer en fixant le pendentif.

— On le sait bien, marmonna-t-il, pour toi, moins on pense, mieux c'est…

— Ben tiens !

Éric rabattit ses fourrures sur lui et s'installa confortablement. Lorsqu'il eut fini de bouger, Malek lui dit :

— Bonne nuit, vieux !

— Bonne nuit ! Et bon réfléchissement !

— Ouais, c'est ça !

Malek observa les reflets de sa lampe à l'huile sur l'or du médaillon. Au bout de quelques minutes, les ronflements d'Éric vinrent briser le silence. Il regarda son compagnon en souriant : bien que les femmes aient une grande importance dans la vie d'Éric, elles ne vaincraient certainement pas son sommeil. Puis, il ne se cassait pas la tête pour rien : il y avait bel et bien quelque chose qui clochait chez cette fille. Il se souvint de son odeur et de sa vigueur, mais ce n'était pas cela qui avait provoqué cette étrange sensation de danger. Ce médaillon seul lui apporterait la réponse, dût-il y passer la nuit.

Il regarda le pendentif et revit les événements précédents pour la énième fois. En lui seul, le bijou était une étrangeté. Sur une face figurait une femme vêtue d'un pantalon et d'une tunique, marchant au milieu d'une plaine, les cheveux ondulant au vent, et sur l'autre, un dragon occupait à lui seul la quasi-totalité de la surface. Malek passa son pouce sur les motifs en tâtant les stries. C'était un travail parfait, magnifique, mais qui pouvait porter un bijou semblable ? Bien qu'il eût pu être conservé dans un coffret, il était trop gros pour être gracieux au cou d'une femme, d'autant qu'il était alourdi par ces petits animaux de bois sans valeur.

Le médaillon continuait de tournoyer au bout de sa chaîne ; la femme, le dragon, la femme, le dragon… Dans ce mouvement de rotation, les motifs des deux faces se superposaient, créant l'illusion d'une femme chevauchant la créature mythique, les sillons de la plaine au milieu de laquelle elle marchait se confondant avec les ciselures représentant le dragon. Malek resta à examiner ce phénomène avec stupéfaction.

Au cours des dernières années, il avait dérobé d'innombrables bijoux, mais aucun ne lui avait donné une si forte impression de grandeur. Il y avait de la magie dans ce médaillon. Malek avait vécu assez longtemps à la citadelle des magiciens pour savoir reconnaître un artefact magique.

Sans cesser de le faire tourner, il approcha l'objet de ses yeux afin de mieux l'examiner. Le profil de la femme était doux et paisible, mais superposé au dragon, des stries dans le pendentif conféraient au personnage une expression sévère, presque agressive. Soudain, il oublia le médaillon et revit clairement les yeux vert émeraude à l'éclat meurtrier. C'est ce qu'il avait vu sans y croire lorsqu'il s'était emparé du collier de la femme et ce qui avait fait naître ce sentiment de méfiance envers elle.

Du même coup, il se souvint du regard froid et réfléchi qui les avait balayés lorsqu'elle était sortie du carrosse. Ce regard qui était revenu à plusieurs reprises tout au long de l'événement et qui, chaque fois, avait rapidement été remplacé par de la peur. C'est ce qui avait fait que personne ne semblait l'avoir remarqué.

Cette femme n'était pas une noble! Malek s'assit si brusquement dans son hamac qu'il en tomba par terre, réveillant Éric qui se leva précipitamment, l'épée à la main.

— Qu'est-ce qui se passe? cria-t-il en regardant autour de lui en cherchant d'où venait le danger.

Malek se releva, l'air alarmé.

— J'ai trouvé! s'écria-t-il. Elle n'est pas noble.

Il s'approcha d'Éric, qui abaissait son arme d'un air hésitant, et il brandit le médaillon.

— Tu vois ça ? Ce n'est pas un médaillon ordinaire. C'est un artefact magique et cette femme n'est pas une aristocrate. Regarde bien !

Il fit tournoyer l'objet devant ses yeux.

— Tu vois ! Regarde la cavalière du dragon, regarde son visage. Ne vois-tu pas la ressemblance ? N'as-tu rien remarqué dans le regard de cette femme lorsqu'elle s'est retrouvée parmi nous ?

Éric jeta violemment son épée à côté de son hamac, interrompant son ami, et s'écria avec colère :

— C'est pour ça que tu as fait tout ce raffut et que tu m'as réveillé ? Pour ce bijou merdique !

Il fit un mouvement pour le lui arracher des mains et le lancer par la fenêtre, mais Malek, plus rapide, le tira hors de sa portée.

— Tu n'écoutes pas ce que je te dis… gronda-t-il.

— Je m'en fous, de ta chevaucheuse de dragon et de tes fabulations. Crois-tu vraiment que j'ai perdu une seconde à regarder cette poupée mal peinturée alors qu'il y avait une déesse juste à côté ? Cesse donc de penser, un peu. Ne vois-tu pas ? Regarde dehors, il fait noir. Ça, ça veut dire que c'est la nuit et la nuit, on dort. Alors, couche-toi et laisse-moi rêver…

— Ah ! C'est donc ça ! répliqua sèchement Malek. Eh bien ! Va te recoucher et retourne rêver à ta déesse. J'irai en parler demain à des gens qui ont plus de cervelle et qui savent observer.

— C'est ça !

Éric se retourna brusquement et s'étendit sur son hamac en marmonnant contre le maudit médaillon et surtout contre ce foutu Malek qui était incapable de prendre la vie simplement. Son compagnon marcha jusqu'à la porte et l'ouvrit sans bruit. Seule la lune éclairait le camp et il ne pouvait voir jusqu'à la cabane où se tenaient les captives. Ses pensées se bousculaient. Oui, il avait raison : la femme qu'ils avaient enlevée n'était pas celle qu'elle laissait paraître. Sinon, pourquoi feindrait-elle la peur en cachant ses véritables sentiments ? Et ce poing qu'elle avait levé comme pour le lui asséner sur la figure ? Tout d'abord surpris, il avait finalement effacé cette menace de son esprit, lorsque le poing était retombé faiblement sur sa poitrine. Oui, elle avait voulu le frapper. Elle savait donc se battre. Cela expliquait sa vigueur et sa robustesse. Il n'était pas naïf au point de ne pas croire qu'il existait des femmes dangereuses.

Sale malotru ? Malek ricana. Depuis le début, il s'en était aperçu, mais il n'avait pas voulu s'écouter. Il fit un pas vers la cabane qu'il ne parvenait pas à distinguer, puis s'arrêta. Cinq gardes la surveillaient et cette femme n'avait pas tenté une seule fois de fuir durant le trajet, même quand ils s'étaient trouvés seuls ; c'est donc qu'elle ne tenterait probablement rien cette nuit. Il fallait qu'elle crût son secret bien gardé. Un sourire malicieux aux lèvres, Malek fit sauter le médaillon dans sa main et l'enfila autour de son cou.

D'un pas silencieux, il revint à sa cabane et s'installa sous les fourrures de son hamac. Il étendit la main, éteignit la lampe à l'huile et se cala le bras sous la tête. Demain, il irait en parler à Eldérick. Lui aussi devait avoir perçu cette lueur dans le regard de la femme. Il avait semblé à Malek qu'il l'avait observée plus longuement que les autres. La petite biche aurait des explications à leur donner. Fier de lui, il ferma les paupières, une main sur le médaillon posé sur son torse.

CHAPITRE 5

LA DEMANDE
DE RANÇON

Balo, l'un des chiens de garde du camp, leva la tête, tiré de son sommeil par les éclats de rire des hommes qui occupaient la pièce. Il grogna et lança un regard chargé de reproches à Eldérick. Ce dernier se pinçait les lèvres pour ne pas rire également. Assis, les pieds sur une grosse table en chêne, il se massait le nez en regardant Malek avec désolation.

— Malek, dit-il en abaissant sa main pour se croiser les bras, tu as toujours eu trop d'imagination…

Celui-ci fronça les sourcils de frustration et s'offusqua :

— Imagination ! Mais, Eldérick…

— Malek, l'interrompit de nouveau le chef des brigands. Tu es l'un de mes meilleurs combattants et tu as beaucoup d'expérience dans ce domaine, je l'admets. Par contre, c'est la première fois que tu enlèves une femme et je peux comprendre que tu te méprennes sur ses réactions. Mais il va falloir que tu apprennes à freiner cette incroyable imagination qui est la tienne, mon fils, parce que là, franchement, une espionne…

Malek leva les bras en soupirant de désespoir.

— Je n'ai pas dit que c'était une espionne, se défendit-il. J'ai seulement dit que cette fille est plus qu'une noble et qu'elle cache quelque chose. Sinon, je ne vois pas pourquoi elle agirait ainsi.

Un homme d'une quarantaine d'années, beaucoup plus petit que Malek, mais de la carrure d'un ours, vint lui poser une large main sur l'épaule pour le calmer. Ses cheveux, courts, mais broussailleux, étaient noirs comme la longue barbe qui lui descendait jusqu'à la taille. Ses yeux bruns disparaissaient, mangés par d'épaisses arcades sourcilières et un nez proéminent. Bien que l'on n'attendît pas de combat, il avait revêtu son armure de cuir épais et ses plaques de métal. Seule manquait sa hache dont la gaine vide pendait dans son dos. Toutefois, cette arme à deux tranchants ne reposait jamais bien loin.

— Écoute, Malek, dit-il d'une voix grave, les femmes ont parfois des réactions bien étranges et je ne crois pas qu'il existe un seul homme sur cette terre capable de les comprendre.

— Karok a entièrement raison, appuya Eldérick. De toute façon, comment veux-tu que cette femme nous cause des problèmes ? Elle est seule contre une centaine d'hommes armés.

Malek se renfrogna et marmonna :

— Bien ! Pensez ce que vous voulez et ne me croyez pas, mais je garderai cette fille à l'œil.

— Fais donc cela ! s'exclama Eldérick. Lorsqu'elles viendront, je l'interrogerai davantage, si cela peut te faire plaisir.

Les hommes étouffèrent leurs ricanements et Malek sortit en claquant la porte derrière lui. Un grand guerrier à la silhouette décharnée, mais aux traits solides, secoua la tête en soupirant. Il avait de longs cheveux bruns et une courte barbe taillée au couteau. Contrairement à Karok, il ne portait qu'une chemise de daim et un pantalon de tissu épais qui disparaissait sous des bottes de cuir usées. Ses yeux vert-brun s'étaient dirigés vers la porte tandis que ses lèvres minces s'étiraient en un sourire amusé.

— Ce petit passe trop de temps à lire des histoires à dormir debout, commenta-t-il. Il voit des intrigues partout. Une espionne. Et puis quoi encore ?

— Zyruas a raison. Et même si c'était une magicienne, suggéra Karok en croisant ses bras sur son large torse, j'en fais mon affaire. La magie, ça ne m'inquiète pas.

Eldérick restait songeur. Malgré l'assurance de son guerrier, il se méfiait des magiciens. Jusqu'à ce jour, ils n'avaient pas eu de difficulté à se défendre contre ceux que leur avait envoyés le roi Kordéron avec ses soldats, mais on n'était jamais trop prudent. Il se tourna vers un homme resté à l'écart, le dos appuyé au mur de la cabane, sa peau sombre se fondant dans l'obscurité des lieux. Ses vêtements amples, tout aussi sombres, étaient maintenus autour de sa taille par des bandes de tissu. Ses cheveux noirs étaient coupés court, à l'exception d'une dizaine de tresses qui pendaient du sommet de sa tête jusqu'à ses épaules. L'homme venait des tribus du désert, au sud d'Ébrême, le royaume voisin. Pour avoir longtemps côtoyé les sorciers, il lui était facile de reconnaître les magiciens.

— Dowan, dit Eldérick, tu n'as pas encore donné ton opinion.

L'homme du désert secoua la tête en faisant danser ses tresses. Sans se séparer du mur, il porta la main à l'une des dagues que dissimulait sa large ceinture de tissu et la fit jouer entre ses doigts. Il était de taille moyenne et sa musculature fine et souple lui donnait une redoutable agilité. D'une voix profonde qui n'avait pas l'accent caverneux de Karok, il déclara :

— Malek a raison en disant que cette femme est particulière, mais elle n'est pas magicienne. Enfin, ajouta-t-il en voyant l'expression satisfaite d'Eldérick, je pourrais me tromper...

— Mais ce n'est jamais arrivé, l'interrompit Karok.

— Non, en effet, conclut Dowan. Par contre, ces dames ont fait preuve de plus de courage que les nobles, hommes ou femmes, que nous avons l'habitude d'attaquer. Je crois que c'est ce qui a mis Malek en alerte et qui devrait nous éveiller, nous également. Certains animaux traqués peuvent s'avérer des adversaires de taille, même si, en temps normal, ils sont inoffensifs. Nous en avons eu un aperçu hier.

Karok éclata de rire.

— Adversaire de taille ! s'exclama-t-il. Cette petite blonde ? Je ne crois pas qu'Éric se soit senti menacé, ne serait-ce qu'une seconde.

— Non, appuya Dowan de la même voix calme, mais la grande femme aux cheveux noirs est plus réfléchie que l'autre. Si elle attaque, ce ne sera pas pour donner des coups inutiles. Elle pourrait très bien blesser gravement ou même tuer pour s'enfuir.

Devant les expressions perplexes des hommes, il expliqua :

— Les femmes de votre peuple ne sont pas dangereuses, mais il n'en est pas ainsi partout. Tu veux mon opinion, Eldérick ? Fais surveiller celle-là pour lui ôter toute chance d'évasion et laisse à Malek le soin de vérifier son hypothèse. Tu n'y perdras rien.

— C'est vrai, approuva le chef des brigands. Karok, va faire chercher les femmes. Et dis aux hommes de garder un œil sur celle aux cheveux noirs.

Le guerrier trapu sortit sans pouvoir réprimer un ricanement.

Un coq chanta et Éli entrouvrit un œil. Les rayons du soleil commençaient à filtrer par les lézardes du mur et une délicieuse chaleur envahissait la pièce. La jeune femme s'étira et s'assit, écoutant les allées et venues des hommes à l'extérieur. Quelques minutes plus tard, Mylène et Anna se frottaient également les yeux en se demandant où elles se trouvaient. Lorsque le regard de Mylène croisa celui d'Éli, la mémoire lui revint et elle se mit aussitôt à gémir. Anna se blottit contre elle pour la réconforter. Éli cherchait des paroles apaisantes lorsqu'une voix autoritaire s'éleva du fond de la cabane :

— Cessez de geindre ainsi, Mylène. Une dame de notre rang doit bien se tenir.

Le ton hautain de la matrone irrita hautement Éli, qui répliqua ironiquement :

— Oui, et elle doit aussi laisser les autres subir des sévices sans intervenir.

Elle n'avait pu s'en empêcher. Les dames la regardèrent, interloquées par tant d'insolence : elle qui était habituellement si réservée ! Dame Katherine pinça les lèvres en la dévisageant sévèrement et, d'un ton sec, ordonna :

— Anna chérie, viens m'aider à me rendre convenable. Il faut montrer à ces brigands qu'ils ont à traiter avec des dames de la haute société.

Exaspérée, Éli leva les yeux au plafond, puis s'approcha de Mylène. Lui prenant chaleureusement la main, elle murmura :

— Je sais que vous avez peur. Nous sommes toutes effrayées, mais essayez de faire un effort, non pour tenir votre rang, non, mais par égard pour elle.

Ce disant, Éli désigna Anna qui coiffait de son mieux, sans autre instrument que les peignes qu'elle portait, les cheveux de dame Katherine. Mylène sourit en regardant sa sœur et Éli vit ses yeux se remplir d'amour. Elle continua :

— Elle a besoin que vous soyez forte et je sais que vous en êtes capable. Je l'ai vu, hier.

Mylène la fixa, une larme roulant encore sur sa joue. Elle l'essuya du dos de sa main et demanda d'une voix faible :

— Pourquoi êtes-vous si gentille avec moi alors que j'ai toujours été si arrogante envers vous?

Éli sourit et lui répondit :

— Eh bien! Parce que je crois que lorsqu'une femme s'attaque à un homme aussi imposant, cela vaut la peine d'apprendre à mieux la connaître.

Apercevant une lueur de fierté dans les yeux de Mylène, elle continua :

— Vous avez fait preuve d'un grand courage. Vous avez de quoi être fière.

Mylène rougit au compliment et le petit sourire qui illuminait son visage laissa croire qu'elle se sentait réconfortée. Elle demanda :

— Vous croyez vraiment ce que vous dites?

Éli hocha vigoureusement la tête.

— Absolument!

— Alors, je dois être franche, ajouta Mylène à voix basse. Je ne suis pas aussi courageuse que vous le pensez, parce que...

Elle baissa encore plus la voix :

— Parce que je ne crois pas que je serais capable de le refaire. Vous savez, il aurait pu me faire subir des choses affreuses pour se venger...

Ses mains se mirent à trembler violemment et Éli les prit en répliquant :

— Non, non, vous ne devez pas penser à cela.

Les paroles de Mylène lui suggérèrent ce qu'elle pouvait leur dire pour rendre leur sort moins pénible à endurer. La jeune noble la fixa avec admiration et demanda :

— Mais comment? Je veux dire... Comment faites-vous? Hier, il y a des moments où vous ne sembliez même pas avoir peur. Vous avez parlé à ces hommes avec tant de maîtrise. Et aujourd'hui encore, vous conservez un tel calme. Avez-vous été enlevée si souvent que vous vous y êtes habituée ?

Éli se retint difficilement d'éclater de rire. Elle, enlevée ? Si elles avaient pu savoir que le balafré était sûrement le premier homme sur terre à avoir conservé la vie, ou du moins la santé, après l'avoir ainsi humiliée... Elle chassa vite ces pensées, sentant la colère lui monter aux joues. L'orgueil était l'un de ses pires défauts et il ne fallait surtout pas qu'elle lui cède les rênes à cet instant. Son envie de rire disparut et elle répondit d'une voix forte, cette fois-ci :

— Je vais vous donner un truc.

Elle se tourna vers Anna et dame Katherine et précisa :

— Il pourrait être utile pour vous également.

Anna se rapprocha, laissant la matrone seule à ses ablutions. Cette dernière leur lança un regard désapprobateur et déclara :

— Au lieu de papoter, jeunes femmes, vous feriez mieux de vous rendre convenables, ainsi que l'exige votre rang.

Éli se pencha et murmura entre ses dents :

— C'est sûr ! Il ne faudrait surtout pas décevoir ces seigneurs les bandits.

Mylène et Anna pouffèrent de rire sous l'œil interrogateur de dame Katherine. Éli, pour qui l'argent et les belles parures n'avaient jamais été synonymes de fierté, avait beaucoup de difficulté à comprendre celle-ci. Elle connaissait des paysannes qui auraient pu lui en apprendre en matière de fierté. Elle reporta son attention sur les deux sœurs, qui dissimulaient leur sourire derrière leurs mains. Éli devait s'assurer, avant de leur faire son petit discours, qu'elles avaient été traitées de la même façon qu'elle, c'est-à-dire avec un minimum de respect. Tout en surveillant la réaction des jeunes nobles, elle leur demanda :

— Premièrement, vous ont-ils blessées ?

Après quelques minutes d'hésitation, elles secouèrent la tête. Anna répondit en touchant sa cuisse :

— Non, enfin, rien de grave.

Toutefois, Éli vit les joues de Mylène s'empourprer légèrement. À ce qu'elle avait pu constater au départ, le colosse blond qui l'avait emmenée avait sûrement eu des propos élogieux sur son apparence, durant le trajet. Elle s'en sortirait. Elle ne verrait peut-être plus les hommes avec la même innocence, mais elle s'en sortirait. Quant à Anna qui frottait sa cuisse, l'air bougon, c'était davantage un choc pour son orgueil que pour sa santé. Satisfaite, Éli continua :

— Bon ! Alors, nous pouvons dire que la situation n'est pas si dramatique. Nous avons eu des lits pour dormir et même des couvertures chaudes. Même si…

La jeune femme ne put s'empêcher d'ajouter avec une touche d'ironie :

— Même s'il n'y avait pas de parfum sur nos draps.

Anna émit un petit rire et Mylène la fixa, hébétée, tandis que ses joues s'empourpraient. Elle baissa les yeux sur ses mains ; ses pensées échappaient à Éli. La veille, la noble lui avait montré qu'elle était davantage que ce qu'elle laissait paraître et Éli comptait bien la sortir pour de bon de cette superficialité derrière laquelle elle se cachait. Et pour ce faire, elle entendait la confronter à elle-même chaque fois que l'occasion se présenterait. Voyant que la jeune noble restait plongée dans ses pensées, elle poursuivit :

— Selon ma philosophie, il faut vivre au jour le jour, car nous ne savons jamais ce que le Créateur nous réserve le lendemain. Donc, je ne m'imagine pas ce qui risque d'arriver parce que, justement, cela peut ne jamais se produire. Un vieil ami me disait souvent : « Tant que le coup n'est pas tombé, il est inutile de geindre. » Vous me suivez ? demanda-t-elle devant l'air incertain d'Anna ; mais Mylène répondit pour elle :

— Hier, j'ai eu peur qu'il me…

Elle hésita en baissant ses yeux sur sa poitrine pour leur faire comprendre et continua :

— J'en ai eu mal au ventre tout le trajet, mais il ne m'a pas manqué de respect une seule fois.

— Exact, renchérit Éli. Bien sûr, c'est difficile, surtout lorsqu'on a une grande imagination. Moi, je peux vous le dire.

Mylène eut un petit sourire approbateur et répondit de nouveau :

— C'est vrai. On entend parler de tant de choses horribles que ces vauriens peuvent faire à une femme…

Son sourire disparut et elle serra ses bras contre elle en frissonnant. Éli lui prit doucement le menton d'une main et lui redressa la tête. Leurs regards se croisèrent et Éli annonça :

— C'est justement ces idées que vous devez combattre. Rejetez-les, ignorez-les, et alors vous trouverez votre force. Souvenez-vous d'hier, Mylène. Ces mauvaises pensées ne vous ont pas empêchée de protéger Anna. Le courage n'est pas l'apanage des hommes, vous savez. D'ailleurs, la plupart d'entre eux respectent ceux qui ont du courage et les brigands ne font pas exception. Il faut donc en profiter et leur montrer que nous pouvons être fortes et fières, pas seulement parce que nous sommes nobles, mais parce que nous avons du courage. C'est comme cela que j'arrive à garder la tête haute devant eux et je suis certaine que vous pouvez faire comme moi.

Mylène acquiesça. Éli se leva avec un sourire et déclara :

— Ceux qui parlent le plus fort sont souvent ceux qui en font le moins.

— C'est drôle, s'exclama Anna, mais mère dit souvent cela en parlant de père.

— Anna! s'écrièrent Mylène et dame Katherine.

Éli posa la main sur sa bouche pour contenir un rire.

— C'est vrai! se défendit la fillette, devant les regards désapprobateurs des deux femmes.

— On ne dit pas de telles choses, la rabroua sa sœur.

Anna allait répliquer lorsqu'on cogna à la porte. Les prisonnières se levèrent précipitamment, prêtes à faire face à une nouvelle menace. Les hommes cognèrent une seconde fois avec davantage d'insistance. Une voix s'éleva de l'autre côté du battant :

— Elles ne sont peut-être pas encore réveillées.

— Ouais! Ces petites dames du monde ne doivent pas être habituées à se lever de bonne heure.

— Tu crois qu'on devrait entrer?

Il y eut une brève hésitation, durant laquelle les prisonnières se regardèrent, n'osant prononcer un mot.

— Cogne encore, on verra après.

Éli fronça les sourcils d'un air songeur. Ces hommes avaient dû recevoir l'ordre strict de ne pas entrer dans cette cabane, car, apparemment, ils craignaient quelqu'un qui ne pouvait être elles. Elle posa son regard sur les deux sœurs qui se serraient l'une contre l'autre, sourit et dit fortement, pour détendre l'atmosphère :

— Vous pouvez entrer, messieurs. Je ne crois pas que ce soit verrouillé. Du moins, pas de votre côté.

Anna et Mylène pouffèrent de rire; dame Katherine elle-même sourit légèrement. Les hommes entrèrent, l'air piqué par la réflexion de la jeune femme. Ils étaient trois et d'après les ombres, elle en supposait trois autres dehors.

— Très drôle, demoiselle, s'exclama l'un d'eux, l'air narquois. Mais vous allez moins rire parce qu'on vous emmène devant le chef.

— Ouais! ajouta un autre. Et à votre place, je retiendrais cette petite langue trop pendue, parce qu'il ne porte pas les nobles dans son cœur.

Les hommes rirent et leur montrèrent la porte, avec une galanterie exagérée. Éli s'engagea, suivie d'Anna et de Mylène qui se tenaient par la main, puis de dame Katherine, qui ne put s'empêcher de lancer un regard dégoûté à l'apparence négligée des brigands. Ils s'avancèrent vers elle avec l'intention manifeste de lui faire disparaître ce regard, mais elle pressa le pas et dépassa Anna et Mylène pour marcher à côté d'Éli. Cette dernière réprima un rictus tandis que les hommes y allaient de leurs ricanements et propos offensants. Décidément, cette femme n'allait pas grandissant dans son estime. Elle regarda les deux sœurs et, malgré la peur évidente qui se lisait dans leurs yeux, celles-ci lui sourirent. Éli eut plaisir à leur rendre un sourire aussi chaleureux que possible.

La passerelle descendait en tournant légèrement. Ses planches craquaient et elle se balançait sous leurs pieds. Éli, qui évoluait plus aisément, dut aider dame Katherine qui perdit pied. En bas, les bandits rénovaient le camp et forgeaient des armes. Les coups de marteau contre le fer résonnaient parmi des rires d'enfants. Ceux-ci nourrissaient les animaux ou apportaient de l'eau puisée d'un ruisseau coulant probablement à proximité, dans la forêt. Une femme qui transportait un panier d'œufs sur une passerelle parallèle à la leur s'arrêta pour les regarder. Éli se retourna et la fixa. Elle portait une robe de laine épaisse par-dessus une chemise crème et sa tête était enserrée dans un foulard d'où ses cheveux bruns s'échappaient pour tomber librement dans son dos. Son regard trahissait le dédain alors qu'elle les examinait, mais ses yeux se dérobèrent lorsqu'ils croisèrent ceux d'Éli. La femme baissa la tête et continua son chemin. Tout la portait à les haïr et pourtant, elle ne pouvait pas les voir souffrir.

Ce qu'Éli avait pensé la veille se révélait donc juste. Cet endroit était davantage un village qu'un camp de bandits. Ces familles se cachaient sûrement des soldats du roi et les bandits les protégeaient. Enfin, « bandits » aux yeux des nobles, car « rebelles » était un terme plus approprié.

Ils traversèrent deux ponts et descendirent le long d'une échelle où ce fut au tour d'Éli de se ridiculiser. Elle n'avait pas emprunté d'échelle en robe depuis très longtemps et elle déchira tout le bord du tissu avant de tomber à la renverse. L'un des hommes la rattrapa et la remit debout en riant.

— Merci, dit-elle d'une voix gênée.

Il cessa de rire et la fixa, étonné. Probablement les nobles ne remercient-ils pas, maugréa-t-elle pour elle-même. D'un ton hautain, elle s'empressa donc d'ajouter :

— Cela ne serait point arrivé si vous vous étiez comportés en gentilshommes et non comme des gredins !

Approuvant sa remarque, dame Katherine l'appuya d'un hochement de tête.

— Mais si je m'étais comporté comme un gredin, répliqua-t-il avec un petit sourire, je vous aurais laissée tomber dans la boue, sur vos jolies petites fesses, demoiselle.

Éli se retint de rire avec peine, mais un mince sourire releva la commissure de ses lèvres. Elle détourna la tête en feignant l'indignation, les bras croisés. L'homme lui indiqua une cabane, l'une des plus vastes, qui s'étageait autour du tronc d'un large conifère surplombant le village. Elle devina que ce devait être celle d'Eldérick.

Ils traversèrent le centre du camp et passèrent devant la forge d'où provenaient les martèlements. Les rebelles cessaient leurs travaux pour les suivre des yeux et plusieurs s'approchaient avec curiosité. C'était vraiment agaçant, surtout pour Éli, qui détestait au plus haut point être le centre d'attention. Les femmes qu'ils croisèrent leur lancèrent des regards méprisants et dame Katherine ne put s'empêcher de murmurer avec dédain :

— Des femmes de petite vertu.

Éli espéra qu'aucun brigand n'avait entendu. Ils auraient pu mal réagir. La matrone finirait par leur attirer des ennuis à cause de ses remarques.

Le camp était aussi impressionnant qu'elle l'avait deviné la veille. Il devait y avoir plusieurs centaines d'habitants ; une véritable cité au milieu des bois. Des hommes armés patrouillaient entre les arbres, d'autres entretenaient les habitations, et les femmes et les enfants s'occupaient de la nourriture et des animaux.

Éli regarda l'endroit où elles étaient enfermées et mémorisa, sans y penser, la direction des passerelles et les endroits où elles menaient. Elle vit tous ceux où elle pourrait descendre sans être remarquée et tous les recoins qui pourraient lui servir de cachette. Elle prit conscience de ce qu'elle faisait et s'obligea à fixer la cabane du chef. Voilà qu'elle pensait encore à s'enfuir sans les sœurs Delongpré.

Elle fut tirée de ses pensées par un chien qui aboyait après elles. Un homme agrippa l'animal par le collier avant qu'il ne puisse se précipiter sur leur groupe. Mylène cria et serra Anna contre elle, mais Éli regarda l'animal qui se tut, s'assit et les observa, soudain calmé. Il eut un faible jappement, comme pour s'excuser, lorsqu'elles passèrent près de lui. Personne ne prêta attention à cet étrange comportement, à part le maître qui se gratta la nuque en considérant sa bête. Aucun autre chien n'aboyait plus, tous observaient même une certaine distance.

Éli examina la cabane du chef ainsi que les hommes qui se tenaient près d'elle, sans trop tourner la tête et tout en conservant de son mieux son regard craintif. Toutefois, ces précautions semblaient superflues, car toutes les paires d'yeux n'étaient nullement rivées sur elle, mais sur Mylène. À dire vrai et en y regardant mieux, toutes sauf une. Éli sentit ce regard avant d'en découvrir le propriétaire : lui et deux autres jeunes hommes les attendaient à l'entrée de la cabane du chef.

Malek était sûrement le dernier qu'elle avait envie de voir. Il l'observait et elle n'aimait pas vraiment le doute qui perçait dans son regard. Bien sûr, elle avait commis un si grand nombre d'erreurs qu'il aurait été bien fou de ne pas s'en être aperçu. Elle devrait l'avoir à l'œil, ou plutôt, elle devrait se surveiller elle-même, lorsqu'il était dans les parages. Il ne fallait surtout pas qu'elle lui lance à nouveau un regard laissant entrevoir ne serait-ce que l'ombre d'une menace.

Lorsqu'elles entrèrent, Éli adopta un air apeuré afin de dissiper les soupçons de Malek, mais celui-ci fronça les sourcils d'un air perplexe et elle sentit son regard lui brûler le dos. L'habitation était encore plus vaste qu'elle ne paraissait de l'extérieur, probablement en raison de l'absence de meubles, excepté la longue table qui en ornait le centre. Cette fois-ci, ses doutes se confirmaient bel et bien : l'endroit ressemblait davantage à un quartier militaire qu'à un repaire de hors-la-loi. Les murs étaient tapissés de cartes de Dulcie et du royaume voisin, Ébrême. Plusieurs autres étaient roulées dans un coin de la pièce et celle qui se trouvait étalée sur la table était hérissée de fléchettes. Un nombre considérable d'épées, de massues et de haches étaient soigneusement disposées contre le mur. Un gros chien à long poil, qui semblait davantage destiné à rassembler les troupeaux qu'à garder un camp de brigands, dormait dans le coin droit.

Ses yeux s'ouvrirent sous d'épais sourcils et se portèrent avec indifférence sur les nouveaux arrivants. Eldérick, assis sur la table, regardait les dames entrer. Son visage propre et ses habits exempts de la poussière des chemins lui donnaient un air moins patibulaire que le jour précédent. Trois autres hommes se tenaient derrière la table : un petit aux larges épaules et à la barbe noire, un grand mince aux longs cheveux bruns et un autre dont la peau sombre se confondait avec la pénombre.

Éli fut surprise, car il était rare de voir dans le nord un homme du désert. Remarquant qu'il l'observait avec intensité, elle baissa les yeux et tourna la tête vers Mylène, comme pour chercher du réconfort. Malek n'était pas le seul à avoir noté son attitude combative de la veille. Elle avait intérêt à leur jouer le grand jeu, si elle voulait garder la clé de sa prison en main.

Malek lui accrocha l'épaule en passant et elle dut se mordre les lèvres pour ne pas lui lancer un regard provocateur. Elle porta plutôt son regard sur le colosse blond qui avait subi les assauts des sœurs Delongpré. Les hommes allèrent se placer à la droite de la table, suivis d'un troisième individu qu'Éli considéra avec étonnement.

Petit et mince, les cheveux noirs rassemblés dans son dos en une longue natte, il avait la peau cuivrée et les yeux bridés des Arkéïrites. Elle avait rarement eu à traiter avec le peuple d'Arkéïr, un des royaumes du nord de Melbïane. Ses habitants n'avaient pas l'habitude de se mêler aux autres peuples. Éli avait longtemps étudié leurs coutumes, car ses maîtresses s'étaient beaucoup inspirées de leurs méthodes de combat pour leur enseignement. Malgré leur petite taille et leurs membres graciles, ils avaient toujours été de puissants guerriers. Pourtant, ils se battaient très rarement contre les autres peuples et encore plus rarement entre eux. C'étaient des gens pacifiques, très près du Créateur et vouant un profond respect envers toutes les créatures. Bien qu'Éli n'eût jamais eu l'occasion d'aller dans le royaume d'Arkéïr, elle avait toujours été fascinée par ce peuple dont les valeurs se rapprochaient tant des siennes.

L'Arkéïrite s'arrêta près de Malek et Éric, en prenant soin de rester à l'écart. Éli s'obligea à détourner le regard et cesser de le dévisager pour reporter son attention sur Malek. Comme ce dernier la regardait aussi, leurs yeux se croisèrent et elle baissa aussitôt les siens. Mais pas avant d'avoir aperçu un reflet doré dans l'encolure de sa chemise : son pendentif. Elle se maîtrisa pour ne pas froncer les sourcils de fureur, s'approcha de Mylène et lança un regard apeuré à Eldérick. Néanmoins, intérieurement, elle bouillait. Comme s'il lisait ses pensées, Malek sortit le médaillon de sous sa chemise et le serra dans sa main, tapotant sa surface du doigt. À première vue, elle aurait pu croire qu'il se moquait d'elle, mais son visage sévère démentait ce fait. Pourtant, il était impossible qu'il eût découvert la signification de ce médaillon.

Sans quitter Eldérick des yeux, elle vit du coin de l'œil le colosse blond assener un coup de coude dans les côtes de son compagnon et lui murmurer quelques mots à l'oreille. Malek lui lança un regard courroucé et Éric ricana. Éli fut soulagée de constater qu'il n'était pas pris au sérieux. Et ce n'était que le début, car il deviendrait vite, du fait de ses soupçons, la risée du groupe. Elle lui ferait regretter de l'avoir provoquée.

Eldérick se leva et s'approcha d'elles, l'obligeant à concentrer son attention sur lui.

— Bien le bonjour, mesdames, dit-il avec une pointe de sarcasme. J'espère que vous avez passé une bonne nuit.

Dame Katherine ne put retenir une exclamation indignée et détourna son regard du rebelle. Anna, qui n'avait pas oublié son expérience avec lui, se cacha derrière la robe de sa sœur. Mylène lui tapota la tête et regarda Éli, qui lui prit la main en souriant pour la rassurer. Eldérick continua, l'air amusé :

— Nous aurions bien aimé pouvoir faire les présentations, mais, dit-il en haussant les épaules, il y aurait quelque danger à vous révéler notre identité.

Les hommes sourirent, mais l'air était chargé d'un malaise persistant, que le piètre humour d'Eldérick n'arrivait pas à dissiper.

— Toutefois, continua-t-il sur le même ton, nous serions très heureux de connaître la vôtre.

Éli le regarda, puis avisa une plume et des feuilles sur la table. Une rançon ! Bien sûr, elle aurait dû y penser. Les rebelles manquaient de fonds. Ils se trouvaient sans doute dans une situation désespérée, ce qui expliquait les regards honteux qu'elle avait surpris la veille. D'une voix légèrement tremblante, elle prononça :

— Cessez donc ce semblant de courtoisie et dites ce que vous voulez de nous. Si vous nous laissez partir, je vous promets qu'aucun mal ne vous sera fait. Nous pourrions même vous dédommager grandement.

Elle savait bien que cela était inutile, mais les nobles femmes ne connaissaient rien aux gens du peuple. Autant jouer les idiotes. Eldérick lança un regard amusé à Malek, puis marcha vers elle. Le jeune homme lui avait sûrement aussi fait part de ses doutes et il ne le croyait pas davantage que son fils, Éric.

Avant qu'il n'arrive près d'elle, le gros chien qui était demeuré dans le coin de la cabane se leva et s'avança paresseusement jusqu'à s'asseoir aux pieds de son maître, lui barrant le passage. L'animal fixa Éli avec un calme qui ne laissait transparaître aucune menace, mais qui lui signifiait clairement que si elle tentait de faire du mal à l'homme dressé devant elle, il s'interposerait. Il y avait là, pour les sceptiques, la preuve indéniable de la capacité supérieure des animaux à anticiper le danger. Elle se retint d'indiquer à la bête, d'un signe de tête, qu'elle avait compris son avertissement et se dit en son for intérieur que ces hommes ignoraient sûrement la qualité des animaux qui les entouraient. Il fallait qu'il soit bien courageux, ce chien, pour oser l'affronter, car elle se savait un prédateur très dangereux pour tous les animaux. Elle connaissait bon nombre de loups et même plusieurs félins qui n'auraient jamais osé lui faire un tel affront.

Eldérick regarda son chien et le poussa un peu du pied, mais l'animal resta immobile. Il lui lança un regard agacé et marmonna :

— Que veux-tu, espèce de gros balourd poilu ?

Éli ne put s'empêcher de laisser passer un léger sourire sur ses lèvres en songeant que, dans un certain sens, ce balourd poilu était plus intelligent que son maître. Le rebelle releva la tête vers elle et elle abandonna son sourire pour lui jeter un regard anxieux. Il la dévisagea d'un air mauvais et dit :

— Je crois, ma petite dame — expression étrange dans la mesure où Éli était plus grande que lui — qu'il faudrait qu'on éclaircisse certains points. Nous ne convoitons nullement votre sale argent obtenu sur le dos des honnêtes paysans affamés, même si vous vous efforcez de les ignorer. Nous, la seule chose que nous désirons, c'est que la justice règne de nouveau dans ce royaume.

Dame Katherine hoqueta d'indignation et répliqua d'un ton sec :

— Ce doit être une belle justice, à en croire les moyens que vous employez pour l'obtenir…

Eldérick tourna la tête vers la noble, une lueur menaçante dans les yeux. Éli serra les dents en retenant un flot de paroles colériques. Depuis son arrivée en Dulcie, en voyant et en entendant ce qui s'y passait, elle savait que le roi Kordéron était un pleutre, une mauviette qui se laissait mener par le bout du nez par les plus riches seigneurs de son royaume. Ceux-ci exploitaient les pauvres gens, leur soutirant le peu qu'ils avaient. La seule chose qu'elle avait pu faire durant sa quête avait été de leur donner quelques pièces, mais ils étaient si nombreux à souffrir !

Elle avait détesté ce voyage qui l'obligeait à être du nombre des monstres qui maltraitaient ces malheureux, pour lesquels elle n'avait pu que prier. Malgré ses ordres de ne pas se mêler des affaires du royaume, Éli avait tenté d'intercéder en faveur des paysans auprès de quelques seigneurs, mais tous maintenaient que ces gens n'étaient que des paresseux se plaignant le ventre plein. Elle n'avait pu aller plus loin sans mettre sa quête en danger.

De toute façon, Éli se doutait que la révolte des paysans contre ces aristocrates arrogants n'était qu'une question de temps. Toutefois, elle ne s'attendait vraiment pas à se trouver aux premières loges d'un début de rébellion. Une autre situation ironique, comme elle les aimait.

Eldérick se dressa devant dame Katherine et la dévisagea avec mépris. Puis, ses lèvres s'étirèrent en un sourire condescendant et il secoua la tête.

— Pauvre femme, dit-il, mais je n'en attendais pas plus de vous. Nous pourrions discuter longuement sur la justice des seigneurs qui règnent actuellement sur la Dulcie, mais ce n'est pas la raison de votre présence ici. Et je n'ai pas de temps à perdre à essayer de vous faire voir l'évidence.

Une étrange impression s'empara d'Éli alors qu'elle regardait Eldérick et qu'elle observait ses gestes et sa façon de parler. Il avait une certaine prestance et une élocution soignée. Elle examina d'un autre œil le chef des rebelles et ceux qui les entouraient. Ces hommes avaient quelque chose de plus que des paysans en rébellion contre leur roi.

Éli avait seize ans à l'époque de la guerre entre le monarque dulcien et certains de ses seigneurs et elle était déjà au service des mères depuis plusieurs années. Leur village étant à plusieurs jours de marche de la limite des royaumes, ses sœurs et elle étaient isolées du monde. Éli n'avait donc appris ce qui s'était passé en Dulcie que des années plus tard, lors d'une quête qui l'avait menée dans le sud du royaume.

Le roi Kordéron Dechâtelois, âgé d'une trentaine d'années, venait tout juste d'accéder au trône et, déjà, il lui prenait des idées de grandeur. Un siècle auparavant, l'arrière-grand-père de l'actuel roi d'Ébrême avait conquis plusieurs terres dulciennes, repoussant ainsi la frontière vers l'océan. Naïf et ignorant tout ce qui avait trait à la guerre, Kordéron s'était laissé convaincre par quelques seigneurs ambitieux qu'il pouvait reprendre les terres perdues par son propre arrière-grand-père. Le roi leur avait donc donné carte blanche pour atteindre ce but.

Les seigneurs avaient alors refermé leur poigne sur le peuple pour les exploiter à l'extrême, à l'insu des autres membres du conseil royal. Sans vraiment se préoccuper de ce qu'il signait, le monarque, trop affairé à organiser des bals et à s'amuser, leur avait permis d'augmenter considérablement les impôts. Lorsque les paysans ne parvenaient pas à acquitter ces taxes, les nobles envoyaient des soldats exécuter des raids dans les granges et les sillons.

En constatant ces agissements, les autres seigneurs s'étaient élevés contre cette gestion tyrannique lors des conseils. Pour contrer leurs protestations gênantes, leurs adversaires les avaient accusés d'avoir fait alliance avec le royaume d'Ébrême, allant jusqu'à fabriquer des preuves. Devant cette situation trop compliquée pour lui, le roi avait laissé le premier conseiller prendre les décisions lors des conseils. Vendu aux riches seigneurs, celui-ci avait lancé des mandats d'arrêt contre les hommes qui tentaient de défendre le peuple.

Le premier conseiller avait donc envoyé l'armée royale dans les seigneuries, mais il n'y avait pas eu d'arrestations. Les soldats et les gardes des riches seigneurs n'avaient pas l'intention d'amener les conseillers contestataires devant le monarque pour être jugés. Ils firent croire à celui-ci que les supposés traîtres, se voyant découverts, avaient ouvert les hostilités et profité de la situation pour les tuer, de même que leurs familles, pour ensuite s'emparer de leurs biens et de leurs terres.

Durant plus d'une année, ces raids avaient déchiré le royaume, tandis que le souverain s'étourdissait en bals et en soirées. La plupart des nobles ne s'étaient pas mêlés au conflit, préférant le refuge de ces réjouissances. Parmi les seigneurs accusés à tort, aucun n'avait eu l'occasion d'aller proclamer son innocence. Plusieurs moururent, certains immigrèrent en Ébrême, où le roi Ferral les accueillit avec plaisir — toujours heureux d'avoir dans son royaume des gens de principes — et les autres disparurent. Disparurent ? Non.

Éli reporta son attention sur Eldérick en se demandant s'il n'était pas l'un de ces seigneurs destitués. Un seigneur survivant qui, au lieu de fuir en Ébrême, s'était caché dans les bois pour continuer de soutenir le peuple en leur fournissant des abris. Avait-il perdu des amis, des parents, tandis que les autres nobles se tapissaient dans le luxe ? Éli voyait la rancœur dans les yeux d'Eldérick. Une colère qui ne se portait pas vers dame Katherine, mais vers les nobles qu'elle représentait. Ceux qui l'avaient abandonné.

À son tour, Éli sentit la colère monter en elle contre cette matrone égoïste et bornée. Celle-ci levait le menton d'un air hautain, les lèvres pincées et les yeux fixés au plafond, refusant de prêter attention aux rebelles. Toutefois, elle jeta à quelques reprises un regard vers Éli et Mylène, comme pour recueillir leur appui. Mais à quoi donc pensait cette femme ?

La veille, elle était figée de terreur et ce matin, sans doute à cause du discours qu'Éli leur avait tenu au réveil, la voilà qui affrontait le chef de leurs agresseurs, allant jusqu'à lui opposer ses sarcasmes.

Contre elle, Mylène et Anna tremblaient. Elles avaient peur de la réaction des hommes, à juste titre ; car si Eldérick n'était pas mauvais, il avait ses limites. Le regard des rebelles, tout d'abord légèrement attristés de la situation, se faisait maintenant dur et méprisant. Jamais Éli ne s'était sentie aussi furieuse contre cette aristocrate. Elle parvint tout de même à se contenir et, voyant la dame se préparer à sortir une nouvelle brillante réplique, délaissa Mylène et Anna blotties l'une contre l'autre, pour s'approcher d'Eldérick afin d'intervenir. Son avancée fut rapidement stoppée par le chien qui vint s'interposer. Il s'assit face à elle, la langue pendante et l'air calme, mais Éli savait que si elle faisait un pas de plus, il grognerait. Elle attendit qu'Eldérick, qui fixait son chien avec étonnement, lève la tête pour la regarder et déclara alors d'une voix douce et innocente :

— Monsieur, je crois que poursuivre sur cette voie ne nous mènera nulle part. Nous voulons rentrer à la maison saines et sauves, alors dites-nous ce que vous attendez de nous.

Eldérick la considéra et un petit sourire apparut sur ses lèvres. Encore une fois, cette demoiselle venait sauver la situation. L'intelligence brillait dans ses yeux et il comprit alors que Malek ait pu se trouver déstabilisé par sa présence. Cette jeune femme, en plus de posséder une force de caractère impressionnante, savait manipuler les gens. Eldérick ne pouvait nier qu'il se sentait amadoué par l'attitude respectueuse avec laquelle elle s'adressait à lui. Il y avait plusieurs années qu'aucune personne de la noblesse ne l'avait traité ainsi.

Peu désireuse de se voir ainsi reléguée au second plan par la jeune femme, dame Katherine demanda, d'un ton où perçait l'indignation :

— Ne nous avez-vous point dit tout à l'heure, comtesse, que nous devions faire preuve de bravoure face à ces voyous?

Éli maintenait sur Eldérick un regard à la fois triste et craintif, de peur que ses yeux ne s'emplissent de haine et de fureur en se posant sur la matrone.

— Effectivement, j'ai conseillé de rester braves, confirmat-elle doucement, avec une légère hésitation, avant d'ajouter plus bas : mais jamais d'être stupide.

Dame Katherine, Eldérick, Mylène et Anna la regardèrent, étonnés.

— Comment! s'insurgea dame Katherine. Insinuez-vous par là que je suis stupide? Pour qui vous prenez-vous, petite sotte, je suis votre aînée, et vous me devez le respect. Je vous interdis de négocier avec ces sombres crapules, ces monstres...

Éli l'interrompit brusquement :

— Ça suffit!

Le ton était plus fort qu'elle ne l'avait souhaité, mais les mots eurent l'effet escompté. Dame Katherine sursauta et resta à la fixer, bouche bée, incrédule. Puisque la noblesse et ses caprices importaient tant pour elle, au point d'en jouer sa vie et celle d'autrui, Éli avait décidé de l'attaquer sur ce point. Eldérick croisa les bras et resta silencieux, voyant qu'elle n'avait pas terminé. Les hommes se tenaient maintenant à l'écoute, amusés par cette guerre entre dames de haute naissance.

Malek s'approcha devant la table et considéra avec intérêt les poings serrés de la jeune femme. Elle avait de la difficulté à contenir sa colère contre la noble. Elle n'était pas comme les deux autres, c'était évident. Pourtant, il n'avait jusqu'à présent aucun élément prouvant qu'elle n'était pas celle qu'elle feignait d'être. La main toujours sur le médaillon, il observa le visage de la jeune femme, où se lisait un mélange de tristesse et d'irritation.

Près de lui, Éric ne cessait de lui chuchoter des remarques sarcastiques sur la supposée espionne, tandis que Kaito, avec plus de sérieux, examinait Éli en cherchant l'impression de danger exprimée par Malek. Toutefois, l'Arkéïrite n'arrivait pas non plus à voir en elle autre chose qu'une noble bouleversée par les événements et qui avait juste assez de courage pour tenter d'amadouer Eldérick. Malek devait reconnaître qu'il n'était plus sûr de lui.

— Comment… s'étouffa la noble, mais Éli leva un doigt devant son visage.

Elle s'efforçait de se représenter la scène qu'elle donnait aux rebelles. Elle devait respecter son rôle et éviter les gestes susceptibles de la trahir, d'autant plus qu'elle avait un spectateur très attentif et elle sentait le regard de Malek pointé comme une flèche sur son dos, prête à la transpercer. Mentalement, Éli formula très rapidement les paroles qu'elle destinait à dame Katherine. Elle prit une profonde inspiration et regarda nerveusement Eldérick, comme par crainte de sa réaction. Elle fut surprise de constater qu'il souriait, une lueur admirative dans le regard. C'était un homme bon. Elles étaient retenues captives ici, mais c'était un homme bon. Elle reporta toute son attention sur la noble qui s'apprêtait à poursuivre sa jérémiade :

— Écoutez-moi, madame, dit Éli d'un ton autoritaire. Aînée ou pas, vous n'êtes qu'une femme sans titre, payée pour vous occuper de jeunes filles. Si je pense comme vous, vous n'êtes rien, alors taisez-vous et restez à votre place. Je suis comtesse et je discuterai avec ces hommes.

Dame Katherine déglutit, si interdite que son visage en était déformé. Éli lui tourna le dos pour se trouver devant le chien qui la séparait toujours d'Eldérick et elle lui flatta légèrement la tête. D'une voix adoucie, elle remarqua :

— Il n'y a rien de mal à être diplomate, n'est-ce pas ?

Il ne put qu'acquiescer, le même sourire aux lèvres.

— Maintenant, monsieur, continua-t-elle, nous pouvons aborder la raison de notre présence parmi vous. Toutefois et avant tout, j'ai une requête à formuler.

— Et laquelle ? demanda-t-il.

— Auriez-vous l'obligeance d'apporter des sièges afin que ces dames puissent s'asseoir, le temps que nous discutions ? Tous ces événements les éprouvent et je suis certaine qu'elles vous en sauraient gré.

Elle termina sa demande par un petit sourire suppliant. Eldérick la dévisagea un moment. Des sièges ! Il était sur le point de lui rétorquer que quelques heures debout ne pourraient qu'être bénéfiques à ces dames ignorantes de ce qu'était l'effort physique, quand il avisa la pâleur des deux blondes et la frayeur dans leurs yeux.

Il s'était montré dur avec elles le jour précédent, peut-être même un peu trop, comme le lui avait mentionné Dowan. Il se tourna vers l'homme du désert, mais ce dernier observait la comtesse. Eldérick reporta son regard sur la jeune femme qui le fixait de son air innocent. Bien qu'il se fût comporté en barbare la veille, elle ne le craignait apparemment pas autant que les deux autres. Il finit par rire en faisant remarquer :

— Comment pourrais-je refuser une requête si gentiment exprimée ?

Éli sourit timidement et baissa les yeux sur ses mains jointes devant elle. Se tournant vers Malek et Éric, Eldérick leur désigna la porte et ordonna :

— Allez chercher des chaises pour les dames. Vite !

Ils partirent en courant et Éli en profita pour adresser un clin d'œil aux sœurs Delongpré. Elles lui sourirent, mais se tassèrent l'une contre l'autre lorsque Eldérick se tourna vers elles. Il s'enquit avec une pointe de sarcasme :

— Y a-t-il autre chose que je peux faire pour vous, comtesse ?

— Ce sera tout pour l'instant, merci.

Karok sourit et déclara :

— Elle a du cran la petite, je comprends que cela ait pu enflammer l'imagination de ce gamin.

Éli lança un regard interrogateur au petit homme à la barbe noire et vit l'homme du désert dévisager son voisin trop bavard. Eldérick, qui la regardait toujours, s'apprêtait à parler lorsque les jeunes guerriers entrèrent en portant des chaises. Ils les déposèrent derrière les femmes et retournèrent près de la table, sauf Malek qui attendit qu'elle s'y assoie. Comme Éli s'exécutait, il se pencha pour lui murmurer :

— Même si vous n'en avez pas demandé une pour vous, comtesse — si, toutefois, vous l'êtes…

Éli lui lança un regard apeuré et se pencha pour s'éloigner de lui. Eldérick soupira, signifia à Malek d'aller rejoindre les autres et vint s'appuyer à la table. Malek obéit et, sans quitter Éli des yeux, s'éloigna, la main de nouveau sur son pendentif. Éli se redressa pour s'adosser à sa chaise en feignant de ne pas le remarquer et regarda Eldérick. Ce dernier avait pris la plume et la faisait tourner entre ses doigts.

— Je vais être franc avec vous, annonça-t-il, nous voulons échanger votre liberté contre certains des nôtres, que votre roi a jetés en prison sans raison. L'une d'entre vous écrira une lettre, que vous signerez toutes, informant le roi de notre demande. Ce n'est pas trop compliqué ?

Interloquée, Éli ne parvint qu'à secouer la tête, sans émettre un son. C'était donc ça ! L'homme ne souhaitait même pas d'argent. Les soldats du roi avaient réussi à mettre la main sur ses hommes et il cherchait à leur sauver la vie. Sans doute, après avoir tout tenté en vain, était-il contraint de commettre cet enlèvement. Les yeux fixés sur le visage de l'homme, Éli sentit une profonde tristesse l'envahir alors qu'elle devinait les émotions dissimulées derrière cette expression de dure froideur. Se haïssait-il en ce moment? Tentait-il de se déculpabiliser en se répétant qu'elles n'étaient que des pantins de la noblesse?

Voyant qu'Eldérick fronçait les sourcils devant son silence et l'attention qu'elle lui portait, elle se détourna de lui pour regarder Mylène et Anna. Les deux jeunes filles n'avaient probablement pas conscience de la situation, mais elle avait gagné leur confiance et elles lui obéiraient. Dame Katherine pinçait les lèvres d'un air borné et Éli laisserait avec plaisir à Eldérick le soin de la faire changer d'avis. Elle approcha sa chaise de la table et, sortant de l'ombre, l'homme du désert vint s'y appuyer les coudes. Dame Katherine, qui ne l'avait pas encore remarqué, poussa un faible cri.

Les nobles de Dulcie, qui voyaient rarement les gens du désert, avaient une peur bleue de ce peuple. Ils prétendaient que la couleur noire de leur peau était la marque du démon et qu'ils étaient de mauvais esprits. Toutefois, Éli pouvait se permettre de ne pas paraître trop surprise, puisque les nobles d'Ébrême fréquentaient régulièrement leurs voisins du sud. Dowan la scruta avec une attention probablement due aux soupçons de Malek et demanda avec un faible accent laissant deviner qu'il y avait longtemps qu'il parlait leur langue:

— J'ai une question pour vous, comtesse. Dites-moi, pourquoi une femme dotée d'un caractère fort comme le vôtre se montre-t-elle si docile en entendant notre requête? Parce que, voyez-vous, vous avez une personnalité bien difficile à cerner.

Éli regarda Dowan en feignant un étonnement mêlé de crainte. Les hommes la fixèrent tous en guettant une réaction qui la trahirait et elle garda un silence assez long pour évaluer jusqu'où pouvait aller sa réponse.

— Bien, je ne vois pas quel intérêt j'aurais à m'opposer à vous, répondit-elle.

Et tandis que l'homme du désert restait silencieux, elle ajouta :

— Plus vite cette situation sera réglée, plus vite nous rentrerons chez nous. Pour tout dire, je viens d'Ébrême et les conflits de votre royaume ne me concernent nullement.

Éli se tut en réalisant qu'elle en avait trop dit. Une étincelle s'alluma dans les yeux de Dowan, qui répéta aussitôt :

— D'Ébrême ? D'où exactement ?

Eldérick soupira en posant une main sur la lettre et en tendant le crayon à Mylène. Cette dernière sursauta sur sa chaise et hésita à bouger.

— Ne crains rien, jeune fille, la rassura-t-il, je vais te dicter quoi écrire pendant qu'ils discutent.

Profitant de cette distraction pour détourner les yeux de Dowan, Éli se demanda ce qu'elle ferait s'il connaissait le comte Deschênes, car si oui, il saurait qu'Éléonore Deschênes avait disparu dix ans plus tôt. Eldérick se méprit sur son regard et déclara, alors que Mylène et Anna approchaient leur chaise de la table :

— Un de mes hommes a des doutes quant à votre appartenance à la noblesse, comtesse. Répondez aux questions et tout ira bien.

— Mais la comtesse est une vraie comtesse ! s'exclama Anna. Nous pouvons le certifier.

Eldérick sourit et hocha la tête :

— Je te crois, petite, et ça ne la dérangera pas de répondre aux questions pendant que nous écrirons.

Tournant le dos à Éli, il revint vers les deux sœurs et se pencha au-dessus de la lettre. Éli se tordit les mains sur les genoux et reporta son attention sur les hommes qui l'entouraient. Ils attendaient sa réponse.

— Je viens d'une seigneurie au nord d'Ènlira, dirigée par le comte Roland Deschênes, mon…

Elle hésita sur le mot, incapable de le prononcer. Il y avait si longtemps qu'elle ne l'avait pas nommé ainsi, pas même en songe. Le peu de fois où son visage lui revenait, il n'était que le comte Deschênes, sans aucun lien de parenté avec elle. Elle dut se faire violence sous les regards inquisiteurs et termina d'une voix si faible qu'ils entendirent à peine :

— Mon père.

Les hommes se tournèrent vers Dowan, mais ce dernier ne quittait pas Éli des yeux. La prochaine phrase allait décider si son séjour dans le camp des rebelles prenait fin. Dehors, non loin, un cheval détacha la lanière qui le retenait à un arbre et marcha vers la cabane à l'insu de son maître, des oiseaux se massèrent en nombre sur les toits des demeures hors de vue et les chiens vinrent s'asseoir près de l'entrée. Éli se tenait prête et les hommes ne comprendraient jamais ce qui allait arriver.

Du coin de l'œil, elle voyait Eldérick dicter les paroles à Mylène d'une voix attendrie. Elle avait maintenant la certitude que cet homme ne leur ferait jamais aucun mal ; elle pouvait partir en paix.

— Parlez-moi de lui, ordonna Dowan, la tirant de ses pensées.

Les animaux s'apaisèrent, tout comme Éli, qui desserra les doigts du tissu de sa robe. Dowan ne connaissait pas le comte Deschênes personnellement. Pour la deuxième fois, Eldérick échappa à son attaque puisque, comme il lui tournait le dos, elle l'aurait bousculé en premier. Soulagée, elle répondit :

— C'est un des chevaliers du roi Ferral. Ils sont très proches l'un de l'autre. Il a participé à plusieurs combats importants dans tout le royaume. Il était l'un des meilleurs guerriers avant d'être blessé à la jambe lors d'une bataille dans le désert ouest contre des créatures des marais.

Éli sentit comme une flèche lui transpercer le cœur. Le visage de cet homme se redessinait distinctement dans sa mémoire, plus net encore que la veille. Elle entendait, dans le lointain, sa propre voix poursuivant la description :

— Durant sa convalescence, il s'est lancé dans l'agriculture. Il voulait aider les paysans à tirer le maximum de la terre tout en la respectant. C'est devenu sa nouvelle passion et il a enrichi notre domaine et celui de nos voisins. Certes, il était guerrier avant tout et ne pouvait renoncer, malgré sa blessure, à se joindre à Ferral quand celui-ci venait combattre dans le sud du royaume. Et s'il ne se battait pas, il épaulait les jeunes soldats et leur communiquait son expérience. Il est aussi régulièrement présent dans les villes et villages voisins de notre seigneurie, afin de régler des conflits de tout genre.

Éli n'entendait plus ce que sa bouche articulait. Elle ne percevait plus les rebelles qui lui faisaient face, ni les murs de bois qui l'entouraient. Elle ne voyait que cet homme : grand, aux larges épaules sur lesquelles retombait une chevelure noire comme la nuit. Ses yeux verts et sévères, qui s'animaient d'un éclat rieur au moment où elle s'y attendait le moins.

Éli revit les soirs où il venait s'asseoir sur son lit pour lui lire un livre ou discuter des événements de la journée. Il mettait un point d'honneur à répondre à ses questions et à l'éclairer sur tout. Chaque jour, la petite fille avait hâte que la nuit arrive afin d'être seule avec lui, sans ses frères pour l'énerver. Il avait été la personne la plus importante à ses yeux. Son héros. Elle se revit assise devant le foyer, entre ses frères, à écouter les récits de ses voyages. Il pouvait parler pendant des heures, aussi passionné par les regards avides de ses enfants qu'eux par ses paroles. La plupart du temps, elle s'étendait sur ses genoux et finissait par s'endormir, alanguie par la plus belle berceuse du monde.

L'espace d'un instant, elle entendit sa voix grave et son rire se répercuter sur les murs. Cette voix qu'elle ne se lassait pas d'entendre et qui lui manquait tant lorsqu'il partait. Un étau lui enserra douloureusement le cœur alors qu'elle comprenait que son amour pour lui n'avait pas été totalement effacé.

Depuis dix ans, ses sentiments étaient tapis au plus profond de son esprit. Éli les avait crus disparus avec le temps. Et voici qu'au contraire, à présent qu'elle les avait exhumés pour ces hommes, ils l'envahissaient, la laissant sans défense et lui ôtant toute force. Elle s'était tue et n'était plus capable d'une réflexion cohérente. Le souvenir de l'homme refusait de la quitter. Cet homme qu'à une époque, elle avait si profondément aimé.

Elle baissa les yeux sur ses mains tremblantes et dehors, une myriade d'oiseaux se mirent à piailler, ressentant sa détresse. Les hommes lancèrent des regards inquiets vers la porte et deux rebelles se tenant proches sortirent voir ce qui se passait.

— Éléonore, appela Anna en se levant de sa chaise pour s'approcher, vous allez bien ?

Éli aurait voulu lui répondre, mais elle craignait d'éclater en sanglots si elle ouvrait la bouche. Son père ! On entendit quatre chiens aboyer et un bébé pleurer, aussitôt consolé par la voix douce d'une femme. Après son départ, elle s'était jurée de ne pas le revoir et elle n'était, depuis, jamais revenue sur sa décision. À ses pieds, toujours entre Eldérick et elle, Balo gémit et jappa faiblement. Qu'avait-elle donc ? Comment ces émotions pouvaient-elles l'affaiblir à ce point ? Elle qui se croyait si forte. Une douleur aiguë lui vrillait la poitrine. Elle l'avait abandonné et il lui manquait.

— Comtesse, commença Dowan qui la fixait en tentant de comprendre d'où provenait le profond désarroi qu'il lisait sur son visage, je sais que le comte Deschênes a trois fils, mais je n'ai jamais entendu parler d'une fille.

Du coup, toutes les émotions qui l'avaient écrasée s'évanouirent pour laisser place à des sentiments contraires. Sans le savoir, l'homme du désert venait de la remonter du puits dans lequel elle avait sombré. Elle ne l'avait pas abandonné : il l'avait rejetée, humiliée. Des scènes de conflits, de disputes violentes lui revinrent et son cœur expulsa le dard qui le meurtrissait pour à nouveau se retrancher derrière une armure d'acier. Éléonore Deschênes n'était qu'un personnage, une adolescente disparue à l'âge de quatorze ans, mais elle, elle était une guerrière sans autre famille que ses sœurs et ses mères.

Elle leva sur les hommes un regard triste accompagné d'un pauvre sourire et répondit d'une voix faible :

— Les pères oublient souvent qu'ils ont une fille, monsieur, surtout quand elle a trois frères aînés. Après la mort de ma mère, j'ai passé plus de temps dans le pensionnat d'Ènlira qu'au château. D'ailleurs, continua-t-elle en se tournant vers Eldérick qui la regardait, en ce qui me concerne, je doute que votre demande soit bien utile, car mon père ignore que j'ai quitté le royaume. C'est un de mes professeurs de l'université qui m'a permis de faire ce voyage. Je ne pense pas qu'il risque de s'inquiéter pour moi.

— Voyons, s'exclama Eldérick, ne dites pas cela ! N'importe quel père serait prêt à tout pour sa fille.

Il se tut subitement, conscient que cette manifestation de compassion contredisait l'acte qu'il venait de commettre. Éli le fixa avec étonnement, mais il lui tourna le dos et se plongea dans la vérification de la lettre qu'écrivait Mylène. Perplexe, elle reporta son attention sur l'homme du désert, tout en gardant un œil sur le chef des rebelles. Eldérick lui plaisait de plus en plus et dans son amusement, elle oublia un moment la faiblesse qui l'avait prise un peu plus tôt. Devant elle, Dowan semblait chercher d'autres questions à lui poser.

L'homme ne savait plus que penser. La jeune femme paraissait très bien connaître le comte Deschênes ; cependant, elle avait pu se renseigner. Avait-il réellement une fille ? Dowan ne pouvait le dire : si elle avait quitté le château très jeune, rien d'étonnant à ce qu'il n'ait pas entendu parler d'elle. De plus, l'émotion qu'ils avaient tous lue dans son regard ne pouvait être feinte. Le fait que la comtesse ait été livrée très tôt à elle-même expliquait bien ce regard d'adulte et cette assurance. Il se tourna vers Malek pour le consulter, mais celui-ci, les sourcils froncés, fixait intensément le médaillon d'un air perplexe. Lui non plus ne semblait plus savoir quoi penser.

La réaction émotive d'Éli les avait ébranlés et ils n'osaient plus la questionner. Elle se triturait les mains en se comprimant les lèvres comme si elle combattait toujours la peine qui l'avait assaillie plus tôt. Encore une fois, elle réussissait à utiliser à son avantage une situation qui avait totalement échappé à son contrôle. Le dos obstinément tourné, Eldérick tenait la lettre que Mylène avait écrite et la lisait. Voyant qu'elle allait mieux, Anna était retournée sur sa chaise et observait tour à tour les occupants de la pièce, avec une curiosité typiquement enfantine.

Eldérick, qui avait fini de lire la lettre, allait parler lorsque la porte s'ouvrit à toute volée sur une petite femme robuste. Les hommes qui se tenaient près de l'ouverture s'écartèrent et elle marcha d'un pas décidé vers Eldérick sans regarder alentour. Elle se campa devant lui, les poings sur les hanches, le buste un peu penché en avant et s'écria avec indignation :

— J'ai entendu dire par tes hommes que tu aurais enlevé des femmes ! Est-ce vrai, Eldérick ?

Il n'eut pas le temps de répondre qu'elle aperçut Éli, qui osa à peine lever les yeux vers elle. Puis, la petite femme pivota, découvrit les trois autres et pointa son doigt sur le torse du chef des rebelles.

— Espèce de gros crétin! cria-t-elle. Mais qu'as-tu fait? Tu n'aurais pas pu trouver un chantage moins cruel?

Balayant les hommes d'un regard furieux, elle s'exclama :

— Comment avez-vous pu faire ça? Si les idées vous manquaient, vous n'aviez qu'à m'en demander.

Elle alla s'emparer de la main d'Anna et la serra chaleureusement. La tristesse assombrit ses yeux bruns et elle lui dit avec bonté :

— Pauvre petite, comme tu dois avoir peur! Franchement, j'ai honte de vous, messieurs.

Elle la prit par le bras de l'autre main pour l'aider à se mettre debout et ajouta doucement :

— Viens avec moi, je vais m'occuper de vous.

Eldérick se redressa et comme Mylène se levait, la retint par l'épaule.

— Tu ne peux pas faire ça, Émilia, protesta-t-il, nous devons garder ces femmes sous surveillance.

Il regarda ses hommes, cherchant quelque secours. Zyruas vint se placer près de lui.

— Ce sont des prisonnières.

Émilia repoussa la main d'Eldérick et pressa Anna et Mylène vers la porte qu'elle rejoint d'un pas décidé. Éric lui bloqua le passage de son corps massif et déclara :

— On va bien s'occuper d'elles, ne t'inquiète pas, Émi.

Une brève exclamation de doute sortit des lèvres de la petite femme, qui répondit sèchement :

— Ne te mêle pas de ça jeune homme, tu ne fais qu'aggraver votre cas. Je sais parfaitement comment vous vous occupez des femmes, tous les trois.

— Eh! s'exclama l'Arkéïrite d'un ton offusqué, en désignant ses deux amis. Ne me mets pas dans le même sac que ces deux-là.

Émilia attrapa Éric par le bras et chercha à l'écarter. Éli ne put réprimer un sourire en voyant ce bout de femme tenter de déplacer cette montagne de muscles. Éric resta immobile et lança un regard interrogateur vers son père. Ce dernier s'approcha d'eux et tâcha de raisonner Émilia.

— Écoute, Émi, tu es trop bonne, ces femmes ne sont que…

— N'essaie pas de m'amadouer, l'interrompit-elle. Ce ne sont que des jeunes filles et elles resteront avec moi. Et dis à ton rejeton de nous laisser passer : que tu le veuilles ou non, j'emmène ces demoiselles dans ma cabane. Je ne vous laisserai pas tranquille tant que je ne l'aurai pas fait. Franchement, il est hors de question que j'abandonne ces anges entre les mains de pareils voyous, ajouta-t-elle en désignant Éric du doigt.

Eldérick se gratta le crâne, mais devant l'air décidé d'Émilia, il ne put que céder. Il fit signe à Éric de s'écarter, regarda la petite femme mener leurs prisonnières au-dehors et franchit la porte en observant leur progression à travers le camp. Karok secoua lentement la tête et observa :

— Eldérick, tu me déçois. Te laisser ainsi mener par une femme ! Et pas des plus imposantes, en plus…

Zyruas ricana et répliqua en poussant Karok :

— À ce que j'ai pu voir, tu n'as pas protesté bien fort, toi non plus.

Karok ouvrit la bouche, mais ne trouva pas de répartie assez foudroyante. Il se tourna d'un air bourru vers les jeunes guerriers et leur ordonna :

— Surveillez-les.

Ils acquiescèrent et se dirigèrent à la suite des femmes, mais Eldérick intercepta Malek.

— Tu la laisses tranquille ! ordonna-t-il.

Le jeune homme allait protester, mais le chef des rebelles fronça les sourcils. Malek hocha la tête à contrecœur et courut rejoindre ses compagnons. Eldérick retourna vers la cabane et déclara en entrant :

— Je vais envoyer la lettre au seigneur qui détient Myral. Quand il va constater que nous avons les filles d'Edward, il devrait réagir assez rapidement.

— Qui est Edward ? demanda Dowan.

Karok et Zyruas grimacèrent, tandis qu'Eldérick répondait :

— Un seigneur membre du conseil royal.

— Que vous avez connu, je devine, termina l'homme du désert.

— Oui, mais pardonne-moi Dowan, je n'ai pas envie de parler de lui. Quoi qu'il en soit, nous recevrons sûrement une réponse bien avant que le comte Deschênes apprenne l'enlèvement, alors nous allons devoir la croire sur parole et la laisser partir au moment de l'échange.

— De toute façon, observa Dowan en regardant les jeunes hommes suivre Émilia, Malek la gardera à l'œil, même s'il n'est plus certain qu'elle n'est pas noble.

— Une vraie tête de mule, ce gamin, marmonna Eldérick.

CHAPITRE 6

DE NOUVELLES AMIES

Une soupe bouillait sur le feu et une délicieuse odeur se répandait dans la pièce. Une jeune femme aux longs cheveux bruns tressés y ajoutait des ingrédients et la brassait à intervalles réguliers sous la haute surveillance d'Émilia. Cette dernière allait et venait dans la cuisine d'un air affairé. Se penchant par-dessus l'épaule de sa fille, elle conseilla :

— N'ajoute pas trop de sel, ma chérie.

— Maman, je n'apprendrai rien si tu ne me laisses pas faire.

Éli, Mylène, Anna et dame Katherine étaient assises à la table, au milieu de la pièce. C'était une toute petite cuisine qui servait en même temps de salle à manger. Un foyer pour la cuisson, un petit garde-manger et quelques étagères pour les instruments de cuisine étaient tout ce qui la composait. Deux chambres la jouxtaient, apparemment tout aussi simplement meublées. La cabane était bâtie dans un arbre, à l'ouest du camp, c'est-à-dire à l'opposé de celle d'Eldérick et légèrement en contrebas de celle où les quatre femmes avaient été enfermées. Trois fenêtres donnaient sur le camp, surplombant la forêt. Les trois guerriers étaient assis sur la passerelle devant la porte et elles entendaient leur voix sans comprendre les mots.

Éli sourit en se souvenant du profond soupir de soulagement qu'avait poussé Émilia lorsqu'elles étaient entrées dans la maison. Avec un sourire chaleureux, elle s'était exclamée :

— J'ai bien cru un instant qu'ils ne me laisseraient jamais partir, mais vous êtes entre bonnes mains, maintenant.

Éli regarda la petite femme énergique qui semblait ne pas pouvoir rester en place deux minutes. Ses deux longues tresses châtaines virevoltaient et ses yeux noisette brillaient d'un éclat intense. Elle était de ceux qui prennent avec joie chaque instant de vie que leur donne le Créateur. Ses lèvres charnues et ses taches de rousseur rehaussaient d'un éclat pittoresque chacune de ses expressions. Lorsqu'Éli lui avait demandé pourquoi elle se donnait tant de mal pour elles, Émilia lui avait tout simplement répondu :

— Entre femmes, il faut bien s'entraider contre ce fléau que sont les hommes.

Les deux sœurs avaient éclaté de rire. Éli, par contre, s'imaginait très bien ce que les représentants de ce fléau étaient en train de dire sur elles, les femmes, en ce moment. Elle en avait même un flagrant exemple en entendant leurs gardiens grogner à l'extérieur, alors qu'ils étaient obligés de rester assis sur les planches, Émilia leur ayant formellement interdit d'entrer.

Du ventre d'Anna monta un avertissement plaintif qui enflamma les joues de la fillette. Émilia éclata de rire et lui tapota la tête.

— Ce sera bientôt prêt, ma chérie.

Anna sourit, saisit les ustensiles et appuya ses coudes sur la table, non sans avoir jeté un bref coup d'œil à dame Katherine. Cette dernière s'était murée dans un sombre mutisme et s'obstinait à garder les yeux sur l'une des fenêtres. Éli se disait qu'elle devait détester voir une paysanne les aider, car cela venait ébranler tous ses principes. La haine que lui inspirait cette femme se muait en pitié. La dame ignorait tout des vraies valeurs de l'humanité, de ces sentiments qui font grandir l'âme. Sa vie devait être d'une tristesse à pleurer et pourtant, elle s'y plaisait assez pour ne pas ouvrir les yeux.

Mylène, quant à elle, semblait plus ouverte, suffisamment jeune sans doute pour ne pas être devenue complètement bornée. Elle se tordait les mains en regardant Suzie, la fille d'Émilia. Éli se demandait si c'était parce qu'elle voulait l'aider sans savoir comment. Peut-être.

Suzie avait créé un lien entre elles, sans le savoir, à l'instant où elle avait dit à Éric de rester dehors en déclarant que la pièce était réservée aux personnes et que les animaux n'avaient pas le droit d'entrer. Il avait tenté de la saisir pour lui faire ravaler ses paroles, mais la jeune femme s'était esquivée et lui avait fermé la porte au nez. Cinq bonnes minutes s'étaient écoulées avant que Mylène parvienne à calmer son fou rire, la nervosité causée par les événements des derniers jours n'aidant pas. Suzie avait paru tout heureuse de sa blague, malgré le regard réprobateur de sa mère, et elle avait adressé un clin d'œil à Mylène avant de retourner vaquer à ses occupations.

Émilia leur avait dit que malgré ses manières, Eldérick n'était pas mauvais et qu'il ne leur ferait aucun mal. Il était tout simplement désespéré, car des hommes allaient être exécutés par le seigneur de la région et qu'il s'agissait de très bons amis. Anna avait commenté d'un ton grave :

— Ils ont dû faire quelque chose de très mal.

Émilia et Suzie l'avaient regardée avec tristesse, sans répliquer. Anna était encore trop jeune pour saisir certains aspects du pouvoir et des humains. Mylène, par contre, avait semblé songeuse, les yeux rivés sur ses mains.

La jeune noble ne s'était jamais préoccupée des gens du peuple, s'estimant de condition trop élevée pour se mêler à eux. Pourtant, en constatant le contraste saisissant entre la verve de ces deux paysannes souriantes et joviales et la froideur de dame Katherine, blême et la bouche pincée, elle se demandait qui au juste valait mieux que l'autre. Elle avait beau tâcher de se convaincre qu'en tant que membre de la noblesse, elle devait rester froide et distante envers elles, l'envie de parler avec Suzie grandissait. Émilia passa un bras autour des épaules d'Éli et demanda :

— Comtesse, n'est-ce pas ? Vous allez mieux maintenant ? Vous sembliez très troublée quand je suis arrivée. Qu'ont-ils fait, ces gredins ? Que vous ont-ils dit ?

Éli secoua la tête sans pouvoir s'empêcher de sourire au ton irrité d'Émilia.

— Ce n'est rien, répondit-elle, je vais bien, mais appelez-moi Éléonore. Pour des brigands, je les ai trouvés gentils. Nous avions craint un sort bien pire, croyez-moi. Mais vous…

— Oh ! Appelez-moi Émi.

— Mais Émi, vous n'avez pas peur de ce que les autres femmes du camp vont penser ? Vous avez toutes les raisons de nous détester, vous savez.

La petite dame vint s'asseoir près d'elle et lui prit la main d'un geste chaleureux. Ses yeux aimables se posèrent sur elle et les deux sœurs qui écoutaient :

— Je ne vous déteste pas, voyons, dit-elle. La haine ne règle rien, au contraire, elle pose d'autres problèmes. Nous ne provenons peut-être pas du même milieu, mais du même Dieu.

Suzie déposa les bols sur la table et ajouta joyeusement :

— Ça, c'est vrai !

Leur tendant leur bol, Émilia continua avec assurance :

— Puis je me fous bien de ce que peuvent penser les autres, j'ai toujours fait comme bon me semblait et ce n'est pas maintenant que je vais changer. Je ne peux peut-être pas vous rendre votre liberté, mais je ferai de mon mieux pour rendre votre séjour parmi nous le plus agréable possible.

Dame Katherine hoqueta, mais Éli lui lança un regard qui lui commanda de retenir ses réflexions. D'un ton sec, elle lui lança :

— Si vous n'êtes pas contente, madame, demandez aux guerriers dehors de vous reconduire dans l'autre cabane.

Elle lança un regard d'excuse à Émilia, qui leva une main lui signifiant qu'elle ne s'en formalisait pas. Elle dit la prière et elles mangèrent avec appétit. Suzie, qui n'était tenue par aucun principe, ne put s'empêcher de multiplier les questions sur la vie dans un château, les bals, la cour, les princes et tout ce qui, de la vie de noble, intéressait une jeune femme. Mylène resta muette au début, mais sa sœur répondait avec force explications à toutes les questions de Suzie. Mylène, tout en gardant une certaine réserve, entra de plus en plus dans leur conversation. Émilia alla porter de la soupe aux jeunes hommes dehors, mais leur refusa toujours l'entrée.

Les jeunes filles discutèrent tout le reste de la journée, n'osant pas mettre le nez dehors. La nuit venue, dame Katherine demanda à ce qu'on la reconduise à la cabane, refusant de dormir dans le même lit qu'une paysanne. Mylène et Anna la suivirent, non sans dire au revoir à Suzie. Si leur rencontre s'était bien déroulée, il était toutefois trop tôt pour les inciter à rester avec les paysannes. Éli aurait préféré rester avec cette femme chaleureuse, mais elle ne voulait pas laisser les deux sœurs seules avec dame Katherine et risquer ainsi de perdre le terrain gagné sur leurs préjugés.

Les hommes escortaient les prisonnières sur les passerelles et Éli s'attarda sur le seuil près d'Émilia, qui lui sourit. Elle lui dit avec reconnaissance :

— Je vous remercie. Et ne faites pas attention à ce que dit cette femme, elle ne comprend pas.

Émilia secoua gentiment une main dans l'air :

— Ce n'est rien, voyons. Qu'importe cette femme austère, vous êtes si jeunes, toutes les trois, vous n'avez pas à pâtir des actes des seigneurs du simple fait de votre naissance.

Elle soupira et regarda Malek qui attendait Éli sur la passerelle. Un profond chagrin se lisait au fond de ses yeux.

— Eldérick souffre beaucoup et il ferait tout pour sauver ses hommes. Il ne faut pas lui en vouloir, il est désespéré, mais vous n'avez rien à craindre, je vous assure.

— Oh ! Je sais, approuva Éli en souriant tristement. Je sais. Kordéron a une façon de régner bien particulière. En Ébrême, c'est très différent. Mon royaume est grand et prêt à accueillir beaucoup de gens.

Émilia la fixa et Éli vit ses yeux s'embuer de larmes à la seule pensée d'une vie meilleure. Son cœur se serra, mais elle chassa ses émotions. La femme passa une main sur sa joue et murmura :

— Vous êtes une bonne personne, Éléonore, mais nous devons rester avec les nôtres. Vous devriez aller vous coucher maintenant, il est tard. Si vous voulez, je viendrai vous chercher demain, à mon réveil.

— Certes, oui ! Bonne nuit, Émi. Bonne nuit, Suzie.

Les deux femmes la regardèrent s'éloigner avec Malek. Éli marchait aux côtés du jeune homme, les yeux rivés sur les planches de la passerelle. Le mépris qu'elle avait pour le roi Kordéron venait de faire place à la haine. Les mères refusaient que leurs guerrières se mêlent des affaires des hommes des royaumes, mais cette fois-ci, Éli était bien déterminée à revenir ici, lorsque sa quête serait accomplie. Elle pourrait sûrement faire quelque chose pour aider ces gens.

Éli sentit soudain un regard scrutateur peser sur elle et se retourna pour croiser les yeux noirs de Malek. Il en profita pour dire :

— Vous avez parlé longtemps avec Émilia.

La jeune femme feignit la surprise et leva des yeux timides vers les siens pour les détourner immédiatement.

— Je la remerciais, répondit-elle d'une voix faible.

Il éclata d'un rire sarcastique et déclara :

— Une noble qui remercie une paysanne !

Lui jetant un regard furieux, elle cracha :

— Je ne suis pas une ingrate, si c'est ce que vous pensez ! Émilia et Suzie se sont montrées très bonnes envers nous.

Éric et Kaito se tournèrent vers eux. Malek ignora la réplique et répéta le sous-entendu :

— Mais ce ne sont que des paysannes.

Éli s'arrêta brusquement et lui fit face, le feu aux joues.

— Et vous, vous n'êtes qu'un voleur ! dit-elle avec colère. Pourquoi me dire ça ? Je n'ai aucun compte à vous rendre.

Malek ouvrit la bouche, mais Éric s'interposa et la prit par les épaules pour la pousser vers la cabane.

— Qu'est-ce que mon père t'a ordonné ? demanda le grand blond. Laisse la jeune femme tranquille.

Il ouvrit la porte et entra avec elle. Éli se tourna vers lui, mais il regardait Mylène, qui s'était assise sur son lit. La jeune femme leva les yeux vers lui pour les baisser aussitôt en rougissant. Il se recula, heureux de l'effet produit, et ferma la porte en disant d'une voix suave :

— Bonne nuit, mesdames.

Éli alla s'asseoir sur sa couche et attendit que les pas des hommes s'éloignent pour déclarer :

— Vous voyez ! Nous aurions eu tort de nous faire du souci, ce matin.

— Vrai, dit Anna en s'enroulant dans ses couvertures.

Mylène leva la tête et lui sourit :

— Vous aviez raison, effectivement, approuva-t-elle. Mais… elle lança un regard craintif vers la porte tout en dénouant ses cheveux… mais cet homme m'effraie.

Se retenant de sourire, Éli la rassura :

— Ne t'en fais pas, Émilia ne les laisserait jamais nous faire du mal.

Mylène hocha la tête, même si les paroles de son amie ne réglaient pas tout à fait son problème.

— Ce qui est certain, proféra d'un ton sec dame Katherine, c'est que vos actes ne resteront pas sans conséquence.

— Prenez garde à ce que vous dites, répondit Éli d'une voix sévère, car je vous rappelle que mon père est un grand ami du roi Ferral d'Ébrême. Et ma mère n'étant plus, il y a longtemps que je sais m'occuper de moi et je n'ai aucun compte à rendre à une dame de Dulcie, sans titre.

Les yeux agrandis de frustration, dame Katherine ne répliqua pas et se coucha avec raideur. Éli sourit de satisfaction et s'étendit à son tour. Tout s'arrangeait. À part Malek, les hommes semblaient tous la croire et ne la questionneraient plus. Et puis, avec Émilia pour veiller sur les deux sœurs, elle pourrait s'enfuir au moment voulu.

Ses yeux se posèrent sur Mylène, qui fixait le plafond, couchée à côté de sa sœur. La jeune femme semblait ébranlée et Éli devinait que son trouble provenait davantage de l'appui inopiné des deux paysannes que de l'enlèvement lui-même. Elle aurait bien aimé savoir ce que la jeune femme pensait à cet instant. Quelle perception avait-elle de la situation ? Éli bâilla et s'engouffra sous ses couvertures, remettant ses pensées au lendemain. Elles auraient le temps d'en discuter toutes les deux, puisque de toute façon, elle ne s'enfuirait certainement pas sans son médaillon.

CHAPITRE 7

MYLÈNE CONFRONTÉE À LA RÉALITÉ

Le coq chanta et Éli ouvrit un œil. Anna était assise, les jambes croisées sur sa couche, face à elle.

— Bonjour, chuchota la fillette.

— Bonjour, marmonna Éli en étirant ses bras. Tu es bien matinale.

Anna alla s'asseoir près d'elle et expliqua :

— Je réfléchissais.

L'air songeur, la fillette regarda la matrone qui dormait et continua :

— Je me demandais pourquoi dame Katherine refuse de parler avec Émilia. Pourquoi Dieu fait-il naître une personne riche et une autre pauvre ? Pourquoi est-ce moi qui suis fille de duc et non Suzie ? Valons-nous vraiment plus que ces gens parce que nous sommes nées nobles ?

Éli se redressa sur un coude et fixa les yeux interrogateurs de l'enfant. C'était beaucoup de questions pour un matin. Après un moment, elle répondit :

— Je ne pourrais pas te dire et je ne crois pas que quiconque le sache vraiment. Chacun a sa propre réponse, mais je ne pense pas que ce soit une question de préférence ou de la valeur des uns ou des autres. Un ami m'a dit un jour, alors que je lui posais la même question, qu'il fallait toutes sortes de gens pour faire un monde et que l'on doit respecter les autres, peu importe qui nous sommes, car nous sommes tous d'égale importance aux yeux du Créateur.

Anna fronça les sourcils et lui lança un regard perplexe. Elle murmura :

— Ce n'est pas ce que notre tuteur nous enseigne.

— Je sais. La vérité n'est pas toujours facile à démêler de tout ce qu'on nous dit, c'est pourquoi tu dois apprendre à tirer tes propres conclusions de ce qui t'est enseigné, sans jamais te restreindre à l'opinion d'un seul groupe de personnes.

Anna baissa les yeux et ses sourcils se froncèrent davantage. Éli passa une main dans les cheveux blonds de l'enfant.

— Mais tu es encore jeune, Anna. Laisse-toi le temps de vieillir, d'apprendre en observant ce qui t'entoure ; tout ce qui t'entoure. Tu apporteras ensuite tes propres réponses, et non celles d'un quelconque tuteur.

La fillette s'allongea près d'elle, le regard toujours perdu dans ses pensées. Une main se promenant dans les doux cheveux blonds, Éli la fixait en souriant : elle ne se souvenait pas avoir laissé une personne se blottir ainsi contre elle depuis très longtemps. Elle n'avait jamais été très à l'aise avec les contacts humains. Toutefois, elle resta étendue près d'Anna, car, sans oser se l'avouer, elle aussi avait besoin de réconfort. La nuit avait été pénible, peuplée de visages de gens qu'elle avait abandonnés.

En regardant l'enfant, elle songea avec amertume qu'elle aussi, elle l'abandonnerait. « Qu'est-ce que j'avais dit ? » La voix de Rîamka sonnait dans sa tête. « Tu aurais dû partir quand tu en avais l'occasion. Il n'y a que toi pour te placer dans des situations pareilles. » C'est ce que sa maîtresse d'armes lui aurait dit et avec raison, comme chaque fois. Mais Éli n'avait jamais été raisonnable et elle resterait tant qu'elle jugerait sa présence nécessaire.

Satisfaite d'être de nouveau en accord avec elle-même, Éli pensa à Eldérick, mais des pas sur la passerelle, devant leur porte, la ramenèrent à son environnement immédiat. Près d'elle, Anna se redressa et tressaillit à la voix de Malek :

— Que viens-tu faire ici ?

— Les réveiller et les amener avec moi, car ma mère fait le déjeuner.

C'était Suzie. Anna se précipita vers la porte en souriant, mais s'immobilisa en entendant Malek répliquer :

— Il n'en est pas question ! On n'a aucun ordre à recevoir d'une fillette et elles mangeront lorsqu'on le décidera.

— Pour qui te prends-tu ? cria Suzie. Tu n'as aucun droit sur elles. Si tu ne me donnes pas la clé, je vais aller le dire à ma mère et tu vas voir ! Vous ne mangerez pas tant qu'elles n'auront pas déjeuné, et même, vous attendrez encore plus longtemps.

— Je vais aller le dire à ma mère, répéta une voix d'homme en imitant ironiquement le ton de Suzie.

Éli reconnut Éric et l'imagina appuyé au mur, à gauche de la porte. Il y eut un craquement de planches à cet endroit et elle devina qu'il venait de se redresser.

— Malek, donne-moi cette clé ! ordonna Suzie.

Elles entendirent des bruits de bousculade sur la passerelle et la jeune femme poussa soudain un cri.

— Éric, arrête ! Lâche-moi ! Espèce de gros…

— De gros quoi ? demanda-t-il. Aïe, Malek ! Que dirais-tu si je balançais cette petite insolente en bas de la passerelle ?

— Ce ne serait sûrement pas une grosse perte, répondit-il avec indifférence.

Suzie poussa un second cri.

— Arrêtez donc, tous les deux, intervint un troisième individu.

Éli supposa que ce devait être l'Arkéïrite.

— Oh! s'exclama Malek avec ironie. Kaito, le preux chevalier à la rescousse de la jolie demoiselle en détresse. Arrivera-t-il à temps avant que l'ogre ne la propulse en bas de la falaise?

Un grognement féroce du grand blond fut suivi d'un cri de Suzie, cette fois-ci entrecoupé d'éclats de rire. Elles entendirent un échange de coups, puis l'ordre de Kaito :

— Donne-lui les clés.

— Bien, accepta Malek, mais c'est toi qui auras à t'expliquer avec Karok.

Il y eut un bruit de ferraille dans la serrure et la porte s'ouvrit sur Suzie, qui sursauta à la vue d'Anna debout juste derrière le battant.

— Vous êtes réveillées! s'étonna-t-elle alors que Malek et Éric se tassaient derrière elle dans l'encadrement.

Éli s'assit et lança un regard craintif vers Malek qui l'examinait.

— Il serait difficile de ne pas l'être, marmonna-t-elle d'une voix endormie.

— Désolée, dit Suzie en souriant. C'est leur faute. Venez, ma mère a préparé des œufs.

Anna battit des mains en riant et se tourna vers Éli en quêtant son approbation. La jeune femme l'observa, consciente d'avoir pris auprès de la fillette la place de la matrone, bien qu'ayant à peine la moitié de l'âge de dame Katherine. Elle sourit à Anna et se leva à son tour, les membres engourdis. Elle grommela pour elle-même que, même si elle comptait rester encore un moment dans ce camp, elle devrait reprendre l'habitude de se réveiller physiquement alerte. Puis, elle alla s'agenouiller près de la couche de Mylène et murmura :

— De bons œufs et du pain chaud, n'est-ce pas ce qu'il faut à une jeune femme pour commencer la journée du bon pied ?

Une des paupières de la jeune femme s'ouvrit sur son iris bleu-gris et elle demanda :

— Comment saviez-vous que j'étais éveillée ?

Éli rit.

— La question est plutôt : comment pourriez-vous dormir alors que l'objet de vos craintes hurle dehors comme un forcené ?

Mylène remonta sa couverture sur son nez avec un faible rire.

— En effet.

Elle prit soin de ne pas regarder vers la porte ouverte en se levant et défroissa sa robe du mieux qu'elle put.

— Demoiselles Delongpré, intervint froidement dame Katherine. Vous auriez tort de suivre cette femme à l'extérieur. N'oubliez pas qui vous êtes.

Éli soupira en levant les yeux et regarda Mylène porter un de ses ongles à sa bouche, l'air troublé. La jeune noble jeta un bref coup d'œil à son accompagnatrice, qui la fixait sévèrement, puis regarda de nouveau Éli qui attendait sa décision.

— Moi, déclara celle-ci, je dis que vous avez besoin de vous nourrir, noble ou pas.

Devant l'hésitation de Mylène, elle ajouta :

— De toute façon, les bonnes manières nous imposent d'accepter l'invitation de notre hôtesse. Rappelons-nous qu'Émilia n'est pour rien dans cet enlèvement et il serait très impoli de l'ignorer après ce qu'elle a fait pour nous, hier.

Mylène lui sourit et hocha la tête :

— Vous avez raison.

Elle passa devant Éli, mais s'arrêta brusquement en apercevant Éric, appuyé contre le cadre de la porte. Éli tourna le dos à dame Katherine — qu'elle entendait fulminer —, un sourire satisfait au coin des lèvres. Elle avait été noble assez longtemps quand même pour savoir manipuler les règles. Si Mylène avait presque son âge, elle n'était pourtant, à bien des égards, encore qu'une enfant et Éli se faisait un devoir de replacer ses principes aux bons endroits.

Elle abandonna dame Katherine à sa rancœur, alla prendre les deux sœurs par la main et sortit à la suite de Suzie, qui lança aux deux jeunes hommes un regard hautain. Mylène s'accrocha fortement à son bras lorsqu'elles passèrent entre eux, mais eut un léger cri indiquant qu'Éric avait tout de même réussi à la frôler. Mylène alla vivement se placer entre elle et Suzie en jetant nerveusement des coups d'œil derrière elle.

— Impolie, hein !

Malek les avait rejointes et le sourire d'Éli s'effaça alors qu'elle se tournait vers lui. Il continua sur le même ton sarcastique :

— Comment une noble saurait-elle se montrer impolie envers des paysans qui, selon vous, ignorent ce que ce mot veut dire ?

Éli avait espéré qu'il se serait raisonné durant la nuit, mais, apparemment, Malek ne la croyait toujours pas noble. Elle saluait sa perspicacité. Toutefois, s'il croyait réussir à partager ses soupçons avec ses compagnons, il se trompait grandement. Éli lui montrerait qu'il avait affaire à quelqu'un d'encore plus perspicace que lui. Les bras raides, elle serra les poings et fronça légèrement les sourcils, l'air affligé.

— Pourquoi me harcelez-vous ? demanda-t-elle. Vous ai-je fait quelque chose ? Je ne me souviens pourtant pas vous avoir déjà vu.

Un sourire mauvais se forma sur les lèvres de Malek, qui répondit :

— Cesse de jouer à ce jeu, ma petite biche, je sais que ce n'est pas seulement ce que tu es. Et je finirai bien par le prouver.

Le jeune homme marcha vers Éli qui recula, l'expression de son visage passant, en quelques secondes, de la frustration à la peur. Elle s'appuya à la rambarde de la passerelle et sa respiration accéléra alors qu'il se rapprochait encore. Suzie se dressa soudain entre eux et posa ses mains sur le torse de Malek pour le repousser.

— Laisse-la ! ordonna-t-elle. Ce n'est pas sa faute, tout ça. Moi seule devrais me montrer haineuse envers les nobles. Et je ne le suis pas, alors arrête !

Malek recula, mais Éli vit à son regard qu'il était loin d'abandonner.

— Le problème, marmonna-t-il, est qu'elle n'est pas noble.

Suzie eut un soupir d'irritation et s'exclama :

— Il se comporte parfois bizarrement, celui-là. Ne fais pas attention à son air méchant, il ne l'est pas, enfin, tant qu'on ne le provoque pas. Je ne comprends vraiment pas pourquoi il agit ainsi avec toi qui es si gentille.

Elles se remirent en marche et Éli répondit :

— Ce n'est pas grave. Ce n'est pas tant son comportement à lui que je ne comprends pas, mais plutôt celui de ta mère et toi.

Suzie haussa les épaules.

— Si on veut que le monde soit juste, commençons par l'être nous-mêmes. C'est ce que ma mère dit toujours.

Elles traversèrent le camp sous les mêmes regards méprisants que la veille, ce qui ne semblait pas perturber Suzie outre mesure. Éli parvint, bien qu'embarrassée par sa robe, à descendre les échelles avec un peu plus d'assurance que le jour précédent. Alors qu'elles approchaient de la cabane, la voix d'Émilia leur parvint de l'intérieur.

— Voyons, Eldérick ! Ce ne sont que des enfants ! La comtesse elle-même est à peine plus âgée que ma Suzie. Tu ne peux leur faire payer ce qui arrive à Myral, elles n'y sont absolument pour rien.

— Nous devons donner l'exemple de notre détermination, expliqua le chef des rebelles.

— L'exemple ! s'indigna Émilia. Et quel exemple ? Que nous pouvons également agir sans la moindre compassion ? Que nous sommes aussi capables de cruauté ? Comment peux-tu dire de telles choses, Eldérick ? Toi ! Je ne te reconnais plus, tu sais. As-tu donc oublié ce que tu étais, ce que nous étions tous ? Tes filles auraient le même âge…

— Ne les compare pas à elles ! Les nobles d'aujourd'hui ne sont que des reliques du passé.

— Et crois-tu qu'en te comportant en barbare, tu y changeras quelque chose ? Penses-tu que Myral sera fier de toi en apprenant ce que tu as fait pour le libérer ? Je connais assez mon mari pour savoir qu'il désapprouverait cela et tu le sais comme moi.

— Et toi ! cracha-t-il d'une voix tremblante. Toi qui me fais la morale : préférerais-tu le laisser mourir ? Le laisser se faire pendre, ton propre mari ! C'est mon frère et je ferai tout pour le ramener ici en vie. Tout !

Eldérick ouvrit violemment la porte et se trouva face à face avec les quatre jeunes filles. Le visage contracté par la colère, le torse soulevé au rythme de sa respiration, il les considéra un instant. Mylène gémit et se blottit contre Éli avec sa sœur. Suzie jeta un coup d'œil à l'intérieur : sa mère était assise sur une chaise, le visage enfoui dans les mains. Alors, les lèvres serrées pour retenir les larmes qui brillaient dans ses yeux, elle dévisagea l'homme dressé devant elle. Eldérick grimaça, baissa la tête et s'éloigna rapidement. Les trois jeunes hommes qui arrivaient le regardèrent passer près d'eux et Malek lui emboîta le pas en faisant signe à Éric qu'il allait s'en occuper.

Le cœur battant, Éli suivit des yeux le chef des rebelles. Elle avait vu juste ; cet homme avait été seigneur. Un seigneur qui avait perdu son titre, sa terre… ses enfants. Et maintenant, son frère. Elle commençait à saisir les propos d'Émilia. C'était un homme désespéré. Éli se tourna vers Mylène, qui regardait Suzie serrer sa mère dans ses bras. La jeune noble leva la tête vers elle et proposa, hésitant :

— Nous devrions peut-être retourner avec dame Katherine…

Éli acquiesça d'un hochement de tête, mais Émilia se précipita vers elles.

— Non ! Restez avec nous, implora-t-elle la voix encore tremblante. Vous n'avez pas à vous sentir responsables de quoi que ce soit.

Elle les invita d'un geste et les poussa à l'intérieur en essuyant rapidement ses larmes dans son tablier.

— J'ai fait un gros déjeuner, il ne faudrait pas le gaspiller.

— Avec Éric à côté, rien n'est jamais gaspillé ! s'exclama Suzie en le voyant gravir l'échelle qui montait à leur cabane. Il est pire qu'un rat !

— J'ai entendu ! s'éleva une voix de l'extérieur.

Éric ouvrit la porte et se dirigea vers Suzie, qui se saisit d'un poêlon. Émilia, qui sortait le pain du four pour le poser sur la table, l'accosta sévèrement :

— Que fais-tu ici, jeune homme ?

— Eh bien ! Je viens chercher ta fille, dit-il en évitant adroitement un coup de poêlon. Et la traîner dehors pour lui donner une bonne raclée.

Il attrapa la main qui tenait le poêlon et d'un bras, entoura la taille de Suzie pour la plaquer contre lui. Voyant que le jeune homme la tirait effectivement vers la porte, elle se débattit furieusement en criant :

— Maman !

Émilia s'approcha d'eux et croisa les bras en dévisageant l'assaillant de sa fille.

— Éric, cesse de faire le bouffon ! Tu n'impressionnes pas du tout ces dames.

Il haussa les sourcils et s'étonna :

— Impressionner ? Argh !

Il lâcha Suzie qui venait de lui écraser les orteils et se prit le pied en marmonnant :

— Oh toi…

Elle leva promptement le poêlon et lui en assena un coup sur l'épaule. Cassé en deux, Éric se replia vers la sortie.

— Bien ! Bien ! Je sors, dit-il tandis que la jeune femme continuait de le frapper. Mais dis-toi que tu as peut-être gagné une bataille, mais pas la guerre.

Suzie referma la porte en riant.

— Quel abruti ! déclara-t-elle sans, cependant, élever la voix.

Émilia secoua la tête et murmura :

— Que ne feraient pas ces jeunes hommes pour attirer l'attention des femmes !

— Et pour leur changer les idées, murmura Éli pour elle-même.

La petite femme déposa les assiettes sur la table et toutes mangèrent en silence. La fanfaronnade d'Éric avait effectivement un peu réduit le malaise, mais aucune ne savait quoi dire, surtout Émilia qui, bien que tentant de garder un air enjoué, semblait préoccupée. Elle ne toucha à presque rien et commença rapidement à nettoyer la cuisine. Éli devinait qu'elle déplorait cette dispute avec Eldérick. Tous deux souffraient du même mal. La tristesse l'envahit à la pensée du désespoir quotidien qui devait habiter cette femme, sachant son mari emprisonné. Elle brisa le silence en proposant doucement :

— Vous devriez aller le voir.

Tous les visages pivotèrent dans sa direction. Émilia détourna la tête pour cacher son trouble et Éli continua :

— Vous me l'avez dit vous-même. C'est un homme désespéré, probablement n'a-t-il pas plus mangé que vous.

Elle se leva et alla lui poser une main sur l'épaule.

— Laissez-nous le soin de tout ranger et allez lui parler ; il a besoin de vous. Dans l'adversité, alors que le malheur nous guette à chaque tournant, il est important de veiller sur ceux qui nous restent. Vous devez rester unis.

Émilia posa sa main sur celle d'Éli tandis qu'une larme roulait sur sa joue. D'une voix brisée, elle répondit :

— Merci. C'est gentil.

— On récolte ce que l'on sème, répondit Éli en souriant.

La petite femme retira son tablier et se dirigea vers la sortie. Elle lança un second regard reconnaissant à Éli et ferma la porte derrière elle. Éli se frotta les mains, prit une assiette et demanda :

— Bon ! Que fait-on de tout ça, maintenant ?

Suzie se leva précipitamment en protestant :

— Oh ! Non, non ! N'y touchez pas. Je vais m'en occuper.

Éli leva l'assiette hors de sa portée.

— Je veux aider, dit-elle. C'est la moindre des choses.

Anna se leva en attrapant les assiettes.

— Moi aussi, je veux aider.

Les mains sur les hanches et l'air sévère, Suzie leur indiqua :

— Bon, alors prenez les assiettes et les ustensiles et mettez-les sur le coin de la table.

Elle alla ouvrir la porte et demanda :

— Y aurait-il un garçon assez gentil pour aller me chercher une bassine d'eau chaude ?

— J'y vais, s'empressa de dire Kaito.

Suzie récupéra les bols des jeunes hommes et rentra. Mylène se leva avec hésitation, son assiette dans les mains. Éli lui murmura :

— Tu n'es pas obligée, tu sais.

La jeune noble fit tourner l'assiette dans ses mains avec gêne en regardant sa sœur et Suzie empiler la vaisselle. Suzie se penchait constamment pour ramasser ce qu'Anna laissait tomber sur le plancher. Mylène demeura un moment immobile, puis ses traits prirent un air déterminé et elle attrapa son verre pour se diriger vers les deux autres. Elle posa soigneusement l'assiette et le verre sur la pile et se tourna vers Éli qui l'imita. Elles attendirent la cuvette d'eau et commencèrent à nettoyer. Éli prit les casseroles et les rangea dans l'armoire, mais Suzie l'interrompit :

— Pas ça, dit-elle en lui prenant le poêlon. On pourrait en avoir besoin !

Mylène la regarda le poser à portée de main et s'enquit :

— Tu n'as pas peur de lui ?

Suzie éclata de rire.

— Bien sûr que non ! Jamais il ne me ferait du mal. On se taquine, c'est tout. Le seul dont je me méfie, cependant, c'est Malek. Il prend un malin plaisir à tourmenter toutes les filles du camp, mais, ne t'en fais pas, je serai là. Kaito, lui, est très différent, continua-t-elle en souriant. Il est galant et toujours aimable. Il sait aussi jouer de la lyre et chanter. Il a une si belle voix...

— Wow ! Tous ces compliments pour un si petit homme.

Suzie laissa tomber l'assiette dans la cuvette et leva la tête vers Éric, qui se tenait dans l'embrasure de la porte. Elle s'écria :

— Que fais-tu là ? Tu n'as pas le droit d'entrer ici !

Il sourit et se pencha dehors :

— Eh ! Kaito ! Suzie a quelque chose à te dire !

— Non, tais-toi ! cria-t-elle de nouveau en se précipitant vers lui.

Elle le poussa, avant de s'apercevoir qu'il n'y avait personne à l'extérieur.

— Mais non, dit-il en riant, je plaisantais. Il n'est plus là. Malek et lui sont partis vérifier une théorie ou je ne sais trop quoi.

Suzie le regarda entrer et ferma la porte pendant qu'il poursuivait :

— Je me suis donc permis d'entrer pour m'assurer que tout allait bien. Bien sûr, je garderai le secret de ce que j'ai entendu… à condition que tu sois sage.

Il s'assit sur une chaise et Suzie retourna à la bassine en marmonnant.

— Que dis-tu ? demanda-t-il.

— Rien, répondit-elle entre ses dents.

Éric sourit, s'étira et croisa ses pieds sur la table. Suzie lui fouetta aussitôt la jambe avec son torchon et s'exclama :

— N'exagère pas, quand même.

Il se rassit convenablement et appuya son menton dans ses mains pour regarder les jeunes femmes travailler. Elles restèrent silencieuses, gênées par la présence du jeune homme. Il détaillait Mylène, qui tentait désespérément de se cacher derrière Éli. Son regard se porta sur cette dernière et il déclara :

— Je suis certain que Malek apprécierait ce tableau. Des nobles aidant une paysanne, c'est beau à voir. Si vous voulez, et surtout elle, spécifia-t-il en pointant Mylène, moi aussi, j'ai besoin d'aide pour faire du ménage dans ma cabane.

Un sourire lubrique apparut sur ses lèvres et Suzie lança son torchon sur la table d'un air furieux.

— C'est assez! ordonna-t-elle. Sors d'ici tout de suite!

— Ah oui? s'exclama-t-il en arrondissant la main à son oreille. N'est-ce pas Kaito que j'entends approcher, justement?

— Dis-lui ce que tu veux, je m'en fiche. Sors d'ici tout de suite et arrête d'importuner mes amies.

Il resta sur place et croisa les bras en souriant toujours. Éli secoua la tête en se disant qu'elle aurait grand plaisir à expulser cet indésirable de la pièce. Elle chercha un moyen plus pacifique de le faire sortir en promenant ses yeux autour d'elle et s'arrêta sur la cuvette d'eau mousseuse. Suzie, qui suivait son regard, réprima un sourire et hocha la tête. Sournoisement, elle plongea un grand bol dans l'eau et se tourna vers Éric, ordonnant une deuxième fois :

— Sors et je ne te le répéterai pas.

Comme il ne bougeait toujours pas, elle sortit vivement le bol de la cuvette et l'aspergea. Le liquide mousseux gicla sur sa tête et son torse. Lentement, Éric baissa les yeux sur sa chemise trempée et passa une main sur son visage pour en retirer le savon. De son côté, Suzie se tordait de rire, courbée en deux au-dessus de la cuvette. Éli n'eut pas le temps de la mettre en garde : en deux pas, Éric fut sur elle et la coinça contre la table. Suzie poussa un cri de surprise et voulut éloigner la cuvette, mais il y plongea la main et l'éclaboussa à plusieurs reprises, sa large paume faisant autant de dégâts que le bol.

Les trois nobles s'étaient reculées en le voyant approcher, mais Éli ne pouvait se résigner à abandonner Suzie, puisque c'était elle-même qui lui avait suggéré cette attaque. Elle attrapa un verre et alla le plonger dans l'eau pour en lancer le contenu sur Éric, qui tenta vainement de se protéger derrière Suzie. D'une main, il voulut saisir Éli, mais elle se défila agilement et l'arrosa de nouveau. Voyant que le jeune homme perdait son avantage, Anna poussa un cri excité et sauta sur une chaise afin de se tremper les avant-bras dans la cuvette.

— Anna! la réprimanda sa sœur, ne te mêle pas de ces enfantill... Ah! sursauta-t-elle lorsqu'une trombe d'eau sale vint éclabousser sa luxueuse robe.

Mylène ouvrit la bouche et, tout en passant ses mains sur sa robe souillée, leva la tête vers Éric, qui lui lança un regard moqueur. Dans un grognement furieux, elle se précipita vers eux et tira Suzie par le bras pour l'enlever de devant Éric, dont elle aspergea le visage avec tout ce que son bras put ramasser d'eau. Libérée, Suzie se joignit à elles et Éric se protégea le visage en riant. Aspergé de toute part, il étira le bras pour attraper une des filles au hasard. Éli évita de nouveau sa main et il agrippa le bras de Mylène, qui poussa un cri de surprise. Il l'attira vers lui, mais la porte grinça sur ses gonds, immobilisant son mouvement.

La silhouette d'Émilia se dessina dans l'entrée. En voyant le désordre, ses yeux s'écarquillèrent et elle croisa les bras en grondant de colère. Éric, qui peinait à se retenir de rire, lâcha Mylène et se redressa. Éli aida Anna à descendre de la chaise et lança un regard amusé vers Mylène et Suzie, qui fixaient intensément le plancher. Elle déclara rapidement :

— Nous nous occuperons de tout remettre en ordre.

Éli regarda autour d'elle sans savoir par où commencer. Éric se racla la gorge et dit :

— Je vais aider, Émi, c'est un peu ma faute, tout ça.

— Certainement pas! objecta Émilia. Vous allez tous sortir d'ici et trouver de quoi vous occuper.

Elle avança en regardant son plancher trempé.

— J'aurais dû prévoir que je ne pouvais pas vous laisser avec ces jeunes hommes sans qu'il y ait du grabuge. Allez, ouste! dit-elle en les poussant vers la porte. Allez vous faire sécher dehors.

Éli passa devant elle en dissimulant un sourire.

— Et moi qui vous croyais plus adulte… marmonna la petite femme.

Éli s'excusa d'un mouvement des épaules et suivit Suzie à l'extérieur. Elles passèrent devant Éric, qui les regarda sans dire un mot et allèrent s'asseoir sur un banc au centre du camp, où il y avait le plus grand espace. Le soleil brillait ardemment à cet endroit découvert et leurs robes sécheraient rapidement. Suzie étendit les jambes devant elle et déclara :

— On s'en est pas trop mal sorties, je trouve. Je me mets toujours dans le pétrin à cause de ce crétin.

Les gens s'éloignèrent d'eux, entraînant leurs enfants avec eux.

— J'ai l'impression d'avoir la peste, dit faiblement Mylène.

Suzie expliqua :

— Tout comme les nobles ne sont pas tous comme Éléonore, les paysans ne sont pas tous comme ma mère et moi. Il faut les comprendre. Ils n'aiment guère ce que vous représentez. Vous êtes l'image de ce qui les fait souffrir et qui les a forcés à se réfugier dans ces bois.

Mylène hocha la tête. Elle n'avait jamais eu conscience de tout le mépris que suscitait son titre. Il était vrai qu'elle ne fréquentait guère les paysans, ni même les serviteurs du château. Leur tuteur disait souvent : «Ce sont des êtres arriérés et incultes, plus proches des animaux que de nous.» Mylène porta son regard sur Suzie qui riait avec Anna, puis sur les autres habitants qui vaquaient à leurs occupations, occupations dont elle ignorait tout, pour la plupart. Qu'avait-elle de plus que ces gens, à cet instant même? Une noble. La fille d'un duc. Il était déconcertant de voir à quel point ces mots perdaient de leur prestige dans ce camp. Ses yeux s'attardèrent sur la cabane où se cloîtrait dame Katherine. Était-ce pour cette raison qu'elle refusait de sortir, pour ne pas voir la misère de ces gens et éviter de sentir naître la compassion dans son cœur ? Était-elle également blessée par le mépris de ces paysans, pourtant sans importance aux yeux des nobles ?

Mylène sentit qu'on l'observait et son regard rencontra celui d'Éléonore, toujours si calme. Comme elle aurait aimé pouvoir lire dans ses pensées et apprendre ce que savait de la vie cette comtesse qui avait su discuter avec leurs assaillants en parvenant même à les faire rire ! Cette comtesse qui les avait persuadées de quitter cette cabane où tentait de les retenir leur matrone, les plongeant dans un monde dont elles ignoraient tout. Mais surtout, cette comtesse qui avait su parler à Émilia avec affection, comme si elles avaient été des amies de longue date. Que cachaient ces yeux verts ? Mylène était certaine que la comtesse saurait répondre à ses questions ; le problème était que les réponses risquaient de lui déplaire. Éléonore sourit et, comme si elle avait suivi le cours de ses pensées, remarqua :

— Les choses ne sont pas toujours aussi simples que l'idée que nous nous en faisions, n'est-ce pas ?

Mylène baissa les yeux sans répondre, craignant de trahir son doute. Comme Éli se redressait pour s'approcher, elle vit Malek et Kaito traverser le camp. En avisant leurs robes tachées, ils s'arrêtèrent brusquement, les sourcils froncés, puis se regardèrent pour conclure en chœur :

— Éric !

— Où est-il ? demanda Malek.

Suzie pointa Eldérick, qui parlait avec deux hommes à cheval, et répondit :

— Il discute avec son père, là-bas.

Kaito marcha vers eux, alors que Malek resta à fixer les demoiselles, les bras croisés. Mylène dut s'avouer qu'elle trouvait son regard indéfinissable bien plus intimidant que celui d'Éric, plutôt enjôleur. Les yeux noirs les examinèrent une à une pour s'arrêter sur Éli, qui lui jetait des coups d'œil sans oser le regarder en face. Il demanda avec sarcasme :

— Et de quoi discutaient ces jeunes nobles ?

— Pas de toi, certes, l'interrompit Suzie.

Mais il l'ignora et continua :

— Désiraient-elles savoir comment vont les récoltes ? Si les villageois ont de quoi nourrir leur famille cette année, malgré les impôts des seigneurs ?

Il s'adressait à toutes, mais ses yeux restaient rivés sur Éli.

— Arrête !

Suzie se leva et le poussa.

— Pourquoi ne vas-tu pas donner de tes sarcasmes à d'autres ? Elles ne peuvent rien y changer, comme toi ou moi, et Éléonore n'est même pas de notre royaume.

Malek baissa sur Suzie un regard animé d'une lueur affectueuse qui tranchait avec l'expression sévère de sa bouche. Levant la main, il lui frôla le menton du doigt et murmura :

— Désolé, ce n'est pas toi que je voulais mettre en colère.

Éli regarda Suzie repousser la main en souriant malgré elle à Malek, bien que manifestement gênée par cette démonstration d'affection. Elle cherchait ses mots lorsque Eldérick déclara :

— Ces demoiselles ne devraient pas se montrer ainsi, autant pour notre sécurité que pour la leur. Soit elles retournent dans leur chambre, soit elles vont chez toi, Suzie.

Suzie les consulta du regard et répondit rapidement :

— Elles viennent avec moi.

Les filles se levèrent pour quitter le centre du camp, suivies de leurs trois gardiens. Le petit homme trapu, qu'Éli se souvenait avoir vu avec Eldérick à leur arrivée, vint vers eux, trois épées sur les bras. Il s'interposa et, à Kaito et Éric qui se trouvaient près de lui, tendit chacun une épée.

— C'est l'heure de l'entraînement, s'exclama-t-il. Assez joué les gardiennes d'enfants.

— Mais Karok, répliqua Malek, on doit rester avec elles, Eldérick…

— Eldérick, je viens de le croiser et c'est lui qui m'a dit où vous trouver.

Il lui lança la dernière épée que Malek attrapa lestement.

— Suzie semble très bien s'occuper de ces jeunes dames, et s'il arrive quelque chose, nous ne serons pas loin.

Les trois jeunes hommes le suivirent à contrecœur. Éli se retourna pour les regarder et croisa les yeux noirs de Malek. Elle baissa aussitôt la tête, davantage pour cacher son amusement que par gêne. Suzie expliquait que Karok était le maître d'armes du village et qu'il enseignait aux jeunes hommes l'art du combat, mais Éli ne l'écoutait que d'une oreille, réfléchissant à la raison du questionnement de Malek. Que pensait-il, exactement ? La croyait-il noble ou non ? Que cherchait-il à prouver en l'attaquant ainsi de toutes parts ? Probablement ne le savait-il pas lui-même, même si son sarcasme avait tout de même réussi à l'atteindre. Ce royaume souffrait et elle ne le traversait que pour voler un objet, sans faire cas du reste. Enfin, jusqu'à présent… pensa-t-elle en regardant les sœurs Delongpré.

Les quatre filles allèrent s'asseoir sur le balcon de la demeure de Suzie, loin des activités du camp, mais non des regards méprisants : ceux-là les poursuivaient partout et Éli voyait Mylène baisser la tête, le visage crispé de tristesse à chaque regard, comme sous autant de coups reçus. Elle aurait aimé pouvoir alléger ce poids supplémentaire qui pesait sur les épaules de la jeune noble qui, pour la première fois peut-être, ressentait de la compassion pour la souffrance des autres.

Éli ignorait si cette avalanche d'émotions était née, chez Mylène, de son acte de courage pour protéger sa sœur ou du simple fait d'avoir été confrontée aux paysans. Elle revit les traits torturés d'Eldérick et Émilia, pourtant si joviale, le visage rougi de larmes. Quelle qu'en fût la raison, Mylène était débarrassée des œillères qui aveuglaient les nobles de ce royaume et Éli se doutait qu'elle ne serait jamais plus cette jeune femme prétentieuse et hautaine qu'elle avait connue durant son voyage à Yrka. Mylène avait-elle réfléchi à tout cela? Probablement, et c'est pourquoi elle semblait si préoccupée.

Éli détourna les yeux. Elle ne pouvait nier se sentir légèrement fautive d'avoir sorti la noble de sa cage dorée pour la jeter dans les affres du doute et la culpabilité. Désireuse de chasser ces idées, elle chercha Eldérick, mais il avait disparu, ainsi que les deux cavaliers. Les jeunes hommes étaient d'ailleurs tous partis avec Karok et ils n'étaient plus qu'une poignée, avec quelques femmes, à s'occuper du camp. Elle fronça les sourcils : s'était-elle méprise sur ce royaume? Se pouvait-il que certains habitants de Dulcie se préparassent à prendre les armes?

Un cheval hennit et elle vit un cavalier vêtu d'une pèlerine beige, maculée de la poussière des chemins. Il était coiffé d'un large bonnet de velours usé et portait une cithare rouge en bandoulière. Six sacoches d'où dépassaient plusieurs partitions pendaient à l'arrière de sa selle. Il en saisit une en sautant à bas de sa monture et confia les autres aux rebelles qui s'étaient approchés de lui et qui, fléchissant légèrement les jambes, les balancèrent sur leurs épaules. Ces sacoches devaient contenir bien plus que des feuilles de papier. Le cavalier, suivi des hommes, marcha vers la cabane d'Eldérick. Éli les suivit en plissant les yeux, tant le soleil éblouissait la clairière. Cet homme était ménestrel autant qu'elle-même était comtesse.

Elle sourit en avisant une carriole bondée d'armes et de nourriture pénétrer dans l'enceinte du camp. Les hommes ressortirent de la cabane et entreprirent aussitôt de la décharger. Les deux marchands allèrent rejoindre le ménestrel chez Eldérick d'un pas assuré. Comme tous les autres, elle s'était laissé berner par la docilité du peuple devant la tyrannie du roi : certains œuvraient dans l'ombre.

Des réfugiés ? Les objectifs d'Eldérick étaient bien plus ambitieux que d'établir un camp de réfugiés. Les hommes qu'elle avait vus passer venaient, d'après leur accent, du sud de la Dulcie. Assurément, ce camp n'était pas unique : les habitants tenaient bien leur langue, car jamais elle n'en avait eu vent lors de ses venues au royaume.

Pourtant, les seigneurs tenaient constamment les paysans sous le joug de la menace. La surveillance était d'ailleurs beaucoup plus étroite dans ce royaume qu'en Ébrême. Il y avait forcément une personne qui, quelque part, fermait les yeux : une personne haut placée. Quelqu'un qui n'avait pu les suivre dans leur rébellion, mais qui les aidait secrètement. Un soldat haut gradé ou, peut-être... Éli se revit à Yrka, à peine quelques jours auparavant. Elle y avait rencontré un homme bien particulier.

Derrière elle, les voix des jeunes filles, qui se mêlaient à la rumeur du camp et à celle de la forêt, s'éloignèrent pour faire place aux crissements des roues du carrosse qui l'avait conduite en Dulcie, quelques semaines plus tôt.

CHAPITRE 8

LE VOL DE LA PIERRE DE LA GUERRE

S a première destination avait été le manoir Demiléberg, où l'attendait la femme qui l'accompagnerait jusqu'à Yrka, la cité royale de Dulcie. La maîtresse du manoir, l'une des rares nobles dulciennes faisant affaire avec le royaume voisin, avait reçu une lettre cachetée du sceau du comte Deschênes, lui demandant d'accueillir sa fille et de la faire escorter jusqu'au château du roi de Dulcie. Cela, bien sûr, avec la promesse d'un dédommagement considérable et d'une petite avance. La maîtresse des lieux avait aussitôt expédié une réponse, qui n'était jamais parvenue au véritable comte, et avait chargé une lointaine cousine, dame Katherine Demiléberg, d'accompagner la jeune femme durant le voyage. La fausse comtesse Éléonore Deschênes était arrivée peu de temps après, escortée par des soldats d'Ébrême qui n'en étaient pas.

La jeune femme se souvint du vif malaise qu'elle avait ressenti la première fois qu'on l'avait nommée Éléonore. Non pas que prendre une autre identité lui était inhabituel, mais parce que ce nom avait été le sien et que personne ne l'avait appelée ainsi depuis dix ans. Tout comme son passé, il était resté au château paternel et elle n'en avait gardé que le diminutif Éli, donné par ses frères. Cependant, elle empruntait tant de noms qu'elle n'entendait pas plus souvent celui-là qu'un autre.

Dès le début du voyage, Éli avait feint la réserve et l'humilité, n'ouvrant la bouche que pour répondre aux questions. Dame Katherine s'était montrée polie, voire aimable, puis, la jeune femme lui semblant peu encline à discuter, elle avait gardé le silence. Au reste, la matrone n'avait rien à gagner à se lier d'amitié avec une noble d'Ébrême, les deux royaumes n'étant pas en bons termes. Éli savait que, n'eût été la somme considérable versée par ses sœurs à sa cousine comme à elle-même, dame Katherine n'aurait jamais consenti à escorter une Ébrêmienne.

Ce que ses maîtresses et elle n'avaient pas prévu, c'est que la matrone accompagnait deux autres jeunes femmes. Les sœurs Delongpré les avaient rejointes une semaine plus tard, alors qu'elles passaient près de la seigneurie de leur père. Mylène affichait déjà ce petit air hautain qui allait la caractériser tout le long du voyage.

Mais en regardant la jeune noble qui souriait timidement en écoutant Suzie raconter ses histoires, Éli songea que ses allures arrogantes n'étaient probablement qu'une façade derrière laquelle Mylène camouflait son manque d'assurance. Elle ne lui avait pas vu un seul regard méprisant depuis sa rencontre avec Suzie. Mylène imitait ses pairs pour être acceptée et, bien qu'intelligente, semblait parfois idiote. C'est ce qu'Éli découvrait en constatant que la jeune noble réfléchissait à ce qu'elle voyait ; force lui était de reconnaître qu'elle avait réellement sous-estimé la jeune femme.

Toutefois, cela n'avait rien d'étonnant : Mylène s'était montrée superficielle durant tout le voyage, ne tenant que des propos insipides auxquels Éli n'avait prêté qu'une oreille distraite. Le bal et la perspective de rencontrer les princes ne l'intéressaient en rien, son esprit n'étant habité que par son objectif : la pierre de la guerre.

Les écrits des royaumes rapportaient que mille ans auparavant, le roi de Dulcie, Martéal Le Borgne, avait reçu du Créateur un pouvoir immense qui lui avait permis de sortir victorieux de la guerre livrée contre la reine Ergatséï. À l'issue du conflit, le dragon ayant participé à la guerre avait enfermé ce pouvoir dans un objet qui avait ensuite disparu. Comme plusieurs événements contemporains à cette guerre, la pierre tout autant que le dragon l'ayant créée étaient devenus mythiques, jusqu'aux événements du mois précédent.

Dans les montagnes, au nord-ouest du royaume de Dulcie, des mineurs qui creusaient une mine de fer avaient mis au jour un caveau immense, caché au cœur des monts Mézarès. Le sol était tapissé d'ossements de toutes les espèces, si anciens qu'ils se réduisaient en poussière dès qu'on marchait dessus. Sur les murs incurvés se devinaient des gravures, vestiges d'une époque révolue. Au centre du caveau, à l'intérieur d'une enceinte de cristal magique, les mineurs avaient découvert la pierre de la guerre évoquée dans la légende. Dépêchés par le roi sitôt averti, des magiciens avaient récupéré le précieux objet.

Kordéron avait jalousement conservé la pierre, en espérant probablement que celle-ci lui permettrait d'attaquer le royaume d'Ébrême et de reconquérir enfin les terres perdues. Ni les chefs des royaumes voisins, ni ceux de la citadelle des magiciens ne s'étaient encore élevés contre cette mainmise sur un objet historiquement si précieux, mais ce n'était qu'une question de temps. D'ailleurs, Éli s'était préparée à affronter des rivaux qui ne s'étaient pas manifestés. Les eldéïrs s'étaient montrés les plus rapides à subtiliser la pierre de la guerre. Dès que leur était parvenue l'annonce de la découverte, ils avaient mandaté l'une de leurs guerrières.

Il avait fallu plus de trois semaines au carrosse pour atteindre Yrka, la cité royale, sous l'escorte des gardes du duc Delongpré, le père des deux sœurs. Malgré son aversion pour ce royaume, Éli avait été éblouie par la splendeur du château de cristal dominant la cité.

Érigé à même la montagne, le palais devait sa construction aux premiers rois du monde, bien avant la guerre de la sorcière. On racontait qu'à l'époque, Melbïane ne formait qu'un seul et même royaume. Des années durant, magiciens et architectes de tous les horizons avaient tenté, en vain, de reproduire les épais murs de cristal du château. En fait, personne n'aurait su dire exactement ce qu'était cette matière. À en croire certaines légendes, les dragons eux-mêmes avaient aidé à édifier cette merveille et, comme on ne les avait pas revus depuis mille ans, la construction du château d'Yrka demeurait un mystère.

En contrebas s'étendait la cité royale, au fond d'une vallée entre les flancs des monts Mézarès. Son immensité était telle que le château, situé à l'extrémité nord, paraissait minuscule. La cité déployait ses hautes murailles depuis le flanc le plus escarpé de la montagne, à l'ouest, jusqu'à son homologue est, interdisant tout accès autre que la grande porte centrale, surplombée par des tourelles de pierres qui devaient abriter les gardes de la cité.

Le carrosse se joignit à une multitude d'autres convois en lente progression sur la voie principale qui s'y engouffrait. Chacun d'eux passait entre les gardes aux armures or et rouge du royaume, qui vérifiaient invitations et occupants. Sur leur pectoral figuraient l'épée et l'isana, fleur aux courts pétales d'un blanc pur, qui poussait sur les monts Mézarès. Sous le règne de Martéal Le Borgne, le dragon, jadis emblème de la Dulcie, avait disparu au profit de la fleur, sans que l'histoire révélât pourquoi.

La porte franchie, le carrosse s'engagea sur la grand-rue bordée de commerces. Mylène et Anna se tordaient le cou par la fenêtre pour admirer le foisonnement d'objets exotiques autour desquels se promenaient les riches nobles. Peuplées, elles aussi, de boutiques de toutes sortes, des rues partaient de chaque côté, pour se perdre au cœur de la cité. Éli observait aussi attentivement que possible, pour s'assurer que tout était conforme au plan que lui avaient montré ses maîtresses. Petit à petit, les commerces cédèrent la place à de petites maisons simples, mais jolies, bientôt supplantées à leur tour par de gigantesques et luxueuses demeures, dressées au milieu de magnifiques jardins. Piètres imitations du château de cristal qui les dominait, leurs façades semblaient se disputer la plus grande quantité de fenêtres.

Plus jeune, Éli avait maintes fois entendu le roi Ferral d'Ébrême souhaiter que la terre tremble au pied des monts Mézarès. À la vue de cette rutilance, elle comprit pourquoi en imaginant le désarroi de ces Dulciens prétentieux devant un tel saccage. Heureusement, son ricanement fut vite couvert par les exclamations émerveillées des deux sœurs.

Un second rempart de pierres, plus haut que le précédent, entourait le domaine du palais royal. Ses pierres noires incrustées d'éclats de cristal scintillaient comme au firmament, sous sa crête hérissée de pointes de flèches. Les gardes prirent leurs invitations et ouvrirent les larges grilles de fer forgé ornées du dragon. Éli supposa que le roi Martéal n'avait pas osé changer les emblèmes enchâssés à même le château.

Le carrosse pénétra dans un immense jardin qui s'étendait sur plusieurs centaines de mètres jusqu'au palais. Ils avancèrent dans l'allée centrale bordée de parterres d'iris et de lin, au centre desquels se dressaient des bosquets de jasmins. Leur parfum enivrant les enveloppa tout au long du chemin. Celui-ci déboucha sur deux allées séparées par un long bassin d'eau. Des statues de fées dansant et jouant de la flûte se reflétaient dans l'eau claire d'une fontaine. Derrière les parterres de fleurs géométriques, des sentiers s'enfonçaient dans le boisé qui entourait le palais. C'était immense, mais Éli en avait appris chaque recoin. Avec Noéka, sa prédécesseure, qui avait déjà accompli nombre de quêtes dans cette ville, elle avait mémorisé les alentours du château : l'emplacement de chaque bâtisse et de chaque pavillon, jusqu'au labyrinthe de haies qui ornait le côté est du palais.

Éli leva la tête vers les murs de cristal, plus aveuglants que le soleil. On racontait que par temps clair, on les voyait briller depuis les montagnes, au sud du royaume. La première façade était entièrement bâtie de pierres noires et percée, à intervalles réguliers, de meurtrières. À son sommet, Éli apercevait les soldats qui montaient la garde, derrière les créneaux.

Plus loin, derrière, s'élevait la plus large paroi de cristal, plus limpide que le verre des fenêtres ordinaires. D'après Noéka, on pouvait, de l'intérieur, voir le paysage sur des kilomètres à la ronde, comme en survol. Par contre, l'extérieur de la muraille ne faisait que réfléchir les montagnes, ce qui donnait à Éli l'étrange impression que le palais s'y fondait. Plus haut, le reflet des montagnes cédait la place à la réverbération bleue du ciel, accentuant l'effet de transparence. Sur la façade avançaient des balcons donnant sur des chambres et des salons situés si haut qu'il était impossible de voir si quelqu'un s'y tenait.

Au-dessus de l'ensemble s'élançaient quatre tours de cristal qui projetaient leur éclat à des kilomètres à la ronde. Leur pignon, perdu dans les nuages, rivalisait avec les monts Mézarès qui les cernaient. Aussi fragiles, en apparence, que des colonnes de verre, elles étaient aussi indestructibles qu'un diamant. Seul pouvait les ébranler le souffle des êtres par qui elles avaient pris forme : les dragons.

Éli fixait les tours, consternée. L'ensemble avait beau être d'une splendeur sans égale, elle se demandait sérieusement comment parvenir à se saisir de la pierre que renfermait la tour du roi, la plus au nord et la plus haute des quatre. Noéka l'avait certes avertie, mais comment pouvait-elle imaginer une telle immensité ? Elle se sentit soudain très loin de chez elle et très seule, alors qu'un doute sournois fissurait sa volonté.

Éli se concentra sur sa quête et ce qu'elle savait de ces tours. Sa crainte était inutile. Elle connaissait le moyen de pénétrer dans chaque tour. Elle n'avait qu'à obtenir confirmation de certains renseignements, avant de se lancer à la conquête de la pierre.

Le carrosse s'arrêta au pied d'un immense escalier, d'un cristal identique à celui du palais. Les marches s'élevaient jusqu'à une porte en bois-de-fer plus haute que trois hommes et ornée du dragon figurant sur les grilles. Un valet vint les aider à descendre pour ensuite les escorter à leurs appartements. En gravissant les degrés, Éli avait l'impression de s'élever dans les airs. Elle aperçut Anna, qui éprouvait les marches avant d'y peser de tout son poids, pour s'assurer qu'elle n'irait pas s'écraser au sol. Elle lui tendit la main et la fillette la prit en souriant timidement. Deux soldats ouvrirent les larges portes et elles entrèrent dans la cour intérieure, où les jardins n'avaient rien à envier à ceux de l'extérieur.

Le valet leur décrivit les consignes du château et l'heure des repas. Si elles le désiraient, il leur ferait faire le tour du domaine. Elles furent installées au sud du palais dans un bâtiment de pierres des champs. Plusieurs jeunes femmes s'y trouvaient déjà et circulaient dans les jardins et les couloirs en jacassant. Certes, le bal était une invitation à admirer la pierre de la guerre, mais les courtisanes du royaume ne manquaient pas une occasion de voir les deux princes.

À l'écart de ces groupes de pies, Éli se promena dans le domaine, repérant les endroits où elle devait passer. Elle tira également le plus d'informations possible des soldats qui patrouillaient dans le domaine royal. Les hommes étaient toujours heureux de discuter avec les jeunes nobles et sa curiosité passa inaperçue parmi les questions des autres femmes.

Cinq jours s'écoulèrent avant qu'elle puisse voir la pierre de la guerre pour la première fois et, par la même occasion, le roi Kordéron. Celui-ci organisa plusieurs soirées pour fêter la découverte de l'objet, mais toutes n'étaient pas ouvertes au commun de la noblesse. À ce qu'Éli avait pu entendre, le roi avait aussi espéré que ses magiciens découvriraient le secret du pouvoir de la pierre avant l'ouverture du bal principal. Ce ne fut pas le cas, mais il décida de le donner malgré tout.

Il y eut un grand souper dans la plus gigantesque salle à manger jamais vue par Éli. Comme les jours précédents, elle se tint discrètement dans l'ombre de dame Katherine. Cette dernière ne s'en plaignait pas, puisqu'elle souhaitait que l'Ébrêmienne qu'elle avait accompagnée ne se fît pas trop remarquer. Or, Éli n'avait pas à fournir de grands efforts pour se maintenir à l'écart, son accoutrement éloignant d'elle les jeunes hommes. Au reste, eût-elle été un fantôme, elle ne serait pas passée plus inaperçue. Bien que succulent, le souper lui parut interminable. Après tous ces jours, elle avait hâte de voir ce qui avait tant ébranlé les eldéïrs.

Après le repas, les invités furent conviés à la salle de bal, qui semblait encore plus vaste que la salle de banquet, si cela était possible. Éli se dit que la chute d'un seul des cinq lustres qui garnissaient le toit cathédrale provoquerait une bonne vingtaine de blessés. Malgré son ampleur, l'endroit était bondé. Insignifiante, loin derrière la mer de nobles, Éli apercevait à peine l'estrade où se trouvaient les trônes de la famille royale et, sur un piédestal, la pierre de la guerre. Le bal avait été ouvert après un discours du roi, qu'elle n'avait pas entendu.

Plus d'une heure s'était écoulée avant que la nuée de nobles se dissipe et qu'elles puissent s'approcher de la famille royale. C'est Anna qui lui pointa le roi Kordéron, autour duquel gravitait un essaim de nobles tentant désespérément de capter son intérêt. Éli remarqua aussitôt, parmi les hommes qui se tenaient près de lui, des nobles qui n'en étaient pas. Les gardes étaient vêtus luxueusement, mais leur posture sévère et, surtout, leur regard perçant laissaient croire qu'ils n'étaient pas là pour des mondanités. De nouveau, Éli recula dans l'ombre de dame Katherine, sans pouvoir s'empêcher de détailler le roi.

Elle ne savait dire pourquoi, mais, lorsqu'elle entendait le roi Ferral parler du roi Kordéron, elle l'avait toujours imaginé gros et laid, avec une expression de convoitise dans le regard. Éli fut donc surprise de voir un homme grand et svelte aux longs cheveux blonds noués derrière la nuque et portant fièrement la couronne des souverains de Dulcie, cette même couronne que Martéal Le Borgne portait lors de sa victoire sur la sorcière Ergatséï, mille ans auparavant.

Elle se demanda ce qu'aurait pensé, en voyant ce médiocre individu ainsi coiffé, le monarque qui avait sauvé Melbïane et que l'on disait juste et bon. L'actuel souverain avait un visage aux traits délicats qu'éclairait un sourire chaleureux, mais saisissant de vacuité. Éli comprit alors que ce bel homme, bien qu'arborant la couronne et le sceptre de Dulcie, n'était qu'un dirigeant de façade, un homme inconsistant dont la vie se résumait en amusements, tandis qu'il déléguait aux seigneurs les responsabilités de son royaume. À ses côtés, la reine, dont le sourire béat et le regard étaient d'une insipidité aussi remarquable que chez son époux, n'était pas d'un grand secours.

Éli pensa un instant qu'il devait jouer là un rôle pour la cour, qu'il était impossible que cet être superficiel puisse être roi. Mais à le voir aller, elle dut accepter l'évidence et comprit tout le mépris de Ferral pour ce personnage, lui qui était parmi les plus grands monarques. Kordéron était réellement une insulte à la monarchie. Éli secoua la tête, pour regarder aussitôt autour d'elle afin de s'assurer que personne n'avait remarqué son regard dégoûté. Voyant Anna qui, l'air ennuyé, ne regardait nulle part, elle s'enquit d'un ton innocent :

— Ton père est-il parmi les invités ?

À ce qu'Éli savait, l'homme n'était pas averti de sa présence, puisque ses filles étaient censées voyager seules avec dame Katherine ; or, elle n'avait aucune envie qu'il en fût autrement. Le duc Delongpré était membre du conseil royal et une rencontre avec lui pourrait compromettre ses plans.

— Non, répondit Anna, lui et les autres membres du conseil sont en réunion pour les prochaines semaines, à cause de ce caillou, j'imagine. Il nous a prévenues que, même s'il était dans le palais, nous ne le verrions pas de tout notre séjour.

Parfait, se retint de dire Éli pour murmurer, en posant une main compatissante sur l'épaule de la fillette :

— C'est dommage.

Anna haussa les épaules d'un air indifférent et alla prendre la main de sa sœur. Alors, c'était donc cela, pensa Éli en reportant son attention sur l'élégant roi. L'enfant royal s'amusait avec son nouveau jouet, tandis que les véritables dirigeants du royaume prenaient leurs décisions, réunis quelque part entre ces murs. Et, quand bien même assistait-il aux séances du conseil, elle imagina ce monarque pastiche, de guingois sur son siège, songeant à quelque brillant divertissement lors de son prochain bal ou aux atours qu'il devrait porter, alors que les seigneurs décidaient du sort de ses sujets. Il devait probablement pousser un long soupir d'exaspération lorsque ses conseillers le dérangeaient dans ses rêveries, ne les écoutant qu'en partie avant de lever négligemment une main leur signifiant son accord. Était-ce ainsi qu'il avait envoyé ses soldats dans les villages et les seigneuries, brûlant et tuant sur leur passage ?

Éli dut faire un effort pour détacher son regard de cet homme et regretta amèrement de ne pas avoir été dépêchée dans ce palais pour tuer cet imbécile. Et dire qu'il avait eu des fils… Une nouvelle génération de crétins, se dit-elle en apercevant l'un des princes, encore adolescent, aussi beau que son père et aussi consciencieux, devina-t-elle en le voyant aller d'une fille à l'autre. Mylène et les jeunes nobles avec lesquelles elle discutait se lancèrent à sa suite pour se joindre à celles qui riaient déjà à gorge déployée à chacune de ses blagues idiotes, en espérant s'attirer un regard. Anna, dont la main était restée dans celle de sa sœur, fut entraînée derrière elle, non sans avoir lancé un regard désespéré à Éli qui, avec tristesse, dut l'ignorer : elle devait voir seule cette pierre de la guerre.

Ainsi qu'elle l'avait deviné, dame Katherine partit à la suite de ses protégées et Éli en profita pour se fondre dans la masse de robes aux couleurs éclatantes. S'assurant qu'aucun regard ne la suivait, elle traversa la mer de nobles. De nouveau, elle passait devant leurs yeux sans être remarquée, tel un fantôme. Les soldats qui gardaient les alentours de l'estrade ne lui accordèrent pas plus d'attention. Pourtant, si personne n'était enclin à engager la conversation avec elle, sa haute taille et son maquillage outré auraient dû provoquer leur curiosité, mais, en se concentrant sur eux, elle pouvait convaincre les gens de son insignifiance.

Elle parvint donc devant l'estrade où trônait la pierre de la guerre, seule au milieu de la foule. Tout à côté, un groupe d'hommes discutaient de la légende en contemplant l'objet magique. Discrètement, elle se glissa près d'eux pour observer le but de sa quête.

Sur un coussin de velours noir reposait un objet de trente centimètres de hauteur formant un large ovale au contour difforme, marqué de petites protubérances qui s'apparentaient à la peau d'un crapaud. La pierre était d'un vert sombre, tacheté d'or et de noir. Malgré son aspect répugnant, Éli ressentit un étrange désir de la prendre dans ses mains et de la caresser. Se retenant avec peine de monter les marches qui menaient sur l'estrade, Éli, bouche bée, resta à la fixer.

Quel genre de magie pouvait produire une telle pierre ? En quoi pouvait bien consister ce pouvoir de vaincre les guerres, comme l'indiquait la légende ? Cela dépassait amplement ses connaissances et ses aptitudes. Malgré son don, Éli n'était pas habile en sorcellerie, elle restait guerrière. Son domaine était les armes et non les éléments.

Soudain, un mouvement la fit sursauter. Elle avait cru apercevoir une veinure rouge traverser la surface granuleuse de la pierre. La jeune femme se pencha davantage, sans remarquer que les hommes s'étaient tus et qu'ils observaient l'objet avec la même fascination. Les soldats se rapprochèrent également pour voir ce qui attirait leur attention. Un homme laissa échapper un cri de surprise : un éclair rouge vif venait de nouveau de traverser la surface bosselée. Éli se sentit étourdie et tendit une main en direction de l'objet, alors qu'une dizaine de veinules rouges parcouraient la pierre en tous sens. Bousculée, elle revint à elle et se recula.

Comme des hommes en toge s'approchaient, attirés par l'agitation, elle s'éloigna de l'estrade. De loin, elle entendit les voix des magiciens renvoyant les curieux avant de se pencher sur la pierre, mais cette dernière était à présent aussi inerte que n'importe quel caillou. Ils se redressèrent pour chercher la source de magie à l'origine de cette réaction et Éli se recroquevilla sur elle-même en se frayant un passage entre les danseurs.

Le souffle court, elle s'arrêta près du buffet installé le long du mur gauche de la salle, n'osant pas se tourner vers l'estrade. Stupide qu'elle était ! Elle n'avait pas remarqué les magiciens qui, dissimulés dans l'ombre des pentures, surveillaient l'objet. Heureusement pour elle, les seigneurs l'avaient dissimulée. Idiote, se répéta-t-elle. Se laisser ainsi envoûter… Pire qu'une débutante ! Pourtant, ce n'était pas la première fois qu'elle se retrouvait devant un objet magique.

Elle s'empara rageusement d'une grappe de raisins et leva les yeux vers les gens qui se tenaient près du buffet. Ils n'étaient pas nombreux, ce qui était normal après le repas qu'on leur avait servi. Son regard rencontra celui d'un homme costaud, adossé au mur. Il avait moins de vingt ans, mais sa carrure était déjà celle d'un bûcheron et il était légèrement plus grand qu'elle. Une chevelure châtaine peignée à la hâte recouvrait ses oreilles et il était vêtu d'un justaucorps violet orné de boutons dorés et d'une collerette de dentelle qui avait connu des jours meilleurs. Posté contre le mur, entre deux tables, les bras croisés, il observait les gens. Éli ne pouvait voir nettement ses yeux barrés de mèches de cheveux rebelles, mais ils semblaient sévères. Il y avait un certain laisser-aller dans ce personnage, qui contrastait avec les autres courtisans. Sentant qu'elle l'observait depuis un moment, il tourna la tête et la regarda à son tour, à travers ses cheveux.

Il eut un demi-sourire et Éli lui sourit timidement en retour, avant de baisser les yeux et de se retourner pour s'éloigner.

— Vous devriez goûter aux raisins des vignobles de Dégromn, si vous aimez ce fruit, suggéra-t-il d'une voix grave aux accents encore juvéniles, quoique, mince comme vous l'êtes, je serais surpris de vous voir un reste d'appétit après un tel repas.

Éli resta interdite. La remarque ressemblait à un compliment, pourtant, le ton était sarcastique. Elle aurait pu feindre de ne pas l'avoir entendu et partir dans la foule. Toutefois, Éli détestait ne pas comprendre. Tout comme un nombre incalculable de fois, la curiosité l'emporta et elle se tourna vers lui.

Le jeune homme lui tendit une grappe de raisins aussi verts que des émeraudes. Éli remarqua aussitôt les paumes calleuses et usées de ceux qui manient régulièrement les armes. Prenant soin de ne pas frôler ses doigts, elle prit les raisins et baissa les yeux pour fuir le regard pénétrant qu'il posait sur elle. Éli remarqua alors l'épée qui pendait à sa hanche et le lustre des bottes de cuir noir sous la lumière des chandelles. Un autre reflet capta alors son regard : quelques mètres plus loin, elle aperçut une paire de bottes toutes différentes, faites de métal. Elle leva les yeux vers le soldat qui les observait, un sourire aux lèvres.

Dans la quarantaine, il avait des cheveux bruns et portait une moustache et une barbe bien taillée. Un haut gradé, supposa-t-elle, car d'autres soldats se tenaient dans l'alcôve, derrière lui. Ils étaient sans doute là pour surveiller le bal et la pierre. L'avait-il vue arriver de l'estrade en courant presque ? Mais le soldat promena son regard sur la foule, sans trop lui porter attention.

Éli s'obligea au calme et se tourna de nouveau vers le jeune homme pour constater avec soulagement qu'il ne la regardait plus, occupé à observer la salle. Le visage sévère, il suivait des yeux les mouvements des courtisans avec ce qui lui sembla être, à présent qu'elle se tenait près de lui, une pointe de mépris. Elle remarqua alors que personne ne s'en approchait et que tous faisaient même un détour pour ne pas avoir à croiser le regard dur du jeune homme. De toute évidence, il se trouvait là contre son gré. Mieux valait ce personnage austère à n'importe lequel de ces courtisans bavards qu'elle aurait risqué de rencontrer, maintenant que l'alcool altérait leur vision.

L'air de rien, Éli resta près de lui à manger ses raisins. Quelques minutes passèrent avant qu'il ne tourne la tête vers elle et la dévisage, manifestement surpris de la voir encore à ses côtés. Comme il continuait à la regarder, Éli supposa, d'une petite voix :

— Vous ne semblez pas vous amuser.

Il eut de nouveau ce sourire condescendant. Il devait la croire semblable à ces autres demoiselles. Il porta sa coupe de vin à ses lèvres, prenant son temps pour lui répondre.

— Je n'ai jamais été très bon danseur, finit-il par dire. Ni un très grand bavard.

C'était une façon de lui dire de partir. Mais Éli n'avait pas envie de partir. Dame Katherine n'était pas en vue et elle trouvait plus divertissant d'agacer ce jeune noble que de risquer d'être importunée par les autres. Décidée à jouer les innocentes, Éli ignora le sous-entendu et déclara en regardant les gens qui évoluaient au centre de la salle :

— Moi aussi, je préfère rester à l'écart, car lorsqu'il y a trop de gens autour de moi, j'ai l'impression d'étouffer et je n'arrive pas à suivre les conversations.

Éli promena son regard autour d'elle, feignant de ne pas voir le sourire qu'il cacha en portant de nouveau la coupe à ses lèvres. Comme il ne parlait pas, elle continua d'avaler les raisins qu'il lui avait tendus et qui étaient, en effet, succulents. Du coin de l'œil, elle le voyait lui jeter des regards songeurs, mais il ne semblait pas vouloir continuer la conversation. Il bougea légèrement pour appuyer son pied au mur et son arme cliqueta.

— Êtes-vous soldat ?

Éli s'attendait à ce qu'il réagisse, puisque assurément il n'était pas soldat, mais elle tressaillit tout de même quand le jeune homme s'étouffa avec son vin. Il dut même mettre la main devant la bouche pour éviter de le recracher sur la table du buffet. Éli le fixa avec étonnement et murmura :

— Désolée, je ne voulais pas vous offenser.

Elle entendit un éclat de rire grave et constata qu'il provenait du soldat, qui porta aussitôt sa main gantée à sa bouche pour l'étouffer. Le jeune homme finit par avaler correctement sa gorgée et se tourna vers elle avec un large sourire.

— Je ne suis pas offensé, dit-il, et son regard passa du mépris à l'amusement. Vous n'êtes pas d'ici, n'est-ce pas ? ajouta-t-il en se tournant vers elle. Je ne vous avais encore jamais vue à la cour.

Éli ouvrit la bouche, encore surprise par la réaction des deux hommes, et oublia qu'il n'avait pas répondu à sa question :

— Non. Je viens d'Ébrême. Je suis envoyée par l'université, afin de voir la pierre de la guerre.

— Ah ! C'est donc ça, dit-il en hochant la tête, un sourire toujours aux lèvres. C'est donc la raison pour laquelle vous n'êtes pas dans le sillage du prince Julior.

Les paroles directes du jeune homme la surprirent et elle le dévisagea un instant avant de répondre :

— Eh bien, je ne suis pas venue jusqu'ici pour courtiser un prince. J'aime mon royaume et devenir reine de Dulcie n'est pas dans mes ambitions.

La lueur d'amusement flamboya dans les yeux bleu foncé de son interlocuteur. Elle s'était amusée avec lui, mais, apparemment, c'était réciproque, bien qu'elle ne comprît pas pourquoi il se moquait d'elle.

— Pourtant, continua-t-il en se penchant vers elle d'un air enjôleur, toutes les demoiselles rêvent de devenir reine. Le prestige, la puissance, la fortune…

C'était donc bien du mépris qu'elle lisait sur son visage alors qu'il regardait les courtisanes, puisqu'elle comprenait par son ton sarcastique qu'il désapprouvait ces désirs. Éli leva un doigt devant le visage du jeune homme pour le faire taire et le forcer à se redresser.

— Faux ! Les demoiselles rêvent d'une vie facile et sans aucun tracas, alors qu'être reine implique de nombreuses responsabilités…

Les rires du seigneur et du soldat l'interrompirent.

— Les responsabilités d'une reine ! s'exclama-t-il entre deux éclats de rire. À part choisir sa prochaine robe et sa coiffure…

Il singea une femme en train de se coiffer, provoquant le rire des soldats qui se tenaient dans l'alcôve, derrière le haut gradé. Éli se retint de les imiter et feignit la colère :

— Je comprends maintenant pourquoi vous êtes seul dans votre coin. Je ne savais pas les seigneurs de Dulcie aussi désagréables.

Il s'arrêta et tourna vers elle un visage redevenu sérieux. Pour ne pas sourire, elle se força à regarder les danseurs et porta un raisin à sa bouche. D'un air supérieur, elle poussa un soupir désespéré et déclara à son tour, condescendante :

— Certes, en Dulcie, les mœurs ne sont pas aussi évoluées qu'en Ébrême. Alors, je pardonne votre ignorance. Vous ne pouvez pas connaître les femmes de l'autre côté de la frontière.

— Mon ignorance… aussi évoluées… ricana-t-il en appuyant son avant-bras au mur afin de se pencher vers elle. Insinuez-vous qu'Ébrême est mieux que la Dulcie ?

« Assez ! Cesse tes fanfaronnades ! lui ordonna la voix autoritaire de Rîamka. Pars, pendant qu'il est encore temps. »

Mais Éli s'amusait trop, heureuse d'avoir l'occasion de donner son opinion à un noble de Dulcie, même si celui-ci était plutôt jeune. Encore un peu, pensa-t-elle, puis elle s'éclipserait dans la foule. Le menton toujours en l'air, elle coula vers lui un œil narquois, sans faire cas de sa proximité, en ajoutant sur le même ton :

— C'est bien ce que j'ai dit. Les royaumes n'évoluent pas tous à la même vitesse et il arrive que certains soient plus arriérés que d'autres…

Elle laissa son discours en suspens en entendant le soldat hoqueter d'indignation ; le jeune homme la dévisagea, une expression offensée s'ajoutant à son air amusé. Il approcha son visage du sien et Éli se tourna vers lui sans intention apparente de reculer.

— Les nobles demoiselles d'Ébrême sont-elles toutes aussi arrogantes que vous ? demanda-t-il, et elle vit ses yeux fixer son maquillage. Et aussi peu douées pour se maquiller ?

Les soldats ricanèrent et Éli réprima un sourire en fixant les yeux bleu profond du jeune homme. Il avança la main vers son visage dans l'apparente intention de lui toucher la joue du doigt, mais Éli arrêta son geste en lui saisissant le poignet. Elle avait été trop prompte, aussi prit-elle garde de le serrer avec force. Néanmoins, elle n'en eut pas besoin, puisque le poignet resta docile entre ses doigts. Il se contenta de regarder la main de la jeune femme avant de ramener ses yeux dans les siens.

— Vous pouvez tenter de m'insulter, mon seigneur, dit-elle à voix basse, mais je vous déconseille de me toucher.

— Une menace ? s'étonna-t-il, doucereux et souriant.

— Non, je vous l'ai déjà dit, répéta-t-elle en éloignant son bras pour ensuite le lâcher, un conseil.

Dix ans. Il y avait dix ans qu'elle n'avait pas mis les pieds dans une salle de bal et elle venait encore de provoquer un conflit. Décidément, elle avait ça dans le sang. Dix ans plus tôt, pas un bal ne se déroulait sans qu'après un échange d'injures choisies, elle finît par se battre contre un noble. Le comte accourait alors en jurant et attrapait sa fille par le collet pour libérer le pauvre diable qui avait commis l'erreur de la narguer.

Éli eut soudain une folle envie de rire, qu'elle déguisa en toux. Le jeune homme la regarda d'un air perplexe et se tourna vers le soldat pour échanger un regard interrogateur. Après quelques instants, Éli posa une main sur sa bouche et pinça les lèvres en tentant de retrouver son sérieux, mais le seul fait de croiser le regard du jeune homme faillit la faire éclater de rire à nouveau. Patient, il attendit qu'elle se reprenne.

— Et comment vous nommez-vous, impertinente jeune demoiselle d'Ébrême?

Éli hésita à répondre ; le terrain devenait dangereux. Le jeune homme s'intéressait un peu trop à elle et il ne semblait pas du genre à garder une distance raisonnable.

— Éléonore, répondit-elle finalement en optant pour son simple prénom.

— Laurent.

Ce nom lui dit aussitôt quelque chose et elle réfléchit à tous ceux qu'elle avait entendus ces derniers jours. Apparemment, il s'attendait à cette réaction, puisqu'il la fixa sans parler, le bras toujours appuyé au mur, près d'elle. Éli avala un grain de raisin en observant les nobles qui évoluaient autour d'eux. Pour la première fois, elle remarqua les coups d'œil curieux lancés dans leur direction et les murmures que s'échangeaient les courtisans, surtout les courtisanes.

Laurent. Soudain, elle crut recevoir un coup à l'estomac. Non… Elle entendait distinctement Mylène claironner, le matin même, qu'elles allaient voir les deux fils du roi : Julior et Laurent. Non, se répéta-t-elle, ce n'était pas possible. Elle n'avait pas fait ça…

Pour la deuxième fois de la soirée, Éli sentit son sang bouillir dans ses veines, mais cette fois-ci, elle ne pouvait pas fuir. C'était pourtant prévisible, vu sa chance habituelle. Elle avait décidé de discuter avec l'un des hommes présents dans cette salle et, bien sûr, elle avait choisi le prince Laurent, l'aîné et l'héritier du trône de Dulcie. Elle pouvait bien se dire experte dans l'art de passer inaperçue ! Le futur roi de Dulcie ne garderait évidemment aucun souvenir d'une jeune femme lui ayant affirmé que son royaume était attardé... Voyons !

Appliquée à regarder droit devant elle, elle voyait bien, du coin de l'œil, le prince qui, toujours aussi près, la fixait de son air amusé. Il se doutait probablement qu'elle venait de comprendre qui il était. Pour les propos qu'elle venait de tenir, il pouvait la renvoyer en Ébrême, la faire enfermer, ou Dieu seul savait quoi. Elle s'adressa intérieurement plusieurs injures, pour finalement conclure que s'il n'avait pas encore réagi, elle avait peut-être une chance. Elle se tourna lentement vers lui, pinça les lèvres dans un piètre sourire et dit doucement en levant à peine les yeux :

— Je crois que je devrais m'en aller.

Il poussa une exclamation et leva un bras devant elle, lui bloquant le passage.

— Croyez-vous ?

Elle soupira en constatant que sa chance s'envolait. Elle regarda la foule sans mot dire.

— Où est votre belle répartie, Éléonore ? Vous en aviez pourtant à revendre, il y a quelques minutes.

Éli n'avait pas le choix, si elle voulait s'en sortir, son personnage devait être franc.

— Disons que je n'ajouterai rien, mais je ne retire pas non plus ce que j'ai dit.

— Comme c'est dommage ! Moi qui espérais que vous vous jetteriez à mes pieds pour demander grâce.

Le rire d'Éli attira un peu plus les regards sur eux. Elle dit, plus bas :

— Je ne vous aurais pas manqué de respect si vous n'aviez pas commencé.

Laurent réfléchit et se tourna vers le soldat pour l'interroger du regard. Celui-ci hocha la tête pour donner raison à Éli.

— C'est vrai, admit-il, j'ai commencé. D'ailleurs, je dois reconnaître que c'est toujours moi qui commence.

Éli, qui appelait désespérément dame Katherine en pensée, eut un petit sourire hésitant :

— Ce qui explique pourquoi vous n'avez pas de femmes dans votre sillage.

— Exact. Néanmoins, vous avez réussi à vous infiltrer.

— Ce n'était pas dans mes intentions.

— Je vous crois, la rassura le prince Laurent. Mais, ajouta-t-il avec un sourire complice, vous vous êtes tout de même infiltrée et je ne vous laisse…

— Comtesse Deschênes !

Dame Katherine s'approchait d'eux, l'air empressé. Éli se tourna vers elle avec soulagement. La matrone répondait juste à temps à son appel silencieux.

— Comtesse, vous voilà, continua la femme en arrêtant face à elle.

Ennuyé, Laurent se tourna vers dame Katherine, qui exécuta aussitôt une révérence.

— Votre Altesse.

— Dame Demiléberg.

Le ton était aussi contrarié que le visage.

— Vous avez rencontré la comtesse Deschênes, remarqua-t-elle avec un malaise certain. Elle nous vient d'Ébrême, pour ses études en histoire, et je suis chargée de veiller sur elle.

La mine de Laurent lui indiqua clairement que la conversation ne l'intéressait pas et dame Katherine chercha quoi ajouter, peu désireuse de les laisser seuls plus longtemps. Devinant cela, Éli porta la main à son front d'un geste las :

— Dame Katherine, je suis fatiguée et j'allais justement m'en retourner à ma chambre.

Elle s'éloigna du mur où l'avait coincée le prince et vit du coin de l'œil son bras se lever, mais elle évita agilement son geste pour aller se placer près de dame Katherine. Persistant, il la suivit et lui saisit la main. Impossible, cette fois-ci, de s'y soustraire ; Éli se laissa tirer vers lui sans oser lui opposer de résistance.

— Fatiguée, hein ! dit-il en lui pressant la main entre ses larges paumes.

Éli le fixa sans répondre alors que dame Katherine s'agitait nerveusement près d'eux. Laurent resta un moment à réfléchir, un petit sourire ne quittant pas ses lèvres.

— Bon, murmura-t-il, vous devinez sûrement que je n'ai aucune envie de vous laisser regagner votre chambre.

Un raclement de gorge leur parvint de dame Katherine, que Laurent ignora. Devant lui, Éli s'efforçait de rester calme.

— Mais, continua-t-il lentement comme s'il se plaisait à la faire attendre, je vais essayer de me racheter et être aimable. Je vous laisse gagner, pour ce soir. Par contre, ne vous imaginez pas pouvoir quitter ce château sans que nous ayons eu l'occasion de continuer cette discussion.

Le prince Laurent porta galamment sa main à ses lèvres.

— Et, qui sait, ajouta-t-il, peut-être découvrirai-je ce qui se cache sous ce maquillage ?

Éli sourit timidement et ramena ses mains contre elle.

— Bonne nuit, comtesse.

— Bonne soirée, Votre Altesse.

La révérence fut nettement moins gracieuse que celle de dame Katherine, avec qui elle s'empressa de s'éclipser. Elle ne jeta qu'un coup d'œil par-dessus son épaule et vit le soldat s'approcher du prince. Ils l'observèrent en riant et elle regarda droit devant. Elle venait de se laisser ridiculiser par un prince. En tout cas, elle pouvait se compter chanceuse : il avait bien pris ses insultes. Rîamka lui aurait brisé les doigts un par un, s'il avait fallu que la quête échouât à cause d'un de ses écarts.

La jeune femme se redressa. Elle ne devait pas se lamenter et se concentrer entièrement sur sa quête. Elle n'avait plus droit à l'erreur, surtout qu'un obstacle venait de s'ajouter. Maintenant qu'elle avait attiré l'attention du prince sur son ébrêmienne personne, Éli aurait à quitter la cité royale le plus rapidement possible après avoir récupéré la pierre de la guerre. Être originaire du royaume voisin pourrait facilement faire d'elle une suspecte et elle ne devait pas laisser au prince le temps d'y réfléchir.

Dame Katherine s'empressa de la mener vers la sortie pour la confier à un valet. Elle retourna chercher Anna, que le valet conduisit, avec Éli, à leur chambre. Ils croisèrent quelques courtisans égarés ainsi que des soldats, qui ne leur portèrent qu'une brève attention ; une jeune femme tenant une fillette par la main n'avait rien de menaçant. Dans les jardins, ils ralentirent le pas afin d'emplir leurs poumons d'air frais pour la nuit et pénétrèrent dans la bâtisse où se trouvaient leurs appartements.

Durant tout le trajet et tous les préparatifs du coucher, Anna lui parla du bal. Bien qu'ayant la tête ailleurs, Éli reçut son babillage en poussant une exclamation par-ci et en posant une question par-là. La fillette l'entretint jusqu'à ce qu'elles fussent couchées, puis Éli lui conta à son tour quelques anecdotes des bals d'Ébrême. Anna finit par s'endormir et Éli attendit l'arrivée de Mylène et de dame Katherine. Les deux femmes prirent à peine le temps de passer leur robe de nuit et tombèrent littéralement sur leur lit.

Éli ouvrit les yeux. Au cours de la soirée, elle avait pris soin de verser dans leurs verres, ainsi que dans ceux de leurs voisines de chambre, un léger somnifère, préparé par une herboriste de leur village. Les femmes dormiraient profondément jusqu'au matin et se réveilleraient avec, pour seul effet secondaire, une désagréable lourdeur dans les membres et un léger mal de tête.

Glissant lentement de sous les couvertures, Éli se leva et plaça les oreillers afin de simuler la présence de son corps. Elle étendit un vêtement noir à l'endroit où sa tête disparaissait et s'éloigna du lit en surveillant la porte. Éclairée par la seule lueur de la lune, elle remonta sa lourde chevelure noire sur sa tête et retira sa chemise de nuit, révélant le mince vêtement de cuir brun foncé teinté de vert qu'elle portait en dessous. Elle enfila ensuite une cagoule souple qui lui couvrit tout le visage, hormis les yeux. De ses effets, elle sortit un long bas dans lequel elle plaça une pierre ramassée quelques jours plus tôt, puis le glissa dans sa ceinture. Elle attacha une sacoche à son autre hanche et en sortit deux semelles à crampons de métal qu'elle fixa à ses souliers. Teints en noir, ils ne brilleraient pas sous l'effet du croissant de lune qui apparaissait entre les nuages. Éli prit quelques secondes pour s'étirer, préparant ses muscles à l'effort physique, tandis que, mentalement, elle reconstitua le chemin à prendre pour se rendre dans la tour la plus au nord, qui abritait la pierre.

Au début, elle avait craint que le roi ne décidât de conserver sa précieuse trouvaille dans sa chambre, ce qui lui aurait considérablement compliqué la tâche, même si les mères avaient imaginé un plan dans cette éventualité. Heureusement, une femme lui avait confié que, craignant les effets néfastes de son pouvoir, que les magiciens ne contrôlaient pas encore, il la gardait dans une pièce située un étage plus bas que sa chambre, dans sa tour. Elle avait eu confirmation de l'emplacement de cette pièce en écoutant les conversations des soldats et des courtisanes.

Éli connaissait l'architecture du palais aussi bien que ses alentours, car les eldéïrs possédaient une carte de tous les étages du château, y compris des quatre tours. La carte n'était pas à jour, mais puisque personne ne savait travailler le cristal comme jadis, la configuration des pièces et des toits était la même depuis des milliers d'années.

Éli se surprit à fixer la porte de sa chambre et s'obligea à se diriger vers la fenêtre. Appuyée au mur près du châssis, elle attendit. Les soldats passaient à intervalles irréguliers, mais en cinq jours, elle avait pu se faire une idée du temps qu'il leur fallait avant de disparaître au coin de l'édifice et de revenir. Cette partie du domaine royal était moins surveillée, car elle était située loin des grilles permettant de sortir vers la ville et des portes menant à l'intérieur du palais. Au sud, face à la fenêtre, il y avait un petit boisé entrecoupé de jardins et de sentiers, qui se terminait sur le mur qui protégeait l'enceinte extérieure du palais où elles se trouvaient. Toutes les portes et les grilles étaient à l'ouest et l'est était barré par un flanc des monts Mézarès.

Un cliquetis lui parvint, suivi de voix étouffées. Deux soldats traversèrent le jardin vers l'ouest, d'un pas lent. Elle compta mentalement et regarda à nouveau par la fenêtre, sachant qu'ils avaient atteint le coin de la bâtisse. Elle se pencha légèrement et les vit disparaître, mais n'enjamba pas la fenêtre. Face à elle, plus loin dans le boisé, un troisième soldat marchait vers l'est, presque invisible. En fait, Éli ne l'aurait jamais remarqué sans le chien qui patrouillait avec lui et qu'elle avait senti sans le voir. Cette patrouille canine était nouvelle. Le roi devait avoir augmenté la surveillance, maintenant que tous avaient pu voir le précieux objet.

Elle attendit qu'il s'éloigne, mais il faisait les cent pas devant la façade. Il semblait surveiller leur bâtisse, sa fenêtre même. Le prince se méfierait-il déjà de l'Ébrêmienne ? Éli se concentra sur le chien de garde et celui-ci dressa l'oreille. Il regarda vers le sud, puis vers l'est, et partit dans cette direction d'un pas décidé. Ne pouvant pas prendre la réaction de son chien à la légère, le soldat le suivit et Éli en profita pour sortir par la fenêtre. Dos à l'extérieur, elle agrippa le châssis et regarda autour. À une dizaine de mètres du sol, la fenêtre dominait un bosquet de lys le long du bâtiment. Éli étendit une jambe sous elle et l'introduisit dans une fente du mur de pierres. L'autre jambe descendit plus bas, puis elle fit une pause pour se concentrer. Le chien venait de l'entendre. Le maître était assez loin, mais l'ouïe fine de son compagnon avait capté le bruit du fer contre la pierre. L'animal s'immobilisa, droit, les oreilles dressées, mais Éli lui ordonna de continuer son chemin. Les chiens étaient les plus difficiles à diriger, car ils étaient les animaux les plus fidèles aux humains. Ils montraient toujours un moment d'hésitation avant de lui obéir. Toutefois, Éli restait la plus forte.

Le chien ayant repris sa piste imaginaire, elle se remit à descendre lentement. Comme elle ne pouvait voir ses prises, ses pieds glissaient une fois sur deux et sous son masque, son visage fut rapidement couvert de sueur. Éli sentait les muscles de ses épaules et de son dos se raidir. Dans l'obscurité, cette descente, déjà laborieuse, tenait de l'exploit. Lorsqu'elle eut dépassé la moitié du mur, elle se laissa tomber en prenant soin d'éviter le bosquet de fleurs. Elle se reçut sur les pieds, jambes repliées, roula dans l'herbe et se releva d'un bond pour partir à la course vers le troisième soldat, qui avait disparu entre les arbres, à l'est. Lorsqu'elle le vit, il marchait vers la base rocheuse des monts Mézarès, qui barraient le premier niveau du domaine royal. Le chien lui résista de nouveau et voulut se tourner vers elle, mais Éli l'incita à continuer.

Le boisé s'arrêtait où elle était accroupie et un seul arbre la séparait de la base du Mézarès où elle devait se rendre, à plus de deux cents mètres. Éli se redressa, les membres tendus pour la course. Aussitôt que le soldat dépassa l'arbre, elle bondit hors du boisé et courut comme un lièvre jusqu'au large tronc. Dans son élan, elle s'y agrippa pour grimper jusqu'à se trouver complètement camouflée par le feuillage et se plaqua contre une branche. Éli fit alors revenir le chien vers le boisé.

— Tu m'as fait venir ici pour rien, si je comprends bien, marmonna le soldat. Allez, arrête, on retourne à notre poste.

En passant sous l'arbre, il leva la tête et examina les branches. Comme il faisait trop noir pour qu'il puisse voir plus haut, il siffla son chien et lui indiqua le tronc. Le chien en fit deux fois le tour en reniflant l'herbe, sans même redresser la tête vers la cime. Obéissant à la jeune femme, il s'arrêta et leva la patte pour envoyer un jet d'urine contre le tronc. Le soldat tourna le dos à l'arbre en haussant les épaules et reprit sa patrouille. Il faut toujours se fier à son sixième sens, mon ami, songea Éli en le regardant s'éloigner vers l'ouest.

Lorsqu'il eut atteint le boisé, elle interrogea l'animal pour s'assurer que l'homme n'y restait pas pour surveiller la clairière, mais celui-ci poursuivit sa marche. Son poste. Devant sa fenêtre. Alors, elle avait vu juste, le prince avait fait surveiller sa chambre. Un oiseau sortit du boisé pour aller se poster sur le bord de la fenêtre. Si quelqu'un entrait et vérifiait son lit, elle serait aussitôt avertie. Tout cela parce qu'elle n'avait pas su tenir sa langue lors du bal. Mais elle s'interdit de nouveau de se morfondre, car il lui fallait faire vite. Il ne restait qu'une dizaine de minutes avant le retour des deux soldats qu'elle avait vus plus tôt. Elle descendit en sautant de branche en branche avec la légèreté du vent dans les feuilles, atterrit adroitement au pied de l'arbre et courut jusqu'au mur de pierre qui délimitait l'intérieur du domaine royal.

Vingt-cinq mètres plus haut s'étendait un deuxième palier, réservé aux plus riches seigneurs. Sur celui-ci se trouvait la plus grande attraction du roi Kordéron : le labyrinthe de haies, l'un des principaux attraits du palais, après les tours. Amusement pour les nobles, défi pour les soldats, pas un homme ne manquait une occasion de s'y perdre. D'en bas, on distinguait à peine le sommet de la haie bordant la façade rocheuse, protégeant les marcheurs d'une chute mortelle. Les lierres qui retombaient le long de la paroi étaient beaucoup trop fragiles pour que quelqu'un puisse s'y agripper. Dans l'obscurité, escalader la roche aurait pris un temps considérable et les soldats auraient vite attrapé le grimpeur.

Toutefois, Éli avait eu cinq jours pour longer la façade de pierre, repérer le meilleur endroit où grimper et l'examiner. Malgré l'obscurité, elle reconnut le bosquet et se glissa derrière. Elle posa sa main sur la roche et trouva rapidement la première prise, dont elle avait mémorisé l'emplacement. Elle monta avec aisance, ses mains et ses pieds éprouvant la surface dure. Dès qu'elle sentait bien une prise, elle se hissait vers une autre. Elles étaient peu nombreuses et la façade était très abrupte, rendant la montée ardue. Néanmoins, Éli n'était nullement découragée par l'effort et la hauteur. Depuis son enfance, elle avait toujours aimé grimper et elle manquait rarement une occasion de s'y exercer. Cependant, Éli avait beau être une experte de l'escalade, elle savait qu'elle n'aurait pas le temps d'atteindre le sommet avant le retour des deux soldats.

Elle tourna la tête vers le boisé et aperçut l'éclat de leur armure. Ils approchaient. Éli leva les yeux vers les lierres, qui retombaient du deuxième palier jusqu'à la moitié de la falaise.

Plus lentement, en veillant à ne pas faire sonner ses crampons contre la roche, elle grimpa jusqu'aux longues tiges. Sous l'effort prolongé, les muscles de ses épaules et de son dos commençaient à élancer et la sueur plaquait ses vêtements contre sa peau. En prenant garde de ne pas abîmer les feuilles, elle se glissa parmi les lierres et se colla à la façade. Le croissant de lune n'éclairait que faiblement la falaise, de sorte qu'Éli savait que les soldats ne pouvaient la voir. Pourtant, elle ressentait cette anxiété typique de l'attente.

Des chuchotements lui parvinrent, portés par l'écho de la nuit. Puis, les cliquetis des armures de métal... Immobile contre la falaise, Éli ferma les yeux, se concentrant sur l'effort physique à fournir pour maintenir sa posture. Un de ses bras commença à trembler. Les soldats arrivèrent sous elle et s'arrêtèrent. Quinze mètres au-dessus, Éli n'arrivait pas à comprendre leur conversation et ne les distinguait même plus. Elle s'obligea à respirer régulièrement et regarda d'un mauvais œil son bras branler de plus en plus. Les pas des soldats lui parvinrent enfin, alors qu'ils se remettaient en marche. Éli attendit quelques secondes et tourna la tête pour les voir atteindre l'arbre au milieu de la clairière. Elle libéra son bras réticent et le secoua pour en dissiper le tremblement. Les yeux levés vers le sommet, elle soupira et étendit le pied sur sa droite pour s'éloigner du lierre, qui dissimulait les fentes de la façade rocheuse.

Après trois mètres, elle dut s'immobiliser de nouveau pour détendre ses membres endoloris. Secouant de nouveau bras et épaules, elle gravit les derniers mètres et s'arrêta lorsque ses mains rencontrèrent la terre humide qui recouvrait le second palier. C'était la partie la plus difficile, car la terre ne lui fournissant pas de prise assez solide, elle risquait de glisser. Inutile d'essayer de cacher son passage en épargnant l'herbe. Éli enfonça les mains dans la terre, agrippa les racines et se hissa lentement. Des mottes tombèrent le long du mur. Elle allongea un bras et parvint à agripper quelques tiges, tout en griffant la roche de ses semelles à crampons. En grognant sous l'effort, elle laboura le sol terreux de ses doigts, jusqu'à pouvoir passer une jambe sur le rebord, puis le reste de son corps.

Un sourire aux lèvres, elle resta étendue sur le dos, le souffle court et le cœur battant. Les conversations des soldats avaient appris à Éli qu'il n'y avait pas de garde sur ce palier, mais la vigilance était toujours de mise. Elle tourna la tête vers le nord et observa la ligne vert sombre de la haie haute de trois mètres longeant le bord herbeux jusqu'au mur du château. La nuit, le cristal était plus noir qu'un trou sans fond et prenait des allures cauchemardesques, comme si les murs, privés de la lumière du jour, emprisonnaient toute autre couleur. Les quatre tours ne se démarquaient du ciel que parce qu'elles masquaient les étoiles.

Avec effort, Éli se redressa sur les genoux et se traîna jusqu'à la haie. Elle mit ses semelles dans sa sacoche et se donna encore quelques secondes pour se remettre de la montée. Puis, agilement, elle se glissa entre les petites branches en s'efforçant de ne pas trop en briser. À plat ventre de l'autre côté, elle examina les environs, la main sur son gourdin improvisé. Elle se trouvait dans une allée de verdure qui courait du nord au sud.

Éli se releva et sortit de son sac un rouleau de parchemin. Un trait épais y indiquait comment se rendre à l'escalier le plus au nord. Elle ne devait pas se tromper, au risque de tout compromettre. Noéka leur avait expliqué que le labyrinthe était beaucoup trop vaste pour figurer sur une simple feuille. Éli mémorisa les premières indications et se dirigea vers le sud.

Après quelques minutes à tourner dans les allées, Éli comprit pourquoi aucun soldat n'avait besoin de patrouiller dans ce dédale de haies qui se déroulaient sur plusieurs centaines de mètres. Des bosquets taillés en forme d'animaux l'attendaient à chaque intersection de quatre chemins ou plus, entourés de parterres de fleurs ou de plans d'eau. Plusieurs bancs de pierre y étaient disposés, invitant au repos les intrépides qui s'aventuraient dans le labyrinthe. Éli ne pouvait s'attarder devant toutes ces merveilles, d'autant plus qu'elles étaient entachées de la souffrance des paysans aux dépens de qui le roi s'enrichissait. Cependant, il ne s'agissait pas non plus de courir pour risquer de passer sans remarquer un embranchement et se perdre.

Elle n'aurait pas su dire exactement combien de temps s'écoula, mais Éli avait l'impression de marcher depuis plus d'une heure dans le labyrinthe lorsqu'elle vit la haute arche de pierres se dressant à son entrée. Elle jeta un regard derrière elle en songeant que, sans plan, elle serait restée piégée dans ces allées. Noéka était vraiment une experte.

Au-delà du portail, une étendue de pelouse rejoignait le château. Le croissant de lune baignait de sa lueur tout le paysage du même gris sombre. Devant la porte de bois-de-fer accédant au palais, deux soldats assis sur les marches jouaient aux dés, leurs lances reposant à la naissance de leur cou, et leurs exclamations parvenaient jusqu'à elle, portées par l'écho de la montagne.

Ils pouvaient se permettre cette oisiveté, puisque peu de gens — pour ne pas dire personne — étaient assez chanceux pour se rendre jusqu'à cette porte. Éli sourit en imaginant leur réaction si elle sortait en courant du labyrinthe, toute vêtue de noir comme elle l'était, mais elle connaissait un autre accès à la tour. Souriant toujours, elle recula et prit sur sa droite. Après quelques méandres, elle aperçut la statue d'un archer, la contourna et s'agenouilla derrière, où s'étendait la haie. Dans tout le labyrinthe, les branchages étaient taillés de façon à pousser très serrés, afin que nul ne puisse s'y faufiler sans y abîmer ses vêtements. Mais, comme pour tout bâtiment s'approchant des domaines royaux, des passages y étaient dissimulés.

Elle écarta doucement les branches, pour découvrir, derrière, un espace vide. Tel un chat, Éli se faufila dans la zone découverte, au centre de la large haie taillée nette à une hauteur de cinquante centimètres. Ce passage s'étendait devant elle dans une totale obscurité et Éli rampa, les coudes touchant les deux côtés de la haie. Noéka lui avait indiqué que ces espaces relevaient eux-mêmes du labyrinthe et qu'elle ne devait surtout pas s'y égarer. Au deuxième trou sur sa droite, elle tourna, puis tourna de nouveau à gauche pour finir dans un cul-de-sac. Éli resta tapie, à l'affût d'un bruit ou d'une parole. Fermant les yeux, elle sonda mentalement les environs, même si elle détestait cela, car elle entendait, pendant un court instant, les pensées des humains se trouvant non loin. Elle ne perçut que les deux soldats qui jouaient aux dés et un chien qui évoluait dans le labyrinthe.

Avec les mêmes précautions que lorsqu'elle était entrée, Éli sortit et se retrouva face aux monts Mézarès, dont les hauteurs se perdaient de vue. Devant elle, un escalier taillé dans la pierre montait entre les parois rocheuses, complètement dissimulé. Elle s'y engagea prudemment et s'arrêta devant une petite porte, une cinquantaine de mètres plus haut. Au-dessus d'elle, la longue colonne noire de la tour nord masquait les étoiles. Éli sortit de sa ceinture son gourdin improvisé et enroula le bas autour de son avant-bras, laissant légèrement pendre le bout contenant le caillou. De nouveau, elle sonda les alentours. Elle perçut plusieurs formes de vie, mais personne ne l'attendait derrière la porte. Se collant au battant, elle força la serrure et l'ouvrit lentement. Elle écarta la luxueuse penture qui la dissimulait et s'engagea dans le large escalier. Se pouvait-il que le roi ait oublié l'existence de cette entrée ?

Pourtant, le silence avec lequel la porte s'était ouverte laissait croire qu'elle était entretenue.

Sans perdre le temps de s'interroger davantage, Éli se mit à monter. Elle dépassa une demi-douzaine de portes menant au centre de la tour. Aucune lumière ne filtrait de sous les portes et elle ne s'arrêta que quelques secondes pour guetter s'il y avait des bruits. Par les murs de cristal, elle pouvait voir le ciel étoilé et les lumières de la cité. Elle avait l'impression de monter au firmament et dut se concentrer sur son but pour ne pas se laisser distraire par cette magnificence.

Éli ralentit en entendant des voix d'hommes, et n'eut pas besoin de sonder les lieux pour savoir qu'ils étaient plus d'une dizaine. Elle se coucha sur les marches et avança jusqu'à apercevoir dans le tournant le début d'une silhouette en armure. C'était le moment de demander l'aide de ses petits compagnons. Une souris se faufila près d'elle et suivit le mur intérieur. Éli se concentra sur l'animal et aperçut par ses yeux trois soldats qui se tenaient négligemment devant la porte et observaient les escaliers. Un pas de plus et ils l'auraient vue. La souris entra dans la pièce. C'était un salon luxueux au centre duquel se trouvait une table ronde. Sur des fauteuils de velours, cinq soldats jouaient aux cartes. Assis sur les banquettes épousant la courbe des murs entre les portes, deux autres hommes somnolaient, le menton sur la poitrine. Encore une troupe qui gardait sans s'attendre à voir surgir quelqu'un…

Éli laissa la souris, qui avait trouvé des miettes provenant sûrement du souper des soldats, et chercha l'aide d'un autre allié. Elle avait croisé quelques meurtrières en montant et elle les orienta par ces ouvertures. Le bruit des ailes résonna dans l'escalier et elle entendit les soldats bouger.

— Entends-tu ?
— Ouais.

— Qu'y a-t-il ? demanda un homme plus fortement, de l'intérieur de la pièce.

— Je ne sais pas. Il y a un bruit dans les marches.

Éli revint rapidement à la souris pour voir les hommes se lever et rejoindre leurs compagnons près de l'entrée. À cet instant, les chauves-souris passèrent au-dessus d'elle et fondirent dans le salon. Les soldats jurèrent et se protégèrent la tête en levant les bras pour chasser les petits mammifères volants. Ceux-ci obscurcirent l'escalier et Éli n'attendit pas davantage pour s'y précipiter. Longeant le mur de cristal, l'ombre silencieuse passa incognito dans le chaos causé par les chauves-souris. Éli continua sur sa lancée jusqu'au palier suivant, le dernier avant celui où se trouvait la pierre de la guerre. Par les yeux du petit rongeur, elle vit les chauves-souris battre en retraite dans l'escalier et s'échapper par la meurtrière la plus proche. Les soldats tournèrent en rond dans le salon en cherchant s'il en restait et finirent par se moquer de ceux qui s'étaient montrés les plus apeurés. Ils reprirent ensuite leur position, toujours en ricanant.

La souris rejoignit Éli, qui prit soin de rester dans l'ombre. Le petit animal monta observer les deux soldats qui gardaient la porte de la salle du trésor encadrée de torches, de sorte qu'aucun intrus ne pouvait s'approcher du palier sans être vu. Les cris de leurs confrères leur étant vaguement parvenus, ils surveillaient les marches avec inquiétude. La clé de la porte pendait à la ceinture du soldat le plus proche de la guerrière. Quelques chauves-souris passèrent près d'eux avant de disparaître plus haut et les deux hommes tressaillirent. Ils se regardèrent alors d'un air entendu, concluant qu'elles devaient être la cause des cris perçus plus tôt. S'il s'était s'agit d'une intrusion, l'un de leurs confrères serait sans aucun doute venu les prévenir.

Le rongeur revint vers Éli, qui recula avec précaution. La guerrière ouvrit son sac d'où elle sortit un petit pot. Elle le remit ensuite à la souris qui le traîna le long du mur, aussi près que possible des soldats. Sous le contrôle total d'Éli, elle retira le bouchon et revint rapidement sur ses pas. Éli la renvoya plus bas afin de surveiller les escaliers, puis rabattit la cagoule sur sa bouche et son nez.

La fabrication de cette substance, incolore et à peine perceptible dans l'air, lui venait des eldéïrs. Préparée à base de plantes, elle n'avait rien de magique. Éli se sentait toujours plus à l'aise en utilisant des armes concrètes. Les vapeurs du liquide pénétraient dans les voies respiratoires et les bloquaient momentanément. À forte dose, elles pouvaient provoquer l'évanouissement, voire la mort. Éli avait eu l'occasion de vérifier l'efficacité du produit à plusieurs reprises et savait exactement quand les deux hommes seraient à sa merci.

Le souffle des soldats se fit plus bruyant et l'un d'eux porta la main à sa gorge en interrogeant son confrère du regard. Il essaya d'émettre un son, mais seul un faible râlement sortit de sa bouche. La panique se lut sur leur visage et ils tentèrent de crier, sans résultat. Le moment était venu.

Éli avança alors que le second soldat s'appuyait à sa lance en cherchant l'air. Ils regardèrent autour d'eux, les traits contractés par l'asphyxie, pour comprendre d'où venait le problème, mais le manque d'air leur brouillait la vue. Le soldat ne perçut qu'à la dernière seconde une silhouette se jeter sur lui pour le frapper à la tête. En temps normal, le second soldat aurait donné l'alerte, mais il eut à peine la force de la frapper de sa lance. Éli, qui retenait le premier soldat inconscient pour l'empêcher de dévaler les marches, se cacha derrière jusqu'à ce qu'il glisse au sol. Elle attrapa alors le manche de la lance, tirant le deuxième soldat vers elle.

À bout de forces, l'homme tomba à genoux, près de son compagnon. Il tentait manifestement de hurler, mais ne parvenait qu'à émettre un souffle rauque. Lâchant la lance, Éli attrapa son heaume afin de lui pencher la tête vers l'avant et le frappa fortement à la nuque pour qu'il s'affale, inconscient, sur son compagnon.

La jeune femme, qui commençait aussi à sentir les effets des vapeurs à travers le tissu, récupéra le pot et le boucha vivement. Elle battit alors l'air des mains et s'agenouilla entre les deux soldats pour couper la clé de la ceinture. Elle abaissa la clenche, mais s'arrêta brusquement. Des chiens gardaient la pièce. Elle prit le temps de se faire connaître pour leur éviter d'aboyer en la voyant, puis poussa l'un des battants. Quatre gros danois, assis, la regardaient avec curiosité. Ils avaient ordre de déchiqueter tout intrus, mais la jeune femme n'était pas une intruse ordinaire. Éli avança prudemment, prête à parer toute attaque, puis tendit la main. Le plus gros des chiens, au pelage rêche et élimé, vint vers elle avec la même prudence.

Elle avait compris, avec le temps, que les animaux étaient beaucoup plus intelligents que les humains ne le croyaient. Une intelligence différente, mais une intelligence tout de même. Les chiens étaient bien traités, mais ils n'avaient pas de maître propre et manquaient d'affection. Ils seraient plus faciles à manipuler que le chien pisteur du soldat.

L'animal frotta sa truffe contre le dos de sa main et eut un léger jappement amical. Éli sourit et alla ouvrir les portes en grand. Elle tira l'un des soldats à l'intérieur, tandis que les chiens tiraient le second. Ils furent installés dans un coin de la pièce et elle leur retira leurs armes. Par le chien dominant, elle sut que les soldats n'entraient jamais sans être accompagnés d'un des maîtres des bêtes et que trois fois, durant la nuit, des voix leur parvenaient de la porte. Environ une relève toutes les trois heures et les chiens lui signifiaient qu'ils venaient à peine d'entendre les voix. Elle les remercia.

Tout se déroulait très bien. Elle pouvait même prendre son temps. La pièce était éclairée par une seule torche. Deux divans étaient placés de chaque côté, sur un tapis importé d'Arkéïr. Sur les murs et tout autour de la pièce, des œuvres d'art brillaient, augmentant la luminosité de l'endroit. Son regard s'arrêta brusquement sur le fond de la pièce. Derrière une grille de fer forgé, sur un piédestal en or, se trouvait l'objet de sa quête. Éli grimaça. Aussi affreuse qu'un crapaud, la pierre détonnait totalement dans ce décor luxueux.

Les yeux rivés sur l'objet, elle lança une requête sourde au vieux danois et les quatre chiens encerclèrent les soldats. Encore plus facile qu'elle n'avait pensé… Certes, comment le roi aurait-il pu imaginer que les animaux, censés veiller sur son trésor, allaient concourir à sa perte ? Elle prit ses crochets de sa sacoche et approcha la torche de la serrure de la grille. Une série de cliquetis lui parvint, puis la grille s'ouvrit en grinçant légèrement sur ses gonds. Éli entra et resta un instant à fixer l'objet hideux, hésitant à le toucher.

Elle pinça les lèvres, tendit la main et sursauta violemment en voyant une lueur rouge traverser la surface. Elle recula et fixa l'objet avec inquiétude, mais la pierre était redevenue inerte. Était-ce elle en particulier ou le contact humain qui provoquait cette réaction ?

— Voyons ! Cesse tes bêtises, marmonna-t-elle en sortant un foulard de coton de sa sacoche. Les eldéïrs ne t'auraient jamais envoyée chercher quelque chose de dangereux.

Elle se recouvrit les paumes du tissu et approcha de nouveau, en prenant une profonde inspiration. Aussitôt qu'elle fut à une vingtaine de centimètres, elle se durcit, mais sursauta quand même lorsqu'une veinule rouge fila entre les protubérances, suivie aussitôt de trois autres. Éli déglutit et se força à refermer les mains sur la pierre. Elle la leva vers son visage et suivit des yeux les dizaines d'éclairs rouges qui vrillaient maintenant à la surface. Sous le tissu, l'écorce vert sombre était rugueuse comme une roche, ce qui avait dû valoir à l'objet le nom de « pierre » de la guerre. Toutefois, à la différence des pierres ordinaires, celle-ci, plus légère, était couverte de protubérances noires semblables à des pustules.

Éli promena sa main sur l'une d'elles. Les veinules rouges encerclèrent soudain ses doigts et elle aperçut les minuscules vaisseaux qui serpentaient autour. Éli éloigna vivement la pierre de son visage en avalant péniblement sa salive : se pouvait-il que cette chose fût vivante ?

Elle avait déjà lu que des esprits de grands sorciers étaient parfois enfermés dans des objets. Un frisson la traversa à cette idée. Une chose était certaine : de tous les objets qu'elle avait pu découvrir, celui-ci était vraiment le plus étrange et, de loin, le plus effrayant. Les vaisseaux étaient maintenant si nombreux à traverser la pierre qu'ils jetaient une lumière rouge sang sur les murs de la pièce.

Laid et effrayant, mais ô combien fascinant ! La jeune femme restait debout à fixer les dessins complexes que traçaient les veines rouges sur la pierre. Puis, elle se rendit soudain compte à quel point la pierre était chaude sous le tissu. Elle éloigna ses paumes pour la tenir seulement par les doigts, bien qu'elle ne fût pas brûlante. L'idée que l'objet se réchauffait à son contact ne lui plaisait pas du tout.

L'un des chiens gronda et Éli détourna avec soulagement les yeux de la pierre. Un soldat commençait à bouger. Le chien la regarda, puis s'approcha de l'homme. Aussitôt que celui-ci leva les paupières, le chien ouvrit la gueule pour la refermer sur l'attache de son cou. Les yeux du soldat grossirent et tout son corps se raidit. Il n'osa bouger, mais ses pupilles se portèrent vers la lumière rouge et une terreur pure se lut sur ses traits à la vue de l'individu vêtu de noir qui tenait dans ses mains la pierre en feu. Rapidement, Éli recouvrit l'objet du foulard de coton et le glissa dans une large sacoche. La pierre était d'une taille considérable, aussi eut-elle quelque mal à fermer le sac. Éli alla ensuite s'accroupir près des chiens et déclara d'une voix grave, qu'elle voulait masculine :

— Inutile de vous dire que si vous émettez le moindre son, vous serez l'un des rares hommes à pouvoir contempler sa propre jugulaire.

Le soldat déglutit en lançant un regard anxieux au chien. Bien qu'il n'y comprît rien, il avait déjà vu ce dont les chiens du roi étaient capables et ces images dominaient amplement les questions qui auraient pu lui venir à l'esprit. Éli demanda de cette même voix grave :

— Me suis-je bien fait comprendre ?

Voyant que l'homme avait trop peur pour émettre un son, elle acquiesça de la tête jusqu'à ce qu'il saisisse et imite son geste.

— Bien ! Alors, vous devriez vous en sortir sans perdre trop de sang. Dans combien de temps vos compagnons viendront-ils vous relever ?

— Dans deux heures, lâcha l'homme d'une voix à peine audible, encore affecté par les vapeurs qu'il avait inhalées.

— Merci, mon brave, c'est tout ce que je voulais savoir.

Le chien lui lâcha la gorge, mais sa grosse tête restait proche, ses yeux noirs fixant intensément le soldat. Ce dernier tourna légèrement le visage pour regarder son compagnon, mais l'animal découvrit les dents en grognant et l'homme s'immobilisa aussitôt. L'ignorant, Éli effleura la tête du dominant et murmura :

— Jusqu'au lever du soleil ou jusqu'à ce que d'autres hommes viennent.

Il lui répondit par un petit aboiement, sans quitter les hommes des yeux. Elle regarda le soldat, qui la dévisageait comme si elle était un démon et dit, en espérant que cela sauverait les animaux :

— Ils ne sont pas responsables de leurs comportements déloyaux. Je les ai ensorcelés et mon sortilège tombera au lever du soleil. Jusque-là, restez aussi sages que vous l'êtes actuellement et ils retrouveront leur comportement normal. Quand votre compagnon se réveillera, avertissez-le, mais ne bougez surtout pas.

Se redressant, elle ouvrit les portes et sortit sans bruit. Elle prit en sens inverse le même chemin et s'arrêta avant les soldats. Encore une fois, elle demanda l'aide des chauves-souris, qui envahirent l'escalier et le salon. Des jurons s'élevèrent de plus belle et Éli entendit les meubles bouger et basculer. En souriant, elle longea rapidement le mur et courut dans les escaliers. Des pas de course provenaient de plus bas et, de justesse, elle disparut derrière la petite porte. Elle dévala les marches jusqu'au labyrinthe et traversa la haie. Cette fois, elle tomba nez à nez avec le chien. Il la regarda avec surprise et eut à peine le temps de grogner qu'elle s'approcha pour lui caresser la tête. L'expression de l'animal changea aussitôt et, sachant qu'il était seul, elle lui demanda :

— Veux-tu me montrer le chemin ?

Le chien, qui connaissait le labyrinthe mieux que tout autre être du château, tourna autour d'elle avec enthousiasme et partit en courant dans l'allée. Rarement accompagnée, la pauvre bête s'ennuyait à mourir. Il apprit à Éli qu'il avait grugé la moitié des haies en forme d'animaux et retourné les parterres de fleurs pour s'amuser. La jeune femme sourit et accepta avec plaisir de faire la course avec lui dans le dédale. Arrivée à l'allée par laquelle elle était entrée, elle remercia l'animal et s'excusa de ne pouvoir continuer. Le chien soupira et s'en retourna dans le labyrinthe. Éli se faufila par le même trou dans la haie. De l'autre côté, elle s'assit sur le rebord herbeux de la façade rocheuse et ferma les yeux pour se concentrer.

Se promener à l'intérieur de l'enceinte du domaine royal était une chose, mais en sortir en était une tout autre. Noéka avait été claire ; personne ne pouvait sortir de la ville sans se faire repérer. Si elle voulait s'enfuir, elle devrait tuer pour réussir et Éli n'aimait pas ça. Elle ne considérait pas criminel de récupérer un objet dangereux pour le garder en sécurité. Mais si elle tuait pour ce faire, son geste perdait toute noblesse. Or, son don lui offrait un autre moyen de sortir la pierre de la ville et les maîtresses n'avaient pu qu'approuver.

Les minutes s'écoulèrent, puis un lourd battement d'ailes s'éleva au-dessus d'elle. L'aigle noir des montagnes effectua quelques cercles et vint se poser gracieusement à ses côtés. Son plumage foncé le rendait presque invisible et Éli sentait sa présence plus qu'elle ne la voyait. Elle s'assura du consentement de l'oiseau et posa sa sacoche devant elle pour en retirer les semelles à crampons. Ses mains s'attardèrent sur ses vêtements de cuir et elle délaça les manches et le bas des jambes du pantalon. Cela la rendait plus vulnérable, mais ce serait aussi moins détectable sous la robe si elle se faisait fouiller. Les bouts de vêtements rejoignirent la pierre dans la sacoche. Elle libéra finalement le bas du caillou et s'en servit pour solidifier le tout. Patient, l'oiseau l'observait avec curiosité.

Lorsqu'elle eut terminé, l'aigle marcha vers elle, battit des ailes pour s'élever au-dessus du sac, referma ses serres sur les sangles et s'envola. Éli le guida dans le ciel. L'oiseau ignorant totalement sa destination, elle devait, pour le moment, se concentrer sur lui. Ensuite seulement, elle serait en mesure de descendre de la falaise.

Par les yeux de l'aigle, elle vit les quelques lumières de la ville, minuscules points lumineux dans l'immensité grise. Le ciel étoilé l'environnait et Éli se laissa enivrer par la sensation de voler. Les toits laissèrent place à l'étendue de rochers et de bosquets qui bordaient la route et l'oiseau dépassa finalement la montagne pour s'engager au-dessus des champs interminables qu'elle regarderait plus tard avec tant d'ennui.

Sur une colline non cultivable, des chevaux sauvages sommeillaient. L'aigle descendit vers eux et un gros cheval gris pommelé de noir se détacha du lot d'un pas endormi. Éli le regarda à travers les yeux de l'aigle et le cheval lança un coup d'œil suspicieux au volatile.

«Kalessyn, c'est moi, lui dit-elle mentalement. Je vais te remettre l'objet.»

Rassuré, le cheval trotta jusqu'à l'oiseau qui volait sur place, la sacoche entre ses serres. Pour Kalessyn, l'aigle n'était plus un aigle, mais sa maîtresse. Les animaux percevaient aisément plus loin que les apparences physiques et, puisque Éli possédait partiellement l'oiseau, Kalessyn ne faisait plus la différence. Il n'en allait pas de même pour tous les animaux, mais Éli et le cheval se connaissaient depuis presque quinze ans.

Éli avait elle-même aidé le poulain à venir au monde et ils ne s'étaient dès lors plus quittés. Elle avait toujours été la seule à pouvoir approcher le jeune cheval fougueux, qui envoyait radicalement au sol quiconque osait le toucher. Plus massif que la moyenne, il avait la force d'un bœuf et galopait presque aussi rapidement qu'une gazelle. Éli et lui avaient quitté le château ensemble et, depuis, Kalessyn l'accompagnait dans toutes ses quêtes. Rares étaient ceux capables de comprendre ce qui les liait; Kalessyn était, pour Éli, un frère et un allié précieux.

Kalessyn laissa l'aigle s'approcher et poser une serre sur son flan, comme si Éli l'avait fait elle-même. L'oiseau écarta la fausse peau qui recouvrait l'abdomen du cheval, y laissa tomber la sacoche et, avec une précision stupéfiante, replaça la peau, tandis que le sac roulait sous la panse de l'animal.

Éli utilisait cette cachette depuis qu'elle avait trouvé le cadavre d'un destrier à la robe semblable à celle de Kalessyn. Loin des yeux de celui-ci, elle avait dépecé l'animal pour fabriquer à son ami un deuxième ventre maintenu par des sangles recouvertes du même pelage. Kalessyn se secoua en grommelant pour s'adapter à la nouvelle bosse qu'il avait sous le ventre. Il détestait ce système qui le rendait obèse.

L'aigle se posa sur un rocher et examina le résultat. De près, on remarquait bien quelque chose d'anormal chez le cheval, mais Kalessyn se tenait toujours loin des humains, lorsqu'il était seul.

«Que veux-tu faire?» demanda-t-elle mentalement.

Kalessyn lui fit comprendre qu'il y avait plusieurs juments dans le troupeau et qu'il aimerait bien rester parmi elles.

— Quel fricoteur! marmonna-t-elle en riant, sa voix s'élevant près de la haie. Tu ne peux vraiment pas t'empêcher de laisser ta semence partout où on passe?

Le cheval leva la tête et retroussa ses lèvres en découvrant une large rangée de dents blanches. Il émit un bruit étouffé, qui se prolongea en un sifflement indigné qui lui parvint d'une étrange façon par les oreilles de l'aigle.

— Ouais, ouais, répondit-elle. Dis ce que tu veux, tu n'es qu'un libertin. Et cesse de grimacer ainsi, tu as l'air idiot.

Kalessyn baissa la tête et frotta son nez sur la tête de l'aigle, qui lui rendit sa caresse sans comprendre.

— Moi aussi je suis contente de te revoir, dit-elle, mais je dois vite repartir.

L'aigle s'envola et elle ajouta mentalement :

«Fais attention à toi, mon frère, nous nous reverrons bientôt.»

Kalessyn hennit en regardant l'oiseau disparaître dans le ciel étoilé. Dès qu'il fut seul, il s'éloigna au galop rejoindre son nouveau harem. Sa tâche accomplie, Éli libéra l'aigle en le remerciant et l'oiseau retourna à son nid.

Revenant à elle, Éli rechaussa ses semelles à pointes de fer et se pencha par-dessus le bord des rochers. Tel un singe, elle descendit jusqu'au centre. Elle fit une pause, le temps que les deux soldats marchent jusqu'à la falaise et repartent, puis elle continua sa descente, en grommelant chaque fois qu'un de ses pieds glissait.

Une fois au sol, elle courut jusqu'à l'arbre solitaire et consulta le chien pour savoir où ils étaient. Le soldat, assis sur une pierre du boisé, observait leur bâtisse. Sans rompre le contact avec l'animal, elle courut à petits pas vers eux et s'arrêta en apercevant le soldat. Il lui était impossible d'approcher de la bâtisse sans qu'il la voie. Éli sourit. Heureusement pour elle, ils ignoraient à quelle force ils avaient à faire.

Le chien qui était couché près de l'homme se redressa soudainement et tendit l'oreille. Le soldat fit de même en sortant son arme et attendit la suite. Obéissant à Éli, le chien se tourna vers le sud et aboya.

— Par là, mon vieux? supposa le soldat.

Le chien aboya de nouveau et partit à la course vers la grille. L'homme s'élança à la suite de l'animal en criant à l'attention des autres soldats qui patrouillaient à l'ouest de la bâtisse. Le chien aboya jusqu'à la grille où il se mit à hurler et à sauter frénétiquement. Lorsqu'ils découvriraient le vol, sûrement que le comportement de cette bête les lancerait pendant un moment sur une fausse piste. Voilà pour le prince.

Éli observa la débandade avec un sourire malicieux et courut jusqu'au mur de sa chambre. Il lui fallait faire vite, car elle n'avait plus que très peu de temps. Peut-être même les soldats sonneraient-ils bientôt l'alerte, après avoir découvert leurs confrères. Elle grimpa le long du mur en enfonçant ses crampons dans le mortier et se hissa par la fenêtre pour atterrir sur le tapis de la chambre. Rapidement, elle déchaussa ses semelles et les plaça devant l'oiseau qui s'était posé sur son lit. Trois compagnons le rejoignirent et ils partirent cacher les seuls effets compromettants qui lui restaient dans un arbre du boisé. Éli enverrait d'autres oiseaux les récupérer quand elle aurait quitté la ville. Elle passa rapidement sa robe de nuit et réintégra son lit. Après l'effort physique qu'elle venait de fournir, le sommeil ne tarda pas à l'emporter.

CHAPITRE 9

OÙ CHAQUE DEMOISELLE A SA PART DE PROBLÈMES

Ainsi qu'elle l'avait prédit, on les avait réveillées toutes quatre quelques heures plus tard et les soldats avaient fouillé la chambre de fond en comble. Polis et rassurants, ils leur avaient expliqué que des voleurs s'étaient infiltrés dans le palais durant la nuit. Le soldat haut-gradé qu'elle avait vu près du prince Laurent lors du bal avait lui-même supervisé la fouille. Dame Katherine le connaissait et elle ne s'était pas opposée à ce qu'il vérifie leur personne. Éli se doutait que les soldats n'avaient certainement pas été aussi méticuleux avec toutes les courtisanes et qu'elle seule était visée. Toutefois, l'homme ne le lui avait pas fait sentir. Éli avait imité l'expression de gêne craintive de Mylène alors qu'il palpait ses vêtements. Ne trouvant rien d'anormal, ils les avaient avisées de ne pas sortir de cette chambre tant qu'ils n'auraient pas résolu la situation.

Les femmes s'étaient vêtues et Éli avait fait remarquer à plusieurs reprises que si les soldats cherchaient ainsi le voleur, c'était qu'il se trouvait toujours dans le domaine royal. Peut-être même dans leur propre bâtisse et peut-être étaient-ils plusieurs et très dangereux. Elle avait tant insisté que Mylène, apeurée, avait demandé à dame Katherine de leur faire quitter la cité. Partageant sa profonde crainte, la matrone avait accédé à sa demande et les avait fait sortir malgré l'ordre des soldats.

Il régnait un tel désordre que les quatre femmes étaient passées inaperçues. Éli avait pris Anna dans ses bras et se cachait le visage contre elle tout en restant le plus près possible de dame Katherine. À partir de ce moment, elle n'avait plus dit un mot, tentant de se faire oublier. Comme le duc Delongpré était un important membre du conseil, on avait rapidement préparé leur carrosse et les gardes avaient fourni une escorte supplémentaire à ses filles pour s'assurer qu'elles rentrent saines et sauves. Tous semblaient croire qu'il avait lui-même demandé à ce que ses filles quittent la ville. Finalement, la présence des sœurs avait été utile à la guerrière puisque Éli avait pu s'éclipser avant que le prince ne demande à la voir, ce qui n'aurait sûrement pas tardé après la fouille. Par la suite, elle s'était tant concentrée sur sa quête qu'elle n'avait plus pensé à lui.

Éli reporta son attention sur les hommes qui s'affairaient dans le camp des rebelles et se demanda s'il n'y avait pas un lien entre le mépris évident du prince Laurent pour les gens de la cour et ce qui se passait dans son royaume. Le prince Laurent était-il en contact avec Eldérick? Non, cela aurait été trop risqué. Par contre, peut-être fermait-il les yeux sur les agissements des rebelles? Les soldats semblaient affectionner le jeune homme. Il avait donc probablement assez d'autorité pour jouer dans l'ombre du conseil des seigneurs. Certes, tout cela ne la concernait guère pour le moment, mais c'était une hypothèse à approfondir si elle avait de nouveau à se rendre dans la cité royale.

Son regard revint sur les trois jeunes filles qui riaient, Mylène et Anna sous cape et Suzie ouvertement. Il était question de la vie dans le camp et des mauvais coups de Suzie. Elle rencontra les yeux bleu-gris de Mylène, qui lui adressa un sourire radieux. En évoquant son attitude lors du séjour au palais, Éli devait reconnaître que la transformation de la noble était difficile à suivre. Quelles conclusions tirait-elle exactement de ce qu'elle voyait ici ? Le regard songeur qu'elle posait sur les hommes et sur Suzie ne lui avait pas échappé. Comme Mylène fronçait les sourcils devant son attitude pensive, Éli s'empressa de lui rendre son sourire.

Les planches de la passerelle craquèrent et elles tournèrent la tête pour voir les trois jeunes hommes qui vinrent s'appuyer contre la rambarde du balcon.

— Déjà fini ! soupira Suzie, ennuyée.

Éric frappa sa tresse du revers de la main et répondit :

— Eh oui ! Le cours est moins long pour les meilleurs.

— Oh ! Pardonnez-moi, seigneur chevalier !

Éric sourit à sa réplique sarcastique et appuya un regard assuré sur Mylène, qui avait décroisé les jambes pour les ramener contre elle. Suzie leva les yeux au ciel.

— Il suffit de les ignorer…

Peu convaincue, Mylène considéra le bout de ses souliers, qui dépassait de sa robe. Suzie regarda la jeune femme aux longs cheveux noirs assise contre la rambarde :

— Et vous, comtesse…

— Éléonore, rectifia-t-elle doucement.

Suzie sourit.

— Éléonore, comment vit-on avec trois frères ? Ça ne doit pas être facile.

Éli fixa la paysanne sans comprendre, puis se souvint soudain qu'elle avait dit avoir trois frères. Ce qui, dans un sens, était vrai, mais Éli ne souhaitait nullement raviver ces souvenirs. Elle regarda autour d'elle en cherchant quoi répondre et rencontra les yeux pénétrants de Malek. Si elle se défilait, il la soupçonnerait aussitôt d'avoir inventé cette histoire. Elle sourit péniblement à Suzie et voulut répondre, mais Anna la devança :

— Et la vie en Ébrême ? Elle semble bien plus amusante qu'ici.

Éli réfléchit quelques secondes pour bien choisir ses mots et dit lentement :

— Je ne sais pas en ce qui concerne toutes les familles nobles, mais la nôtre est particulière. Le comte... mon... mon père, corrigea-t-elle aussitôt, est un homme très près des travailleurs et, comme il a beaucoup de terres, il est souvent absent pour superviser les ventes et s'assurer que les paysans ne manquent de rien. Mon frère le plus âgé, Kyll, le suit la plupart du temps. Il apprend, dans l'intention de lui succéder. Sinon, il passe toutes ses soirées dans les tavernes.

— Les tavernes ! s'étonna Mylène. Aucun gentilhomme ne se tiendrait dans de tels endroits.

La candeur de la noble était décidément étonnante. Éli fixa un regard troublé sur la forêt où elle aurait dû se trouver, avec les siennes, loin de ces souvenirs et de ces visages qu'elle tentait d'effacer depuis tant d'années. Elle eut un soupir à leur évocation.

— Comme je te l'ai dit plus tôt, les choses ne sont pas toujours ce que l'on croit qu'elles sont, Mylène. Noble n'est pas toujours synonyme de gentilhomme.

Mylène baissa les yeux, furieuse d'être aussi naïve. Les seigneurs devaient certainement fréquenter de tels établissements, peut-être même pires. Comment pouvait-elle croire le contraire ? Honteuse, la jeune noble garda les yeux baissés, par crainte de croiser le regard de Suzie. Une main effleura sa manche et Mylène leva les yeux vers Éléonore, qui lui chuchota, tandis que Suzie et Éric s'obstinaient sur les hommes et les tavernes :

— Nous sommes sur cette terre pour apprendre, Mylène. N'aie pas honte de ton ignorance.

Mylène lui sourit, mais elle restait rouge d'embarras. Elle l'avait blessée et c'était pourtant bien la dernière chose qu'Éli désirait. Certaine d'avoir allégé la honte de la jeune femme, elle regarda la forêt, alors que le visage d'Hugh, son deuxième frère, s'imposait à elle. Cette fois, elle eut un vrai sourire en évoquant toute une panoplie de bons souvenirs.

Hugh et ses épaules massives, ses mains larges, ses yeux noisette aux éclats provocateurs qui reflétaient plus de mauvais coups et de blagues qu'un groupe de gamins. Celui qui s'était occupé d'elle à la mort de leur mère. Hugh, qui lui avait enseigné comment se battre et avec qui elle joutait dans le château. Ce frère qui poussait sa balançoire plus haut que quiconque en prétendant qu'il la ferait s'envoler comme un oiseau. Hugh, toujours là lorsqu'elle avait de la peine et qui avait le tour de la faire rire.

Une bouffée d'amour mêlé de tristesse envahit Éli, plus fort encore que le jour précédent. Hugh était bien le dernier à qui elle voulait penser, car, durant son adolescence, il avait partagé sa vie davantage que le comte. Après chaque dispute, il avait été là pour elle. Toujours, excepté cette nuit-là.

Au cours de la dernière année, il avait commencé à sortir pour courir les femmes avec Kyll et il était absent le soir où elle s'était retrouvée dans cette pièce avec le comte. Éli se l'était si souvent imaginé, complètement saoul et couché sur une femme quelconque. Hugh l'avait abandonnée pour une femme quelconque. Aussi agréables que fussent ses autres souvenirs de lui, celui-ci était le plus vif. De nouveau, elle laissa la colère et la rancœur la dominer. Les yeux secs, un sourire figé aux lèvres, elle se tourna vers les jeunes filles qui attendaient d'en savoir plus sur ses deux autres frères. D'une voix neutre, elle continua :

— Mon deuxième frère se nomme Hugh : un rebelle qui passe son temps avec les paysans et qui ne manque pas une occasion de faire honte à notre père lors des réceptions. Et le troisième, Ramaël, est un intellectuel qui vit dans ses livres. C'est finalement moi, la petite dernière, qui passe assez inaperçue derrière eux trois.

Elle se tut et s'assombrit en regardant la forêt. Suzie comprit qu'elle ne voulait pas en dire plus et Mylène eut droit aux questions suivantes :

— Comment sont les jeunes hommes à la cour ? Font-ils des révérences ? Ils sont sûrement très romantiques...

Éli n'écouta pas la réponse de Mylène, occupée à éloigner les images qui lui rôdaient autour. La tête appuyée contre la rambarde, elle s'agrippait des yeux à la forêt, où étaient ses plus récents souvenirs. Il y avait de cela dix ans, elle était partie dans un but et l'avait atteint... en partie. Elle s'était prouvé qu'elle était forte et, par la même occasion, avait trouvé sa voie. Malheureusement, le principal intéressé, qui la croyait morte, l'ignorait. Bon sang ! Elle n'arrivait décidément pas à chasser le comte de ses pensées.

Les yeux clos, elle entendait ce qu'il lui avait dit, ce qu'il lui avait si souvent répété. Non, elle n'avait pas l'intention de le revoir, de lui reparler, jamais. Que dirait-il en la voyant ? Il détournerait la tête, il l'ignorerait ? Elle n'était pas une honte pour sa nouvelle famille. Elle regarda autour d'elle et croisa les yeux noirs de Malek. Éli abaissa aussitôt les siens d'un air triste et demeura ainsi, à écouter la conversation des jeunes femmes, jusqu'à ce qu'Émilia les appelle pour le dîner.

L'après-midi passa rapidement. Mylène posait de plus en plus de questions sur la vie des paysans, même si les réponses risquaient de la blesser. « Tu ne dois pas avoir honte de ton ignorance », lui avait sagement dit la comtesse. Elle avait donc décidé d'apprendre la difficile réalité que Suzie lui dépeignait, bien moins acceptable que celle que son tuteur lui enseignait. Émilia n'intervint pas dans la conversation et Mylène devina qu'elle ne voulait pas la blesser ou la culpabiliser.

La jeune femme n'avait pas tout à fait saisi la dispute entre Eldérick et Émilia, trop apeurée par la voix grave du chef des bandits pour prêter attention aux paroles, mais elle les repassait dans sa tête depuis le matin et finalement, elle avait compris : le père de Suzie faisait partie des hommes qui allaient être pendus. Mylène avait tenté de se mettre à la place de la paysanne. Comment réagirait-elle ? Elle ne pouvait absolument pas se l'imaginer, c'était trop horrible et elle avait envie de fondre en larmes chaque fois qu'elle essayait.

Cependant, une chose était certaine : à sa place, elle n'aurait eu aucune envie de venir en aide à des nobles, contrairement à Suzie, qui y mettait une telle jovialité. Mylène l'admirait. Autant elle admirait sa force, autant elle avait peur de ce que cette admiration provoquait au fond d'elle. Peur de cette amitié qui naissait tranquillement, sans se cacher, et qui risquait de la métamorphoser pour toujours.

Dame Katherine restait cloîtrée dans sa cabane et Mylène avait plusieurs fois été tentée de la rejoindre, afin de s'éloigner de Suzie et de son sourire, de couper court à cette amitié grandissante pendant qu'il était encore temps. De chasser ce chagrin qui lui nouait la gorge alors qu'elle devinait toute la tristesse que le sourire de Suzie dissimulait. Mais elle restait, se contentant de détourner les yeux en essayant de s'accrocher à sa personnalité qu'elle sentait fuir, car chaque interrogation qui germait dans son esprit s'y ancrait comme un hameçon et la déchirait. Pire, Mylène était certaine que Suzie, en sachant cela, aurait été malheureuse de lui faire de la peine. Cette pensée tuait son énergie et lui laissait un vide immense.

Puis, elle rencontrait les yeux de la comtesse, si calme et posée, dont le regard compatissant l'apaisait chaque fois qu'elle sombrait dans cette tempête d'émotions, comme si la jeune femme devinait ses pensées. Mylène sentait parfois sa main lui presser doucement l'épaule et l'aider à refaire surface ; elle en oubliait cette envie folle de courir se réfugier dans le giron de dame Katherine. Sans pouvoir expliquer comment, elle puisait un peu de force au contact de cette main sur son épaule. Elle se retournait alors en souriant vers Éléonore ; la peur du vide qui se creusait dans son cœur s'éloignait et Mylène rentrait dans leur conversation.

Les rayons du soleil rougirent peu à peu la cime des arbres et les bruits du camp s'estompèrent. Leurs trois gardiens partaient par intervalles, allant vaquer à quelque tâche, puis revenaient vérifier que tout allait bien. Malek n'avait émis aucune autre remarque sur les nobles, mais Mylène sentait son regard l'effleurer à chaque question qu'elle posait. Son sourire méprisant finit pourtant par s'estomper tandis que ses yeux se teintaient d'une lueur différente, mais Mylène n'osait pas le soutenir assez longtemps pour la définir. Elle comprenait pourquoi la comtesse détournait les yeux lorsqu'il la dévisageait, sans toutefois parvenir à saisir pourquoi le brigand à la cicatrice s'en prenait à Éléonore. Probablement n'acceptait-il pas de les voir rire avec Suzie, alors qu'elles auraient dû rester enfermées dans la cabane.

Depuis l'incident de la vaisselle, Éric restait à l'écart avec Kaito. Mylène avait deviné que la situation mettait le jeune Arkëïrite mal à l'aise, et que c'était la raison pour laquelle son regard ne se posait jamais franchement sur elles. Il ne regardait que Suzie qui lançait des coups d'œil nerveux à Éric, qui agissait comme s'il n'avait pas entendu les paroles prononcées dans la maison.

Émilia les invita à rester dormir. Éléonore consulta les deux sœurs et Mylène finit par céder au regard suppliant d'Anna. Elle devait aussi reconnaître qu'elle n'avait pas vraiment envie d'endurer l'attitude réprobatrice de dame Katherine. Il y avait encore trop de choses qu'elle voulait savoir. Émilia mit les trois gardiens dehors et elles entrèrent pour souper.

— Vous devriez vous taire et penser à dormir, mes chéries, sinon, demain, le réveil sera dur, conseilla Émilia en entendant un éclat de rire plus bruyant que les autres s'échapper de la chambre de Suzie.

Sa suggestion fut suivie de plusieurs chuchotements et quelques rires étouffés. Elle marmonna :

— Je n'aurais peut-être pas dû les laisser dormir toutes les trois ensemble…

Éli rit à son tour.

— Non, elles avaient besoin de se changer les idées et Suzie est intarissable de plaisanteries.

— Oui, trop parfois, ajouta Émilia. Il va falloir que je la surveille demain, elles sont peut-être en train de fomenter des plans contre ces jeunes gens dehors. Suzie s'y connaît. Pour mon compte, j'en ai eu assez aujourd'hui, à nettoyer tout le plancher de la cuisine.

— Je n'en doute pas. Et je dois avouer me sentir un peu responsable.

Elle s'amusa en revoyant la scène dans la cuisine.

— Eh bien! On dirait que je devrai vous surveiller aussi, ajouta Émilia.

— Je tâcherai de rester sage, cette fois, promit Éli après un autre rire, qui laissa Émilia sceptique.

Elles occupaient toutes les deux la chambre, les jeunes filles étant installées dans celle de Suzie. Émilia avait invité dame Katherine, mais cette dernière avait refusé de dormir avec une paysanne, préférant rester enfermée dans la cabane. D'un ton impérieux, elle avait demandé qu'on lui amène les deux sœurs. Ulcérés par les ordres de cette noble, les rebelles lui avaient ri au nez en lui conseillant de transmettre elle-même son message. Bien sûr, la matrone n'avait pas osé sortir.

Émilia avait confié à Éli que dame Katherine, assise seule sur sa couchette, les lèvres serrées et les sillons de ses larmes encore frais dans son maquillage, lui faisait pitié. Éli n'avait répondu que par un haussement d'épaules, se retenant de révéler l'opinion qu'elle avait de cette femme, dont le refus obstiné d'accepter l'évidence augmentait le mépris qu'elle éprouvait à son égard et envers tous ses semblables.

Éli ferma les yeux et sourit en entendant un autre éclat de rire, rapidement étouffé sous une couverture. Grâce à cette aventure, Mylène ne ferait peut-être jamais partie de cette race de nobles froids et acariâtres. Elle espérait de cette nouvelle amitié des conséquences heureuses, au moins quelques changements dans l'entourage de ces deux demoiselles.

Comme s'il avait attendu que son esprit se libère, le souvenir de son propre entourage lui revint brusquement. Pour la énième fois de la journée, elle tenta de le refouler en pensant à ses sœurs, à Kalessyn, à Krog et à sa véritable demeure, mais son cœur se serra davantage. Cette nuit, elle quitterait cet endroit, car la proximité de ces gens la ramenait à une époque trop douloureuse et elle n'avait plus vraiment de raison de rester avec les rebelles. De retour parmi les siennes, tout cela passerait. C'est, du moins, ce qu'elle voulait croire : personne ne pouvait totalement effacer son passé, elle en avait à présent bien conscience. À son côté, le souffle d'Émilia se fit plus régulier.

Éli patienta encore une heure pour s'assurer que les trois filles dormaient également, puis elle se leva doucement. Après un dernier regard à Émilia, elle sortit de la chambre sur la pointe des pieds. Dans le noir, elle s'approcha de la fenêtre et se pencha pour apercevoir la forêt au-delà. Ce serait une vraie blague que de s'enfuir de cet endroit. Brusquement, elle recula et se plaqua au mur en espérant ne pas avoir été vue. Elle serra les dents et jura silencieusement.

Malek, adossé à un arbre en compagnie de Kaito, surveillait la fenêtre. Elle regarda la porte tout en songeant qu'il était inutile d'y penser : même si Éric, qui la gardait, était assoupi, l'entreprise était beaucoup trop risquée. Il ne lui restait plus qu'à attendre que ces deux-là s'endorment.

Quelques heures plus tard, Éli abandonna son projet et retourna dans le lit en maugréant. Les jeunes hommes se partageaient la garde. Malek avait sûrement choisi l'Arkéïrite en sachant qu'il prendrait le travail au sérieux. Pas comme le grand blond qu'elle entendait ronfler derrière la porte d'entrée. Elle aurait pu tenter de les distraire à l'aide des animaux du camp, comme elle avait fait au château, mais, à bien y réfléchir, rien ne pressait, si ce n'était de ses souvenirs harassants. Elle ne pouvait non plus rester au bord de la fenêtre, à surveiller les jeunes hommes : si Émilia se réveillait, elle trouverait bien étrange de la voir ainsi.

Éli jura encore silencieusement à l'intention de Malek, qui venait de gagner une partie. Elle bâilla en pensant qu'elle finirait bien par trouver un moyen de le déjouer. Et puis, si elle n'était pas en danger dans ce camp, elle le serait sitôt partie. Éli bâilla une seconde fois, en s'étendant sous les couvertures. Elle allait devoir repousser encore un moment les assauts de ses souvenirs.

Éli fut brusquement sortie de son sommeil par un bruit de métaux entrechoqués lui rappelant son trajet dans le carrosse. La place à côté d'elle était vide, mais le soleil ne semblait pas s'être levé depuis longtemps. Elle se redressa pour s'étirer et aperçut avec horreur son reflet dans un petit miroir sur le mur. Éli resta figée devant cette vision de cauchemar. La poudre blanche destinée à dissimuler son teint bronzé était rendue granuleuse par la transpiration et la poussière du camp ; en outre, son fard à paupières et son rouge à joues s'y étaient mélangés.

Elle avait beau vouloir cacher ses véritables traits sous le maquillage, Éli ne pouvait pas laisser son visage dans un état aussi lamentable. Ce serait véritablement suspect. Elle s'installa devant la commode, face au miroir, et utilisa une serviette trempée, laissée par Émilia. Elle s'en frotta les yeux et les joues, mais se contenta d'éponger le reste de son visage afin de ne pas trop éliminer la poudre. Puis, elle se peigna de façon à laisser ses boucles noires retomber sur son visage. Elles cacheraient un peu son hâle qui commençait à percer son maquillage et leur noirceur ferait paraître sa peau plus claire.

Ainsi retouchée, Éli se dirigea vers la cuisine, où Émilia brassait le contenu de chaudrons posés sur la table. Elle s'étira de nouveau de tout son long et alla jeter un coup d'œil dans la chambre de Suzie. Les trois jeunes filles dormaient profondément, malgré la clarté du jour et la chaleur du soleil qui filtraient par la fenêtre. Éli sourit en songeant qu'elles ne se lèveraient probablement pas avant quelques heures. Elle alla s'asseoir près de la petite femme et la regarda préparer ses épices. Finalement, elle n'était pas fâchée de ne pas être partie durant la nuit, car elle pourrait encore manger convenablement.

Quelques minutes passèrent sans qu'Émilia la remarquât. Éli s'apprêtait à lui parler pour signaler sa présence, quand on frappa à la porte. La petite femme leva la tête et poussa un cri de surprise en la voyant assise à la table. Malek entra précipitamment.

— Y a-t-il un problème, Émi?

La main sur l'épaule d'Émilia, il regarda Éli.

— Non, tout va bien, mon petit.

Éli, feignant l'étonnement, avait porté sa main à la poitrine et fixait sur Émilia de grands yeux chavirés. Émilia se reprit et considéra sa chambre vide avec étonnement.

— Je suis désolée, mais je ne vous avais vraiment pas entendue.

— Ah non? répondit Éli d'une petite voix. Je croyais que vous m'aviez vue, mais je n'ai pas osé vous parler, vous paraissiez si occupée.

Émilia hocha la tête, mais ne put s'empêcher de jeter un autre regard perplexe vers sa chambre, les sourcils froncés. Elle demanda finalement à Malek, qui lui tenait toujours l'épaule :

— Que voulais-tu?

— Je venais seulement te prévenir que nous avons préparé le feu et que nous t'attendons pour embrocher le cerf. Je sais que tu aimes tout superviser, et comme nous ne sommes pas à la hauteur de tes compétences…

Émilia retira sa main de son épaule.

— Ne prends pas ce ton doucereux avec moi, jeune homme ! Je sais bien ce que vous dites de moi entre vous.

Malek sourit et se pencha pour embrasser la petite femme sur la joue.

— Tu sais bien qu'on t'aime comme des fous, ma belle Émi.

Elle leva les yeux et repoussa le visage du guerrier de sa petite main, mais un sourire illuminait sa figure. Malek se retourna vers Éli, posa un pied sur une chaise et accota son coude sur sa cuisse pour se pencher vers elle. Éli leva vers lui des yeux intimidés et légèrement apeurés. Le regard perçant du guerrier la troublait. Il était si certain de lui ! Elle l'avait peut-être un peu désarçonné par son récit et son naturel, mais il devait être du genre à se fier à son sixième sens.

Quand ses yeux s'arrêtèrent sur le médaillon qui pendait à son cou, Éli dut réprimer un regard mauvais. Elle devait reconnaître que le jeune homme était doué pour la provocation. Mais elle était une adversaire de taille. Il resterait seul avec ses soupçons et passerait pour un idiot. Une lueur taquine passa dans les yeux noirs de Malek. Il lui prit une mèche de cheveux qu'il fit glisser lentement entre ses doigts.

— Vous êtes bien matinale, pour une grande dame de la noblesse, observa-t-il, sarcastique.

Elle lui retira la mèche.

— On dit que la vie appartient à ceux qui se lèvent tôt !

Il attaqua sur un autre front.

— Et je vous trouve plutôt discrète, pour une noble. Je croyais que pour les gens de votre espèce, se faire remarquer était d'une importance capitale. Pas vrai, Émi ?

Émilia haussa les épaules. Apparemment, elle ne comprenait pas où il voulait en venir.

— Ou serait-ce, continua-t-il, que vous avez l'habitude d'espionner les gens ?

Éli leva la tête et s'étonna :

— Vous me prenez vraiment pour une espionne ?

Elle ne put s'empêcher d'ajouter :

— Je suis désolée, Émi. Je dois l'avouer, j'ai été envoyée ici pour voler vos recettes.

La petite femme éclata de rire, mais Malek eut un sourire mauvais. Éli remarqua un nouvel éclat sournois dans ses yeux, tandis que les muscles de sa mâchoire se crispaient. Il avait l'air d'un fauve prêt à bondir sur sa proie. Sa cicatrice blanchit davantage, mais il resta calme et se contenta de la foudroyer du regard.

— Très drôle, marmonna-t-il, et je vous trouve bien arrogante pour une noble femme.

Éli se retint de lui répondre : « Ce n'est rien, si vous saviez ce que j'ai dit à votre prince. » Elle déclara plutôt :

— Je suis bien pire avec mes frères. Vous me faites peur, mais je ne vous laisserai pas me harceler avec vos soupçons ridicules sans me défendre un peu.

— Ridicules ?

Malek attrapa le collier. Il se redressa en frottant le médaillon entre ses doigts et fit le tour d'Éli d'un pas lent. Son ton se fit doucereux :

— Vouloir frapper son assaillant, s'adapter aussi rapidement à la situation, jusqu'à accepter de dormir dans la même chambre qu'une roturière…

Émilia arrêta de travailler et dévisagea Malek.

— Dans le même lit, dois-je ajouter. Ne trouves-tu pas ça bien étrange, Émi ?

La petite femme croisa les bras.

— S'il y a quelqu'un d'étrange dans cette pièce, Malek, c'est bien toi. Qu'est-ce que cette histoire d'espionne, peux-tu m'expliquer ? Tu perturbes cette jeune femme avec tes propos incohérents.

Il se pencha brusquement sur le dossier de la chaise d'Éli et lui passa un bras autour des épaules. La serrant contre lui, il lui dit à l'oreille :

— Oh ! Mais ils ne sont pas incohérents, mes propos. Et même si vous ne me croyez pas, elle, elle sait que j'ai raison. N'est-ce pas, ma petite biche ? Je ne sais pas ce que tu caches, mais tu caches quelque chose.

Il lui glissa une main dans les cheveux pour respirer leur odeur et la pressa plus fortement contre lui.

— Et je vais finir par trouver ce que c'est, sois-en certaine.

Éli, qui tentait en vain de s'éloigner de lui, lança un regard suppliant à Émilia. Celle-ci saisit une longue cuillère de bois et frappa la main qui retenait Éli.

— Cette fois, Malek, tu dépasses les bornes. Allez, voyou, lâche-la ! lui ordonna-t-elle en lui assenant un second coup de cuillère.

Il se massa la main en grimaçant et prit un ton innocent :

— Franchement, Émi, tu es dure avec moi. Je ne faisais que m'amuser.

— Eh bien ! Va t'amuser ailleurs !

Comme elle le menaçait de son arme improvisée, il battit en retraite, mais lança, avant de sortir :

— Je te conseille de te dépêcher, parce qu'Éric doit être à la veille de manger le cerf cru. Tu sais comment il est…

Il fit un clin d'œil à Éli en promenant le médaillon entre ses doigts et s'empressa de disparaître. Émilia tapota l'épaule de la jeune femme.

— Ne vous en faites pas, mon chou, Malek est parfois un peu bizarre, mais c'est un gentil garçon. D'ailleurs, je ne comprends pas pourquoi il vous harcèle ainsi.

— Je suis noble.

— Non, ça n'est pas ça, sinon il s'en prendrait à cette dame sévère et pas à vous, qui êtes si douce.

Éli lui sourit, mais le qualificatif lui seyait mal. Émilia retourna à ses épices en l'observant du coin de l'œil. Après un moment, elle proposa :

— Vous savez, Éléonore, ici, personne ne critiquera le teint de votre peau. Si vous désirez vous laver…

Éli baissa les yeux en riant et secoua la tête.

— Je vous remercie, mais nous retournerons avec les nobles et je préférerais garder mon maquillage le plus possible jusqu'à ce que je puisse le refaire.

— Comme il vous plaira, dit Émilia en haussant les épaules. J'ai quand même amené une bassine d'eau dans la chambre, si vous changez d'idée.

Éli sourit de nouveau et changea de sujet :

— Devrons-nous rester ici ou aurons-nous le droit de sortir ? Hier, Eldérick préférait que nous restions ici.

— Oh ! Mais bien sûr que vous pourrez sortir, voyons. Si vous restez à mes côtés, il n'y aura aucun problème. Je me chargerai de ce grand rouquin.

La jeune femme hocha la tête et Émilia resta à la regarder. Depuis la veille, elle avait cru lire, à plusieurs reprises, un profond désarroi dans ses yeux verts, mais, dès que leur regard se croisait, Éléonore lui souriait pour cacher son trouble. Pauvre petite, être captive loin de chez elle devait être une épreuve plus rude qu'elle le laissait paraître. Émilia se dit que le maquillage était peut-être sa façon de cacher ses sentiments et de se protéger. Surtout avec Malek, qui ne manquait pas une occasion de l'intimider. Émilia avait écouté leurs conversations du jour précédent et la jeune femme semblait en avoir appris un lot sur la vie. Et des épreuves, elle avait dû en vivre de bien difficiles, pour sembler si vieille. Elle n'était pas beaucoup plus âgée que sa fille et Mylène, et pourtant, il émanait d'elle une sagesse et une force de caractère rares chez les jeunes de cet âge. Émilia secoua tristement la tête. Dans quel genre de monde vivaient-ils donc, pour être poussés à maltraiter des innocents, afin d'en sauver d'autres ? Il fallait qu'elle parle à Malek pour qu'il la laisse tranquille. Elle souleva le chaudron où elle avait mélangé ses ingrédients et sortit de la cabane, ainsi chargée.

Éli la regarda partir, se retenant avec peine de lui prêter main-forte. Ce chaudron devait être bien lourd. Elle fut soulagée lorsque, par la fenêtre, elle aperçut Éric le lui prendre des mains et le transporter en lorgnant dessus avec appétit, sous la surveillance d'Émilia. La complicité qui régnait entre eux la touchait et elle sentait grandir son attachement. Elle se passa les mains dans les cheveux. Qu'avait-elle, ces derniers temps ? Pourquoi fallait-il qu'elle éprouvât de l'amitié pour ces gens et qu'elle compatît à leur sort ? Une furieuse envie de sortir la tenaillait : elle avait besoin d'air, de voir les grands arbres, d'entendre les animaux. C'est ainsi qu'elle trouvait réponse à ses questions, mais elle craignait de se trahir. Elle ne devait prendre aucun risque devant tous ces regards et elle savait que Malek, plus décidé que jamais, la surveillait personnellement. Pire qu'une mule, ce balafré.

La jeune femme alla vers la fenêtre de la cuisine et se pencha pour sentir le vent des bois dans ses cheveux. Du coin de l'œil, elle aperçut l'objet de ses soucis la regarder de la cour du camp. Il croisa les bras et la fixa sans bouger. Éli soupira ; la journée s'annonçait très longue.

Une exclamation de fureur monta de la cour. Éli, toujours penchée à la fenêtre donnant sur la forêt, se redressa vivement. Cris et rires fusèrent de la chambre où les trois jeunes filles venaient de se réveiller. Elle sourit ; apparemment, Suzie venait de mettre à exécution leur premier plan de la journée, car elle perçut un bruit de pas précipités sur les planches d'une passerelle. Les trois filles sortirent de la chambre et Mylène courut se réfugier derrière elle, aussitôt suivie d'Anna et de Suzie. Elles riaient tellement qu'elles avaient de la difficulté à avancer. Les poings sur ses hanches et le regard sérieux, Éli les considéra d'un air surpris.

— Qu'avez-vous donc fait ?

— Nous avons vidé…

Suzie se prit le ventre à deux mains. Elle étouffait presque.

— Nous avons vidé sur la tête d'Éric l'eau de la cuvette qui sert à nous laver.

Cette déclaration fut suivie d'un nouveau torrent de rires. Éli regarda Mylène avec désapprobation.

— Mylène ! Franchement, je n'aurais jamais cru cela de vous ! Que diraient vos parents ?

Mylène rougit et baissa les yeux, mais ne put s'empêcher d'éclater de rire. Elle parvint à dire entre deux souffles :

— Vous auriez dû voir sa tête, Éléonore… je n'ai jamais autant ri de toute ma vie. Son expression ressemblait à peu près à cela.

Mylène mima le visage surpris d'Éric de façon si réaliste qu'Éli pouffa également. Des pas résonnèrent sur leur passerelle et les jeunes filles se mirent à courir à travers la pièce en criant, à la recherche d'une cachette. Éli regarda autour d'elle et finit par les pousser dans la chambre d'Émilia.

— J'ai une idée, vite!

Les filles se glissèrent rapidement sous le lit. Mylène, indécise, regarda sa robe, mais les pas qui s'approchèrent de la porte mirent fin à son hésitation et elle rejoignit les deux autres.

— Pas de bruit, leur ordonna Éli en refermant le rideau qui servait de porte.

Elle dénoua sa robe et se dénuda les épaules devant la cuvette, comme si elle était à sa toilette. La serviette mouillée dans les mains, elle tentait de se recomposer une expression sérieuse dans la glace. Un poing s'abattit sur la porte, suivi d'autres coups, plus forts. Les filles crièrent, mais Éli leur intima de se taire. Le rebelle n'attendit pas qu'on vienne lui ouvrir et elle entendit le battant de la porte cogner contre le mur.

— Où êtes-vous?

Le ton était furieux. Elle entendit l'homme entrer dans la chambre de Suzie et fouiller le lit.

— Suzie, montre-toi! Si vous vous cachez, ce sera pire quand je vous trouverai.

— On devrait peut-être sortir, chuchota Mylène, mais Suzie secoua violemment la tête et fit mine de se trancher le cou.

Mylène gémit et se plaqua au sol. Elle aurait voulu s'y fondre. Elle commençait à regretter leur geste. Il avait été fort drôle sur le moment, mais elle n'avait pas pensé aux conséquences.

Lorsqu'il fut assuré qu'elles ne se trouvaient pas dans la chambre, Éric se dirigea vers celle d'Émilia. Éli ouvrit plus largement son corset. Il apparut dans l'encadrement, certain de les trouver dans la pièce. Elle poussa un cri de surprise et le regarda en croisant ses avant-bras sur sa poitrine à moitié dénudée. Les cheveux blonds du jeune homme étaient plaqués sur son visage et ses épaules, et le haut de sa chemise de daim était trempé. Éli se mordit les lèvres pour ne pas rire et cacha une partie de son visage derrière ses mèches. Saisi, Éric la fixa, écarta les cheveux de son visage et bégaya :

— Je... je cherche Suzie et vos... vos deux amies. Elles m'ont... enfin, elles m'ont...

Il n'acheva pas sa phrase et inspecta la chambre des yeux. Du bout des doigts, elle remonta sa robe sur ses épaules et lui lança furieusement :

— Ne vous gênez pas, surtout !

Il se gratta la tête d'un air perplexe, puis, gêné, quitta la pièce. Le dos tourné, il demanda :

— Savez-vous où elles peuvent être ?

— Si elles ne sont pas ici, elles doivent logiquement être dehors, répondit-elle d'un ton sec.

Il se gratta de nouveau la tête et se dirigea vers l'entrée d'un pas rapide, décidé à les rattraper. La porte claqua et Éli se leva pour jeter un coup d'œil discret par la fenêtre du balcon. Éric descendait la passerelle en inspectant le camp. Le rire de ses compagnons salua son arrivée et il se rua sur eux pour évacuer sa frustration. De retour dans la chambre, Éli dit aux filles qu'elles pouvaient sortir. Elles rampèrent de sous le lit pendant qu'Éli rattachait son corset et sa robe.

— On dirait que vous avez fait ça toute votre vie, commenta Mylène en souriant.

— J'ai trois frères, n'oubliez pas.

Suzie s'assit sur le lit, joviale.

— Moi, je n'en avais qu'un et je trouvais cela difficile.

Elle tritura l'ourlet de sa robe.

— Il est mort lorsque le roi a confisqué nos terres.

Mal à l'aise, Mylène et Anna se regardèrent et s'assirent à ses côtés. C'était la première fois que Suzie évoquait son passé.

— Avez-vous fait quelques coups avec vos frères ? demanda-t-elle à Éli, qui s'était assise face au miroir. Hier, vous ne nous en avez pas vraiment parlé. Et je crois que nous ferions mieux de rester dans cette chambre un moment.

Éli hocha la tête en souriant

— Comme le comte le répétait si souvent, nous étions de vrais monstres.

— Racontez-nous ce que vous avez fait, la supplia Anna en sautillant sur le lit.

Suzie l'encouragea et se coucha à plat ventre, le menton dans les mains.

— C'est pour cette raison que vous êtes plus à l'aise avec ces brutes, avança Mylène. Avec moi, les hommes se comportent habituellement en gentilshommes courtois et respectueux… Je n'ai jamais eu votre entregent. J'ignorais que c'était aussi amusant. Notre mère nous répète qu'une jeune femme qui se respecte doit se montrer réservée et polie.

— Ça doit être assommant comme vie, remarqua Suzie, pour qui la vie de château perdait considérablement de son attrait.

La liberté, c'était cher payé pour vivre luxueusement.

— Si ma mère apprenait que nous avons balancé une cuvette d'eau à la figure de quelqu'un, nous aurions droit à tout un sermon. Vous ne direz rien à dame Katherine, n'est-ce pas ? s'inquiéta soudainement Mylène.

— Bien sûr que non, même si je suis un peu en colère contre vous.

Les jeunes filles la regardèrent sans comprendre.

— Vous auriez dû me dire ce que vous mijotiez, j'aurais bien aimé voir son expression, moi aussi.

Elle fit une légère moue de déception et les deux sœurs furent soulagées.

— La prochaine fois, on vous le dira, fit Suzie, c'est juré !

— La prochaine fois ?

Mylène était à nouveau inquiète : elle trouvait qu'elles avaient assez joué avec la patience du brigand, même si, d'après Suzie, Éric ne lui ferait jamais de mal. Au pire, il les jetterait dans l'étang, mais Mylène n'avait pas la moindre intention de donner à ce rustre une nouvelle occasion de l'approcher. Il la regardait d'une étrange façon, qui l'intimidait beaucoup. Tout de même, elle ne pouvait nier que la relation de Suzie avec les hommes était autrement plus excitante que celle qu'on lui avait toujours imposée. Comme elle tentait d'imaginer sa perception des autres après avoir séjourné dans ce camp, Éli entreprit de conter ses histoires et elle oublia ses soucis.

Les hommes tournaient la broche qui maintenait le cerf au-dessus du feu. Émilia discutait recette de sauce avec un homme grassouillet, probablement un autre cuisinier du camp. Éli, assise en retrait sur un banc de bois, n'entendait que des bribes de leurs propos. Un chat était venu s'étendre à ses côtés et elle passait sa main dans son épaisse fourrure tigrée en contemplant à l'ouest la lente descente du soleil.

Elle avait passé toute la matinée à évoquer son enfance avec les filles, qui avaient bien ri. Suzie était une vraie peste : si elles s'étaient rencontrées beaucoup plus tôt, dans une autre vie, elles auraient rivalisé de coups pendables. Éli soupira. Apparemment, le Créateur, en lui rappelant ses moments de bonheur au sein de son ancienne famille, avait décidé qu'elle devait revivre ce qu'elle essayait si fortement d'oublier depuis plusieurs années. Un court instant, Éli songea à la possibilité d'aller voir ce que tous étaient devenus, mais elle chassa rapidement cette idée. Elle avait une nouvelle vie, était une autre personne. Les revoir ne pourrait que la faire souffrir davantage.

Son regard fut attiré vers la cabane où on les avait enfermées et où s'isolait maintenant dame Katherine. Elle n'en était pas sortie depuis deux jours et le rebelle qui lui portait ses repas avait indiqué qu'elle avait refusé de toucher à « cette nourriture de voleurs ». Éli secoua tristement la tête ; cette femme se plaisait à jouer les martyres. Elle irait ensuite raconter sur les toits à quel point elle avait été maltraitée par ces monstres, de façon à s'attirer la pitié des siens et, peut-être, recevoir ainsi une certaine compensation financière. Éli était heureuse que Mylène se soit révélée moins bornée.

Quelques heures auparavant, à l'instant même où elles étaient sorties, les deux sœurs s'étaient précipitées à la suite de Suzie pour aller retrouver Émilia. Comme Suzie leur lançait qu'elle n'avait pas envie de prendre un bain, Kaito, en les voyant, avait tiré la manche d'Éric, qui sifflait une fille occupée à étendre du linge. Il s'était rapidement approché d'elles, mais trop tard : elles avaient déjà rejoint Émilia. Celle-ci lui avait jeté un regard menaçant qui l'avait cloué sur place, les bras croisés. Suzie, en lui tirant la langue, avait reçu en retour un sourire carnassier, sourire qui s'était prolongé sur Mylène, soucieuse de rester à proximité de la petite femme.

Les trois rebelles se tenaient encore autour du feu, comme des loups guettant leurs proies. Malek s'était approché d'Éli dans l'intention de la troubler, mais Eldérick était sorti pour parler à Émilia et tous deux l'avaient dévisagé avec insistance. Contraint de remettre ses plans à plus tard, le jeune homme était donc retourné vers ses compagnons, mais Éli avait perçu son agacement. Il supportait mal de la savoir à proximité sans rien pouvoir faire pour l'irriter. D'ailleurs, il était encore appuyé à la clôture d'un enclos, à la distance limite permise par Émilia. La petite femme se montrait plus catégorique qu'Eldérick en lui interdisant de l'approcher pour l'importuner. Éli en était tranquillisée, mais les yeux noirs du jeune homme ne la lâchaient pas. À sa droite, Éric discutait avec un groupe d'hommes. À leurs côtés, Kaito les écoutait en promenant son regard sur le camp.

Fidèle à sa race, l'Arkéïrite restait discret et sérieux. Il suivait ses deux amis et s'intéressait à tout ce qu'ils faisaient, sans intervenir. Éli était curieuse de connaître la raison de sa présence dans le royaume. Peut-être la reine d'Arkéïr l'avait-elle envoyé pour garder un œil sur les événements qui troublaient la Dulcie. Elle se promit d'en toucher un mot aux eldéïrs, à son retour.

Elle s'aperçut que Malek était seul à l'observer et un léger sourire se faufila à ses lèvres. Le jeune homme fronça les sourcils en se redressant, puis attrapa Kaito pour le tourner vers elle. Mais Éli s'était déjà composé un visage innocent en promenant les yeux sur le campement. Malek se leva brusquement en s'adressant à Kaito, le bras tendu dans sa direction. Kaito l'écouta et observa Éli, qui s'appliquait à flatter le chat sans tenir compte de leur agitation. Soudain, Malek se dirigea vers elle, mais il fut aussitôt arrêté par Émilia. Cette fois, Éli leur jeta un œil inquiet. Elle rapprocha le chat d'elle pour chercher du réconfort en observant la scène.

— Émi, je dois lui parler, je…

— Non, s'obstina fermement la petite femme, tu ne lui parleras pas. Retourne là-bas, sinon Eldérick t'envoie en mission hors du camp. C'est ce que tu veux ?

Il recula jusqu'à la clôture sans rien ajouter. La frustration tordait ses traits. Émilia resta un moment à le menacer de sa cuillère, puis retourna à son chaudron en adressant un large sourire à la jeune femme. Éli lui rendit un sourire hésitant et se recroquevilla sur le banc.

Elle observa de côté Malek discuter avec Kaito. Éric, qui écoutait, ricana en secouant la tête. Il lui envoya probablement quelques insultes, car Malek rougit de colère et une discussion envenimée s'ensuivit, jusqu'à ce qu'Éric s'éloigne en compagnie des autres hommes. Ses deux compagnons restèrent contre la clôture et Malek la dévisagea d'un air furieux. D'une certaine façon, son geste n'avait pas vraiment empiré la situation, puisque Éli avait déjà constaté que Malek ne changerait jamais d'idée. Tout ce qui importait était que nul autre ne vît ses airs amusés, pour l'amener à croire être victime d'hallucinations. Pour ne pas sourire de nouveau sous leurs regards suspicieux, Éli se tourna vers Éric, qui suivait Mylène des yeux.

Le pied sur un banc, le menton calé sur son poing, le grand blond semblait éperdu d'admiration pour la jeune noble. Au début, Mylène avait tâché de l'ignorer, mais le regard persistant du jeune homme abattait toutes ses défenses. Elle tenta bien de lui signifier son dégoût et son indifférence, mais le jeune homme n'en perdit pas pour autant son sourire et lui lança un baiser. Rouge jusqu'aux oreilles, Mylène lui tourna brusquement le dos.

La jeune femme avait beau être habituée à courtiser et à être courtisée — Éli en avait été témoin à maintes reprises —, ce devait être la première fois qu'un homme lui faisait les yeux doux. Elle espérait que Mylène ne succombe pas aux manœuvres de ce jeune homme séduisant. Il était en tous points différent du noble typique et Éli craignait que cette différence attirât la jeune femme, qui serait alors placée dans une situation embarrassante. De nouveau, elle sentit naître un sourire sur ses lèvres et dut détourner les yeux de ce séducteur.

Son attention fut attirée par un groupe d'enfants qui menaient les chèvres dans leur enclos, où se trouvaient quelques chevaux, et elle se demanda où était Kalessyn. Elle se concentra sur lui et le trouva, à trois kilomètres du camp, occupé à brouter dans une clairière. Il ne s'interrompit pas pour elle et Éli le traita d'indépendant en rompant le contact. Kalessyn était furieux du fait qu'elle restait dans le camp au lieu de le rejoindre et de partir. Il s'ennuyait. Si, au moins, elle l'avait laissé s'approcher des humains, il aurait pu s'amuser à leur filer sous le nez, mais non, il devait rester hors de vue. De plus, l'objet sous son ventre l'empêchait de saillir les juments du troupeau. Éli fut prise d'un fou rire qu'elle ravala aussitôt en baissant la tête.

— Pauvre Kal, tu fais presque pitié, marmonna-t-elle et le chat tourna vers elle des yeux étonnés.

Néanmoins, hormis cet inconfort, la pierre n'affectait pas le cheval. Elle ne réagissait sans doute qu'aux humains. Au seul souvenir de ses rayons rouges, Éli frissonna. Pourtant, elle n'en avait pas peur ; elle avait même grande envie d'aller la récupérer. Elle se souvint de l'étrange attraction ressentie la première fois qu'elle avait vu l'objet ; attraction rapidement surmontée, mais le désir de saisir la pierre restait bien présent à son esprit. Instinctivement, elle porta la main à son cou pour la refermer sur le vide. Elle ravala un bougonnement et rabaissa tristement sa main pour la reposer sur le chat. Elle maintint tant bien que mal les yeux baissés, n'osant pas croiser ceux de Malek.

Quelques minutes plus tard, elle se permit de lever la tête pour exposer son visage au soleil. Un vent frais lui caressait la peau et elle le laissa ébouriffer ses cheveux, ignorant l'image qu'elle donnait aux jeunes hommes qui l'observaient depuis un bon moment. Kaito, assis sur la clôture près de Malek, s'adressa à Éric :

— Tu exagères en la traitant de laideron.

Éric regarda la jeune noble aux longs cheveux noirs.

— J'admets que, de loin, elle a un certain charme.

Il se tourna vers Malek.

— Elle te plaît, hein ? Tu sais, c'est normal d'être intimidé par une femme qui nous plaît…

— Inutile de parler avec toi, l'interrompit Malek en fixant la comtesse. Les menteuses ne me plaisent pas, encore moins celles qui ont le culot de se payer ma tête.

Il ne cessait de revoir le sourire qu'elle lui avait décoché et, chaque fois, il sentait gonfler sa frustration. Elle avait ouvertement ri de lui et il ne pouvait répliquer. Personne ne le croyait, surtout après la petite comédie qu'elle avait faite dans la cabane, en présence d'Eldérick. Seul Kaito ne demandait qu'à le croire, mais il ne voyait qu'une jeune femme aux réactions normales pour la situation. Malek devait admettre que c'était une habile manipulatrice. Ses propos sonnaient si vrai et elle y mettait tant d'émotion ! Il n'était pourtant pas fou ! Le petit sourire narquois qu'elle lui avait adressé le lui prouvait bien.

Si seulement il pouvait découvrir la raison de sa présence parmi eux ! Une espionne à la solde du roi était la première hypothèse, mais l'enlèvement n'avait été décidé qu'une nuit avant et personne n'était au courant. Alors, comment le roi qui se trouvait à des jours de distance aurait-il pu savoir et l'envoyer ? Impossible. Il y avait forcément une autre raison, mais il avait beau se creuser la tête, Malek n'arrivait pas à l'entrevoir. S'il avait cru qu'elle était là pour leur créer des problèmes, il n'aurait pas hésité à tordre son petit cou blanc pour lui faire avouer qui elle était, devant tout le monde. Pourtant, sa gentillesse déconcertante l'empêchait de défier la protection d'Émilia. Pas seulement par ses belles paroles, mais par son regard. Les yeux qu'elle posait sur Émilia et Suzie étaient empreints d'une compassion qui ne pouvait être feinte. Qui qu'elle fût, elle ne leur voulait pas de mal. Malek l'avait compris la veille, au remords qu'il avait lu dans son regard, alors qu'il lui évoquait les récoltes. Cette comtesse était vraiment un mystère.

Kaito le tira de ses pensées :

— Je ne sais pas pourquoi, moi aussi, j'ai une étrange impression. Elle est trop à l'aise dans les bois, parmi nous. Mais elle ne ment pas, j'en suis sûr, autant que Dowan est certain qu'elle n'est pas magicienne.

— Elle ment, s'obstina Malek. Cette comtesse Éléonore Deschênes existe peut-être, avec un père cultivateur et trois frères, mais ce n'est pas elle.

Kaito haussa les épaules ; il était inutile de discuter avec lui lorsqu'il avait une idée en tête. Il se leva et alla aider à la cuisson du cerf, en gardant tout de même un œil sur la comtesse. Comme l'Arkéïrite n'avait aucune intention malveillante, Émilia le laissa passer, mais à Éric qui le suivait, elle fit comprendre sans détour qu'il n'avait rien à faire là et il s'en retourna, en martelant le sol.

— C'est injuste, maugréa-t-il en s'asseyant près de Malek.

— Nous sommes deux incompris, ajouta ce dernier en lui tapotant l'épaule.

La viande était délicieuse. Éli aurait aimé apporter les recettes d'Émilia à Gaëlle, leur cuisinière, au risque de la vexer. La gastronomie n'avait jamais été un point fort chez les guerrières.

Elles étaient attablées chez Émilia. Les hommes festoyaient dehors et la petite femme avait déclaré plus sage de manger à l'intérieur. Les sœurs Delongpré, Suzie et Émilia discutaient et plaisantaient, comme s'il en avait toujours été ainsi. Préoccupée, Éli ne participait que très peu à la conversation.

Elle savait que les réjouissances des hommes étaient dues à ce que le seigneur de la région avait accepté de libérer leurs compagnons. Eldérick avait indiqué qu'ils partiraient demain pour une grotte, où l'échange était convenu. Éli aurait dû s'en réjouir, car tout s'arrangerait finalement, mais elle avait un mauvais pressentiment.

Le messager chevauchait une monture qui ne venait pas d'un château. Quelqu'un d'autre que le seigneur de la région était à l'origine de cette lettre et l'image que le cheval percevait de cette personne jetait dans son esprit une étrange noirceur. Éli ne pouvait évidemment pas faire part de ses doutes aux rebelles, mais Eldérick n'était pas un idiot, il prendrait des précautions.

Elle-même ne craignait rien, puisqu'elle était du côté des nobles, mais elle ne voulait pas voir ces hommes se faire tuer. Éli regarda Émilia, qui lui adressa un sourire radieux. Si Eldérick et ses compagnons trouvaient la mort, elle se retrouverait seule et cette idée lui brisait le cœur. Elle s'était déjà écartée, depuis trois jours, de sa mission principale ; elle pouvait bien allonger un peu ce détour pour s'intéresser à cet échange. Souriante, elle prit part à leur conversation pour oublier ses préoccupations.

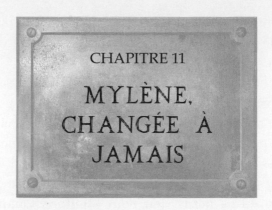

CHAPITRE 11

MYLÈNE, CHANGÉE À JAMAIS

Mylène et Anna faisaient leurs adieux à Suzie, qui avait les larmes aux yeux. Elles savaient bien qu'elles ne se reverraient jamais, même si Mylène lui avait promis de faire son possible. Elles ne vivaient pas dans le même monde.

Émilia leur dit de rester courageuses, qu'elles n'avaient rien à craindre. Elles sortirent pour rejoindre Eldérick. Celui-ci se tenait au milieu du camp désert, entouré d'une quinzaine d'hommes à cheval, qui devaient les conduire au lieu de rendez-vous. Zyruas, le grand rebelle aux traits émaciés, tenait dame Katherine sur sa monture et Éli fut frappée par l'aspect négligé de la noble, qui semblait avoir subi toutes les infamies. Franchement, elle exagérait.

Le soleil commençait à peine à apparaître pour dissiper l'aurore et les jeunes femmes étaient encore ouatées de sommeil en rejoignant le groupe. Eldérick n'eut même pas le temps d'ouvrir la bouche qu'Éric se précipitait déjà vers Mylène. Il la saisit dans ses bras et la souleva, comme une poupée, pour l'asseoir sur sa monture. Les hommes ricanèrent en le regardant se mettre fièrement en selle, derrière elle.

— Sacré Éric, va! s'exclama Karok en secouant la tête.

— Vous êtes tous une bande de jaloux, avouez donc, répliqua le grand blond en passant un bras autour de la taille de Mylène.

La jeune femme, qui n'avait eu qu'un faible cri de surprise, geignit légèrement et souleva les coudes pour ne pas toucher le bras du rebelle. Elle lança un coup d'œil à Suzie et dut comprimer sa bouche des deux mains pour ne pas rire en la voyant mimer des coups de coude dans le ventre de son agresseur. Éric suivit son regard et cria, en menaçant Suzie du doigt :

— Toi, tu ne perds rien pour attendre. Quand je vais revenir…

Suzie leva le nez, mais se rapprocha un peu d'Émilia, au cas où il aurait décidé de sauter de son cheval. Éli observait le manège des jeunes femmes avec un léger pincement au cœur pour ces paysannes qu'elle ne reverrait plus. Elle avisa donc trop tard le bras qui vint lui enserrer le buste. Elle sursauta en hoquetant. Son assaillant la souleva dans ses bras et lui fit un grand sourire.

— Ça va être un voyage très intéressant, déclara Malek en marchant lentement vers son cheval.

Eldérick lui barra le passage.

— Je ne crois pas, jeune homme…

— Oh si !

Malek ne le laissa pas continuer.

— Tu ne m'empêcheras pas de l'emmener. Il n'y a qu'une façon pour que je me sente bien, c'est qu'elle soit avec moi. Je suis le seul à savoir.

— Savoir quoi ?

— Que ce n'est pas une noble ! Je veux personnellement l'avoir à l'œil, c'est tout. Je ne lui ferai rien de mal, si cela peut te rassurer.

— Si tu veux, je veillerai sur eux, Eldérick, proposa Kaito en prenant Anna et la calant sur sa hanche.

Eldérick hocha la tête et avertit Malek :

— Si tu importunes trop la dame…

— J'ai compris, coupa ce dernier en se dirigeant vers sa monture.

Kaito les suivit en riant et Anna demanda soudain d'un air maussade :

— Pourquoi ne me prends-tu pas comme les autres dames ?

Anna semblait frustrée d'être traitée en petite fille. Kaito la regarda, surpris et, soudain gênée, la fillette baissa les yeux. Le rebelle la replaça pour la prendre dans ses bras et demanda galamment, avec un clin d'œil :

— Cela vous convient-il, madame ?

Anna sourit et battit des jambes, tout heureuse d'être traitée comme une dame. Devant ses compagnons amusés, Kaito la porta jusqu'à son cheval. Éli sourit : il n'y avait rien à l'épreuve de cette enfant. Elle serait, à n'en pas douter, une adulte très intéressante. Elle détourna les yeux et rencontra ceux de Malek, à une quinzaine de centimètres de son visage. L'intensité de son regard la troublait d'une manière qu'elle détestait, tout comme elle détestait cette position. Il semblait lire au plus profond de son être, même si elle savait cela impossible. Elle se sentit rougir légèrement, mais elle refusait de baisser les yeux. Le jeune homme en sortirait vainqueur et elle n'avait aucune envie de lui voir un sourire triomphant. Elle aurait voulu lire dans ses pensées, mais elle n'utilisait que très rarement son don avec les hommes et ne ferait pas exception avec lui.

La pensée humaine, trop complexe, lui donnait des nausées. Les hommes ignoraient parfois qui ils étaient vraiment et les raisons de leurs réactions. Le regard de Malek était impénétrable. Elle y supposait de la colère, mais ce n'était qu'une déduction et non un constat. Ce profond sérieux était peut-être ce qui la troublait tant chez cet homme.

Malek fronça les sourcils, se demandant ce que ces yeux verts pouvaient bien cacher. La jeune femme le fixait avec une timidité que démentait l'effort qu'elle fournissait pour ne pas regarder ailleurs. Une femme de la noblesse n'aurait jamais fixé un homme de la sorte, mais à quoi bon le dire ? Personne ne l'écoutait. Elle n'était visiblement pas prête à plier devant lui. Qui qu'elle fût, son orgueil était démesuré. Il espérait, en la scrutant ainsi, revoir le regard meurtrier qui l'avait alerté ou celui, railleur, qu'elle lui avait lancé la veille. Son pouls palpitait dans sa gorge et elle serrait les dents. Malek admirait presque cette femme pour son habileté. Sans lui, personne n'aurait remarqué la duperie, quoique sa présence ne changeât pas grand-chose. Elle allait partir et il ne saurait jamais qui elle était. Il sentait la colère monter en lui à la seule pensée qu'elle aurait gagné.

— Malek ! Nous partons ! lui cria Kaito, qui était en route.

Il regarda les hommes disparaître dans la forêt et souleva la comtesse pour l'asseoir sur son destrier en s'étonnant encore de son poids. Un autre fait étrange à ajouter à la liste.

Éli sentit le jeune homme s'installer derrière elle et donner au cheval l'ordre d'avancer. Discrètement, elle envoya la main à Émilia et Suzie en espérant, au fond d'elle-même, les revoir un jour, peut-être à l'occasion d'une prochaine quête. Ils sortirent du camp et s'enfoncèrent dans la forêt.

Les cavaliers chevauchaient deux par deux depuis un moment. La forêt s'était éclaircie et Éli humait l'odeur des pâturages et des champs qui provenait du nord. Ils allaient vers l'ouest, en se rapprochant des montagnes. La grotte se trouvait au nord-ouest du camp. Eldérick était parti plus tôt, pour arriver au point de rencontre avant les soldats. Elle percevait une certaine nervosité chez les hommes, mais aussi de l'excitation, comme avant toutes les batailles. Cette émotion, qu'elle connaissait bien, l'atteignait presque autant qu'eux. Kaito et Anna chevauchaient à leur côté, derrière Mylène et Éric ; dame Katherine avançait devant elle, de sorte qu'ils se trouvaient au milieu du groupe de cavaliers. Le silence avait régné une partie du trajet, puis les rebelles avaient commencé à discuter de ce qui risquait de se produire et des réactions à avoir.

Éli était soulagée de voir que Malek ne lui parlait pas, même si elle savait bien que cela ne durerait pas. Il devait se sentir frustré de ce qu'elle ne lui avait donné aucun signe, alors qu'ils s'affrontaient du regard, quelques heures auparavant au camp. Kaito avait heureusement interrompu cette torture, car c'en était bien une. Elle était alors sur le point de répéter ce sourire qu'elle n'avait pu retenir la veille. Le décontenancer aurait été chose facile, mais elle se trouvait dans une bien mauvaise posture pour oser un tel affront. Il ne l'aurait plus lâchée par la suite.

Anna s'était placée à califourchon en regardant avec inquiétude dame Katherine, qui n'avait cependant émis aucune protestation. La fillette s'occupait à présent à tresser la crinière du cheval, sous l'œil amusé de Kaito. Cette attitude prouvait bien qu'elle n'était encore qu'une enfant, malgré son intelligence et son caractère. Sa crainte des rebelles avait disparu ; elle avait même posé à Kaito quelques questions à propos de son cheval et il avait répondu avec enthousiasme.

Il semblait à Éli qu'Éric était très bavard. La distance qui les séparait l'empêchait d'entendre, mais elle le voyait se pencher constamment pour chuchoter à l'oreille de Mylène. La rougeur de celle-ci devait se voir à cent mètres. Éli songea qu'il finirait par la tuer. La pauvre fille ne savait plus où se mettre, elle l'avait même vue se cacher le visage dans les mains, tandis qu'Éric se redressait sur sa selle, heureux de l'effet provoqué.

Mylène lui parut soudain prononcer quelques mots en levant le nez, probablement dans l'espoir de le faire taire. Éli doutait qu'elle pût réussir à ébranler l'assurance du jeune homme. Effectivement, son rire retentit et Éli l'entendit s'écrier :

— Je ne savais pas les jeunes nobles, si bien élevées, comme vous dites, capables de lancer des cuvettes d'eau sale aux hommes !

Il partit de nouveau à rire, mais s'étouffa en recevant le coup que Mylène lui porta au ventre en dardant sur lui un regard assassin, et il lança à Malek un coup d'œil stupéfait.

— Tu as vu ce qu'elle m'a fait ? Quand même…

— Elle ne veut pas que la matrone entende, le coupa Kaito en se penchant sur son cheval pour n'être compris que d'eux.

Éric haussa les sourcils en hochant la tête et ralentit sa monture pour laisser les autres prendre un peu d'avance et rejoindre ainsi Malek et Kaito.

— C'est donc ça ! s'exclama-t-il en considérant la jeune femme. Tu fais des cachotteries, petite coquine, lui chuchota-t-il.

Anna rit, la main sur la bouche, mais Mylène, offensée, protesta :

— Je ne suis pas petite !

— Oh que non ! Ça ne m'a pas échappé, répliqua Éric en jetant un regard par-dessus l'épaule de Mylène. Et tu n'as pas à te sentir coupable de m'avoir frappé, je te pardonne.

— Je ne me sens pas coupable, répliqua sèchement cette dernière, je le referais même cent fois, sans le moindre remords.

Les rebelles éclatèrent de rire, mais Éric n'en perdit pas pour autant sa répartie.

— Je suis prêt à subir les pires douleurs, pour avoir le plaisir de te garder contre moi.

Malek et Kaito levèrent les yeux au ciel, tandis que Mylène lançait un regard éperdu vers Éli. Celle-ci écarta les mains d'un geste d'impuissance et fixa son attention sur le paysage. Mylène avait de quoi se désespérer si, depuis le début du voyage, elle recevait des compliments tournés de la sorte. Éli eut tout de même le temps d'apercevoir le coup d'œil admiratif qu'elle lançait sur l'avant-bras musclé d'Éric. Avant-bras qu'au demeurant, elle ne semblait plus craindre de toucher à présent. Sa persévérance commençait à porter ses fruits.

Ils gardèrent le silence un moment et Mylène observa dame Katherine, qui chevauchait plus loin devant. En chuchotant presque, elle demanda finalement à Éli :

— Croyez-vous que ce serait mal si je revoyais Suzie un jour ?

Éli sourit et regarda Éric de biais ; cette question en cachait une autre. Les regards étaient fixés sur elle, mais, en noble d'Ébrême qu'elle était censée être, elle pouvait répondre. Comme elle jetait un coup d'œil à dame Katherine, Kaito la rassura :

— Ne vous inquiétez pas, elle ne peut pas vous entendre.

Éli fixa Mylène. Quatre jours seulement et elle avait tellement changé ! Le regard hautain et dédaigneux avait complètement disparu et un petit reflet rieur dansait dans ses yeux. Jamais plus elle ne verrait la vie de la même façon. Éli se demanda quelle femme elle deviendrait, si ses parents ne parvenaient pas à tuer ce nouvel éclat qui illuminait son visage.

— Je ne peux pas te donner de réponse, Mylène : c'est toi et toi seule qui la détiens.

Elle poursuivit, sous le regard interrogateur de Mylène :

— Dites-moi, toutes les deux, croyez-vous que Suzie et Émilia valent moins que vous ? Parce qu'elles ne sont pas de naissance noble et qu'elles ne sont pas riches ? Dites-moi.

Anna répondit sans hésitation :

— Non, parce que nous venons tous du même Dieu, c'est Émi qui l'a dit et je l'ai lu dans les livres.

Éli acquiesça vivement. C'était donc ça. Parce qu'elle lisait, la fillette était plus ouverte que les autres. Elle était plus apte à faire la distinction entre les mensonges de leur tuteur et la vérité. Les adultes n'avaient donc pas pu lui remplir complètement la tête de leurs idées de pouvoir. Mylène, par contre, semblait plus troublée. En fixant dame Katherine, elle prononça lentement :

— Mais nous sommes des nobles et mes maîtres d'école répètent qu'aux yeux de Dieu, nous sommes plus importants que les paysans.

— Pourquoi ? demanda Éli. Explique-moi donc pourquoi.

Mylène lui lança un regard hésitant.

— Eh bien ! Nous sommes plus influents, faits pour diriger le peuple et... nous sommes plus éduqués et... sa voix trembla légèrement sous le regard dur d'Éli. Je... je ne sais plus... j'ai beaucoup réfléchi ces derniers temps et... je ne sais plus quoi penser. Suzie était gentille, mais... j'ai toujours pensé qu'ils... enfin, les adultes m'ont appris...

Elle regarda dame Katherine et une larme roula sur sa joue alors que sa voix ne devenait qu'un murmure inaudible. La noble se recroquevilla sur la selle et Éric passa son bras par-dessus les siens pour la serrer contre lui. Mylène se laissa consoler et en sembla encore plus ébranlée. Éli la considéra avec compassion. La jeune femme sortait de son rêve et revenait à la réalité. Elle retournait chez elle, au château de son père. Les belles idées que Suzie lui avait transmises au camp la suivraient-elles jusque-là ? Probablement. Mais en avait-elle vraiment envie ? Éli en doutait. La vie ne serait plus jamais aussi simple pour elle, maintenant qu'elle avait retiré ses œillères. Mylène avait probablement refusé de se pencher sur la question, mais elle n'avait désormais plus le choix. Elle regrettait probablement de plus en plus de ne pas être restée cloîtrée avec dame Katherine, loin de Suzie. Éli étendit le bras et lui effleura l'épaule de la main.

— C'est difficile, je sais, dit-elle, mais la voie de la vérité est toujours plus compliquée à suivre que celle du mensonge.

Mylène releva la tête vers elle avec étonnement.

— Vous le faites encore ! s'exclama-t-elle en libérant un bras de l'étreinte d'Éric pour essuyer ses joues.

Elle continua devant le regard interrogateur d'Éli :

— Tout au long de notre séjour, vous avez eu les bons mots pour nous rassurer, nous aider à comprendre et nous ouvrir les yeux... Dès que mes pensées s'égarent, vous arrivez, avec votre sourire, vous m'apportez la force qui me manque. Comment faites-vous... pour deviner mes états d'âme ?

Malek ajouta précipitamment, en fixant les deux jeunes femmes :

— La question est plutôt : QUI êtes-vous, pour avoir tant de respect pour les gens du peuple et avoir cette envie de le partager ?

Éli ignora la réplique de Malek et esquissa un sourire timide à Mylène.

— Je l'ignore. Peut-être parce que je suis passée par là, moi aussi, et que je connais le débat qui se joue dans ton cœur et ta tête, en ce moment. J'aimerais te rendre ça plus facile, mais le choix te revient, comprends-tu ?

La jeune femme poursuivit en hochant la tête :

— Oui, tu es noble, comme Anna et moi... et dame Katherine. Mais on ne définit pas un être humain par son titre, c'est ce que les gens ont oublié ou ignorent, tout simplement. Nous sommes beaucoup plus que cela, Mylène. Être seigneur d'un domaine est une tâche et une responsabilité avant tout, c'est ce que le comte me disait, enfin, ce qu'il me dit constamment. Et cela ne doit jamais te rendre meilleur qu'un autre, sinon, tu ne vaux rien.

Elle plongea son regard dans celui de Mylène.

— Ne laisse pas ton titre effacer ta personnalité, jamais, car elle est merveilleuse, je le sais.

Et elle sourit.

— Je l'ai vu.

Mylène baissa les yeux en riant doucement.

— Ton cœur et ton âme sont les plus importants tuteurs ; ce sont eux que tu dois écouter, ajouta Éli.

Pointant dame Katherine du doigt, elle déclara :

— Eux, et non pas les règles stupides édictées par un quelconque imbécile. Si tu doutes de la voie à suivre, renseigne-toi par toi-même. Tu dois avoir nombre de livres à ta disposition, non ?

Mylène acquiesça.

— Eh bien ! Je te conseille de lire ce qui a été écrit sur le roi Martéal, qui a régné sur la Dulcie, il y a de nombreuses années. Tu verras, il avait une façon très particulière de voir les choses.

— Pour ça, oui ! s'exclama Éric en riant. C'est un des plus grands guerriers que l'Histoire ait connus. Même moi, je le connais.

— Alors, si Éric le connaît… déclara Malek en souriant, vous pouvez imaginer…

Les rebelles éclatèrent de rire et le grand blond le foudroya du regard. Les jeunes femmes réprimèrent un sourire et restèrent un moment silencieuses. Mylène, les yeux rivés sur sa selle, était absorbée dans ses pensées. Éli ne l'avait pas encore convaincue. Elle leva les yeux vers la cime des arbres, cherchant quoi ajouter pour l'empêcher de redevenir la noble qui l'avait accompagnée à Yrka. Un aigle traversa le ciel, point noir dans l'immensité bleue. Elle avait une idée.

— Que crois-tu qu'il arrivera lorsque tu mourras ? demanda-t-elle sans baisser les yeux du ciel. Arrive-t-il à votre tuteur de vous parler du Créateur ou omet-il d'en parler, comme tant d'autres sujets ?

Le petit rire d'Anna se fit entendre derrière elle, mais Mylène gardait les yeux baissés.

— Nous allons au ciel, répondit-elle d'une voix à peine audible.

— Et crois-tu que ta noblesse te suivra là-haut ?

La jeune femme eut un triste sourire et murmura :

— C'est ce qu'on nous dit. Mais je n'avais jamais réfléchi à la question, comme sur tant d'autres, ajouta-t-elle.

— Eh bien ! Il n'est jamais trop tard. Et ne sois pas mal à l'aise, je ne suis pas mieux que les autres. C'est un vieil ami qui m'a dit, un jour, que quand nous mourons, nous laissons derrière nous toutes nos richesses. Pas de titre devant le Créateur, pas de bijoux en or, ni de robes aux tissus précieux ou de coiffures éblouissantes, seulement notre âme, dans ce qu'elle a de plus simple.

Mylène leva les yeux vers elle, mais Éli observait dame Katherine avec tristesse.

— Tu as le choix : écouter ton âme ou l'ignorer.

Elle se tourna vers Mylène en souriant.

— Mais comment faire pour savoir si l'on suit la bonne voie ?

— En le lui demandant, répondit Éli, au Créateur. Et crois-moi, il sait te ramener dans le bon chemin. C'est rarement facile, comme tu le vois, mais il est toujours là pour te soutenir. Tu devrais lui confier tes préoccupations, il t'aiderait certainement mieux que moi.

— Je croyais les Ébrêmiens beaucoup moins religieux que les gens des autres royaumes, déclara Kaito.

Éli se tourna vers lui en souriant.

— C'est différent pour chaque maison. Le comte a une façon de croire très particulière. Il n'a jamais eu besoin d'un prêtre pour s'adresser au Créateur.

Mylène hocha la tête ; elle priait souvent Dieu, mais pour des bêtises, la plupart du temps. En y repensant, elle ignorait si c'était vraiment sincère ou seulement dû à l'habitude. Elle assistait, avec ses parents, à plusieurs rassemblements religieux. Ils bénéficiaient même, au château, des services d'un prêtre personnel. Il enseignait régulièrement les préceptes aux deux sœurs, mais jamais elle n'avait vu dans ses yeux l'amour qu'elle lisait, à cet instant, dans le regard d'Éléonore. Elle commençait à entrevoir ce qu'Éli voulait lui faire comprendre.

— Si je saisis bien, dit-elle en interrompant la discussion entre Éli et Kaito, le rang dû à notre naissance n'est pas un honneur, c'est cela ?

Éli lui sourit et hocha la tête. Heureuse d'avoir compris, Mylène poursuivit :

— Ce qui signifie que j'aurais pu naître dans une ferme, mais le hasard a fait que…

— Non, le hasard n'existe pas. Le Créateur a un dessein pour chacun de nous, mais il nous donne le choix de le suivre ou non. Tu es née d'un duc, tu n'y peux rien changer, mais tu ne dois pas te croire supérieure à celle qui est née dans une ferme. Tu comprends ? La noble peut devenir paysanne, la paysanne peut devenir noble, le noble peut devenir guerrier ou brigand, dit-elle en regardant Eldérick.

Mylène ouvrit la bouche de surprise. L'idée que le chef des brigands pût être l'un des seigneurs destitués du royaume lui avait déjà traversé l'esprit, mais elle avait tant de choses à penser qu'elle n'y avait pas réfléchi davantage. Apparemment, la comtesse n'avait pas fait de même et elle semblait en avoir conclu que c'était bien le cas. En regardant les autres brigands, elle se demanda soudain si elle ne les avait pas déjà vus à la cour, lorsqu'elle était plus jeune. Ses yeux rencontrèrent ceux d'Éric par-dessus son épaule, mais il détourna le regard. La dispute entre Eldérick et Émilia, dont elles avaient été témoins, lui revint en mémoire et elle comprit ce que la petite femme avait voulu dire par « as-tu oublié ce que tu étais, ce que nous étions tous… ».

Mylène fixa les hommes qui menaient la marche dans leurs vêtements de cuir rapiécés et leurs armures hétéroclites. Leurs cheveux emmêlés qui leur tombaient sur les épaules ainsi que leur barbe mal taillée cachaient des visages à la peau tannée par le soleil. Malgré ce que venait de dire Éléonore, elle n'arrivait pas à imaginer ces hommes vêtus en seigneurs.

Elle se tourna de nouveau vers Éric qui fixait la forêt, étrangement silencieux. Avait-il connu cette époque ? Sûrement. Les félons avaient été destitués neuf ans plus tôt. Félons ? Un sourire sarcastique amincit ses lèvres. Était-ce seulement vrai ? Après tout, celui qui leur avait enseigné la supériorité de leur statut était le même tuteur qui leur enseignait l'histoire. La voie du mensonge… Mylène avait envie de rire et de pleurer. Elle avançait dans cette voie depuis l'enfance et elle avait voulu y retourner ? Quelle idiote elle faisait ! Elle baissa les yeux sur le bras qui la serrait doucement pour la réconforter, le cœur soudain gonflé de compassion. Il n'était encore qu'un enfant à cette époque et il avait dû voir des horreurs. Mylène avait fait son choix. La comtesse avait raison, elle devrait apprendre par elle-même et mettre de côté ce qu'on lui avait appris, comme le faisait Anna.

— Mais, continua Éli en souriant pour chasser la tension qu'elle venait de faire naître, rares sont les guerriers souhaitant devenir nobles.

Plusieurs acquiescements s'élevèrent derrière elles. Mylène considéra la comtesse avec admiration. Comment faisait-elle pour remarquer tous ces détails, pour cerner les gens jusque dans leurs pensées ?

— Vous savez tellement de choses, soupira Anna avec envie.

— Oui, c'est vrai, appuya Mylène, j'ai le même âge que vous et j'ai l'impression de ne rien connaître, de n'avoir rien vu. D'être idiote, en fait.

Elle baissa les yeux sur ses mains.

— Non ! répliqua Éli. Si l'ignorance égalait l'idiotie, nous le serions tous, car personne sur cette terre ne connaît tout, voyons. Si nous sommes là, c'est justement pour apprendre.

Mylène hocha la tête et lui sourit, du sourire franc de quelqu'un qui avait trouvé la solution à son problème. Éli regarda la forêt, contente d'elle. Elle avait gagné un point contre les nobles de ce royaume.

Le paysage avait changé et la forêt se densifiait. Éric dut forcer sa monture et reprendre sa position initiale, mais il resta à portée de voix.

— Les nobles d'Ébrême sont-ils tous comme vous ? demanda Kaito.

Éli remarqua le regard intéressé du jeune homme. Elle sentait le sourire de Malek dans son dos. Une légère rougeur envahit peu à peu son visage. Le discours qu'elle venait de faire à Mylène avait peut-être été un peu trop enflammé. Soudainement, elle se sentait un peu moins fière de ses propos. Heureusement, Dowan, qui chevauchait plus en avant avec les autres chefs, ne pouvait l'avoir entendue. Un noble restait un noble, de quelque royaume qu'il fût, et peut-être lui aurait-il posé des questions embarrassantes. En revanche, elle était entourée d'hommes qui n'avaient probablement jamais quitté la Dulcie. La situation n'était pas si tragique. Éli venait d'Ébrême, elle avait juste à broder là-dessus et profiter de leur ignorance. L'ignorance des autres avait toujours été sa meilleure alliée, même avant son épée.

— Vous savez, dit-elle, un royaume, c'est un peu comme un arbre. Si les racines de cet arbre sont en santé, il s'épanouira et fleurira. Les fruits pourris tomberont d'eux-mêmes.

Elle regarda dame Katherine, pour être certaine que celle-ci ne l'entendait pas et continua :

— Par contre, si les racines de l'arbre sont malades, l'arbre périra lentement. Le roi est comme les racines d'un arbre.

Elle entendit plusieurs ricanements dans les rangs et Éric éclata de rire.

— Kordéron, une racine malade, s'écria-t-il, ça c'est drôle !

Il se tut soudainement en voyant les cavaliers de tête se retourner d'un air interrogateur.

— Ferral est un bon roi, déclara Éli, peut-être un peu enclin à se battre pour des pacotilles, mais…

Elle sourit en poursuivant :

— Et son fils le sera aussi, s'il s'améliore en matière d'armes…

— Oui, on dit le prince d'Ébrême peu doué au combat, déclara l'un des rebelles.

Éli le regarda. Cet homme venait de lui donner une idée. Si elle parlait du prince Ludovick, qu'elle connaissait réellement, elle réussirait peut-être à effacer les soupçons qu'elle venait de faire naître en eux.

— Non, le prince Ludovick pourrait être très habile s'il s'y mettait, répondit Éli. Le problème est qu'il n'est pas assez agressif. Il aime mieux lire et écrire des poèmes que se battre, mais je l'ai déjà vu en colère et je peux vous dire qu'il sait très bien manier la lame quand il le veut.

— Tu vois, Malek ! C'est ça qui risque d'arriver si tu continues à lire tous ces livres. Tu finiras par te ramollir, le nargua un des hommes.

— Viens donc te battre contre moi, Matt. On verra si tu me traiteras encore de mou, après, répliqua-t-il en lui montrant le poing.

Le rebelle leva une main et secoua la tête. Éric ajouta en riant :

— Je crois qu'il aime trop la vie pour ça, Malek.

Kaito lança à Malek un regard significatif et coupa court à leur fanfaronnade.

— Vous semblez bien connaître le prince.

Satisfaite d'avoir réussi à regagner leur confiance, elle expliqua :

— Oui, un de mes frères étudiait avec lui. Ludovick m'a fait connaître plusieurs poètes merveilleux.

Elle sourit à ces souvenirs, mais garda sous silence toutes les raclées qu'elle lui avait données chaque fois que le comte et le roi se rencontraient. Le comte en était fou de rage. Éli s'amusa en évoquant les fois où le prince rentrait au château, couvert de boue et d'ecchymoses, la jeune Éléonore, fière et souriante, sur les talons. Ferral se frappait le front de désespoir et les renvoyait de la pièce, afin de calmer son ami. Kaito la tira de ses pensées :

— Votre père espère sûrement vous voir l'épouser, n'est-ce pas ?

Tous les regards convergèrent soudain vers elle. Mylène et Anna, les yeux agrandis de surprise, songeaient déjà qu'elles avaient peut-être voyagé avec une future reine. Marier un prince était le rêve de nombreuses jeunes nobles, ainsi que le prince Laurent avait eu soin de lui dire. Éric remarqua un léger tressautement sur la joue de Malek. Il se rendait sûrement compte qu'elle n'était vraiment pas pour lui. Au contraire, Malek se disait qu'elle allait trop loin et espérait la voir enfin se couper ou se contredire. Épouser un prince, franchement !

Éli fixait Kaito en tentant de chasser le souvenir du prince Laurent. Lorsqu'elle assimila ses paroles, l'image d'elle se mariant à Ludovick lui vint à l'esprit et un fou rire monta dans sa gorge. Elle et son caractère combatif, avec l'adolescent mince aux longs cheveux roux et aux manières si aristocratiques! Elle imagina l'expression de Ludovick en entendant son père annoncer un tel mariage et s'esclaffa sous les regards étonnés. C'était vraiment trop, elle et Ludovick! Le malheureux en mourrait certainement. Éli tentait de contenir son hilarité, mais il y avait tellement longtemps qu'elle n'avait pas ri ainsi! Pauvre Ludovick! Lui qui était si doux... Lui souhaiter un tel malheur!

— Allez-vous bien? lui demanda Kaito, inquiet.

— Éléonore, vous allez bien? lui demanda également Mylène, qui n'avait jamais vu la comtesse perdre ainsi tout contrôle.

— Elle se moque de nous tous, vous ne le voyez pas? lança Malek, furieux.

— Non, mais non... Je ne ris pas de vous.

Elle reprit peu à peu son souffle.

— C'est seulement que je ne m'imagine pas du tout avec Ludovick. J'ai des idées bien arrêtées et je ne crois pas que le roi serait très heureux de cette union. Et le prince est tellement maladroit avec les femmes...

— Ça me fait penser à quelqu'un, railla Éric en regardant Malek, mais celui-ci fixait intensément la forêt, les lèvres serrées.

Il n'avait probablement même pas entendu.

— Arrête, veux-tu! lui jeta Éric, que le comportement de Malek commençait à énerver. Ça devient une vraie obsession. Elle connaît les nobles, le prince d'Ébrême et on sait que son père existe, alors que veux-tu de plus? Elle est différente des autres, c'est vrai, mais pour la simple et bonne raison qu'elle a été élevée ainsi. Dowan dit que son père est un homme bon, pas comme les seigneurs de Dulcie.

Malek haussa les épaules et s'obstina à regarder ailleurs, l'air frustré. Éric jura et se retourna brusquement. Accélérant le trot, il s'éloigna. Kaito secoua la tête et fit avancer son cheval devant celui de Malek. Éli se sentait bien un peu coupable de semer ainsi la discorde entre ces hommes, mais elle n'y pouvait rien. Elle voulait qu'il passe pour un idiot aux yeux de ses camarades, et non qu'ils se disputent.

Sa monture lui transmettait la colère du jeune homme. C'était un sentiment étrange ; la jument établissait un lien entre eux. Éli était, bien sûr, la seule à le percevoir. L'animal était affligé de savoir son maître troublé et elle vivait cette tristesse comme la sienne propre. Pourtant, elle n'avait aucune raison de compatir avec lui, il avait lui-même cherché cette situation. Elle soupira et flatta les oreilles du cheval.

« Tu es une amie fidèle », lui dit-elle mentalement.

— Vous soupirez parce que vous êtes soulagée de ne pas vous être contredite, lança Malek. C'est passé près, cette fois-ci, hein !

— Je ne vois pas ce que vous voulez dire, répondit-elle doucement. Qu'ai-je donc fait pour m'attirer ainsi cette suspicion ?

Il eut un rire sec, sarcastique.

— Comme si vous ne le saviez pas !

Il la serra fortement contre lui et murmura à son oreille :

— Arrêtez cette comédie et dites-moi qui vous êtes. Personne ne peut nous entendre. Vous avez gagné, de toute façon, personne ne me croit, même si je leur disais que vous m'avez tout avoué. Vous n'auriez qu'à faire vos beaux yeux innocents et je passerais pour un illuminé.

Éli tenta de s'éloigner, mais il la maintenait fermement. Elle sentait son souffle chaud balayer son cou et ses lèvres appuyées contre son oreille. Un frisson la traversa et elle chuchota à son tour :

— Arrêtez ! Vous me faites peur.

— J'ai vu votre regard menaçant, votre sourire et toutes les manières d'agir que vous cachez. Si vous êtes une noble différente des autres, pourquoi surveiller vos réactions ? Je sais reconnaître quelqu'un qui s'apprête à donner un coup de poing.

— Arrêtez, je vous en prie ! J'ignore ce dont vous parlez. Quel regard menaçant ? Quel sourire ? Je… je n'ai jamais fait cela. Vous avez dû vous méprendre.

Il maugréa, bouillonnant d'impatience malgré le doute qui commençait à le ronger. Aurait-il tout imaginé en persistant à voir des puces où il n'y en avait point ? Peut-être avait-il seulement joué à se torturer l'esprit, comme le lui répétait Éric ? Il regarda le profil de la comtesse. Était-ce qu'elle l'intimidait et qu'il avait mal interprété ses réactions ? Cette femme allait finir par le rendre fou. Il appuya la tête contre la sienne en humant l'odeur de ses cheveux.

— Je ne suis pas fou, dit-il, davantage pour lui-même que pour elle, j'ai bien vu tout ça.

Éli gardait le silence. Malek était seul à cette minute et devait vraiment penser perdre la tête pour devoir se convaincre à haute voix. Parce qu'elle commençait à se sentir triste pour lui, elle évoqua ce qu'il lui avait volé.

— Même Balo s'en est aperçu. Il a flairé quelque chose en vous. Il ne vous a tout de même pas suivi pour vos beaux yeux. Les chiens protègent leur maître et c'est ce qu'il a fait : il a protégé Eldérick de vous, durant tout votre séjour. Pourquoi ?

Éli ferma les yeux. Il était vraiment perspicace.

— Je ne peux rien faire pour vous convaincre, soupira-t-elle, cette discussion ne nous mènera nulle part.

Il resta un moment silencieux, toujours contre elle, et demanda subitement :

— Alors, répondez-moi, pourquoi chuchotez-vous ? Moi, je le fais pour que Kaito ne m'entende pas vous harceler, mais, vous, pourquoi ?

La question prit Éli au dépourvu. En effet, elle n'avait pas intérêt à chuchoter ; elle aurait plutôt dû attirer l'attention pour qu'il cesse de la harceler. Kaito, chevauchant quelques mètres devant, aurait eu tôt fait de reprendre Malek. Elle ouvrit la bouche, mais ne trouva rien à répondre. Elle détourna la tête pour qu'il ne puisse voir son malaise. Une justification, quoiqu'un peu simple, lui vint à l'esprit, mais elle n'avait pas le temps de réfléchir davantage.

— Eh bien ! Mais c'est une habitude. Quand quelqu'un chuchote, nous sommes portés à faire de même, sans en avoir vraiment conscience.

Elle haussa les épaules.

— Tout simplement.

Il sourit et répéta lentement :

— Tout simplement, c'est vrai. Vous ne vous laisserez jamais prendre, hein !

Il soupira et appuya de nouveau sa tête contre la sienne, sans voir le sourire d'Éli. Il était bon perdant, mais elle doutait de le voir abandonner aussi aisément. Elle n'aimait pas le sentir si près d'elle. Son torse plus large la faisait paraître mince et fragile et elle détestait se sentir fragile. Elle était une guerrière, forte et tenace, même si c'était difficile à croire dans cette situation.

Ils continuèrent en silence. Éric lui-même restait calme. Le groupe s'enfonçait dans la forêt et, comme ils s'approchaient des montagnes, les feuillus laissèrent peu à peu place à d'immenses conifères. Éli perçut la dénivellation différente du sol. Les chevaux devaient éviter toutes les grosses racines des pins et certains trébuchèrent dans des trous dissimulés sous les épines, mais aucun ne se blessa. Éli se tenait à la crinière de la monture, car Malek tenait les rênes des deux mains, pour bien diriger l'animal, qui évitait avec facilité les creux et pièges du trajet sinueux.

Il existait une certaine forme de communication entre lui et son cheval, et elle la percevait à un point tel qu'elle avait presque l'impression de lire dans les pensées du jeune homme. Pour briser ce lien, Éli concentra son attention sur le nouveau paysage. Ils se trouvaient au centre de la file et les animaux avaient le temps de s'éclipser avant qu'ils soient à leur hauteur. Elle ne put donc que les écouter faiblement.

Soudain, elle distingua une masse sombre derrière les branches basses des conifères. Elle fronça les sourcils et observa l'endroit où il lui semblait voir une bête se déplacer. Non, ce ne pouvait être lui, pas aussi près d'eux… Elle scruta l'animal et le reconnut aussitôt. Elle tourna brusquement la tête et fixa son regard sur le dos de Kaito en jurant intérieurement. Kalessyn prenait beaucoup trop de risques inutiles.

« Espèce de grosse tête! Ne reste pas aussi près! », le somma-t-elle, en se doutant qu'il ne l'écouterait pas.

De fait, il fit comme s'il ne l'avait pas entendue. Éli marmonna entre ses dents. Pourquoi fallait-il qu'elle soit entourée de telles têtes dures? Le cheval de Malek hennit en secouant la crinière et, alors qu'elle lui donnait une claque discrète sur le cou, elle faillit lui ordonner de cesser de rire. Il émit un second hennissement, moins sonore cette fois, et agita les oreilles. Éli croisa les bras en se laissant aller contre Malek, d'un air boudeur.

Malek regardait les oreilles de son cheval, sans comprendre ce qui pouvait le rendre si joyeux. Il avait senti la jeune femme se détendre, croiser les bras et sonder la forêt d'un œil furieux. Malek avait l'agaçante impression que quelque chose se déroulait sous son nez, sans qu'il pût découvrir quoi. Après tout, peut-être était-il réellement en train de devenir fou? Sinon, il souffrait d'un grave problème de paranoïa. Il sentait le médaillon contre son torse. En y repensant, ses doutes étaient nés de ce bijou. La guerrière sur le dragon. Il avait cru voir un lien entre cette image et la jeune femme et à partir de cela, il avait peut-être imaginé le reste. Alors qu'il n'y avait rien. Pourtant, ce sourire... Mais peut-être, aussi, l'avait-il mal interprété?

Malek fut pris d'une envie soudaine de voir cette femme s'éloigner de lui; peu importait qu'elle fût gagnante et tant pis pour son orgueil. Sa santé mentale importait plus que son amour propre. Malek pressa son cheval; plus tôt il arriverait, plus vite il se débarrasserait d'elle. Il avait cru amusant d'enlever des dames de la noblesse car il les détestait, mais, apparemment, il avait le don de se placer dans d'étranges situations. Éric avait raison. Peut-être que tout venait de lui, finalement. Il se cassait la tête pour rien. Il soupira et chassa ces pensées avant de s'égarer davantage. Pour tenter d'oublier la jeune femme qu'il sentait trop près de lui, Malek observa l'interminable défilé des conifères, en pensant aux hommes qu'ils allaient libérer. Dès que le terrain le permit, Eldérick força l'allure et il concentra toute son attention sur les obstacles de la forêt.

CHAPITRE 12

LA GUERRIÈRE
SE DÉVOILE

La grotte, que plusieurs gros sapins dissimulaient partielle-ment, se situait dans le léger creux d'une colline. Les racines des conifères retombaient devant l'entrée et un tapis d'épines recouvrait le sol. Éli y remarqua quelques empreintes ; cette grotte n'était pas inhabitée et l'ours qui en avait fait sa demeure semblait d'une taille peu commune. Par chance, il ne s'y trouvait pas pour le moment et lorsqu'il reviendrait, elle l'avertirait. Elle n'avait pas revu Kalessyn, la forte tête. Il restait proche, elle le sentait, mais il demeurait prudent, perce-vant que quelque chose se préparait.

Le soleil avait commencé sa descente dans le ciel bleu. Depuis près d'une demi-heure, ils étaient tapis dans des buis-sons près de la grotte, et dame Katherine commençait à geindre qu'elle avait mal partout. Les éclaireurs avaient assuré Eldérick qu'ils étaient bien les premiers sur les lieux, mais celui-ci voulait en être certain. Il avait posté ses hommes aux alentours de la grotte et attendait de leurs nouvelles. L'un des guerriers surgit des buissons pour les avertir que la troupe de soldats avançait sur le versant nord-est et se trouvait à environ un kilomètre. Ils étaient six, mais les prisonniers ne voya-geaient pas avec eux. Eldérick sortit de leur cachette.

— Ils ont dû les laisser plus bas avec les autres soldats.

Zyruas ajouta :

— Ils doivent craindre une embuscade. Pour eux, on n'est pas des gens de confiance.

Eldérick approuva et se tourna vers ses hommes.

— Matt, prends ton groupe et surveillez les alentours pour parer toute attaque. Ils sont sûrement plus nombreux qu'ils ne le montrent. Karok, reste avec les jeunes pour surveiller les dames. Vous autres — il pointa quatre hommes —, venez avec moi. Nous serons assez, pour des soldats de Kordéron.

Cette remarque fut accueillie par des éclats de rire.

— Restez sur vos gardes, gardez vos armes proches et tenez-vous prêts en cas d'assaut.

Zyruas et Dowan se levèrent, imités par les autres guerriers, et se dirigèrent vers la grotte. Zyruas déclara, en menant les hommes :

— Nous allons l'explorer sommairement, il nous reste assez de temps.

Eldérick s'approcha de Karok et demanda à l'un des éclaireurs :

— As-tu trouvé ?

— Oui, répondit-il en indiquant un bosquet de ronces encerclé de sapins.

Le chef des rebelles hocha la tête et s'adressa à Karok :

— Allez vous cacher dans les ronces, là-bas, mais débrouillez-vous pour voir la grotte, en bonne partie, du moins, et pouvoir entendre ce qui s'y passe.

Il pointa les prisonnières.

— Et elles, pas un cri ! Qu'elles n'aillent pas révéler votre présence ! Faites ce qu'il faut.

Regardant Éric et Malek, il ordonna :

— Vous deux, pas de bêtises, c'est clair ? Obéissez à Karok !

Ils accueillirent la consigne en marmonnant, mais approuvèrent d'un signe de tête. Éric maugréa :

— Comme si on avait l'habitude de faire des bêtises…

Eldérick continua :

— Faites attention à vous, les gars, et ne sortez qu'à mon signal. Si nous quittons la grotte, restez ici. Vous — il pointa les hommes qui devaient surveiller les nouveaux arrivants —, séparez-vous en deux groupes et suivez-nous discrètement. S'il arrive quelque chose, un des deux groupes ira avertir l'autre. Tout le monde sait ce qu'il a à faire ?

Les guerriers acquiescèrent et partirent au pas de course dans différentes directions, tandis qu'Eldérick rejoignait rapidement le groupe chargé d'explorer la grotte. Karok empoigna sans ménagement dame Katherine, qui protesta. Ignorant ses remarques, il la poussa vers les ronces.

— Je vais abîmer ma robe !

— Ça, ma petite dame, c'est pas mon problème. Ça vous donnera un nouveau prétexte pour dépenser l'argent des autres. Vous autres, les femmes, aimez ça, dépenser, de toute façon.

Dame Katherine leva le nez, mais ne put garder cet air hautain bien longtemps, car il la tira brusquement par le bras pour la faire avancer plus vite. Kaito portait Anna, tandis que Mylène et Éli subissaient le même sort que leur aînée. Ils atteignirent rapidement les ronces et aperçurent un large trou derrière. Éli eut à peine le temps de se demander comment s'y rendre avec sa robe qu'elle se sentit soulevée de terre. Malek la tenait presque à bout de bras pour enjamber les branches et parvenir de l'autre côté. Il la déposa sur le sol alors que ses compagnons faisaient de même avec les trois autres. Le cœur battant, Éli regarda Malek s'accroupir près d'elle. L'homme écarta un peu les branches et lança un coup d'œil aux autres. Elle vit Éric emprisonner Mylène sous lui et, avant même d'avoir le temps de penser au danger, elle sentit un objet pointu lui piquer les côtes, juste sous la poitrine. Malek appuya son autre main sur sa bouche et chuchota à son oreille :

— Tente quoi que ce soit et, qui que tu sois, tu ne verras pas le jour prochain. Cette fois, je ne rigole pas. J'ignore ce que tu veux, mais sois certaine que je ne te laisserai pas compromettre l'échange.

Elle regarda les yeux du guerrier et songea qu'elle avait commis une grave erreur en sous-estimant sa détermination. Elle avait effectivement intérêt à ne pas compromettre l'échange si elle tenait à sa santé.

En silence, ils attendirent sans bouger. L'un des hommes qui surveillaient passa près d'eux. Elle ne le vit pas et fut probablement la seule à savoir qu'il était venu, car les oiseaux l'avertirent de son passage. Eldérick semblait savoir bien s'entourer, car ses éclaireurs étaient très discrets.

Éli entendit soudain les pas des soldats sur les épines et tourna instinctivement la tête. Elle n'eut que quelques secondes pour les observer, avant que Malek ne la plaquât au sol. Il la piqua légèrement avec sa dague pour la convaincre de ne plus bouger, et elle grimaça en sentant le tranchant percer la première couche de tissu de sa robe. Elle se glissa lentement sur le côté pour s'éloigner de l'arme, du moins, pour l'empêcher d'entailler davantage ses vêtements. Comme Malek s'était un peu redressé pour observer les soldats, elle se retrouva sous lui. Mauvaise manœuvre, pensa-t-elle, alors que sa joue rencontrait le menton de ce dernier.

Il baissa les yeux vers elle et Éli y lut très clairement son amusement. Oui, une manœuvre parfaitement stupide, se redit-elle. La dague ne s'était pas éloignée d'un centimètre et bloquait à présent toute retraite. C'était une position bien peu avantageuse pour une dame et Malek ne put s'empêcher de sourire en voyant son désarroi. Elle détourna les yeux, mais où que se posât son regard, elle voyait soit le bras qui tenait la dague, la maintenant immobile, soit le torse musclé que couvrait sa cuirasse. Éli se sentit rougir et ramena aussitôt ses yeux vers ceux, railleurs, du jeune homme.

Comme si de rien n'était, il se laissa aller contre elle, l'écrasant partiellement sous son poids. Elle sentit son pouls s'accélérer et se retourna, se méfiant de ce qui pouvait passer par la tête de Malek, alors que son visage touchait presque le sien. Éli ferma les yeux lorsque les lèvres du jeune homme effleurèrent sa joue.

— Tu ne trouves plus ça aussi drôle, hein, ma petite biche ! ricana-t-il en tournant légèrement la dague.

— Arrête de faire l'imbécile, lui ordonna sèchement Karok en voyant le manège de Malek.

— Ouais ! Même moi, je me retiens, maugréa Éric en fixant Mylène, qui rougit brusquement.

Malek grogna et se redressa pour guetter les soldats qui avaient pénétré dans la grotte. Deux d'entre eux étaient restés dehors pour surveiller l'entrée. Éli ouvrit un œil pour constater avec soulagement que Malek s'était éloigné. Plus tôt, elle avait eu pitié et s'était dit qu'elle ne se vengerait peut-être pas, mais là, alors que son médaillon pendait presque sous son nez, elle revint à son idée de départ, celle de trouver un moyen de l'humilier publiquement.

Détournant le regard, elle concentra ses pensées sur les soldats qu'elle avait aperçus. Un détail l'avait surprise dans ce tableau et, de mémoire, elle réexamina les hommes pour le cerner. Éli revit les bras musclés que recouvraient les armures, les épaules larges et les mains robustes, marquées de blessures et cicatrices. Tout cela était caractéristique de batailleurs confirmés. Si ces hommes-là étaient des soldats du roi, elle était la fille d'une créature des marais. Elle avait raison : le messager les avait envoyés dans un piège.

Éli pria pour qu'Eldérick s'en aperçoive et puisse agir en conséquence. Elle voyait deux raisons à cette situation : soit le seigneur avait engagé d'autres hommes pour ramener les captives, soit ces guerriers venaient d'ailleurs. Éli eut la soudaine impression que le subterfuge visait sa propre personne ou, plutôt, ce qu'elle avait subtilisé. Un frisson la parcourut. Elle avait trouvé étrange, aussi, de n'avoir rencontré, au palais, aucun compétiteur. La dague de Malek contre ses côtes, elle se dit que, de toute façon, elle ne pouvait rien faire pour le moment.

Ils attendirent ainsi plusieurs minutes, alors que tout semblait sous contrôle. Les rebelles restaient immobiles, à surveiller les mouvements des deux soldats. Alors qu'Éli pensait s'être peut-être trompée, elle entendit qu'on s'approchait. Pas un seul homme, comme la fois précédente, mais, selon les oiseaux, au moins cinq, qui se déplaçaient dangereusement vite. Perplexe, elle fronça les sourcils : quelqu'un qui marche rapidement connaît habituellement son but ; or, le but en question semblait être l'endroit où ils se trouvaient.

Éli s'en voulut : elle n'avait pas songé que l'individu qui s'était approché d'eux un instant plus tôt pouvait être l'éclaireur d'un groupe ennemi. Elle regarda Malek, qui fixait toujours la grotte, sans se douter que le danger avançait vers eux à grands pas. Non, elle n'avait plus le choix. Éli le tira par la manche et il baissa les yeux sur elle. La jeune femme posa la main sur celle qui tenait la dague pour lui demander de ne pas la blesser, même si elle ouvrait la bouche. Il lui lança un regard interrogateur et souleva légèrement la main, qu'il garda appuyée sur sa bouche.

— Tu as raison, murmura-t-elle rapidement, je ne suis pas noble, mais je n'ai jamais eu de mauvaises intentions, tu le sais, sinon tu m'aurais menacée bien avant.

Il ouvrit la bouche, mais elle ne le laissa pas parler :

— Il y a des hommes qui approchent. Environ cinq, peut-être plus, et je suis certaine qu'eux n'ont pas de bonnes intentions. Pas de temps pour les explications. Prépare-toi plutôt à les affronter, vite ! Ils sont presque arrivés.

Elle lui jeta un regard pressant et si autoritaire qu'il n'osa répondre. Il hésita, mais la jeune femme lui indiqua brusquement Karok du doigt et il se tourna vers son chef.

— Il y a un groupe qui s'approche... par où ? demanda-t-il à Éli.

Elle pointa leur dos. Karok les regarda simultanément. Il ne comprenait pas et, apparemment, Malek non plus, mais il valait mieux être prudent. La jeune femme avait peut-être entendu un bruit. Il sortit son épée et signala aux autres de faire de même. Ils se placèrent de manière à pouvoir se redresser rapidement. Malek rengaina sa dague, mais celle-ci ne resta que quelques secondes dans sa gaine avant d'être subtilisée.

À peine quelques secondes plus tard, une ombre traversa un bosquet. Ils la suivirent du coin de l'œil, feignant d'être absorbés par les deux gardiens. Une autre surgit, plus près cette fois et, sans bruit, l'un des attaquants sauta sur eux, l'épée à la main. Il visait Éric qui aurait été sauvagement fauché s'il ne s'était pas tenu prêt. Averti, il leva son arme, une longue épée à deux mains, dont un tranchant était hérissé de dents, et para le coup. Éli le regarda manier cette arme monstrueuse d'une main, en se disant qu'elle aurait sûrement eu de la difficulté à la maintenir dans les airs. Sans difficulté, il repoussa son adversaire et sauta sur ses pieds, aussitôt suivi des autres hommes.

Kaito resta en retrait pour protéger les femmes. Éli jeta un coup d'œil vers les gardes, mais ils ne semblaient pas avoir entendu. Deux ennemis s'étaient joints au premier. Ils étaient vêtus d'une armure de bronze qui couvrait les zones les plus vulnérables de leur corps. Des lanières de cuir entrelacées de chaînes pendaient aux extrémités du métal. Ils en avaient également fixé à leur heaume, qu'ils avaient dû trouver sur un champ de bataille, comme semblaient en témoigner les bosses. Les lanières se mêlaient à leurs cheveux, leur donnant des allures de créatures des marais.

— Des mercenaires, déclara Karok en jurant, levant haut sa hache.

— Des ex-mercenaires, précisa Éric, alors que l'un d'eux se précipitait sur eux.

Les armes s'entrechoquèrent. Malek éventra son adversaire, mais deux autres, suivis d'un troisième, se ruèrent sur eux en hurlant. D'un coup de pied, Éric envoya l'un des assaillants à terre et Karok en assomma un autre. Mylène poussa un cri lorsque l'un des mercenaires surgit sur le côté. Kaito lui barra le passage, brandissant deux épées minces et légèrement incurvées. L'attaquant éclata de rire à la vue de ce petit homme et se jeta sur lui en criant, mais il se tut rapidement lorsque Kaito fit dévier sa lourde épée et lui enfonça l'une des siennes dans le ventre. L'Arkéïrite le poussa plus loin, pour épargner aux dames ce macabre spectacle.

Éli reporta son regard sur les soldats et les vit se diriger vers leur emplacement. Elle fit un signe discret à Kaito, qui s'approcha et aperçut les soldats. Il lui lança un regard interrogateur, mais se garda de lui poser des questions, en se tenant prêt à les contrer.

Ils étaient sur le point de venir à bout de leurs adversaires, lorsqu'une voix grave les arrêta :

— À votre place, messieurs, je jetterais les armes.

Un grand homme aux longs cheveux noirs les dominait de deux mètres, sur le bord du trou. Il portait les mêmes vêtements que les autres mercenaires, mais l'éclat mauvais et intense de ses yeux bruns laissait penser qu'il était le chef. Éli remarqua avec colère que des ailes d'oiseau de proie pendaient à sa ceinture. L'homme se balançait, les mains derrière le dos. Karok éclata de rire et lui cria :

— Je ne vois pas pourquoi on aurait peur d'un type qui se promène avec des charognes de piafs. Descends de ton perchoir et tu auras la chance de me voir me balader avec ton bras à ma ceinture.

Les rebelles éclatèrent de rire, sauf Kaito, qui grinçait des dents. Comme Éli, il n'aimait pas voir les créatures des forêts tuées pour le plaisir égoïste d'un homme. Le mercenaire ne perdit pas son sourire sournois et eut même un rire sec et saccadé.

— Très drôle, petit homme ! s'exclama-t-il.

Karok serra les poings et le mercenaire continua :

— Mais j'ai un léger avantage sur vous.

Il leva une main et l'un de ses hommes avança en tenant Matt par le bras, un couteau sous la gorge. Karok et les autres jurèrent, sachant très bien ce qui allait suivre. Matt, sachant à quoi il allait servir, s'écria :

— Ne l'écoutez pas, les gars !

Mais le mercenaire lui entailla la peau pour le faire taire.

Le chef leur adressa un sourire indulgent et, d'un geste ample du bras, montra le sol.

— Allez, messieurs, jetez vos armes.

Devant leur hésitation, il continua :

— Pour vous montrer que je ne plaisante pas, j'ai une petite surprise.

Il ramena son autre bras de derrière son dos et jeta un objet à terre. Lorsque celui-ci finit de tourner et s'immobilisa devant Kaito, les dames se mirent à crier et celui-ci serra la mâchoire, se retenant de sauter sur le mercenaire. Éric jura en reconnaissant la tête de l'un de leurs compagnons. Il se dirigea vers l'homme qui leur souriait de ses quelques dents, mais

Malek le retint et lui montra Matt du menton. Éric se calma et posa une main sur l'épaule de Karok. Le rebelle était l'un de ses élèves et il l'aimait particulièrement. Ils regardèrent Matt et, au grand désespoir de ce dernier, finirent par lancer leurs armes au sol. Les trois mercenaires qui avaient survécu au combat et les deux soldats qui avaient sauté par-dessus les ronces les agrippèrent et les poussèrent vers la grotte. Le chef s'approcha des dames et vint pour toucher Mylène, qui recula contre dame Katherine. Il dit en riant :

— On dirait que vous nous laissez de belles surprises, vous aussi.

Deux autres mercenaires sortirent de la forêt où ils étaient restés dissimulés et le rejoignirent. Il leur ordonna :

— Gardez-les en attendant, nous reviendrons les prendre après.

— Si tu les touches ! s'écria Éric en envoyant presque au sol les deux hommes qui le retenaient.

— Tout doux ! Tout doux, mon gros. Nous nous occuperons très bien d'elles.

Éli se souvint avoir entendu, de la bouche d'Éric, cette même phrase qui ne contenait pas, alors, une signification aussi sombre. Les brigands auxquels elles faisaient face aujourd'hui étaient d'un autre acabit et dame Katherine n'aurait plus besoin de jouer les suppliciées. Éli regarda Malek qui se débattait également et il arrêta de bouger pour la fixer. Elle lui fit un clin d'œil complice, accompagné d'un rapide sourire qu'elle voulait rassurant. Surpris, il fronça les sourcils, mais s'apaisa. Éric aussi récupéra peu à peu son calme, bien que son regard en dît long sur son état d'esprit. Le chef les dépassa et ils se dirigèrent vers la grotte.

Les deux mercenaires regardèrent les femmes en ricanant. Éli observa la grande cape vert forêt de l'un des hommes, sans doute dérobée à quelque seigneur. Elle serait parfaite. Il lui fallait seulement attendre l'occasion de la lui prendre, qui se présenterait sûrement rapidement. Elle ordonna tout bas à Anna et Mylène de ne pas bouger, quoiqu'il advienne, ce qu'elles promirent après une brève hésitation, comme si elles devinaient qu'elle allait encore se charger de tout.

Les mercenaires devaient attendre le retour de leur chef, mais ils décidèrent de s'amuser un peu avant, profitant de ce qu'ils avaient les femmes pour eux seuls. L'un d'eux passa sa langue sur ses lèvres en examinant Mylène. Au large sourire qu'il lui adressa en découvrant trois infâmes chicots, elle gémit et détourna la tête. Il l'attrapa par les cheveux et la souleva, dans l'apparente intention de coller sa bouche contre la sienne. Éli y vit l'occasion idéale de mettre son plan à exécution. Elle se leva en criant :

— Lâche-la, sale monstre !

Elle s'élança vers eux les bras en l'air, mais le deuxième la saisit en s'esclaffant.

— Tu penses aller où, comme ça, beauté ?

Éli se débattit dans ses bras en lui intimant de la libérer, et manœuvra pour l'entraîner peu à peu vers la forêt, l'éloignant des autres captives. Il la considéra avec un sourire niais et l'obligea à se coller à lui. En se débattant de plus belle, elle parvint à ce qu'ils s'enfoncent dans la forêt. L'homme regarda les bois, puis se tourna vers son compagnon :

— Hé ! Je vais aller m'amuser avec elle un peu plus loin, pour être sûr que Ghor ne nous surprendra pas. Surveille-les ! Quand je reviendrai, tu pourras faire pareil. Bonne idée ?

Excellente, se dit Éli en retenant un sourire. Le mercenaire sourit avidement et hocha la tête.

— Oui ! Oui ! Je les surveille. Fais vite !

L'homme la souleva contre lui et l'entraîna dans la forêt, tandis qu'elle redoublait de hurlements en tambourinant de ses poings sur l'épaule de son ravisseur. Lorsqu'ils furent hors de vue, il la jeta à terre, retira sa ceinture et son fourreau et tomba à genoux en délaçant son pantalon. Éli le laissa faire sans cesser de hurler et de gesticuler. Quand le mercenaire se pencha sur elle et lui saisit le menton pour l'obliger à l'embrasser, Éli se tut et lui adressa un grand sourire. L'instant qu'elle adorait… Étonné, il s'immobilisa, les sourcils froncés, et secoua la tête comme pour s'assurer que ses yeux ne le trompaient pas. Elle s'exclama :

— Oh ! Tu ne rêves pas, saloperie ! D'ailleurs, tu risques de ne plus jamais rêver, si tu vois ce que je veux dire.

Les yeux du mercenaire s'agrandirent et il ouvrit la bouche pour crier, mais elle hurla avant lui, sa voix aiguë prenant le dessus. Levant le bras, elle le frappa sur l'œsophage, du tranchant de la main droite. Il hoqueta, se posa une main sur la gorge et aspira l'air de toutes ses forces. Il voulut se relever, mais Éli ne lui en laissa pas l'occasion.

— Tu voulais m'avoir ? Eh bien, mon gars, tu vas m'avoir, mais pas comme tu l'espérais !

Elle l'attrapa par sa cape et abattit un poing sur son visage, une fois, deux fois… À la troisième, la tête de l'homme se renversa en arrière et ses yeux se révulsèrent. Il posa une main sur sa tête, comme pour arrêter les arbres qu'il voyait tournoyer autour de lui. Sans cesser d'imiter des hurlements de douleur et de peur, Éli le poussa et le força à se remettre debout. Il chancela et tenta de lui donner un coup de poing, mais elle l'évita et lui trancha la gorge de la dague de Malek. Elle détacha rapidement la cape avant qu'elle ne soit imbibée de sang et le laissa s'écraser au sol. Cessant de crier, elle marmonna :

— Je t'avais prévenu que ce serait ton dernier rêve.

Éli constata avec satisfaction que la cape possédait deux revers, comme elle l'avait escompté. Elle ôta rapidement sa robe ainsi que ses escarpins et déposa le tout sur le corps inerte, dont elle s'empara de l'armure. Alors qu'elle se redressait, elle poussa un cri de surprise en se retrouvant face à un long museau gris. Éli reprit son souffle, secoua la tête d'un geste désespéré et foudroya le gros cheval du regard. Celui-ci retroussa les lèvres, découvrant ses longues dents dans un hennissement saccadé.

— Eh oui! Eh oui! marmonna-t-elle en enfilant les vêtements de l'homme. Bravo! Tu m'as fait peur.

Occupée à lutter contre le mercenaire, elle n'avait pas vu le cheval approcher et il en avait profité. Pourtant, elle aurait dû s'en douter, puisqu'il se portait toujours à son secours s'il se trouvait non loin. Éli le contourna pour aller récupérer son épée attachée au flanc de Kalessyn et éclata de rire en apercevant l'énorme bosse que formait la sacoche sous son ventre. Il faudrait qu'elle arrange ça avant de se présenter en public avec lui. Toujours en riant, elle retira son épée dissimulée sous la deuxième peau et se la fixa à la taille. Kalessyn lui lança un œil furieux lorsqu'elle passa près de lui.

— Chacun son tour, mon vieux!

Éli passa la cape, côté noir sur ses épaules, et rabattit le capuchon sur sa tête. Pour le maintenir en place, elle l'épingla à ses cheveux, qu'elle enfouit ensuite sous ses vêtements. Il n'eût pas fallu qu'une des dames la reconnaisse, après tant de précautions. Elle pencha la tête pour avoir un aperçu de son allure et rit du résultat. Une jeune noble en sous-vêtements, sous une armure de cuir sale, munie d'un fourreau et d'une longue épée, voilà qui tenait du loufoque! Éli ferma la cape et sortit son arme à plusieurs reprises, pour s'exercer à ne pas trop écarter les pans de tissu. Ça pourrait aller...

— Kal, tu vas m'attendre près de la grotte, où sont les autres chevaux. Je vais venir te chercher quand je serai prête à partir.

Et, comme le cheval semblait indécis, elle ajouta :

— Ne t'en fais pas pour moi, je vais m'occuper de ces mercenaires. Par contre, s'il y en a qui approchent, empêche-les d'entrer dans la grotte.

Toujours réticent à laisser sa maîtresse se battre seule, il s'éloigna, son gros ventre pendant de façon ridicule. Éli s'obligea à retrouver son sérieux, rengaina son épée et se dirigea rapidement vers l'endroit où attendait l'autre mercenaire, avide de plaisirs lubriques.

L'homme battait la semelle avec impatience. Dissimulée derrière un arbre, Éli l'observait. Mylène pleurait silencieusement, tandis qu'Anna et dame Katherine la serraient contre elles. Trois des mercenaires, déguisés en soldats du roi, surveillaient l'entrée de la grotte. Si elle se dépêchait, ils n'entendraient rien. Éli sortit de sa cachette et marcha sans bruit jusqu'au bandit, ombre légère dans la forêt. Les dames l'aperçurent et le mercenaire se retourna vivement pour suivre leur regard. Comme elle l'avait escompté, il réagit en guerrier, en sortant son arme pour se battre, au lieu d'appeler ses compagnons. Éli fit de même et, pour ne pas alerter les autres gardiens en faisant teinter le fer, elle évita habilement l'attaque du mercenaire en tournoyant sur elle-même. Elle se retrouva à ses côtés, leva son arme et l'éventra. Quand le mercenaire ouvrit la bouche pour hurler, elle lui frappa la tête du pommeau de son épée. Il tomba lourdement, face contre terre. Sous son corps inerte se forma bientôt une marre de sang.

Mylène avait regardé avec stupeur l'individu surgir de nulle part et tuer leur tortionnaire, puis elle avait remercié Dieu. Cet homme n'était vraiment qu'un brigand sale et puant et elle n'osait imaginer ce qu'il aurait pu lui faire subir. Elle se rendait compte qu'Éric n'était pas qu'un bandit. Après tout, il avait voulu la défendre contre ces hommes. À ce souvenir, son cœur se gonfla de gratitude et elle observa la grotte en espérant qu'il ne lui arrive rien de fâcheux. À ses côtés, Anna sauta sur ses pieds et s'écria brusquement :

— Il y a une autre dame dans la forêt ! Vite, il faut la sauver !

Éli essuya son arme sur les vêtements du mort et se redressa lentement en secouant la tête.

— Elle est morte, déclara-t-elle en prenant une voix grave.

Anna ouvrit la bouche et fixa la forêt sans paraître comprendre. Mylène posa une main sur ses lèvres.

— Non… souffla-t-elle, alors qu'une larme glissait sur sa joue.

Dame Katherine porta une main à son cœur et passa un bras autour des épaules de Mylène.

— Viens ici, Anna, ma chérie, lui demanda-t-elle en étendant le bras dans sa direction.

La fillette l'ignora et s'élança vers la forêt, mais Éli arrêta sa course en la retenant contre elle.

— Il vaut mieux ne pas aller voir ça, mademoiselle, restez avec ces dames.

— Non ! Laissez-moi ! Elle ne peut pas être morte, elle était gentille et je l'aimais !

Anna, en larmes, se débattait faiblement. Éli lança un coup d'œil vers les gardes, mais ceux-ci n'avaient rien entendu. Elle conduisit l'enfant près de dame Katherine qui la prit contre elle, avec Mylène.

— Restez ici, leur intima-t-elle, et ne la laissez pas aller.

Dame Katherine acquiesça et demanda :

— Qui êtes-vous ? Un envoyé du roi, pour nous secourir ?

— En quelque sorte, mais pour le moment, je n'ai pas le temps d'expliquer. Je dois finir mon travail. Attendez-moi, je reviendrai bientôt.

Elle sortit la dague de Malek et la tendit à Mylène.

— N'hésitez pas à vous en servir, en cas de problème.

La jeune femme s'en saisit et hocha la tête, l'air incertain. Éli allait se relever, mais Mylène la retint par la manche.

— Allez-vous tuer les hommes qui nous ont enlevées ? demanda-t-elle faiblement.

Éli sourit et répondit :

— Je ne tue que lorsque c'est nécessaire, mademoiselle.

Mylène parut soulagée et se blottit contre Anna, qui pleurait toujours. Éli détestait devoir leur infliger ce chagrin, mais c'était ce qu'elle avait imaginé de mieux pour changer de personnage. Pour la deuxième fois, la comtesse Éléonore Deschênes venait de disparaître.

Mylène regarda l'individu soulever le corps du mercenaire, le caler sur ses épaules et s'éloigner pour déposer son fardeau loin d'elles. Lorsqu'il fut hors de vue, elle se tourna vers les trois gardiens de la grotte en serrant la dague dans sa main. Elle ne pouvait oublier comment Éric avait presque envoyé ces hommes au sol pour voler à son secours.

Elle sursauta : à la vitesse d'un éclair, une ombre venait soudain de traverser la clairière et se rapprochait des gardiens. Deux d'entre eux étaient assis sur un tronc couché au sol et le troisième s'appuyait nonchalamment contre l'une des parois de la grotte. Il s'amusait à faire tournoyer dans les airs un couteau qu'il rattrapait par le manche. La silhouette disparut et réapparut derrière lui, plus haut sur le versant de la grotte. Mylène la distinguait avec difficulté, tant elle se fondait dans la nature.

Le couteau de l'homme virevoltait dans les airs et retombait, virevoltait dans les airs et retombait, virevoltait dans les airs... mais la main du mercenaire resta vide. Il la regarda, puis fixa le ciel : où donc était passé son couteau ? Mylène sourit ; elle se doutait de ce que préparait leur sauveur. Le mercenaire se redressa et observa attentivement les branches au-dessus, puis vit un objet descendre vers lui. Il tendit la main, pensant probablement que son couteau s'était coincé et qu'il en retombait. Les yeux agrandis de stupeur, il ne put éviter le rocher qui lui tomba sur le crâne. Mylène grimaça en voyant la pierre s'enfoncer dans son heaume. Le mercenaire s'écroula, le visage en sang.

L'attaquant sauta devant l'entrée de la grotte et dégaina son épée. Les deux mercenaires, qui avaient fait de même en voyant s'effondrer leur compagnon, se précipitèrent vers leur adversaire en levant leur arme. L'inconnu resta immobile, alors que le cœur de Mylène cognait frénétiquement. Elle vit Anna qui serrait les poings, le visage tendu d'une haine intense, comme jamais elle n'avait pu lire sur ses traits délicats. Elle reconnaissait espérer, elle aussi, voir ces hommes mourir pour racheter la mort d'Éléonore. Cette pensée la submergea de chagrin ; elle ne pouvait toujours pas admettre cette mort ; elle voyait encore la jeune femme à leurs côtés, à peine une heure plus tôt, leur rendre courage.

Les mercenaires atteignirent le guerrier et celui-ci, alors même que les armes de ses adversaires allaient le transpercer, s'accroupit en faisant tournoyer son épée au-dessus de sa tête. Les lames ennemies fendirent l'air, tandis que l'arme du guerrier éventrait les deux mercenaires. L'individu se redressa et égorgea les deux hommes de deux coups rapides, avant qu'ils aient eu le temps de crier. Puis, il rengaina à une vitesse telle que Mylène crut que la lame s'était dissipée dans les airs. Le guerrier traîna alors les corps dans la forêt et alla vérifier l'état du mercenaire abattu par la pierre. Il le ligota et le transporta également plus loin.

Mylène vit ensuite l'inconnu réapparaître, avec, à la main, quelque chose qu'elle ne parvint pas à identifier, car il le dissimulait sur le côté. Comme pour faire signe à quelqu'un, il leva un bras vers la forêt et s'engouffra dans la caverne. Mylène scruta les ombres entre les arbres, mais ne put distinguer qu'une forme floue. Anna fut la première à la reconnaître et elle poussa un cri de frayeur.

La lueur des torches n'éclairait que faiblement les parois et il serait aisé de s'y fondre. Éli avançait lentement le long du mur de terre et les voix lui parvinrent bien avant qu'elle ne puisse apercevoir les occupants.

— Écoute Eldérick, je sais que tu détestes le roi et je suis certain que le vol de cette pierre ne t'est pas complètement étranger.

C'était la voix du chef des mercenaires. Elle avait donc raison : ils cherchaient la pierre. Il lui fallait maintenant savoir pour qui ils travaillaient. Le roi n'aurait pas engagé des mercenaires, d'autant qu'il avait déjà envoyé une grande partie de son armée à sa recherche. Eldérick répondit :

— Je t'ai déjà répondu.

— Et moi, je ne te crois pas. Je vais devoir être plus persuasif…

Un cri retentit dans la caverne et elle pressa le pas, espérant qu'ils n'avaient tué personne d'autre. Éli vit le premier mercenaire qui se tenait debout, devant l'entrée de la tanière. Elle s'immobilisa juste derrière lui, pour analyser la scène. Le chef des mercenaires, assis sur un rocher à l'autre extrémité de la grotte, supervisait la besogne. Ils avaient ligoté Eldérick et ses hommes. La dizaine de guerriers, assis sur le foin qui recouvrait le sol, étaient adossés contre le mur, à sa gauche. Tous étaient en vie, mais plusieurs d'entre eux avaient le visage et la poitrine en sang.

Les mercenaires étaient redoutés pour leurs techniques d'interrogatoire. La seule raison pour laquelle le chef ne les avait pas tués était sans doute qu'il craignait ainsi de faire disparaître une information. Un mort ne sert à rien ; c'était là la seule philosophie des mercenaires qu'elle approuvait. Debout au centre de la caverne, les six autres hommes attendaient les ordres. L'un d'eux tenait un fouet dont les lanières de cuir dansaient alors qu'il le frappait dans la paume de sa main.

— Lequel je choisis ? demanda-t-il en souriant.

Karok lui cracha dessus et répliqua :

— C'est ça, souris, salaud, parce que je vais t'arracher les dents qui te restent, moi !

Il n'eut pas plus tôt achevé sa phrase qu'une large entaille alla s'ajouter aux autres sur son torse.

— Tu n'apprendras jamais à te la fermer, hein ! Ta grande gueule de rawgh ! Eh bien ! Moi, je vais t'apprendre !

Il leva son fouet et Malek ricana :

— Qui traites-tu de rawgh, connard ? Parce que, moi, je vais te dire : le cul d'un rawgh est moins moche que toi !

Les rebelles éclatèrent de rire et ajoutèrent d'autres insultes, tout aussi choisies. La caverne se remplit bientôt de rires graves et le chef des mercenaires dut hurler pour ramener l'attention sur lui.

— Vous voulez jouer aux plus fins avec mes hommes ? On verra si vous rirez toujours, tantôt. Je repose ma question. Qui a volé la pierre ?

Les rebelles ne prirent pas la peine de répondre, d'autant qu'ils ignoraient la réponse. Il fit un signe impatient à l'un de ses hommes qui, dégainant son épée, se rapprocha d'eux. Il leva la lame au-dessus de Karok, qui le fixait avec haine. Son bras s'abaissa, puis se figea brusquement et son arme tomba à ses pieds. Blessé, l'homme porta la main sur le couteau qui lui traversait l'épaule, tandis que ses compagnons virent son armure se couvrir de sang. Il arracha l'arme en hurlant et tous tournèrent la tête vers la silhouette qui était apparue à la lueur des torches. Le mercenaire, dressé devant elle, sursauta et recula en sortant son arme.

Eldérick espéra reconnaître, dans cet individu, l'un de ses hommes restés en vie, mais il ne put distinguer le visage encapuchonné.

— À ta place, je n'essaierais pas ça, mercenaire.

Le chef demanda, sans prendre la peine de se redresser :

— Qui es-tu ?

Un homme seul ne constituait pas un grand danger pour ses hommes.

— J'ai une petite surprise pour toi !

Et Éli lança la tête de chacun des deux malheureux postés plus tôt à l'entrée de la grotte. Elles roulèrent au sol pour finir leur course aux pieds de l'un des mercenaires, qui jeta un regard abasourdi à son chef. L'étranger l'effrayait, il y avait quelque chose de malsain chez lui, dans l'intonation profonde de sa voix, tout particulièrement. Le chef se redressa, se demandant qui pouvait bien être cet homme et ce qu'il avait entendu. Il pointa son épée sur le cou d'Eldérick et somma l'intrus :

— Dis-moi qui tu es, ou les amis que tu es venu sauver y laisseront leur peau.

La silhouette encapuchonnée éclata de rire.

— Tu ne pourrais pas changer de méthode ? C'est agaçant, à la longue. De toute façon, continua Éli en avançant lentement, je ne suis venu sauver personne. Seulement vous avertir que vous feriez mieux de quitter cet endroit au plus vite.

Les mercenaires se regardèrent en ricanant. Pour qui se prenait cet imbécile ? Mais elle ajouta, alors que le chef ouvrait la bouche :

— Ce n'est pas moi qui vous le demande, bien sûr, mais le maître des lieux qui est, entre nous… — elle baissa la voix comme pour leur révéler un secret — très en colère contre vous. Moi, je ne suis que son messager, confia-t-elle humblement en plaçant sa main gantée sur sa poitrine.

— Il est cinglé, dit l'un des mercenaires au chef.

Ce dernier, qui supportait mal qu'on se moque de lui, leur ordonna sans plus :

— Tuez-le !

Les mercenaires avancèrent vers Éli, mais s'immobilisèrent brusquement, pétrifiés d'effroi. Eldérick n'eut pas à en chercher longtemps la raison : plus l'étranger approchait, mieux il distinguait une ombre gigantesque approcher derrière lui. Surgissant des ténèbres avec un grondement furieux, un ours de plus de deux mètres se dressait sur ses pattes postérieures en dardant sur les mercenaires des prunelles à l'éclat meurtrier. Éli déplora, l'air consterné :

— Je vous avais prévenus que le propriétaire des lieux était furieux, mais personne ne m'écoute. Maintenant, je n'y peux plus rien…

— Tuez-le, je vous ai dit ! explosa le chef. C'est tout de même pas cet animal qui vous fout les jetons !

Les hommes avalèrent leur salive avec difficulté et se précipitèrent dans la direction de l'ours qui, avec un grognement furieux, bondit devant Éli pour attraper le premier mercenaire, qu'il éventra d'un coup de patte. Éli sauta sur le côté pour contourner les assaillants qui se défendaient contre l'énorme animal. L'homme au fouet s'interposa, une hache à la main, et elle reconnut celle de Karok. Eldérick vit soudain une épée dans les mains de l'étranger, qui para le coup du mercenaire et recula d'un bond. Éli exécuta plusieurs mouvements qui déroutèrent son adversaire et termina sa manœuvre en fauchant l'air devant elle. L'homme sourit, croyant que l'étranger avait manqué son but, mais son sourire s'évanouit lorsqu'il vit le tranchant de sa hache tomber lourdement au sol. Le mercenaire tira une courte épée de sa ceinture et releva la tête, pour sentir aussitôt la lame lui trancher la gorge. Il tomba sur les genoux, puis s'effondra, face contre terre. Éli se planta devant les rebelles.

— Désolée pour ta hache, Karok.

Karok fronça les sourcils ; cette voix avait quelque chose d'anormal. Eldérick, lui, regardait l'étranger en se demandant pourquoi il s'était lancé dans cette bataille, alors que l'ours, qui avait déjà tué trois hommes, se débrouillait fort bien tout seul. Il pourrait désormais mettre une image à l'expression « réduire en chair à pâté » ! Apparemment, l'étranger, quel qu'il fût, les protégeait. De son épée, il venait de transpercer un autre mercenaire qui s'écroula à ses pieds. Les deux derniers hommes préférèrent reculer et finirent par se précipiter vers la sortie. L'étranger les montra du doigt et l'ours se lança nonchalamment à leur poursuite. Leur chef, qui le regardait, l'épée à la main, hésita, puis s'élança vers Eldérick. Éli, qui avait prévu la manœuvre, le bloqua de son épée et le força à reculer.

— Pas cette fois, souffla-t-elle. Finis, les jeux de mauviettes !

— Mauviette ? s'écria le chef en serrant les dents. On va voir qui est la mauviette !

Il se plaça en garde.

— Si c'est ce que vous voulez, répondit Éli galamment, je vais me faire un plaisir de vous montrer ça.

Le mercenaire la fixa, stupéfait, comme tous les autres hommes présents dans la pièce. Il y avait réellement quelque chose d'inquiétant chez cet individu. Éli profita de son étonnement pour l'attaquer, le faisant reculer davantage. Maintenant qu'il savait qu'elle protégeait les rebelles, elle voulait l'éloigner d'eux le plus possible. Leurs armes se croisèrent et, même si le mercenaire frappait fort, le temps que son arme se rende à la cible, celle-ci avait disparu. Il tournait sur lui-même pour se protéger, mais il était incapable d'atteindre Éli. La peur s'insinua en lui : son adversaire était-il humain ? Il donnait des ordres à un ours, bondissait avec la légèreté d'une plume et avait cette façon si étrange d'agir et de parler. À ces pensées, son bras se mit à trembler et ses mouvements devinrent saccadés.

Eldérick observait la scène avec étonnement. L'étranger avait eu, au moins, trois occasions de tuer le chef des mercenaires et pourtant, il s'était contenté de lui infliger de légères entailles. Le désarmer était sûrement tout ce qu'il cherchait, mais pourquoi? Ce qui était certain, c'est qu'il prendrait avec joie un tel guerrier dans ses rangs. Sa façon de bouger était étourdissante. Certes, il ne semblait pas très puissant, mais, comme disait Kaito, tant qu'on peut soulever une épée et la manier! Et lui la maniait, son arme! À cela, il n'avait rien à redire. Sa manière de combattre, très semblable à celle de Kaito, avec une touche de celle de Dowan, évoquait étrangement une danse. Eldérick, tout comme ses hommes, avait hâte de savoir qui était cet individu et d'apprendre pourquoi il leur était venu en aide.

Les attaques du mercenaire devenaient hésitantes et lourdes. À contrecœur, Éli décida de mettre fin au jeu. Elle bloqua l'un de ses coups, particulièrement puissant, tourna son épée et envoya celle de son ennemi virevolter contre la roche, au fond de la caverne. Le mercenaire voulut bondir de côté pour aller récupérer son arme, mais Éli lui appuya la pointe de son épée sur le cou. Il s'immobilisa, recula et tomba assis sur un rocher. Elle le suivit patiemment, déplaçant légèrement sa lame, la tête inclinée sur le côté, toujours dissimulée sous la capuche. Le mercenaire leva le menton et déglutit péniblement.

— Qui es-tu et que me veux-tu? demanda-t-il avec anxiété.

Il voyait bien que l'étranger jouait avec lui : il aurait pu le tuer, mais ne l'avait pas fait.

— Je suis l'ange vengeur, voyons! déclara Éli en levant un bras d'un geste théâtral. Et je suis venue te chercher, continua-t-elle sur un ton malicieux.

Les yeux du mercenaire s'agrandirent de peur; il avait vu juste : c'était un démon! Éli resta interloquée devant sa réaction. Apparemment, il devait croire, parce que l'ours lui avait obéi, qu'elle était un genre d'esprit. Les esprits aussi avaient tendance à se manifester sous d'amples vêtements les recouvrant complètement, comme s'ils avaient un corps, pour permettre aux hommes de les voir. Ils se donnaient un aspect humain, car en réalité, ils n'étaient composés d'aucune substance visible. Le mercenaire devait donc s'imaginer qu'elle allait s'évaporer en laissant ses vêtements tomber en tas sur le sol. Elle éclata de rire sans se rendre compte de ce que son rire avait de dément, sonnant de l'aigu au grave. L'homme blêmit et regarda autour de lui avec agitation. Éli leva un doigt de sa main gantée.

— En fait, je ne veux qu'une réponse toute simple.

L'homme regarda la main et fronça les sourcils. Cet être était peut-être humain, après tout. Pressentant une chance de s'en sortir vivant, il lui demanda :

— Et quelle est ta question?

— Qui t'a employé?

Ghor se demanda de qui il devait avoir le plus peur et dévisagea l'individu. La lame sur sa gorge s'avérait fort persuasive, mais le souvenir des yeux brillants et des mains aux longs doigts sans ongles et à la peau blanchâtre, absolument lisse, lui revint à l'esprit. Il n'avait pas vu le visage de son employeur et en avait été très soulagé. Sa voix semblait provenir de partout à la fois et il avait craint, si la créature retirait sa capuche, d'y apercevoir, au lieu d'un visage, un masque de peau semblable à celle de ses mains. Lorsqu'il l'avait touché, le contact de ses doigts lui avait fait penser à ceux d'un cadavre.

Ghor tremblait à la seule idée de la main de cet homme à nouveau posée sur lui. En y réfléchissant, mourir le cou tranché était certainement moins redoutable que la colère de son employeur.

— Va te faire voir ! répondit-il entre ses dents.

Éli avait espéré que, mû par la crainte qu'elle lui inspirait, l'homme lui eut révélé pour qui il travaillait, sans qu'elle eût à employer des méthodes plus convaincantes. Or, l'employeur inconnu semblait plus effrayant qu'elle. Elle leva la tête vers le plafond de la grotte.

— Il y a quelque chose que je déteste plus que tout.

Elle se pencha lentement et fixa le mercenaire.

— Tu dois t'en douter, car sur ce point, nous nous ressemblons : c'est de devoir poser deux fois la même question. Cela a le don de me mettre dans une colère noire et de provoquer des événements regrettables.

Le mercenaire sentit une brûlure sur son cou et ferma les yeux, croyant que tout était fini, mais la vie ne semblait pas vouloir le quitter. Il rouvrit les yeux et vit l'épée de l'étranger, immobilisée contre sa blessure : il ne lui avait fait qu'une légère entaille.

— Comme nous le savons tous les deux, dit Éli, un mort ne sert à rien, n'est-ce pas ? Alors…

Elle abaissa rapidement sa lame et la plaqua dans l'entrejambe du mercenaire, lui laissant juste le temps de se redresser. Éli détestait agir de la sorte, mais elle devait savoir qui était à sa poursuite. Les yeux de l'homme s'arrondirent de stupéfaction en fixant la lame qui menaçait gravement sa virilité. Les guerriers d'Eldérick grognèrent en imaginant la douleur d'une telle mutilation. Éli sourit : ils l'aidaient sans le savoir, car elle vit la crainte du mercenaire augmenter devant la réaction des hommes. Eldérick déclara :

— À ta place, je le dirais.

— Ouais! ajouta Karok en grimaçant. Parce que j'ai déjà entendu un gars à qui c'est arrivé et c'est cuisant. Il gueulait comme un porc qu'on égorge, on l'entendait à au moins deux cents mètres à la ronde.

— Je te souhaite seulement de t'évanouir rapidement, dit Zyruas.

Éric approuva gravement, tandis que Malek dissimulait son fou rire derrière l'épaule de son compagnon. Éli remercia la capuche qui camouflait son visage. Elle avait beaucoup de difficulté à garder son sérieux, avec eux. À chaque remarque des rebelles, le mercenaire pâlissait davantage, figé dans la peur que l'épée le frôle de trop près.

— Alors! Dois-je répéter?

Ghor ouvrit la bouche, mais ne dit rien. Il cherchait comment se sortir de cette situation, tout en redoutant ce que le moindre mouvement pouvait provoquer. L'épée remonta lentement, l'obligeant à se hausser sur la pointe des pieds. Éli vit le tissu s'ouvrir contre la lame et ajouta, pour persuader son interlocuteur :

— Bon! Si tu préfères devenir une femme plutôt que parler, c'est ton choix.

Il la dévisagea, alors qu'elle poursuivait son manège :

— Il doit y avoir des avantages à être une femme. Il faudrait peut-être que j'essaie ça un jour.

Elle éclata de rire devant l'ironie de sa déclaration. Ghor fixait l'étranger qui riait de son rire dément. Devenir une femme… il était complètement fou! Il sentait l'épée commencer à mordre sa chair. Fou ou pas, l'individu allait réellement le castrer. Tout compte fait, la menace de l'homme sans visage semblait moins barbare que celle qui lui faisait face à cet instant.

— Attends!

La lame se retira légèrement, le laissant souffler.

— Je ne connais pas son nom, il ne me l'a pas donné, mais...

— À quoi ressemblait-il ?

— Il était grand, trente centimètres de plus que moi, décrit-il en montrant la hauteur de sa main, et... et il avait l'air très mince. Est-ce que tu... tu peux retirer ton arme ?

— Continue, tu sembles bien parti. Ensuite, je l'enlèverai.

Il prit une grande inspiration et continua d'une voix peu sûre :

— Ses yeux brillaient du fond de sa capuche. Mes hommes m'ont aussi dit que, de loin, ils avaient eu l'impression qu'il ne touchait pas le sol.

— Tu veux dire qu'il lévitait ? précisa Éli.

Le mercenaire hocha vivement la tête.

— Oui, c'est ça, il lévitait, c'est tout ce que je me rappelle.

Il se tut et regarda nerveusement la lame, mais elle ne bougeait pas.

— Tu ne me dis pas tout, décréta sombrement Éli.

Il s'écria en écarquillant les yeux :

— Mais je te jure que c'est tout ce que je sais sur lui, je... je...

— Était-il accompagné ?

— Oui ! s'écria le mercenaire, heureux de pouvoir ajouter quelque chose pour contenter l'étranger. J'allais oublier, mais c'est vrai qu'il est venu avec un petit homme, enfin, je ne suis pas sûr que c'était un homme. Il était couvert de vêtements à crever de chaleur, mais ce que j'ai pu voir de sa peau était toute bosselée, comme la peau d'un crapaud. Et il sentait la pourriture, c'était infect, il devait avoir une maladie. Je me souviens d'avoir fait attention de ne pas m'en approcher.

Karok ironisa :

— Il devait puer rare, si tu as réussi à le sentir malgré ta propre puanteur.

Éli ne fit pas attention à son commentaire et demanda :

— Et le premier sentait comment ?

Le mercenaire se concentra, les sourcils froncés.

— Les fleurs séchées. Enfin, c'était difficile de savoir, à cause de l'autre.

— Il n'avait pas d'accent, supposa-t-elle.

— Non, il parlait parfaitement notre langue.

— A-t-il parlé à la créature qui l'accompagnait ?

— Non, pas en notre présence. L'autre le suivait silencieusement.

— Et tu n'as pas vu ses cheveux.

— Que quelques mèches. Ils semblaient blancs.

Éli resta songeuse un moment et Eldérick continua l'interrogatoire :

— Où t'ont-ils rencontré ?

Le mercenaire lança un regard mauvais vers les rebelles, mais Éli fit remonter la lame.

— Réponds.

— Dans notre repaire, près d'un village nommé Fagh, répondit-il sans même réfléchir, tant il avait hâte de voir la lame se retirer.

— Fagh ? C'est drôlement loin d'ici, remarqua Zyruas.

— Comment as-tu su pour cet endroit ? demanda Eldérick.

— C'est le seigneur que vous avez joint après l'enlèvement, dit-il rapidement. La nouvelle s'est répandue dans sa seigneurie, même dans certains villages, et j'ai réussi à avoir l'information sur le lieu de l'échange.

— D'où arrivait l'homme qui flotte dans les airs ? interrogea Éli.

— Je ne sais pas.

— Il a sûrement dû entendre parler de vous par quelqu'un pour venir vous trouver directement dans votre repaire. Je suis certain que tu as dû le lui demander.

— Je ne sais pas.

— Vraiment ? insista Éli qui, cette fois, enfonça la lame avec force.

Le mercenaire eut un geste pour la prendre, mais se coupa les mains et les retira en hurlant.

— Tu crois que je blague ? s'impatienta Éli d'une voix sévère qui n'avait plus rien de moqueur. Je vais te vider de ton sang par le bas-ventre si tu ne me dis pas tout de suite tout ce qui précède cette journée.

— Oui ! Oui, hurla Ghor, qui semblait au bord des larmes. On était dans notre repaire, à attendre un nouveau contrat, quand ce monstre à la peau grise est apparu. Je ne sais même pas comment il a pu s'approcher sans qu'on l'ait repéré. Il a dit être envoyé par un ami commun. Un homme qui nous emploie fréquemment. Mais je ne connais pas son nom, car c'est toujours un intermédiaire qui me donne les contrats et me paie. Je me doute seulement que ça vient d'un haut placé de la cité royale. C'est tout ! Le monstre m'a parlé du vol de la pierre de la guerre et m'a dit qu'il croyait qu'elle était entre les mains des rebelles d'Eldérick. Il m'a donné une quantité incroyable de pièces d'or et a promis le double si on les trouvait et l'informait. Je lui ai demandé comment il pouvait savoir que le caillou était avec eux, mais il a répondu que ça ne me concernait pas. Il ne voulait pas qu'on intervienne, mais seulement qu'on vous localise. Il n'a rien dit d'autre. On est aussitôt partis pour la forêt centrale et on a rapidement eu vent de l'enlèvement.

— Et l'as-tu avisé ? demanda Éli.

— Non. Tout s'est passé trop vite. Et je me suis dit qu'il serait encore plus heureux et nous paierait davantage si on lui amenait la pierre en question. Il a été ensuite facile de trouver des armures et de retarder ces crétins de soldats pour arriver avant eux. C'est tout ! C'est tout ce que je peux te dire !

— Et mes hommes ? demanda Eldérick.

— Je ne sais pas, moi. Je ne les ai pas vus. Ils doivent être encore avec les soldats. Probablement en route pour ici à l'heure qu'il est.

L'épée s'abaissa et il se permit de respirer en voyant s'éloigner la menace pour sa virilité. Éli profita de son soulagement pour lever rapidement son épée et en abattre le pommeau sur sa nuque. Le mercenaire tomba au sol et il subit le même sort que l'autre survivant. Eldérick et ses compagnons seraient sûrement heureux d'avoir, à leur tour, une conversation avec cet homme. Éli le traîna jusque dans le fond de la caverne et l'observa en silence. Elle n'avait pas lu ses pensées, mais elle y avait tout de même jeté un petit coup d'œil afin de s'assurer que ce qu'il contait était vrai. Ce n'était pas une situation ordinaire et elle pouvait se permettre ce petit écart à ses principes.

L'être hideux qu'il avait décrit était une créature des marais : des êtres qui évoluaient dans la partie ouest des marais, au sud de Melbïane. Elles étaient nommées simplement créatures, car personne ne savait exactement ce qu'elles étaient ni d'où elles venaient. Elles ne franchissaient habituellement pas la frontière des marais, le soleil étant néfaste pour leur peau bosselée et leurs yeux. Éli se méfiait des situations peu ordinaires ; or, il était très rare de voir une créature des marais aussi loin de chez elle.

Et cet être qui l'accompagnait... La description que lui en avait faite le mercenaire se rapprochait étrangement de l'apparence des eldéïrs. Pourtant, ses maîtres n'avaient pas l'habitude de fréquenter les créatures des marais et ils savaient tous que c'était elle qui avait dérobé la pierre. Ce sorcier ne devait pas être un eldéïr, mais s'il était de la même race, il devait être très puissant. Croyait-il qu'Eldérick avait la pierre de la guerre par simple supposition ou avait-il la capacité de la retracer ?

Car l'objet magique était effectivement en la possession des rebelles, bien qu'indirectement. Elle devrait être doublement vigilante, car elle n'avait que peu de ressources pour se défendre contre la sorcellerie.

Eldérick regardait l'étranger qui fixait le mercenaire ligoté. Sans doute réfléchissait-il à la situation? Le chef des rebelles avait compris que leur sauveur était probablement le voleur de cette fameuse pierre dont tout le monde parlait. Il comprenait son malaise : être poursuivi par des êtres volants et des créatures à peau de crapaud devait être plutôt angoissant. Karok ne put s'empêcher de rompre le silence :

— Qui êtes-vous?

Tirée de ses pensées, Éli tourna la tête vers eux. Elle s'accorda quelques secondes pour dissiper ses sombres préoccupations et rit doucement.

— Savez-vous ce que sera mon épitaphe, une fois morte? «Qui êtes-vous?» C'est fou le nombre de fois où j'entends cette question, dans une année!

Elle garda le silence et marcha lentement vers le centre de la grotte pour s'arrêter devant le cadavre de l'un des mercenaires déguisés en soldats. Apparemment, cet étranger ne semblait pas pressé de les libérer. Examinant le cadavre, Éli continua, avec la même voix grave :

— Effectivement, qui suis-je? Vous ne vous en doutez vraiment pas?

Elle guetta leur réaction du coin de l'œil. Les hommes échangeaient des regards interrogateurs. Karok, se souvenant d'un détail, demanda :

— Comment connaissez-vous mon nom et savez-vous que cette hache m'appartient?

Éli ne répondit pas à la question, car elle regardait Malek qui, stupéfait, secouait la tête lentement.

— Demande-le donc à ton jeune ami, il semble avoir tout compris !

Karok tourna la tête vers Malek, qui répétait d'une voix sourde :

— Non, non, ce n'est pas vrai. Dites-moi que ce n'est pas vrai…

En entendant les mots du jeune guerrier, les hommes reportèrent leur attention sur l'étranger. C'était impossible ! Éli voyait l'incrédulité se peindre sur leur visage. Ils se doutaient de son identité, mais étaient incapables de se l'avouer. Elle regarda Malek et dit de sa voix normale :

— Eh oui, c'est bien ce que vous pensez.

— Je le savais ! s'écria fièrement Malek. Je vous l'avais dit, je le savais.

Éli acquiesça devant les regards ébahis des rebelles. Eldérick secoua la tête et considéra les cadavres devant eux. Il regarda à nouveau l'étranger qu'il avait voulu dans ses rangs. Il n'arrivait pas à concevoir qu'il puisse s'agir de la jeune comtesse qu'ils avaient enlevée.

Celle-ci se pencha sur le mercenaire déguisé en soldat, lui saisit les bras et le traîna jusqu'au centre. Puis, elle alla se rincer avec vigueur, à l'eau d'un ruisseau souterrain qui s'écoulait par une faille de la roche. Les hommes les plus proches virent une traînée blanche, provenant sans doute de son maquillage, disparaître, entraînée par le courant. Lorsque la jeune femme revint vers les rochers, ils aperçurent ses mains bronzées. Eldérick demanda :

— C'est donc à cause de vous que ces hommes se sont attaqués à nous ? Pourquoi nous avoir mêlés à tout ça ?

Éli s'approcha du mercenaire et entreprit de lui retirer l'armure or et rouge.

— Vous y mêler ? Mais c'est vous qui avez bousillé mes plans, avec votre enlèvement ! J'étais si près d'en finir, avec cette satanée quête…

Elle secoua la tête et reprit sa besogne. Plus pour lui-même que pour elle, Eldérick constata :

— Alors, c'est vous qui avez volé cette pierre !

Il observait la silhouette encapuchonnée déshabiller le soldat. Elle allait changer de personnage. Malek avait tout découvert et il ne l'avait pas écouté. Il avait côtoyé la personne dont il était question dans tout le royaume, il l'avait même eue entre les mains et voici qu'il allait la laisser filer. Il vit du coin de l'œil ses hommes qui tentaient en vain de se libérer. Tous devaient avoir la même envie que lui de s'emparer de cette jeune effrontée qui les avait tous menés en bateau.

— Si c'est vous, demanda Karok, où se trouve-t-elle, cette pierre, et a-t-elle réellement des pouvoirs ?

Dowan et Zyruas lui demandèrent de se taire, mais les mains fines et bronzées arrêtèrent leurs mouvements pour poser, sur un rocher, le plastron aux motifs de l'épée et de l'isana, avec le reste des vêtements. Éli se retourna, son épée pointée vers lui.

— Croyez-moi, cette pierre ne vous intéresse pas, Karok. Et je vous conseille à tous de ne me poser aucune question là-dessus.

Le ton tranchant de la jeune femme, qui n'avait plus rien de noble, laissa Karok sans voix. Éli retourna à sa tâche, qu'elle termina rapidement. Les hommes regardèrent le cadavre du mercenaire en sous-vêtements, qu'elle repoussa sur le côté. En revenant près des vêtements, elle dit :

— Merci bien, très cher. Votre aide m'est précieuse.

Les hommes se regardèrent, se disant qu'elle était peut-être folle, comme les mercenaires l'avaient supposé. Sinon, c'était qu'elle possédait le cynisme des guerriers solitaires, mais comment pouvait-elle, à cet âge, être devenue à ce point insensible ? Eldérick remarqua avec douceur :

— Vous êtes bien jeune pour effectuer une telle quête et affronter, seule, tous ces adversaires…

Songeuse, Éli considéra ses mains durant quelques secondes, pour finalement répondre, sur le même ton moqueur :

— Pas assez, apparemment, pour manquer de vous berner, Eldérick.

Il marmonna.

— Votre douceur avec les femmes ne vous rapporte pas gros, on dirait, ajouta-t-elle d'un ton taquin, en faisant allusion à Émilia.

— Je crois que j'ai eu ma leçon, grommela-t-il.

Le dos tourné aux guerriers, elle commença à déboutonner et à délier ses sous-vêtements de noble. Les hommes pestaient contre eux-mêmes, pour n'avoir pas flairé le subterfuge. Malek, quant à lui, cherchait à distinguer le visage dissimulé sous la capuche. Les mercenaires l'avaient solidement ligoté, tout comme Éric, qu'ils craignaient plus particulièrement. Éléonore… Il voulait voir ses yeux et l'expression de sa vraie personnalité. Elle l'avait tellement obsédé.

— Par simple curiosité, avança prudemment Dowan, comment pouvez-vous sembler aussi véridique, dans vos sentiments ? Je jurerais, sur la tête de ma mère, avoir lu une réelle tristesse dans vos yeux quand vous avez parlé de votre famille.

Tout en gardant le silence, Éli passa une main sur le satin de son corset. Ils ne devaient pas deviner sa réelle identité. Elle était encore troublée par la réflexion d'Eldérick. En effet, il y avait bien longtemps qu'elle n'avait pas senti l'enfant qu'elle était encore et elle avait tout de même bien apprécié l'innocence des derniers jours. Ses doigts parcoururent une longue cicatrice sur son avant-bras. Sa situation ne pouvait pas souvent lui permettre d'être jeune et frêle.

— Ça s'apprend, mais je reconnais que vous m'avez fait peur, homme du désert, car si vous aviez mieux connu le comte Deschênes, vous auriez su que sa fille a disparu il y a fort longtemps.

C'était d'ailleurs à partir de cet instant que l'enfant avait laissé place à la jeune guerrière froide et solitaire qu'elle était aujourd'hui. Comment se permettre d'ouvrir son cœur, quand on côtoie la mort de si près ?

— Mais le prince… commença Kaito.

Éli ne put réprimer un rire.

— Quand on joue un rôle, mieux vaut en connaître tous les aspects, coupa-t-elle pour ne pas avoir à s'expliquer davantage.

Elle lança son corset sur une pierre et continua de se dévêtir. Les rebelles regardèrent le long bras souple contre lequel glissait le vêtement et peinèrent à avaler leur salive en imaginant ce que la jeune femme dissimulait sous cette cape.

— Elle n'est vraiment pas gênée, hein ! chuchota Éric en suivant le mouvement du bras, lançant maintenant une chemise couleur crème qui alla rejoindre le corset.

Elle est aussi très sûre d'elle, se dit Eldérick. La jeune femme n'avait même pas vérifié leurs liens, probablement sûre que si l'un d'eux se détachait, elle pourrait se défendre sans difficulté. Cette témérité pouvait-elle agir en leur faveur ? Zyruas et lui se concertèrent du regard pour se placer dos à dos et tenter de se libérer. Lentement, il s'approcha de lui, mais il n'avait pas encore bougé de deux centimètres que la tête encapuchonnée se tourna vers eux. Une voix claire s'éleva et les deux rebelles sursautèrent presque :

— À votre place, Eldérick, je n'y songerais même pas. Je ne suis peut-être qu'une jeune femme, comme vous le dites, mais j'ai plus d'expérience que vous ne sauriez l'imaginer. Je vous ai cerné, Eldérick, et je sais que vous avez de la difficulté à penser qu'une femme puisse être dangereuse. Mais croyez-moi, je le suis, davantage, même, que ces mercenaires. Si vous aviez le malheur de faire un seul geste pour vous lever et me menacer, vous vous retrouveriez aussitôt avec un couteau planté au même endroit que le gaillard qui voulait tuer Karok.

— Si vous osez faire quoi que ce soit à mon père! s'écria Éric en tirant violemment sur ses liens.

Les autres hommes approuvèrent avec force et Éli, qui avait continué à retirer ses vêtements pour ne pas perdre de temps, leva les deux bras.

— Non! protesta-t-elle, consternée, en faisant taire les rebelles. Je ne vous veux aucun mal. Vous êtes de bons guerriers, des hommes des royaumes, certes, mais des hommes bons. Je n'ai aucune envie de vous tuer. Si j'avais voulu, j'aurais tué Malek quand il m'a menée à votre repaire et je me serais enfuie.

Elle déchira sa chemise pour en faire une longue bande de tissu qu'elle entreprit de s'enrouler autour de la poitrine. Pour cela, elle dut écarter les pans de la cape, révélant ses pantalons de cuir mince et un dos sillonné de longues cicatrices blanches.

— De toute façon, à quoi vous servirais-je? Vous avez amplement avantage à me laisser partir sans plus et personne n'en souffrira. Une quête très importante m'a été confiée et si quelqu'un se met en travers de mon chemin, je devrai m'en débarrasser et je le ferai sans hésiter. Comprenez-vous? demanda-t-elle en saisissant la tunique du mercenaire pour l'enfiler.

— Nous comprenons, répondit doucement Dowan.

D'après les marques qu'elle portait, la jeune femme n'en était pas à sa première quête ni à son premier combat. Il sourit et vit l'expression compatissante de ses compagnons. Oui, ils comprenaient tous le dilemme de cette jeune personne, mais ils désiraient aussi la retenir, pour apprendre qui elle était et d'où elle venait. Il décida que, s'ils ne pouvaient la retenir, il pouvait en tout cas lui poser le plus de questions possible. Ses réponses leur seraient peut-être utiles pour la retracer... Éli enfila l'armure dorée et grimaça :

— Pouah! Quelle odeur! Vous auriez dû deviner que ces hommes n'étaient pas des soldats, à ce seul indice. On dirait qu'une créature des marais a niché dans cette armure!

— En avez-vous déjà rencontré une? demanda vivement Dowan, sautant sur l'occasion d'en apprendre davantage.

Éli se mordit les lèvres. Elle et sa langue trop pendue! Elle finissait toujours par en dire trop. Devant le silence de la jeune femme, plus révélateur qu'une réponse, Dowan conclut :

— Une créature des marais : un des deux êtres qui vous poursuivent, celui qui puait l'enfer, comme disait le mercenaire.

Éli resta coite et continua d'ajuster le plastron, s'habituant lentement à l'odeur nauséabonde qui s'en dégageait. Le rebelle abandonna ce sujet. Si elle ne voulait pas en dire davantage, il était inutile d'insister. Dowan attendit donc un moment et demanda :

— Pourquoi êtes-vous restée parmi nous? Vous auriez pu vous enfuir, comme vous l'avez dit, si vous êtes si habile.

Elle ne voulait peut-être pas répondre à toutes leurs questions, mais elle semblait tout de même bavarde. Le fait d'adopter sans cesse des personnalités différentes ne lui permettait certainement pas de s'exprimer librement. Maintenant qu'elle était redevenue elle-même, la jeune femme en profitait pour parler. De fait, elle répondit, après une brève pause :

— Vous savez, il arrive qu'une quête m'amène à rencontrer des gens et je serais bien mal avisée de les abandonner lorsqu'ils ont besoin d'aide.

Elle ajouta plus bas :

— Bien que j'aie vite compris que vous n'aviez rien d'une bande de tortionnaires, je ne pouvais pas abandonner les dames ainsi. Elles étaient mortes de peur et je savais que je pouvais leur donner du courage. Et vous avez de bons chiens de garde.

Les regards se tournèrent vers Malek, qui jeta un œil mauvais à la jeune femme.

— Une fois dans le camp, en plus d'abandonner les dames, il aurait peut-être fallu blesser quelqu'un pour m'évader et il n'en était pas question.

— Et les filles ? l'interrompit soudain Éric. Qu'est-ce que vous en avez fait ? demanda-t-il, inquiet.

— Oh ! Mais elles m'attendent dehors. Pourquoi, elle força pour nouer les sangles des plaques d'armure qui couvraient ses avant-bras, pensez-vous que je m'habille ainsi ?

Elle leva son avant-bras sous l'armure or bordée de lignes rouges des soldats du roi.

— Certainement pas pour aller me balader à Yrka, où tout le monde me recherche !

Éli rit doucement en se penchant pour chausser les bottes de fer. En se redressant, elle libéra ses cheveux pour qu'ils cachent son visage et retira sa cape, qu'elle plaça délicatement sur un rocher. Puis, elle attacha les plaques de fer sur ses épaules. L'armure or et rouge étincela à la lueur des torches et les hommes fixèrent la silhouette étincelante en cherchant la jeune femme qu'ils avaient enlevée. Eldérick devait reconnaître que s'il n'avait pas assisté à la transformation, il n'y aurait vu que du feu. Sans ses longs cheveux au lustre avec lequel aucune chevelure d'homme ne pouvait rivaliser, elle ressemblait vraiment à un soldat. Éli saisit le heaume et soupira, avant de le reposer sur le rocher d'où elle venait de le prendre. Ils regardèrent la jeune femme passer une main dans ses longs cheveux noirs et soupirer tristement une seconde fois :

— Je commençais à m'habituer à être une dame.

Sur ces mots, elle s'empara d'une dague et, sans avoir eu le temps de comprendre ce qu'elle allait faire, ils virent tomber au sol un amas de cheveux noirs.

Elle fourragea dans ses cheveux qui retombaient désormais en boucles folles autour de son cou, puis prenant rapidement le heaume, la guerrière le plaça sur sa tête en rabattant quelques mèches rebelles sous le casque. D'une pichenette, elle abaissa la visière et déclara, en nouant la ceinture à laquelle pendait son épée :

— Ça pourrait être amusant, par contre, de me mêler aux soldats qui me cherchent. Le traqueur et le traqué : une seule et même personne !

Elle dégaina son épée et exécuta quelques manœuvres pour s'habituer à son nouveau déguisement, tout en continuant d'un ton indifférent :

— C'est vrai ! J'ai le don de me placer dans des situations ironiques. Je suis une guerrière comme vous, alors imaginez combien c'est insultant de se faire enlever et transporter, comme je l'ai été par Malek.

Elle se tourna vers eux, l'épée toujours en main. La visière cachait le haut de son visage, mais dévoilait une bouche aux lèvres fines et rosées et non plus recouvertes du rouge excessif de son ancien maquillage. Elle sourit, ce qui eut pour effet d'effacer toute la virilité que lui donnait son armure.

— Et j'ai bien l'intention de me venger.

Elle rengaina son épée et, toujours souriante, regarda vers l'entrée de la grotte.

— Eh bien ! Mon ami, ça t'a pris du temps !

L'ours s'avança lentement dans sa tanière et Éli marcha vers lui. Elle passa sa main sur la tête de l'animal et ajouta :

— Ton aide m'a été très précieuse et je t'en remercie grandement.

Les guerriers observaient la scène en se demandant s'ils rêvaient. Il arrivait à Malek de parler à son cheval et de discerner son humeur à ses réactions, mais ils avaient presque grandi ensemble, tandis qu'apparemment, la jeune femme n'avait jamais vu cet ours de sa vie. Elle était peut-être sorcière, finalement. Malek regarda la natte sur le sol avec regret. Le jeune homme aimait bien ces longs cheveux noirs et leur odeur.

Éli se tourna vers le chef des mercenaires, avec une moue de dégoût. L'ours se dirigea vers lui, mais elle l'arrêta.

— Non, laisse-le-leur, dit-elle en désignant Eldérick. Ils s'en occuperont.

Elle s'approcha des cadavres, et secoua la tête. Un genou à terre, elle se pencha sur eux et marmonna quelques mots.

— Qu'est-ce qu'elle fabrique ? demanda Éric, mais Kaito lui intima de se taire.

L'ours émit un grognement presque doux et posa son énorme patte sur l'épaule de la jeune femme. Celle-ci secoua la tête et regarda les mercenaires.

— Oui, je sais, les actes des humains sont souvent difficiles à comprendre.

Elle se redressa.

— J'ai encore besoin de toi, mon ami, dit-elle, pour que tu les protèges quand je serai partie. Leurs compagnons viendront les chercher.

L'ours grogna et marcha paresseusement jusqu'au fond de la caverne, où il s'assit lourdement.

— Mais avant, j'ai encore une chose à faire.

Elle se dirigea vers Malek et dégaina son épée, sous son regard inquiet. De la pointe de son arme, elle écarta le col de sa chemise et souleva lentement la chaînette qui pendait au cou du jeune homme. Celui-ci retint un soupir de soulagement : elle ne voulait donc que récupérer sa relique.

— Ce médaillon, je l'ai depuis très longtemps et c'est la première fois que quelqu'un d'autre le porte. Sais-tu seulement ce qu'il représente ?

— Toi, répondit-il simplement d'une voix neutre, tout en réprimant difficilement le frisson ressenti au contact froid de l'acier.

Éli eût aimé le voir davantage effrayé, mais le regard du jeune homme conservait un calme inébranlable. Elle réfléchit rapidement à une vengeance qui l'humilierait.

— Exact !

Elle retira le bijou, sans même égratigner le jeune homme.

— Comme c'est intéressant de voir des hommes capables de se servir de leur cervelle...

Plusieurs protestations s'élevèrent, mais elle les ignora, concentrée sur son interlocuteur. Elle venait d'imaginer sa revanche. La chaîne cliqueta légèrement, en glissant le long de la lame jusqu'au poignet de la guerrière. Éli rengaina son épée et enfila le collier, qu'elle fit glisser sous son armure.

— De toutes les quêtes que j'ai effectuées, très rares sont celles où j'ai été démasquée.

Elle fit un pas sur le côté pour se retrouver entre Éric et Malek. L'armure grinça lorsqu'Éli s'accroupit devant ce dernier pour être à sa hauteur. Il la fixait de ses prunelles noires et impénétrables qui la troublaient tant, mais elle aperçut sa cicatrice blanchir légèrement et sourit : il n'était pas si inébranlable que ça.

— Je crois donc qu'il serait naturel que le seul à avoir découvert mon subterfuge, tout en restant en vie, voie mon vrai visage.

Sur ces mots, elle releva la visière de son heaume. Malek regarda les traits de la jeune femme jusqu'à ce que ses yeux s'accrochent aux siens. Son hâle faisait ressortir les délicates lignes de son visage, mais ses yeux éclatants de malice démentaient cette fragilité. Elle était d'une beauté et d'une chaleur à faire fondre un glacier. Il sonda les iris verts pour y trouver une explication à ses agissements bizarres, puis, soudainement, il sentit le gant de la jeune femme derrière sa nuque. Il réalisa de quelle façon elle avait décidé de se venger lorsque ses lèvres rencontrèrent les siennes.

Éli vit les yeux de Malek s'agrandir de surprise et sentit se tendre, sous ses doigts, les muscles de son cou. La peur qu'il réussisse à se détacher la traversa brusquement et elle songea que son idée était peut-être un peu risquée. Le provoquer à ce point était dangereux, mais, après tout ce qu'il lui avait fait, elle n'avait pu se priver de l'humilier ainsi. Elle s'éloigna de lui, bien qu'elle ne pût immédiatement détacher son regard du sien. Un léger étourdissement l'envahit et elle s'aperçut que son cœur battait trop vite. Déconcertée par ce flot d'émotion, Éli rabaissa sa visière et se redressa rapidement.

Malek suivit des yeux la jeune femme qui se dirigeait vers la sortie, mais n'osa pas regarder vers ses compagnons, car il devinait trop bien leur amusement. La guerrière s'arrêta soudain et se tourna vers eux.

— Il me semble oublier un détail, marmonna-t-elle.

Son regard croisa celui de Karok et se porta sur sa barbe. Elle hocha la tête en se tapotant une joue. Elle alla récupérer la cendre d'une torche et s'en piqueta le visage. Dowan supposa :

— Vous allez reconduire les dames chez elles et porter cette pierre à ceux qui vous l'ont demandé ?

Il n'obtint aucune réponse, mais Eldérick ajouta :

— Vous nous avez sauvé la vie, guerrière, nous vous en devons une, maintenant.

— C'est vrai, dit Zyruas, si vous êtes dans le coin et avez besoin d'aide, vous pourrez venir nous voir.

Éli rit et répliqua :

— Je ne suis pas très sûre de vous faire confiance, messieurs.

— Et avec raison ! s'écria Karok en riant.

— Tu la fermes, imbécile ! siffla Zyruas en lui décochant un coup de pied.

— Cette petite me plaît : je ne vois pas pourquoi je vous laisserais l'embobiner avec vos belles paroles.

Des grognements de protestation s'élevèrent de ses compagnons et Éli déclara :

— Je vous remercie bien, Karok, mais je ne crois pas revenir avant un bon moment.

— Ne pouvez-vous pas nous laisser notre monnaie d'échange ? tenta Eldérick. Vous savez qu'elles ne courent aucun danger avec nous.

Éli achevait de noircir son menton. Elle secoua la tête.

— Elles ne risquent rien de vous, mais avec vous, oui ! La situation actuelle le prouve bien. Quelqu'un croit que vous avez volé la pierre et elles n'ont pas à en souffrir. D'ailleurs, je vous conseille d'être très prudents et de retourner à votre campement le plus tôt possible.

Elle se tourna vers eux et alla récupérer sa cape. Ils regardèrent le soldat nouer la cape sur ses épaules. Il n'y avait désormais plus rien de féminin dans cet individu. En se dirigeant vers la sortie, elle croisa les yeux d'Éric et ne put s'empêcher d'ajouter :

— Et il y a une jeune demoiselle qui sera très soulagée de vous savoir en vie, Éric...

Il se tourna vers elle, oubliant les propos salés qu'il se retenait de dire à Malek. Ces paroles lui trottèrent dans l'esprit, bien qu'il n'en comprît pas immédiatement la signification. Elle eut un sourire indulgent.

— Les sous-entendus ne sont pas votre fort, n'est-ce pas ?

Malek éclata de rire, sous le regard furieux de son ami.

— Je vais être plus claire. J'ai bien peur que Mylène trouve les riches courtisans bien ennuyeux, comparés à vous, Éric.

Sa colère disparut et il fixa la guerrière avec hébétude.

— Vous devriez avoir honte d'envoûter ainsi les jeunes femmes sans défense, mon cher.

Il ouvrit la bouche, mais elle ne lui laissa pas le temps de répliquer.

— J'ai été très heureuse de faire votre connaissance, chers seigneurs, et je vous souhaite une bonne fin de journée. Oh ! Et dites un beau bonjour à Émilia et Suzie de ma part, Eldérick, si vous le voulez bien.

Elle se tourna vers l'ours et exécuta une légère révérence.

— Au revoir, mon ami, seigneur des forêts.

L'animal grogna et baissa la tête en retour. Elle leva une main et, dans un tourbillon de tissu noir, elle disparut dans l'ombre de la caverne. Éli adorait ce genre de sorties impressionnantes. Elle rit encore de l'expression stupéfaite d'Éric. La jeune guerrière se racla la gorge et parla à voix basse pour retrouver son ton grave.

Mylène vit l'individu sortir de la grotte, mais il avait écarté les pans et la capuche de sa cape noire, dévoilant son armure or et rouge. Dame Katherine avait raison : c'était un soldat envoyé pour les secourir et, apparemment, un vrai, cette fois-ci. Il disparut dans la forêt et revint avec trois chevaux. Deux qu'elle reconnut être ceux des brigands qui avaient livré l'assaut et un immense cheval gris pommelé, qui devait être le sien. Elle connaissait bien les chevaux, car son père en élevait plusieurs, et elle se dit qu'un animal doté d'une telle musculature devait coûter une fortune. Jamais, de sa vie, elle n'avait vu un aussi beau cheval. Elle tenta d'en reconnaître la race, mais ne sut le relier à aucune espèce de sa connaissance. Le soldat leur fit signe de s'approcher et, avec difficulté, elles sortirent des ronces pour le rejoindre.

— Je savais que vous étiez un envoyé du roi chargé de nous sauver ! s'écria dame Katherine, en se jetant presque dans ses bras.

Éli l'écarta en la pressant vers son cheval, puis se tourna vers Mylène, pour l'aider à se mettre en selle.

— Je n'ai pas le temps de parler, dit-elle de sa voix grave. Nous devons partir au plus vite.

Mylène n'aimait pas ce gaillard. Il sentait mauvais, avait une allure négligée et semblait d'un caractère exécrable. La jeune femme regarda la grotte et soupira légèrement ; elle se demandait qui, dans cette caverne, était encore en vie, mais elle n'osait pas poser de questions devant dame Katherine.

— Mais la comtesse ? demanda Anna en jetant un regard vers la forêt, tandis qu'Éli la soulevait pour la déposer sur le cheval, devant sa sœur.

— Nous n'avons pas de temps à perdre, je viens de le dire, répliqua-t-elle d'un ton sec.

Anna renifla et Mylène lui caressa doucement les cheveux, en lançant un regard mauvais à ce soldat insensible. Éli aida dame Katherine à grimper sur sa monture et l'imposant cheval gris vint se placer près d'elle. D'un bond souple, elle se hissa sur la selle et ne put retenir un coup d'œil à la sacoche qu'elle avait attachée à l'arrière et qui contenait la pierre de la guerre. Elle avait enveloppé celle-ci dans plusieurs couches de tissu afin que son éclat rouge ne soit pas perceptible.

— Agrippez-vous bien !

D'une seule main, elle saisit les rênes et Kalessyn partit au trot dans la forêt, en prenant la direction d'où les mercenaires étaient arrivés. Il les ramenait sûrement à Yrka. Mylène attrapa les rênes de justesse et les maintint fermement, alors que le cheval suivait le destrier pommelé, à la même allure. Elle admirait l'animal de tête, en songeant que son père aurait donné n'importe quoi pour posséder une telle bête. Anna laissa échapper un sanglot.

— La vie est injuste, déclara la fillette, injuste !

Dame Katherine lui dit doucement :

— Allons, ma chérie, il ne faut pas se morfondre ainsi sur son sort. Nous allons bien, c'est le principal.

— Vous allez bien et c'est le principal, répliqua sèchement la fillette. Et vous êtes mal placée pour me faire la morale, alors que vous vous plaignez toujours de tout et de tout le monde. Vous n'êtes qu'une femme égoïste et sans cœur.

— Allons, Anna, arrête, lui dit sa sœur en l'étreignant affectueusement.

Dame Katherine leva le menton et s'indigna :

— Oh ! De nos jours, les enfants n'ont plus aucune éducation, mais vous, vous devez être un soldat du roi très haut gradé, pour avoir vaincu seul tous les brigands dans cette caverne et découvert le complot de ces mercenaires. Nous sommes tellement heureuses de vous voir, après toutes les souffrances que ces brigands nous ont fait endurer. Ils ont été si…

— J'ai parcouru une longue route et je sors d'une bataille, alors j'aimerais avoir le silence pour m'en reposer, l'interrompit brusquement Éli. De plus, vos jérémiades risquent d'indiquer notre position aux brigands qui peuvent encore se cacher dans les bois.

Dame Katherine hoqueta de dépit et pinça violemment les lèvres, les yeux rivés droit devant elle.

— Bien fait, murmura Anna en regardant le soldat avec satisfaction, tandis que Mylène admettait que le tempérament exécrable de leur sauveur avait tout de même un bon côté.

Éli lui avait refermé le clapet pour au moins plusieurs heures, enfin, elle l'espérait. La guerrière retint un sourire devant l'expression frustrée de la noble et lança un coup d'œil à Anna, qui se frottait les yeux. Devait-elle, oui ou non, lui révéler qu'elle était la comtesse? Elle était certaine que la petite fille garderait le secret, mais elle ne voulait tout de même pas la mettre en danger. L'ampleur des pouvoirs de l'être qui la poursuivait lui était inconnue et elle ne devait prendre aucun risque. Une seconde fois, elle regarda les yeux rougis de la fillette. Elles avaient encore une longue distance à parcourir; elle prendrait donc le temps de réfléchir. Sa décision dépendrait de la tournure des événements.

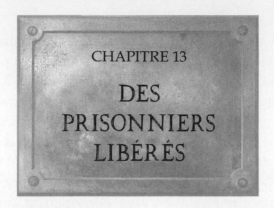

CHAPITRE 13

DES PRISONNIERS LIBÉRÉS

La montagne s'éloignait de plus en plus, maintenant qu'elles avaient rejoint la route qui menait à Yrka. Elles avaient dépassé deux villages et Éli avait forcé l'allure des chevaux, car à l'ouest, le soleil disparaissait derrière les montagnes. Les rebelles étaient probablement à leur poursuite depuis quelques heures déjà. Elles avaient dû perdre un temps précieux en contournant les villages, mais elles devaient éviter de s'attirer des problèmes ; les villageois auraient pu avoir de mauvaises réactions à la vue de ces nobles si peu protégées.

Pour passer le temps et s'alléger le cœur, les sœurs Delongpré avaient chanté pendant un bout de chemin. Éli les avait laissées faire, car elles traversaient des collines dépourvues d'arbres et de champs, ce qui permettait de voir l'ennemi de loin. À quelques reprises, dame Katherine avait tenté de reprendre la conversation, mais, au grand plaisir des sœurs Delongpré, avait abandonné pour de bon en se heurtant à son silence ou à ses remarques sarcastiques. Éli était heureuse de voir sourire Anna ; sa joie atténuait quelque peu son sentiment de culpabilité. La guerrière, quant à elle, avait gardé l'air maussade du soldat bourru qu'elle représentait.

Elle dissipa ces pensées en portant le regard sur l'horizon. Depuis un moment, elle distinguait une petite troupe de gens qui avançaient à leur rencontre. Cela ne l'inquiétait pas, car les oiseaux qu'elle avait envoyés en reconnaissance lui avaient indiqué qui le composait. S'ils n'avaient pas été en route, elle aurait dû trouver une seigneurie pour y laisser les dames.

Mylène vit le soldat lever la main pour se protéger les yeux du soleil aveuglant, en regardant sur sa gauche. Depuis un moment, il répétait ce geste et elle se demandait ce qu'il surveillait ainsi. En plissant les yeux, elle vit qu'un groupe s'approchait, pour disparaître aussitôt derrière une colline. Ces gens ne devaient pas être dangereux, puisque le soldat restait calme. Il n'y avait toutefois à cela rien de probant, car le cavalier semblait peu enclin aux émotions. Son visage, couvert de saleté, était resté de marbre durant tout le trajet.

Jusqu'où allait-il les mener ainsi? Mylène s'interdisait de se plaindre, mais elle ressentait la fatigue dans tous ses membres. Pour être plus à l'aise, elle s'était installée à califourchon, avec sa sœur, comme lorsqu'elle était seule. Dame Katherine avait d'abord protesté, pour finir par faire de même. La jeune femme avait souvent chevauché sur de longues distances, mais la tension des derniers jours rendait le déplacement beaucoup plus épuisant qu'elle ne l'eût cru. Le trajet du matin avait été moins éreintant, car elle avait pu s'adosser au guerrier et atténuer ainsi la raideur qu'elle sentait maintenant monter dans son dos. À ce souvenir, elle poussa un profond soupir.

— Qu'y a-t-il? lui demanda Anna.

— Oh! Rien. Je suis fatiguée, c'est tout, répondit-elle en haussant les épaules.

— Moi aussi.

Mylène regarda derrière eux. Elle ne voulait pas se l'avouer vraiment, mais l'envie qu'Éric et les autres les rattrapent et les ramènent au camp la tenaillait. Il n'était pas si grossier, après tout. À bien y penser, il n'était pas aussi hypocrite que tous les courtisans qu'elle avait rencontrés. Il disait à voix haute ce qu'eux pensaient tout bas. Elle ne le reverrait probablement jamais et elle tenta de se consoler en se disant qu'il devait agir de la même façon avec toutes les jeunes femmes. Un sourire fugace éclaira tout de même son visage au souvenir du jeune homme et de ses commentaires. Son sourire s'élargit alors qu'elle commençait à fomenter un plan lui permettant de les revoir, Suzie et lui.

Bien qu'Éli eût remarqué la déception de Mylène de devoir s'éloigner du brigand blond, elle vit, à son sourire narquois, qu'elle était loin de considérer la partie comme perdue. Elles arrivèrent au sommet de la colline et elle leva la main pour leur faire signe de s'arrêter.

La guerrière pouvait maintenant observer, avec davantage de précision, les vingt soldats qui avançaient, de part et d'autre d'un chariot muni de barreaux. Cinq hommes barbus et en guenilles y étaient assis, la tête appuyée contre les barres de métal. Ces hommes qu'escortaient les soldats dulciens étaient probablement les compatriotes d'Eldérick. Comme le chef des mercenaires le lui avait dit, ils avaient été retardés, car, à ce train-là, ils ne pouvaient atteindre le lieu de rendez-vous avant la nuit. La présence de ce chariot semblait indiquer que le seigneur n'était pas au courant du plan des mercenaires, toutefois, Éli avait bien scruté par les oiseaux les hommes qui approchaient. Concluant qu'il n'y avait rien d'anormal, elle déclara :

— Nous avons du renfort imprévu, pouvez-vous tenir le galop jusqu'à ces soldats ?

Elles acquiescèrent et toutes descendirent la colline au galop. À une trentaine de mètres de la troupe, Éli ralentit et, finalement, immobilisa sa monture.

— Que faites-vous ? lui demanda dame Katherine, furieuse de constater que son cheval refusait de lui obéir.

— Je prends des précautions, répondit-elle. Nous avons eu affaire une fois à des hommes déguisés, je ne vois pas pourquoi ça ne se reproduirait pas.

Éli posa une main sur son épée et leva l'autre. Lorsque les soldats furent à portée de voix, elle cria, aussi fort que le lui permettait la voix grave qu'elle prenait :

— N'avancez plus ! Je veux une preuve que vous êtes bien des soldats du roi, car j'ai rencontré des mercenaires qui avaient volé des armures et des emblèmes.

Ils se regardèrent et l'un d'eux s'approcha, les mains bien en vue. Le soldat leva sa visière et Éli fit de même. Le sable de la route, collé par la transpiration provoquée par le heaume, contribuait à masquer sa féminité et elle pouvait facilement se faire passer pour un jeune homme, sans crainte d'éveiller les soupçons, même de près.

L'homme devant elle avait une mâchoire forte, encadrée d'une barbe et d'une moustache bien taillées. Ses yeux d'un bleu délavé démontraient l'assurance d'un soldat ennobli par de nombreux combats. Elle remarqua d'ailleurs, sur son armure, l'insigne de capitaine. Éli reconnut aussitôt le haut gradé qui se trouvait avec le prince Laurent et qui l'avait fouillée à Yrka. Que faisait-il aussi loin de la cité ? Sûrement était-il parti à la poursuite du voleur en supposant qu'il avait fui vers le sud. Peut-être croyait-il aussi que les rebelles d'Eldérick avaient la pierre. Peut-être, et elle espérait vraiment se tromper, était-il parti à la poursuite de la comtesse ébrêmienne. En tant que proche du prince, il s'agissait sûrement d'une éminence parmi les soldats et elle devrait jouer prudemment.

Le soldat arrêta son cheval près d'elle et la toisa du regard. Comme si elle venait de le reconnaître, Éli prit un air gêné et salua aussitôt, d'un geste un peu trop raide.

— Soldat Louiss, dit-elle avec l'accent du sud du royaume.

Le soldat sourit et lui rendit son salut. Il allait parler, mais la voix hystérique de dame Katherine s'éleva :

— Capitaine Remph, comme je suis heureuse de vous voir, après tous les malheurs que nous avons endurés !

L'homme vit le regard ennuyé du jeune homme et ne put retenir un sourire. Il répondit d'un ton patient :

— Je sais et vous êtes en sécurité, maintenant, madame. Veuillez nous suivre.

Suivis des dames, ils se dirigèrent vers les autres soldats.

— Tu viens du sud, n'est-ce pas ?

Éli hocha la tête et montra l'insigne sur son pectoral droit. En fin de compte, toutes ces informations qu'elle avait reçues sur la Dulcie lui étaient utiles.

— Soldat troisième classe, dit-elle, des troupes du sud-ouest.

— Capitaine Franx Remph.

— Je sais, même si je vous ai reconnu un peu tard, capitaine. Il y a longtemps que je ne suis pas venu dans le nord du royaume.

Elle se passa la main sur le visage, en faisant plus de dégât qu'autre chose, puis s'excusa d'un air gêné :

— Pardonnez mon état, capitaine, je suis sur la route depuis plusieurs semaines et je n'ai pas vraiment pris le temps de me laver.

Ils s'arrêtèrent devant la troupe à qui Franx présenta le troisième classe Louiss. Les hommes regardèrent les trois demoiselles et interrogèrent leur capitaine du regard.

— Je les ai trouvées dans la montagne, commença à expliquer Éli. Il y a plusieurs jours, nous avons eu des informations sur les déplacements de mercenaires dans le sud. Ils semblaient préparer un gros coup. Alors, nous avons élargi nos secteurs de patrouille et j'ai vu des soldats que je n'avais jamais rencontrés dans la région. Je suis resté sur mes gardes et je les ai suivis. Rapidement, je me suis rendu compte qu'il s'agissait de mercenaires déguisés. C'est pour ça que je voulais vérifier votre identité, tout à l'heure. Veuillez m'excuser, capitaine, si je vous ai offensé.

— Non, non, nullement, continue, cette histoire me semble très intéressante.

— Bon ! Comme je le disais, continua-t-elle avec le débit rapide d'un jeune novice qui raconte ses exploits à un supérieur, ce n'était pas des soldats, j'aurais pu les arrêter, mais j'ai préféré savoir ce qu'ils préparaient. Je les ai donc suivis durant plusieurs jours. Je ne pouvais pas trop m'approcher, mais j'ai réussi à comprendre qu'ils cherchaient la pierre de la guerre. À ce moment, j'ignorais qu'elle avait été dérobée et je crois que c'est ce qu'ils comptaient faire.

— Ah oui ? s'exclama Franx, étonné.

— Oui ! Je n'ai jamais vu pour qui ils travaillaient et je n'ai pu avertir personne, puisqu'ils prenaient soin de rester à l'écart de toute civilisation. Ils avançaient très rapidement et, si je m'étais éloignée, je les aurais perdus de vue. Juste avant d'entrer dans la forêt centrale, des compères les ont rejoints et j'ai cru comprendre que la pierre venait d'être volée par quelqu'un d'autre. Ils ont conclu que c'était un groupe de rebelles de la région. Ils ont ensuite parlé d'un enlèvement de femmes par ces mêmes rebelles et qu'ils allaient profiter de cette situation pour les questionner à propos de la pierre.

Franx hochait la tête, l'air songeur, tandis que tous les soldats et rebelles écoutaient attentivement. Sa capacité à conter des histoires et son don de persuasion étaient ses meilleurs atouts pour manipuler qui elle voulait.

— Je les ai laissés attaquer les rebelles, en espérant qu'ils se séparent, et ce fut le cas. J'ai libéré les femmes et je suis allé écouter ce qui se disait dans la grotte. Malheureusement, je n'ai pas pu avoir beaucoup d'informations. Les rebelles n'ont pas la pierre, j'en suis sûre, et le chef des mercenaires n'a jamais voulu parler.

Éli fronça les sourcils d'un air anxieux et fixa gravement le capitaine Remph.

— J'ai bien l'impression, dit-elle, qu'il avait davantage peur de son employeur que de mourir. J'ai aussitôt quitté la forêt avec les femmes, pour trouver un endroit aussi sûr que possible. Je dois dire que je suis plutôt content de vous avoir rencontré, capitaine. Elles arriveront plus rapidement au château, pour se remettre des événements et du pénible trajet que je leur ai imposé.

Sans attendre le commentaire du capitaine, elle s'empressa de demander d'un ton compatissant :

— Les ferez-vous reconduire maintenant ?

Elle vit, au sourire qui passa sur les lèvres du capitaine Remph, qu'il avait saisi le sous-entendu.

Franx porta son regard sur dame Katherine qui ne cessait de geindre en s'accrochant aux soldats qui les avaient drapées de couvertures de laine, la température baissant avec la lumière du soleil. Il la connaissait assez pour savoir qu'elle était douée pour se plaindre et s'attirer ainsi la compassion des autres : des riches, surtout. Le capitaine Remph se doutait que le jeune homme devait en avoir plein son heaume d'endurer les pleurs de la dame. Curieux d'entendre le prétexte qu'il trouverait, il demanda au jeune soldat :

— Voulez-vous les accompagner ?

Éli vit la lueur moqueuse dans les yeux de l'homme et se retint de sourire. Elle répondit vivement en secouant la tête :

— Non! Enfin… Je veux dire, je n'ai pas pu tuer tous les brigands là-bas, alors, s'il en reste, encore déguisés, je pourrai les reconnaître s'ils viennent.

Franx hocha la tête avec le même amusement que seuls ses yeux trahissaient. Éli s'éloigna en feignant le soulagement. Le capitaine la taquinait et elle devinait par là qu'il l'appréciait déjà. Outre la lueur amusée, elle avait lu, dans ses yeux, une profonde intelligence. Sans son habileté hors pair à faire gober n'importe quelle histoire aux gens, il aurait vite vu qu'elle mentait. Elle n'avait pas affaire à n'importe quel imbécile de soldat et elle allait devoir rester prudente. Éli sentait, derrière son dos, son regard qui la suivait, alors qu'il distribuait ses ordres.

Elle arrêta son cheval près des sœurs Delongpré et mit pied à terre. Voyant qu'elle n'était plus à ses côtés, dame Katherine se précipita vers le capitaine Remph et Éli en profita pour se pencher vers Anna et Mylène.

— Je sais que j'ai été dure avec vous, dit-elle doucement, mais il y avait là-bas trop de danger pour s'attendrir.

— Oh! Ce n'est pas grave, déclara Mylène, nous comprenons.

Elle baissa la tête pour cacher les larmes qui lui vinrent aussitôt aux yeux. Anna lui prit la main, les yeux fixés sur les iris verts d'Éli. Cette dernière la regarda et demanda :

— Me pardonnez-vous, demoiselle?

Anna fronça les sourcils; ces yeux verts lui rappelaient la comtesse, mais cela n'avait aucun sens.

— Oui, répondit-elle d'une toute petite voix.

Éli lui sourit, se redressa et vint pour partir, mais s'arrêta. Se retournant à moitié, elle ajouta :

— Vous êtes des demoiselles très courageuses et je sais que votre amie, où qu'elle soit, est très fière de vous.

Des larmes roulèrent sur les joues des deux sœurs.

— Et n'oubliez jamais qui vous êtes et que votre vie vous appartient...

Mylène ouvrit la bouche pour lui demander comment il pouvait savoir, mais le soldat était déjà auprès du capitaine, qui donnait ses ordres. Deux hommes vinrent les prendre avec eux sur leur monture. Anna fixa leur jeune sauveur et lança un regard interrogateur à sa sœur.

— Nous le reverrons sûrement au château et il nous expliquera tout, lui dit Mylène en fixant également le dos du soldat.

Pourtant, elle avait comme un pressentiment qu'elles ne le reverraient pas de sitôt.

Éli regarda les dix soldats s'éloigner rapidement avec leurs protégées. Elle soupira.

— Les femmes sont parfois plus épuisantes qu'une bataille, n'est-ce pas, soldat ? ricana Franx en lui assenant une claque amicale dans le dos.

L'amusement se lisait à présent sur tout son visage. Elle parvint tout juste à conserver son équilibre et lui lança un regard approbateur. Pour alimenter leur camaraderie, elle s'exclama :

— Pendant un moment, j'ai eu peur que vous m'obligiez à les accompagner.

L'homme éclata de rire.

— Non, franchement, répliqua-t-elle, je ne devrais pas dire ça, les derniers jours ont dû être très éprouvants pour elles. Surtout...

Elle s'interrompit et regarda les chevaux qui disparaissaient à l'horizon.

— La quatrième ? termina Franx. Il y avait bien quatre occupantes dans ce carrosse.

— En effet. Les mercenaires étaient trop nombreux, je ne pouvais pas attaquer et j'ai dû attendre qu'un groupe parte avec les rebelles. Deux sont restés avec les femmes, à l'extérieur de la grotte, mais le temps que j'intervienne, il était déjà trop tard, déclara-t-elle d'une voix neutre, censée cacher son émotion. Elle a tenté de les combattre à ce que j'ai pu voir, afin de protéger les trois autres, mais ils ont eu raison d'elle.

Les soldats détournèrent la tête, mal à l'aise, et le capitaine Remph lui posa une main compatissante sur l'épaule.

— Ce sont des choses qui arrivent, soldat. Tu n'as pas à te sentir coupable. Tu n'es pas arrivé trop tard, c'est tout simplement le cours des choses. Tu serais arrivé plus tôt, ils t'auraient tué, avec toutes les prisonnières. Dieu sait ce qu'il fait et tu n'as pas à te reprocher l'impossible. Déjà, s'exclama-t-il d'un air admiratif, ce que tu as fait est exemplaire.

Éli se força à adresser un sourire à l'homme, qui le lui rendit. Ils regardèrent les soldats faire faire un demi-tour à la carriole. Les cinq prisonniers étaient assis, tête basse, l'air désespéré. Leur chance de retrouver la liberté venait de s'envoler. L'un d'eux, le visage à demi caché par une chevelure et une barbe rousses, l'observa tout le temps que la carriole mettait à se retourner. Elle soutint son regard, en revoyant la première fois où elle s'était retrouvée face à face avec un roux. Éli se souvint des paroles d'Eldérick : « C'est mon frère et je ferai tout pour le ramener ici en vie. » Elle allait questionner le capitaine à propos des prisonniers, quand il demanda, sans se tourner vers elle :

— C'était bien une grande femme aux longs cheveux noirs, du nom d'Éléonore Deschênes ?

Elle le regarda, mais il avait les yeux rivés devant lui.

— Oui, Éléonore, c'est ainsi qu'elles l'ont appelée et elle ressemble à votre description. Vous la connaissiez ?

Franx secoua la tête, l'air troublé.

— Non, pas personnellement.

Il s'efforça de chasser son malaise et ils marchèrent vers la cage.

— Si je comprends bien, ce sont les mercenaires qui l'ont tuée.

— Oui, l'un d'eux.

Le regard tourné vers les prisonniers, le capitaine Remph resta songeur. Le rouquin s'agita et passa un bras entre les barreaux en déclarant :

— Tu sais bien, Franx, qu'Eldérick ne leur aurait jamais fait de mal.

— Je sais, Myral. Ce n'est pas ce qui me préoccupait.

Éli se tourna vers le prisonnier pour observer à nouveau cet homme élancé et cette chevelure rousse. Bien qu'en haillons, il ne semblait pas avoir été maltraité. Il connaissait assez le capitaine pour l'appeler par son prénom et celui-ci ne s'en offusquait pas. Son impression sur la relation entre le prince Laurent et les rebelles se confirmait. Il ne faisait sûrement pas directement affaire avec eux, mais ses soldats ne les traitaient pas comme s'ils étaient de véritables brigands.

Franx resta silencieux, toujours ébranlé par le sort d'Éléonore Deschênes. Éli se retint avec force d'aller voir directement les pensées qui défilaient dans sa tête. S'il la croyait coupable du vol et qu'il doutait de sa mort, il se questionnerait du même coup sur la véracité des propos de Louiss. Toutefois, comme elle lui avait bien mis en tête que son histoire était vraie, il ne pouvait pas douter de la mort de la comtesse. Donc, qu'elle soit la voleuse ou non, la seule chose qui devait ainsi le troubler était le fait de devoir annoncer sa mort au prince Laurent. Éli retint un sourire de satisfaction. Finalement, elle n'avait pas eu besoin de recourir à son don pour suivre les pensées de l'homme. Le capitaine regarda en direction de la grotte et Éli déclara férocement, pour ramener son attention sur elle :

— Ces sales bâtards ! Capitaine, j'ai tué celui qui a fait ça, mais sachez bien que rien ne me plairait davantage que de recommencer... et beaucoup plus lentement. Si j'avais été plus rapide, aussi...

Avec un soupir, elle ajouta :

— Une si jolie demoiselle, c'est tellement dommage.

Le capitaine hocha la tête, la comtesse occupant toujours ses pensées.

— Soyez assuré, continua-t-elle, que quand je mettrai la main sur le salopard qui a envoyé ces mercenaires, je le ferai doublement payer pour ces actes.

Elle s'interrompit en voyant le capitaine la fixer d'un air interrogateur.

— Si, évidemment, on me permet de le rechercher ; et, bien entendu, je m'assurerai de le garder en vie, pour permettre au roi de lui faire subir un interrogatoire complet concernant la pierre.

Les soldats rirent et le visage préoccupé du capitaine Remph s'éclaira.

— Quel âge as-tu, soldat ? demanda-t-il soudain en l'examinant.

— Vingt ans.

— Et tu patrouilles souvent seul ? Tu es plutôt jeune, je trouve.

— J'aime être seul. Je suis plus silencieux et j'observe mieux. Et comme je suis obligé de prendre seul mes décisions, j'apprends beaucoup plus vite. Mais mon supérieur n'aime pas ça, il dit que je ne suis qu'un jeune téméraire prétentieux. Pourtant, c'est mon imprudence qui a sauvé la vie de trois demoiselles.

— Assurément, approuva Franx. Et tu as de quoi être fier, soldat.

Éli haussa les épaules.

— Je vous remercie, capitaine, mais je n'arrive pas à l'être. L'une d'elles s'est fait tuer juste devant moi et je persiste à croire que j'aurais dû être plus rapide.

Le capitaine Remph fixa son jeune confrère, dont le visage exprimait une irritation certaine. Il avait vu assez de jeunes soldats pour deviner que celui-ci deviendrait un très bon élément. Franx aurait bien aimé assister au combat mené près de cette grotte.

— Malgré la sévérité avec laquelle tu te juges, soldat, dis-toi que tu as accompli seul ce qui incombait aux vingt hommes que nous étions.

Franx marqua une pause en lui souriant, puis il ajouta :

— Du district sud-ouest, dis-tu... Serais-tu d'accord pour être transféré de façon permanente dans la cité royale ? Dans mes troupes ? Je dois avouer que je suis impatient de voir à l'œuvre le bras qui vient d'occire une dizaine de mercenaires !

Éli sourit au capitaine, avec l'envie de s'arracher les cheveux. C'était une malédiction ! Depuis qu'elle avait posé les pieds sur le territoire de Dulcie en tant que comtesse, elle n'avait rencontré que des gens désagréables à qui elle aurait volontiers écrasé la figure. Et, maintenant qu'elle pouvait duper ceux qui l'entouraient et prendre enfin sa revanche sur tous les Dulciens et Dulciennes qu'elle avait dû endurer, voilà qu'ils se mettaient à être sympathiques ! C'était vraiment injuste. Injuste ! Cet homme était quelqu'un de bien. Elle le voyait, à l'état des prisonniers et à son attitude amicale. Devant l'acte de bravoure qu'elle venait d'accomplir, il lui donnait sa confiance. Si elle avait été soldat, elle aurait pu en tirer de la fierté, mais elle n'était pas soldat. Elle était un imposteur doublé d'une voleuse et elle allait trahir la confiance de cet homme dans les prochaines minutes.

— Cela me ferait un immense plaisir, capitaine, mentit-elle d'un ton empreint de béate gratitude.

Il hocha la tête, satisfait.

— Bon, assez perdu de temps, décida Franx, qui monta sur son cheval. Tu seras récompensé pour cet acte héroïque, quoi que tu puisses en penser. J'y veillerai moi-même.

Éli s'obligea à sourire. L'un des soldats s'exclama :

— J'ai hâte de te voir en action ; pour sûr, tu dois en déplacer, du vent, pour avoir mis hors combat tous ces brigands !

— Oh ! Pas tous, répliqua Éli en voyant les regards douloureux des prisonniers. J'ai tué la majorité des mercenaires, mais...

Elle hésita à continuer et jeta un regard en coin au capitaine Remph, qui la fixait, l'air intéressé.

— Les brigands qui ont enlevé les femmes étaient attachés dans la grotte et attaquer un homme incapable de se défendre est contraire à mes valeurs. Je suis donc parti en les laissant. J'imagine qu'ils ont essayé de me rattraper. Disons aussi que j'ai libéré leurs chevaux.

Elle flatta son destrier, en attendant la réaction du capitaine. Dans la cage, les prisonniers la regardaient avec soulagement, certains, même, en souriant.

— J'aurais peut-être dû...

— Non, l'interrompit Franx. Tu as agi avec noblesse, soldat. Je n'ai rien à te reprocher. Mais raison de plus pour partir au plus vite.

Éli sauta en selle en évitant le regard du prisonnier aux cheveux roux, qui la fixait. Contrairement au capitaine Remph, il semblait avoir du mal à croire à son histoire. Normal, puisque, pendant son récit, Éli s'était concentrée sur les soldats et non sur eux. Elle voulait donc s'épargner ses questions susceptibles d'éveiller des doutes chez le capitaine Remph.

Les soldats se placèrent autour de la carriole et Éli les observa du coin de l'œil. Quatre hommes se trouvaient juste derrière eux et les autres allèrent du côté opposé de la cage. Le soldat qui chevauchait près du cocher était le plus dangereux, car il semblait être l'éclaireur : bientôt, il les distancerait. Elle devait agir avant qu'il ne soit trop éloigné et qu'il puisse s'échapper. Même s'il ne pouvait aller chercher du renfort à temps, les prisonniers auraient moins de chance de s'enfuir.

N'ayant plus rien d'intéressant à entendre, l'éclaireur commença à prendre de la distance. Sous un pan de sa cape, Éli saisit une dague, déchaussa les étriers et prit lentement le contrôle des chevaux. La monture du capitaine, plus fidèle que la normale, lui opposa une certaine résistance, mais Éli finit par la convaincre.

Les prisonniers, qui observaient avec curiosité ce jeune soldat qui avait ramené les femmes, remarquèrent son manège et s'interrogèrent du regard. Myral dissimula un sourire. Il se doutait, depuis un moment, que le jeune homme n'était pas soldat et qu'apparemment, il préparait quelque chose. Le capitaine Remph ne voyait rien, mais l'un des soldats pouvait le remarquer. Myral marcha jusqu'au fond de la cage et s'écria d'une voix asséchée :

— Hé ! Soldat ! Peux-tu me donner un peu de ton eau ? J'ai la tête qui tourne.

Le capitaine Remph lui donna son assentiment et le soldat s'approcha pour lui tendre sa gourde. Éli remercia intérieurement le prisonnier, en se demandant si son geste avait été calculé.

Myral tendait le bras pour prendre la gourde lorsqu'il vit, du coin de l'œil, le cheval du jeune soldat faire un écart, en même temps que celui du capitaine. Pris au dépourvu, celui-ci fut désarçonné.

Éli profita de cette proximité pour sauter sur la monture de Franx, juste derrière celui-ci. Elle dégaina l'épée de l'homme, qu'elle jeta au sol, et lui plaqua une dague sur la gorge.

— Arrêtez tous ! hurla-t-elle de sa voix faussement grave.

Le cheval du capitaine Remph recula et se tourna, de sorte qu'Éli puisse voir tous les soldats.

— Venez devant moi, sinon je le tue. Et vous, dit-elle au capitaine, le moindre geste relèverait du suicide et serait complètement inutile.

Myral se dit que soit ce jeune homme était le meilleur cavalier qu'il avait vu de sa vie, soit des forces inconnues étaient à l'œuvre.

Entre-temps, Kalessyn, qui avait galopé jusqu'à l'éclaireur, avait réussi à lui bloquer le passage. Devant l'ordre d'Éli, les soldats hésitèrent ; or, les chevaux, quant à eux, avancèrent lentement vers le jeune homme. Les cavaliers tentèrent de les arrêter, mais leurs efforts furent vains.

— Laissez-les ! leur ordonna Éli. À moins que la vie de votre capitaine ne compte pas pour vous…

Irrités, ils lâchèrent les rênes. Aussitôt, leurs bêtes vinrent se placer entre le chariot et la monture de Franx. Lorsqu'ils furent tous alignés, elle commanda :

— Maintenant, descendez et jetez vos armes derrière le chariot.

Pendant qu'ils s'exécutaient, elle s'adressa aux deux soldats conduisant le chariot, qui tentaient de s'esquiver :

— Vous deux !

Ils s'immobilisèrent brusquement.

— Descendez et allez déposer vos armes avec les autres !

Ils regardèrent leur capitaine et allèrent lancer leurs armes d'un air furieux.

— Placez-vous devant les barreaux, les mains sur la tête. Pas toi !

Le dernier soldat la fixa.

— Oui, toi, va ouvrir la porte du chariot et libère les prisonniers.

Elle sentit le capitaine Remph se raidir, mais il ne broncha pas.

— Vas-y, sinon il meurt !

Les ordres étaient cassants, dénués d'émotion : c'en était fini de la gentille apparence du troisième classe Louiss…

Silencieux, Franx n'opposait aucune résistance, fût-elle physique ou verbale. Pourtant, Éli le devinait brave et sans peur de la mort. C'était comme si les événements ne le dérangeaient pas vraiment, ce qui la soulageait beaucoup, car elle n'avait aucune envie de faire du mal à cet homme. Les prisonniers, qui attendaient, appuyés contre les barreaux, se hâtèrent de sortir et s'emparèrent des armes des soldats. Éli sauta rapidement à bas du cheval et le capitaine reprit les rênes. Il eut beau le talonner de ses bottes de fer et s'agiter sur la selle pour le faire avancer, l'animal baissa la tête pour brouter, en ignorant superbement les efforts de son cavalier. Les rebelles, qui faisaient monter les soldats désarmés dans le chariot, éclatèrent de rire devant cette scène. Myral approcha et s'appuya sur son épée comme sur une canne.

— Abandonne, Franx. Vous êtes vaincus, vaincus par ce jeune homme.

Myral se tourna vers Éli déjà en selle, la visière de nouveau abaissée. Elle se tenait légèrement en retrait, comme pour surveiller les événements. Une fois les soldats enfermés, les rebelles vinrent prêter main-forte à Myral. Le capitaine Remph, voyant qu'il devenait grotesque en s'obstinant à vouloir faire avancer cet imbécile de cheval, mit pied à terre et les hommes l'escortèrent jusqu'à la carriole. Il lança un dernier coup d'œil interrogateur vers son cheval, puis regarda Éli, avec plus de curiosité que de colère. Lorsqu'il fut séquestré avec les autres soldats, les rebelles allèrent chercher les chevaux et se préparèrent à quitter les lieux. Éli nota que Myral mena le destrier du capitaine pour l'atteler à la place d'un des chevaux qui menaient le chariot. Elle en profita pour s'approcher des soldats. Ils levèrent la tête pour lui lancer des regards meurtriers, tandis que le capitaine Remph la regardait calmement, adossé aux barreaux.

— C'est dommage de devoir mettre fin à une amitié qui venait tout juste de commencer, déclara sombrement Éli.

Franx ouvrit la bouche, mais elle leva une main pour l'interrompre.

— Inutile de me demander qui je suis. Je ne suis ni un soldat ni un compatriote d'Eldérick.

Elle s'assura que les rebelles ne pouvaient l'entendre et expliqua :

— Je refuse tout simplement qu'on tue des innocents.

Le capitaine Remph fronça les sourcils et continua pour elle :

— Vous avez donc ramené les dames et vous délivrez maintenant les prisonniers. Mais Eldérick et ses hommes, les mercenaires…

— Les mercenaires et leur but sont réels et ils sont tous morts, ou presque. La quatrième dame est vraiment morte et j'en suis fort peinée. Le reste, eh bien ! Je ne crois pas que ce soit vos affaires. Je n'ai rien contre vous, capitaine, croyez-moi. Disons seulement que la justice de Kordéron m'irrite légèrement, pour ne pas dire autre chose.

Elle soupira.

— Prenez-le comme vous le voulez, mais je regrette sincèrement d'avoir dû trahir votre confiance.

— M'auriez-vous tué ? demanda Franx.

Éli sourit et regarda les rebelles qui avaient terminé d'atteler la monture du capitaine à la carriole.

— Je vous l'ai dit, capitaine. Je ne tue point les innocents.

Il eut un rire sec.

— Je vois! Je peux vous pardonner, mais à la condition que je vous revoie, parce que je dois avouer que vous m'intriguez, jeune homme.

Dans un haussement d'épaules, Éli rit doucement.

— Voilà déjà deux fois que nos chemins se croisent, capitaine, je ne vois pas pourquoi ça ne se reproduirait pas.

Les rebelles la rejoignirent.

— Nous sommes prêts à partir, lui dit Myral, comme s'il était évident qu'elle partait avec eux.

— Je vais faire un bout de chemin avec vous, répondit-elle. J'ai certaines choses à vous dire.

Elle remarqua les regards qu'échangeaient les rebelles. Ils ne la laisseraient pas partir sans avoir obtenu toutes les réponses à leurs questions. Éli prévint mentalement Kalessyn de se tenir prêt à détaler au moindre signal. Ils tournèrent bride et elle ajouta :

— Je ne peux vous dire qu'une chose, capitaine. Gardez l'œil bien ouvert, on ne sait jamais sur qui on peut tomber!

Franx lui fit un bref signe de la main et ils partirent au galop, laissant les soldats seuls, derrière les barreaux. Un peu plus loin, incapable de tenir plus longtemps, Myral demanda :

— Qui es-tu? Pourquoi avoir ramené les dames et nous avoir libérés ensuite? On ne s'est jamais vus!

Éli commençait à être fatiguée des questions. Cette journée était bien longue, comparée à toutes celles qu'elle avait passées dans la peau de la comtesse Deschênes. Elle se tourna vers Myral et crut un instant voir Eldérick. De près, elle discernait les yeux bleu ciel du rebelle. Malgré la barbe qui lui mangeait le visage, c'était bien son frère, elle n'en doutait plus. Son frère et, du même coup, le mari d'Émilia. Son séjour en prison l'avait peut-être amaigri, mais il ne semblait pas avoir été molesté. Elle aurait voulu satisfaire sa curiosité concernant ses liens avec le capitaine Remph, mais le temps fuyait et elle en avait déjà trop perdu.

Elle leur expliqua qu'Eldérick et ses hommes, sains et saufs, se trouvaient probablement encore à la grotte, sans toutefois préciser leur situation : elle leur laissa croire qu'ils l'avaient envoyée les délivrer, pendant qu'ils s'occupaient du reste des mercenaires. Qu'ils aillent donc les y rejoindre et, s'ils n'y étaient plus, ils pourraient rentrer au camp. La jeune femme sentit monter la tension chez les rebelles. Ils se préparaient à attaquer pour la ramener avec eux. Éli discerna les mouvements de leur monture, bien avant qu'ils ne les exécutent.

— Tu ne nous as pas dit qui tu étais, lui rappela Myral pour faire diversion, alors que ses hommes commençaient à se rapprocher d'elle.

Éli lui sourit et, à l'instant même où les rebelles poussaient leur monture pour l'encercler, l'énorme destrier gris et noir se cabra, obligeant le cavalier devant lui à s'écarter pour ne pas se faire écraser. Après quoi, Kalessyn partit au grand galop, aussitôt poursuivi par les cavaliers. Myral, juste derrière lui, leur hurla de lui barrer le chemin, mais le cheval était trop rapide, si rapide que ses sabots semblaient ne pas toucher le sol. Il aurait eu des ailes qu'il n'en aurait pas été autrement. Les rebelles furent vite distancés. Cette poursuite infernale était manifestement vaine, mais ils n'arrêtèrent leur monture que lorsqu'ils sentirent les chevaux fatigués. Ils ne pouvaient se permettre de les épuiser pour rattraper leur mystérieux sauveur. Comme elle les vit ralentir, Éli immobilisa sa monture sur une colline et sembla les attendre.

Piqué, l'un des rebelles constata :

— Il rit de nous, ce gars.

Myral haussa les épaules.

— Il a peut-être autre chose à nous dire. Rejoignons-le. De toute façon, ça ne sert à rien de courir après lui, son cheval est beaucoup trop rapide.

Éli les regarda approcher. Son cœur battait à tout rompre et elle sentait les muscles de son cheval se contracter et se détendre tour à tour.

— Attends, Kal, mon vieux, je sais qu'on n'avait pas galopé comme ça depuis longtemps, mais j'ai encore deux mots à leur dire.

Kalessyn tourna sur lui-même et caracola.

— Vas-tu m'écouter, pour une fois, espèce de vieille bourrique ? Calme-toi !

Il cessa son manège et se tint fièrement, dans l'attente des rebelles. Elle ressentait la même excitation que lui, à courir comme le vent à travers les champs ; depuis le temps qu'elle y songeait ! Mais en effet, elle devait ajouter quelque chose. Pour la énième fois depuis le début de sa quête, elle crut entendre la voix de sa maîtresse d'armes lui répéter qu'elle n'était qu'une jeune téméraire sans cervelle ; or, Éli ne pouvait résister à cette tentation et, lorsqu'ils furent à portée de voix, elle leur cria :

— Vous seriez bien aimable, Myral, de dire à Eldérick et ses hommes, lorsque vous les verrez, qu'une jeune et fragile comtesse leur souhaite le bonjour et qu'elle espère qu'ils réussiront à établir un semblant de justice dans ce royaume ! Et embrassez très fort Émi et Suzie de ma part !

Myral la regarda sans comprendre. Une comtesse ? Que voulait dire cela ? Mais il n'eut pas le temps de demander d'explications au jeune homme : ce dernier tournait déjà bride. Son cheval se cabra et ils disparurent derrière la colline, dans un nuage de poussière.

— Mais qui est ce sale petit prétentieux ? maugréa l'un des rebelles.

Myral essayait de trouver un sens aux événements et à ces paroles, mais toute cette histoire demeurait totalement obscure.

— Vite, à la grotte, avant que les soldats soient découverts ! ordonna-t-il.

Ils s'éloignèrent au galop et lorsqu'ils arrivèrent au sommet de la colline, ils ne purent distinguer qu'un point noir à l'horizon, qui s'éloignait vers le sud-est.

CHAPITRE 14

UN RETOUR INESPÉRÉ

Balo sentit une pression sur sa queue et leva la tête en grognant.

— Excuse-moi, vieux, lui dit Eldérick qui faisait les cent pas, les mains jointes derrière le dos.

Il s'arrêta devant Zyruas, qui était assis, les pieds sur la table, l'air décontracté.

— Si seulement j'avais écouté Malek, se reprocha-t-il pour la énième fois.

Il regarda la robe verte, posée sur la table, et reprit sa marche en maugréant. Il ignorait ce qui le mettait le plus en colère ; était-ce parce qu'il s'était laissé berner par une gamine, ou parce qu'elle avait eu le culot de ravir ses otages ? Ou bien encore, parce que c'était la voleuse dont tout le royaume parlait ? Les hommes restés au camp, qui avaient mission de les suivre à distance pour intervenir en renfort en cas de besoin, les avaient trouvés dans la grotte, à peine une heure après le départ de la guerrière.

Il n'arrivait pas à comprendre comment celle-ci avait su que le groupe était en route, puisqu'il était à près d'un kilomètre derrière eux. Ils étaient aussitôt partis à sa recherche, mais en vain, n'osant pas sortir de la forêt. Ils avaient ensuite emmené les deux mercenaires survivants et emporté la robe verte qui, si elle ne leur procurait aucun indice sur sa propriétaire, ferait tout de même un beau cadeau pour Suzie.

La nuit étant tombée, ils avaient dû dormir dans la montagne et leurs prisonniers avaient réussi à s'enfuir, tant ils avaient l'esprit occupé. Chacun avouait avoir manqué de vigilance. Ils n'avaient pas perdu de temps à les pourchasser : Karok leur avait déjà administré une correction plutôt musclée. D'ailleurs, libérés de leur fardeau, ils avaient pu regagner le camp le midi même.

Eldérick croisa les yeux rieurs de Karok, qu'il observa. Curieusement, il était le seul du groupe à s'amuser de la situation. Pourtant, Karok avait toujours un propos méprisant à émettre contre la gent féminine. Il provoquait le courroux d'Émilia en affirmant constamment que les femmes ne servaient qu'à préparer de bons repas et à vous masser les pieds devant le feu. Il aurait donc dû se montrer choqué par cette femme guerrière et s'acharner sur son dos en multipliant les jurons. Or, au contraire, Eldérick l'avait vu s'esclaffer comme il ne l'avait pas fait depuis longtemps, en découvrant le mercenaire, gorge tranchée et culottes baissées. Il en avait presque pleuré de rire, en répétant que la jeune femme lui plaisait. Tous s'en étaient franchement étonnés, même Zyruas, qui le connaissait depuis de nombreuses années.

— En tant qu'instructeur en maniement des armes, avait-il expliqué pour répondre à leurs questions, je suis mieux placé que vous tous pour reconnaître un jeune talent. Qui a pu former une guerrière pareille ? J'aimerais bien le savoir. En maniant son arme, elle utilisait des techniques de combat de tous les royaumes.

Un mince sourire aux lèvres, il retournait alors à ses pensées.

Eldérick dut décrire plusieurs fois les événements de la grotte aux rebelles : ils avaient du mal à le croire. Malek et Éric, perdus dans leurs songes, étaient restés silencieux durant tout le voyage. Sitôt l'histoire contée en détail, les deux jeunes hommes devinrent la cible des blagues dans tout le camp. Bougons, ils avaient donc décidé de s'écarter dans un coin. À présent, ils étaient assis dehors, avec Kaito et Suzie. Celle-ci ne voulait pas croire qu'Éléonore n'était qu'une simple voleuse. Émilia, qui avait perçu quelque chose d'étrange chez cette jeune femme, ne fut, quant à elle, guère surprise. Elle rit de bon cœur lorsqu'Eldérick lui narra la vengeance de la jeune guerrière sur Malek. La petite femme avait souvent prédit que ce jeune homme finirait par se faire remettre à sa place, s'il continuait de se montrer si arrogant avec les femmes.

Devant l'air défait de son compagnon, Karok fit observer :

— On est tous aussi déçus que toi, de ne pas avoir pu ramener les gars ici, mais dis-toi que sans cette petite, on serait peut-être tous morts, à l'heure qu'il est.

— Oui, mais si seulement j'avais fait plus attention, répliqua-t-il. Comment se fait-il que je n'aie rien vu, bon sang ?

Il saisit la robe et la secoua.

— La pierre aurait été un moyen d'échange beaucoup plus persuasif que ces demoiselles.

— Arrête de supposer.

Eldérick se tourna brusquement vers Dowan.

— As-tu le pouvoir de revenir dans le temps ? lui demanda l'homme du désert. Non, bien sûr ! Alors, prends les faits comme ils sont.

Eldérick soupira et s'assit sur la table.

— Elle aurait au moins pu nous laisser les dames, pour refaire le marché, dit-il en jetant la robe sur la table.

— Oh non ! s'écria Émilia. Elle a très bien fait. Voilà ce que ça donne de prendre des moyens stupides pour arriver à ses fins. Ça te retombe forcément sur le nez.

Les quatre hommes se tournèrent vers elle d'un air désespéré.

— À mon avis, ce n'est pas le bon moment pour revenir sur ce sujet, Émi, réprouva Zyruas.

— Vous voyez ! J'ai raison : les femmes n'y comprennent rien ! fit remarquer Karok, bourru.

— Oh, toi ! Espèce de primitif, retourne dans tes cavernes, répliqua-t-elle en croisant les bras. Si je n'y comprends rien, c'est qu'il n'y a rien à comprendre, un point c'est tout. Vous croyez que je n'ai pas de peine en sachant qu'on va pendre mon mari ?

Karok baissa les yeux.

— Mais je n'irais pas risquer la vie d'innocents pour autant, continua-t-elle. Si vous n'êtes pas capables de trouver de meilleures idées, j'imaginerai mon propre plan et j'irai seule le sauver.

— Émi, commença doucement Eldérick, mais il fut interrompu par la porte qui s'ouvrit à la volée, sur un Éric essoufflé.

Des éclats de rire et des cris le suivirent à l'intérieur.

— Pa ! Tu devrais venir voir qui vient d'arriver.

Il n'en dit pas plus et disparut au-dehors. Eldérick lança un regard interrogateur à Karok et ils se levèrent pour aller vérifier. Les hommes et femmes du camp étaient tous réunis dans la cour, où régnait une atmosphère euphorique. Des visages souriants se tournèrent vers lui.

— Mais qu'est-ce qui se passe, ici ? demanda Karok en tentant d'apercevoir autour de quoi ou de qui les gens s'étaient regroupés.

Dowan les suivait sans se presser. L'homme du désert avait une petite idée de qui il s'agissait. Alors qu'Eldérick et Karok tentaient de se frayer un passage, tous s'écartèrent brusquement. En regardant l'homme qui venait à sa rencontre, le chef des rebelles crut à une hallucination. Mais Suzie, qui s'accrochait à l'apparition, lui prouvait qu'il ne rêvait pas.

— C'est un mirage, glissa-t-il en reconnaissant Myral.

— Eh bien ! Le mirage, il a drôlement faim, répliqua celui-ci en s'arrêtant devant son frère aîné.

Eldérick resta immobile, toutes préoccupations évanouies. Éric vint lui donner une claque dans le dos en souriant. Dans un grand éclat de rire, Eldérick serra son frère dans ses bras.

— Ça fait du bien de te voir, frérot, lui confia-t-il en le serrant contre lui une deuxième fois.

— À moi aussi !

Myral aperçut alors Émilia, qui, lèvres tremblantes, se tenait toujours dans l'encadrement de la porte. Il s'écarta de son frère et lui sourit.

— Mon amour, dit-il d'une voix chargée d'émotions, en écartant les bras.

Elle poussa un petit cri et se précipita sur lui en pleurant. Il la souleva dans les airs en la serrant fortement. Puis, il étendit un bras et attrapa Suzie, demeurée près de lui. Il reçut ensuite l'accolade chaleureuse de tous les rebelles. On échangea des poignées de main, parmi les rires qui fusaient des familles retrouvant les leurs. Eldérick s'écria alors :

— Qu'on sorte la viande et la bière ! Ce soir, on fête le retour de nos amis !

Les rebelles lui répondirent par des cris d'enthousiasme et tout le monde se précipita aux préparatifs du repas.

Un énorme feu crépitait dans la cour, zébrant l'obscurité de flammes orangées. Assis tout autour, les gens chantaient, dansaient et mangeaient. Concentrés sur la joie des retrouvailles, tous oubliaient leur condition de hors-la-loi. Kaito et Suzie vinrent tomber à côté d'Éric, qui s'étouffa avec sa cuisse de poulet.

— Vous ne pourriez pas faire attention? éructa-t-il.

Kaito le poussa.

— Tu n'es qu'un jaloux!

— Et de qui veux-tu que je sois jaloux? répliqua Éric d'un ton bourru, en lançant un regard moqueur à Suzie, qui lui frappa l'épaule.

— Oh! Tu sais ce que je veux dire, dit tout simplement Kaito, taquin.

Éric l'envoya promener et se tourna vers son père et les autres chefs du camp qui discutaient avec force autour de Myral. Assise aux côtés de son mari, Émilia lui tenait fermement le bras, comme dans la crainte de le perdre à nouveau.

— De quoi parlent-ils? demanda-t-il à Malek, qui suivait la conversation depuis un moment.

— De l'emprisonnement de Myral. Et tu devrais écouter, il est rendu à son évasion.

— J'imagine que Franx a fermé les yeux une nuit, supposa Eldérick.

Le grand blond qui se levait pour aller chercher d'autres morceaux de viande se rassit, soudainement intéressé. Myral finit sa bouchée et fixa le feu, les sourcils froncés.

— Non, non, pas du tout. Je crois qu'il l'aurait fait, mais quelqu'un l'a devancé. En fait, c'est... c'est plutôt bizarre, comme histoire.

Il se gratta la tête et continua:

— Je vais commencer par notre départ. Franx est arrivé il y a une semaine environ. Je ne saurais dire exactement. Les jours sont très longs entre les barreaux. Aussitôt qu'il a eu vent de votre demande au seigneur, il a pris les choses en main et nous sommes partis. À ce moment, nous n'étions ni au courant de la découverte de la pierre de la guerre, ni de son vol, ni même de l'enlèvement. Ce n'est qu'après s'être éloigné du château que Franx nous a parlé de l'enlèvement, mais il n'a pas été plus loquace. C'était la première fois que nous nous voyions depuis la guerre, alors tu devines le malaise. Parfois, j'avais l'impression qu'il voulait me parler, expliquer pourquoi il sert toujours Kordéron, puis il se ravisait et fixait le paysage devant lui. Mais je m'écarte. À mi-chemin environ, on est tombé sur un jeune soldat avec trois dames, au milieu des champs et...

Eldérick s'étouffa avec son morceau de pain et Dowan lui assena une claque dans le dos, comme s'il s'attendait à cette réaction.

— Ça va ? demanda Myral en observant son frère, qui reprenait péniblement son souffle.

— Ouais ! Je vais bien, répondit Eldérick entre deux quintes de toux. Trois dames, tu dis ? Une assez âgée, une jeune et une enfant ?

— C'est ça ! C'était celles que tu avais enlevées, d'après ce que j'ai compris.

Eldérick confirma d'un hochement de tête et lui fit signe de continuer.

— Bon ! Alors, comme je disais, il est arrivé comme ça, en racontant une histoire incroyable sur des mercenaires qui veulent la pierre du roi et qu'il a suivis jusqu'à vous. Je n'arrive toujours pas à comprendre pourquoi Franx l'a cru aussi facilement. Il n'est pourtant pas crétin. Enfin... Franx a fait reconduire les dames à Yrka, mais le jeune est resté avec nous. Dès que les soldats qui les raccompagnaient ont été hors de vue, il a sauté sur le cheval de Franx à qui il a collé une dague sur la gorge. Vous êtes certains que ça va ? demanda-t-il devant les airs stupéfaits des hommes et des deux femmes qui l'entouraient.

— Oui, oui, le pressa Karok, continue !

— Je ne sais pas ce qui s'est passé, mais on aurait dit qu'il dirigeait les chevaux à distance, parce qu'ils avançaient, malgré les ordres de leurs cavaliers. J'y ai pensé tout le long du retour, il devait sûrement être magicien ou quelque chose du genre. Premièrement, il vous ensorcelle pour vous faire croire ses mensonges et, deuxièmement, il ensorcelle les chevaux.

— Oui, mais après ? insistèrent Malek et Éric.

Myral leva les mains pour calmer son auditoire. Tous avaient cessé de manger et le fixaient intensément. Dowan et Karok se lancèrent un regard en souriant.

— Minute, j'y viens ! Le jeune a menacé de tuer Franx, alors les soldats ont jeté leurs armes et ils nous ont libérés. Là-dessus, on les a enfermés dans la cage. Le jeune a parlé avec Franx, mais on n'écoutait pas, on discutait de ce qu'on allait faire de lui. Je crois que leur conversation était amicale, parce que Franx lui a envoyé la main quand on est partis.

— C'est tout ? demanda Eldérick.

— Eh bien ! Non, je peux dire qu'il avait le cheval le plus rapide que j'aie vu : quand on a essayé de l'attraper, il a filé comme l'éclair, comme s'il avait lu dans nos pensées. Vous comprenez, même si le jeune nous avait sauvés, on ne pouvait pas le laisser se volatiliser, il en avait beaucoup trop à nous apprendre ! Et puis, comment est-ce qu'il a pu nous trouver, avec toutes les routes qui traversent les champs ?

Il se tut quelques secondes et ajouta précipitamment :

— Ah oui ! J'allais oublier ! Il m'a dit de vous faire savoir qu'une jeune et fragile comtesse vous passait le bonjour et qu'elle espérait que vous réussiriez à faire enfin régner la justice dans le royaume, quelque chose comme ça, et il m'a dit d'embrasser Émi et Suzie très fort, comme s'il vous connaissait. Après, il est parti en coup de vent.

Incapable de se retenir davantage, Karok éclata de rire, tandis que les autres restaient bouche bée. Émilia posa une main sur sa bouche, les yeux de nouveau baignés de larmes.

— Elle a fait ça, murmura-t-elle.

Elle passa une main sur la joue de son mari.

— Elle a fait ça…

— Donc, elle a parlé de la pierre à ce capitaine Remph ? demanda Dowan.

— Elle ? s'étonna Myral sans comprendre. De qui vous parlez ? Attendez ! Il y a quelque chose qui m'échappe, là… ajouta-t-il en fermant les yeux. De quelle comtesse il parlait et comment est-ce qu'il a pu faire pour vous soutirer les femmes ? Cette histoire de mercenaires qui vous ont attaqués pour trouver la pierre du roi, c'est vrai ? Expliquez-moi, quelqu'un !

Dowan se tapotait le menton, songeur. Voyant qu'aucun des rebelles ne semblait vouloir éclairer Myral, Émilia lui conta ce qui s'était produit à la grotte ; il resta aussi stupéfait que les autres.

— Vous voulez me faire croire que ce soldat était en fait une jeune femme ? Et la voleuse de la pierre, en plus ?

Émilia fit un signe affirmatif de la tête et se tourna vers Eldérick, qui observait son frère avec gratitude.

— Elle a fait ça ! dit-il à son tour, tout sourire.

Dowan hocha la tête et admit :

— Elle a risqué gros pour nous.

— Oui ! Et vous l'avez traitée de voleuse, si je me souviens bien, répliqua sèchement Émilia en se tournant vers Zyruas.

— Je retire immédiatement tout ça, s'excusa Eldérick en posant une main sur l'épaule de son frère.

— Moi, je vous l'avais dit, qu'elle était remarquable ! s'exclama Karok en se levant. On devrait lui porter un toast.

— Pardon ? demanda Myral en fixant son compagnon avec ahurissement.

— Il a dû recevoir un coup sur la tête, expliqua Zyruas. D'ailleurs, nous non plus, on n'a pas encore réussi à comprendre…

— Moi, dit Dowan en souriant à Karok, je dirais qu'il l'admire parce qu'elle a fendu sa hache en deux, ce qu'en fait, aucun élève n'avait réussi à faire.

Pour toute réponse, Karok lui adressa un clin d'œil et leva haut son verre. Ils trinquèrent à cette jeune inconnue qui leur avait sauvé la vie et grâce à qui leurs amis étaient rentrés. Tous retournèrent à l'esprit de la fête, mangeant, buvant et dansant. Toutefois, deux silhouettes restaient assises à l'écart. Malek et Éric auraient bien aimé se joindre aux fêtards, mais ils attendaient que l'alcool leur embrume suffisamment l'esprit pour leur faire oublier les deux visages qui s'accrochaient à leur mémoire.

CHAPITRE 15

QUI EST CETTE VOLEUSE?

Le lendemain, alors que le soleil atteignait son zénith, des coups résonnèrent à la porte d'Eldérick. Celui-ci ouvrit un œil et tenta de se lever, mais un terrible mal de crâne l'obligea à se rasseoir sur son lit. Les coups redoublèrent, empirant son supplice.

— Minute, j'arrive! cria-t-il, la tête entre les mains.

Il se leva et boitilla jusqu'à la porte, renversant une chaise au passage. Il jura et se plaqua violemment contre la porte, alors que ses pieds s'enchevêtraient. Après avoir cherché la poignée et trouvé le moyen de l'ouvrir, il se retrouva face à face avec l'un des paysans du village d'Urgh, situé non loin de leur forêt. Il était un de leurs membres qui les informaient des événements qui se produisaient dans le royaume. L'homme était si essoufflé que ses narines en frémissaient. Alerté, Eldérick se dégrisa rapidement. Le moment n'était pas aux vieux soûlards qui déparlent.

— Qu'est-ce qui se passe? demanda-t-il d'une voix pâteuse.

— Les soldats ont envahi Urgh et il paraît qu'il y en a dans les autres villes et sur tous les chemins du royaume.

Les derniers effluves de l'alcool se dissipèrent soudainement. Kordéron avait finalement décidé de les éliminer, une bonne fois pour toutes. Le sauvetage de Myral et l'humiliation de ses soldats avaient mis le feu aux poudres.

— Ils nous recherchent ?

Le messager haussa les épaules.

— Je ne crois pas, mais ça ne veut pas dire qu'ils ne feront rien s'ils vous trouvent.

Soulagé, Eldérick remercia le paysan et lui demanda d'aller chercher les autres chefs pour se concerter. Il referma le battant et il se mit à chercher ses vêtements.

Quelques minutes plus tard, la porte de la pièce du conseil s'ouvrit à la volée.

— Bon ! Tout le monde est présent, constata Eldérick en se plaçant au fond de la pièce pour faire face à ses hommes.

— Oui, et c'est mieux d'être important ! s'exclama Karok dans un bâillement, en frottant ses tempes douloureuses.

Eldérick hocha la tête. Ses quatre compagnons, son fils, Malek et Kaito se tenaient debout, tant bien que mal. Tous étaient présents, physiquement du moins. Son frère, en se coupant barbe et cheveux, avait troqué son aspect de mendiant pour l'allure du soldat soigné. Émilia devait y être pour quelque chose, elle qui aimait que son mari fût le plus convenable possible. Elle avait souvent eu de vives discussions à ce sujet avec Eldérick, qui n'aimait guère que ses guerriers fussent pomponnés comme des gentilshommes. Au moins, ses joues creusées par les rudes journées passées en cellule lui donnaient l'air un peu plus redoutable. Il regarda le paysan et demanda :

— Répète ce que tu m'as dit et explique-nous ce que tu sais de plus.

Le messager leur décrivit la situation. Eldérick vit avec satisfaction ses hommes se redresser au fur et à mesure qu'il parlait. Lorsque, son récit terminé, il sortit, Karok s'écria, déjà prêt à aller chercher ses armes :

— Ils nous recherchent !

— Non !

Ils se tournèrent vers Dowan, qui s'était appuyé contre le mur, les bras croisés.

— Ils sont à la poursuite de la guerrière.

— Kordéron aurait déployé un si grand nombre de soldats, uniquement pour retrouver cette satanée pierre ? s'exclama Myral, incrédule.

— À mon avis, il ne s'agit pas d'une pierre ordinaire, rétorqua doucement Malek. Ils sont trop nombreux à la rechercher.

Zyruas ricana.

— Tu ne vas tout de même pas croire à cette histoire abracadabrante de pierre de la guerre !

— Dans toutes les légendes, il y a un fond de vérité ! répliqua Dowan. Et on sait que deux des poursuivants ont des pouvoirs surnaturels. Celui qui plane dans les airs et celle qui parle aux animaux.

— Dans ce cas, ça ne nous concerne pas, jugea Zyruas, qui se désintéressa aussitôt de la conversation, préférant se diriger vers la porte pour retourner se coucher.

— Qu'est-ce que tu racontes ?

Karok lui assena une claque sur l'épaule et le retint.

— Ça fait des années qu'on se bat, sans résultat, contre l'armée de Kordéron ! Ce que je veux dire — il s'avança au milieu de la pièce —, c'est qu'on pourrait essayer, nous aussi, de la retrouver, cette mystérieuse étrangère. Je ne sais pas pour vous, mais moi, je suis bien curieux de savoir ce qu'elle a de si extraordinaire, cette pierre. Et si, comme dit Dowan, il y avait du vrai dans la légende ? Si la pierre avait réellement un pouvoir ?

Devant les regards dubitatifs de ses compagnons, il continua :

— Ça expliquerait pourquoi Kordéron y tient tant. Apparemment, il est convaincu, et il n'est pas le seul, qu'elle lui permettrait d'agrandir son royaume. Alors, pourquoi ne pas essayer, nous aussi, de mettre la main dessus ? Cette pierre serait peut-être un atout pour notre propre guerre. En plus, on a une longueur d'avance sur eux !

Il alla prendre Malek par les épaules.

— On a parmi nous quelqu'un qui a vu le vrai visage de cette jeune femme !

— Ouais ! Et pas rien qu'un peu, hein ? le nargua Éric en ricanant.

Malek lui lança un regard mauvais et repoussa sans ménagement le bras de Karok. Il s'en moquait bien, lui, de cette pierre ; ce qui lui importait, c'était de savoir qui elle était, elle.

— Karok ! C'est ridicule ! commenta Zyruas. On ne sait même pas par où elle est allée.

— Elle a filé vers le sud-est, intervint Myral.

— Oh ! Ça nous aide beaucoup, ironisa Zyruas, les yeux au plafond.

— Tu n'es qu'un pleutre, dit Karok en le pointant du doigt. De qui as-tu peur exactement, des mercenaires, du truc qui vole… ?

Zyruas s'approcha de lui, poings en avant.

— Quoi ! Peur, moi ? Répète, juste pour voir…

— Arrêtez, vous deux ! ordonna Eldérick en les séparant.

Il se tourna vers Karok.

— Zyruas a raison, c'est trop dangereux d'aller courir après cette femme quand la moitié de l'armée de Kordéron est déjà à ses trousses. Autant nous rendre nous-mêmes dans les geôles.

Malek serait volontiers parti à la recherche de la jeune guerrière, mais s'il exprimait ce souhait, il ne serait certainement pas pris au sérieux. Il imaginait très bien les airs moqueurs de ses compagnons et préférait se taire. Il pinçait les lèvres et son regard rencontra celui de Myral, qui l'observait depuis un moment. Ce dernier lui sourit et fit remarquer à son frère :

— Justement, elle nous a tous sauvé la vie, ce n'est pas rien ! Et là, elle se retrouve toute seule, en face de tous ces soldats. Elle aura peut-être besoin de notre aide !

Dowan rit doucement.

— Crois-tu vraiment que cette petite démone a besoin d'aide ? Elle sait très bien que la moitié de l'armée est à sa poursuite. C'est elle-même qui a déclenché cette tempête.

— De quoi parles-tu ? l'interrogea Myral.

— Tu nous as dit qu'elle avait révélé aux soldats que les mercenaires cherchaient la pierre. Je ne sais pas si tu t'es aperçu de ce détail, mais je suis certain qu'elle a dû insister là-dessus. Ce qui fait que tous les effectifs de la région ont dû être concentrés pour retrouver la pierre avant ces mercenaires.

— Je ne vois pas en quoi ça peut l'avantager, ils vont tous se précipiter pour la rattraper et elle aura encore moins de chances de s'enfuir.

— Non ! expliqua Dowan. Justement, ça va être la course, mais les soldats vont essayer de découvrir qui est cet individu assez influent pour se payer une aussi grosse bande de mercenaires, obligeant celui-ci à se cacher. En se flanquant plusieurs soldats aux fesses, elle a éloigné, un peu en tout cas, la menace de l'étranger qui vole. Et un ennemi avec une tête de déterré et qui flotte dans les airs, c'est quand même bien plus inquiétant qu'un autre qui tient une épée, non ?

Les hommes acquiescèrent.

— C'est vraiment ce qu'elle a fait, tu crois ? demanda Eldérick en se grattant le menton.

— Qu'en penses-tu ? répliqua Dowan.

— J'en pense que cette jeune femme n'a sûrement pas un caillou à place de la cervelle.

— Non, il est sûr qu'elle est très intelligente, continua Dowan. Alors, à mon avis, elle n'a besoin de l'aide de personne, Myral, je suis certain qu'elle saura se débrouiller toute seule ! Si vous voulez la retrouver, c'est tout simplement pour en savoir plus sur l'énigme de la pierre.

— Ou son énigme à elle, corrigea doucement Malek.

— Quelle énigme ? s'exclama Zyruas. Elle est peut-être gentille, je l'avoue, dit-il à l'adresse de Myral, mais c'est une voleuse qui va certainement porter la pierre à une bande de brigands quelconque, ou la vendre...

— Non ! l'interrompit Kaito.

Les hommes se tournèrent vers lui, surpris, car il ne prenait que très rarement la parole lors des réunions. Il s'avança, en continuant :

— Ce n'est pas une voleuse. J'ai vu la lumière dans ses yeux, quand elle parlait du Créateur. Jamais elle n'aurait osé voler quoi que ce soit sans avoir une très bonne raison. De toute façon, vous avez déjà vu un voleur prier pour ceux qu'il a tués ?

— C'est ça qu'elle faisait, quand elle était agenouillée près des cadavres des mercenaires ? demanda Éric.

Kaito hocha lentement la tête et esquissa un léger sourire, en se remémorant la scène.

— Elle était peinée d'avoir dû leur enlever la vie, c'était évident. Non, une magicienne, comme l'a dit Myral, serait plus près de la vérité. Une magicienne qui a récupéré un artefact important des mains d'un homme mauvais.

— Oui, mais j'ai rarement vu un magicien combattre à l'épée avec autant d'agilité, répliqua Eldérick.

— Peut-être, admit Kaito, mais elle a parlé dans un dialecte que seuls les plus grands sages connaissent. Et elle communique avec les animaux. Je ne sais pas si vous vous y connaissez en magie, mais il faut être très puissant et expérimenté dans le domaine pour le faire aussi naturellement qu'elle.

— C'est vrai, approuva Dowan, nos sorciers ne sont capables de diriger une bête qu'avec une extrême concentration et plus la communication est longue, plus ça les épuise. Et je n'ai pas vraiment vu de fatigue, chez elle.

— Arkiel pourrait sûrement nous en dire plus là-dessus, avança Malek.

Dowan et Kaito acquiescèrent. Heureux de voir ses compagnons se rallier à son idée, Karok croisa les bras et lança un regard satisfait à Zyruas.

— Vous êtes cinglés! s'écria ce dernier. Se rendre à la citadelle des magiciens, alors que les routes sont envahies de soldats!

— Tu n'es pas obligé de venir, si tu as peur, répéta Karok.

Zyruas leva les bras en soupirant et s'adressa à Eldérick :

— Fais quelque chose! Tu ne peux pas les laisser partir comme ça!

Eldérick resta silencieux, à regarder se disputer ses compagnons. Le nom d'Arkiel venait de faire renaître des souvenirs douloureux. Neuf ans étaient passés depuis la dernière fois qu'il avait vu l'archimage de la citadelle des magiciens. Pourtant, les deux hommes avaient été, à une époque, de grands amis. Eldérick se souvenait de ses visites à la belle citadelle, avec sa femme, son fils et ses filles.

Il était très jeune lorsque, parti étudier à la citadelle, il avait rencontré Arkiel. Eldérick sourit en se remémorant le vieil homme au visage avenant, mais au regard perçant et moqueur. Son énergie était inépuisable malgré l'âge honorable que tous lui donnaient. Son grand-père lui avait raconté que, même dans ses plus lointains souvenirs, le magicien portait une barbe et des cheveux blancs. Eldérick, tout comme Éric et Malek, plus tard, avait cherché à découvrir son âge, mais il était arrivé à la conclusion que personne n'en savait rien, d'autant que tous ceux qui avaient connu le magicien dans sa jeunesse étaient morts depuis longtemps.

Un traité avait été signé, il y avait de cela plusieurs centaines d'années, spécifiant que le royaume de Dulcie et la citadelle des magiciens étaient deux entités distinctes. De ce fait, elles devaient s'abstenir de s'immiscer dans leurs affaires respectives. La citadelle ayant été établie bien avant la création du royaume, celui-ci n'avait aucun pouvoir sur elle. C'est ainsi qu'elle était devenue un asile pour tous les habitants de Melbïane.

Lorsque le premier conseiller royal avait déclaré la guerre aux seigneurs supposément félons, Arkiel, malgré l'interdiction, n'avait pu s'empêcher de s'en mêler. Certains magiciens du conseil avaient menacé le vieil homme de le destituer s'il persistait à violer le traité. Faisant fi de leur mise en garde — car Arkiel savait que la plupart des membres du conseil étaient de son côté —, il avait continué, avec certains de ses élèves, à protéger les seigneurs et les villages visés par le premier conseiller royal. Il n'était pas allé jusqu'à détruire ses armées, se contentant de s'interposer entre les soldats et le peuple. Plusieurs soldats, qui avaient séjourné à la citadelle durant leurs jeunes années, refusaient catégoriquement de s'attaquer aux magiciens, ce qui mettait le premier conseiller dans une colère noire.

L'archimage avait profité de cette accalmie pour se rendre à Yrka, afin de persuader Kordéron de cesser ses folies. Le roi, toujours inspiré par son premier conseiller, lui avait opposé que s'il osait s'interposer plus longtemps dans les décisions royales, violant ainsi inconsidérément le traité, il enverrait tout droit son armée sur la citadelle des magiciens. Il pourrait alors récupérer ce domaine qui, en plus de faire partie de son royaume, s'ingérait dans ses affaires et ne pouvait donc que lui appartenir. Il ordonna à l'archimage d'aller s'occuper de ses élèves et de lui laisser régir son royaume comme bon lui semblait.

Comme la citadelle ne pouvait se compromettre dans une guerre, Arkiel l'avait simplement prévenu qu'il ne pourrait qu'être perdant en établissant un régime aussi autoritaire et qu'il ne devait pas oublier qu'un roi n'était pas immortel. Il avait quitté Yrka en tempêtant, perdant, du même coup, ses derniers alliés au conseil des magiciens. Ils n'avaient pas apprécié sa remarque sur la nature éphémère des rois, qui ressemblait davantage à une menace qu'à une simple observation. Les magiciens s'étaient préparés à subir un assaut des troupes royales, qui n'eut point lieu. Le roi n'était pas encore assez fou pour se précipiter dans une telle guerre.

Arkiel avait donc maintenu ses incursions dans les batailles, qui faisaient rage dans tout le royaume. Lorsque le premier conseiller avait envoyé des soldats marcher sur le domaine d'Eldérick, le vieux magicien se trouvait dans le sud, et il n'avait pu arriver à temps pour prêter main-forte à son ami.

Pour tenter de dissiper de son esprit les scènes de flammes et de cris qui lui revenaient, Eldérick ferma les yeux, mais ses paupières closes ne purent cacher les images ancrées dans sa mémoire. Le visage d'Arkiel, devant les tombes de sa femme et de ses deux filles, lui apparut brusquement.

— Je suis vraiment désolé, Eldérick, lui avait dit l'archimage d'une voix brisée.

Mais il ne lui avait pas répondu, car brisé, il l'était, lui, totalement. Seul le fait qu'Éric et Malek eussent survécu l'empêchait de se précipiter au château du seigneur qui avait mené l'attaque, pour le tuer. Grièvement blessé, son fils Éric en avait réchappé. Un miracle, lui avait dit Myral. «Dieu a épargné sa vie, tu n'as pas le droit de l'abandonner en te lançant dans un combat perdu d'avance.»

Arkiel, lui, était resté au chevet de Malek avec Émilia, pendant plus d'une semaine. Eldérick n'avait jamais su pourquoi Malek, qui n'avait pourtant pas été blessé, était tombé inconscient. Aux battements de son cœur à peine perceptibles, il semblait avoir été vidé de toute son énergie. Arkiel connaissait la cause de sa léthargie, mais Eldérick n'avait jamais eu l'occasion de la lui demander et Malek disait ne plus s'en souvenir.

Alors qu'Eldérick s'était résolu à attendre d'être mieux organisé pour attaquer, Arkiel avait rassemblé assez de magiciens pour mettre à feu et à sang la ville d'Yrka tout entière. Jamais on ne l'avait vu aussi furieux. Méléar, le deuxième du conseil de la citadelle des magiciens, était venu supplier Eldérick et Myral de faire entendre raison au vieux magicien, avant qu'il ne provoque une guerre entre les royaumes. Ils avaient discuté toute une soirée avec lui, mais Arkiel, plus entêté qu'une mule, ne voulait faire aucun compromis.

Eldérick avait donc fini par lui crier sèchement que, quoi qu'il pût entreprendre, les bons seigneurs du royaume avaient presque tous été renversés ou avaient fui et que, même si Kordéron et son château explosaient sous une pluie d'éclairs, cela ne ferait pas revenir les seigneurs, ni les joyaux de son amour. Sa femme et ses filles étaient mortes et il ne les reverrait qu'après sa propre mort. Si quelqu'un devait les venger, c'était lui-même, Eldérick, et personne d'autre.

Il lui avait alors intimé de retourner à sa citadelle et de le laisser se débrouiller avec le roi. Il ne servait désormais plus à rien de provoquer une guerre qui finirait par s'étendre aux royaumes adjacents, d'autant plus que le roi d'Ébrême ne resterait certainement pas inactif si Kordéron attaquait la citadelle des magiciens, véritable musée de l'histoire de Melbïane.

Le vieil homme, car c'est ce qu'il était à cet instant, le dos voûté, appuyé sur son bâton comme si ses jambes ne pouvaient plus seules le soutenir, l'avait fixé, tandis que s'éteignait lentement la flamme qui, jusque-là, avait brûlé dans ses yeux. Eldérick sentit son cœur se serrer en revoyant cette image, les yeux si vifs du magicien se ternir soudainement, voilés par le regret et la culpabilité. Arkiel s'était tourné vers la fenêtre, ses longs doigts crispés autour de son bâton. Le magicien avait gardé le silence, pendant qu'Eldérick le regardait.

Un visage de vieillard, où les rides se multipliaient aux coins des yeux et autour de la bouche, vestiges de rires étrangement irréels sous les traits empreints de chagrin. D'épais cheveux blancs noués derrière la nuque et une barbe taillée court, autour d'une mâchoire robuste. Car ce vieillard avait été un homme grand et fort, à la stature imposante. On racontait même que jadis, il maniait l'épée avec une dextérité égale à celle des plus grands guerriers. Pourtant, Eldérick ne l'avait jamais vu l'arme à la main, pas plus que son grand-père. À cet instant, de ce lointain mage-guerrier, il ne subsistait qu'un vieux magicien, au corps usé par les innombrables années passées sur les routes. Et voilà qu'il venait, lui, d'éteindre l'étincelle qui brillait encore dans son regard.

Jamais Eldérick n'avait autant regretté cet élan de colère. Arkiel n'était nullement responsable de la mort de sa famille. Aussi puissants que pussent être ses pouvoirs, il ne pouvait prévoir l'avenir. Il avait fait un pas vers lui, puis s'était arrêté au son de la voix profonde et grave d'Arkiel, qui semblait se parler à lui-même :

— Toutes ces années à me battre contre des créatures innommables et à m'opposer aux forces du Mal. Et je n'ai même pas pu empêcher ce malheur… Serait-il temps, Seigneur, de me retirer et de laisser place à des esprits plus alertes ? Le mien se fait vieux et il se peut même qu'il ait perdu de sa lucidité.

Il s'était tourné vers Eldérick et avait continué :

— Tu as raison, jeune homme, attaquer Kordéron ne résoudra pas les problèmes et n'entraînera que la mort d'innocents. J'ai déjà trop mêlé la citadelle à la politique de la Dulcie. Ce stupide traité stipule que la citadelle doit rester neutre dans tous les conflits, à moins que des forces extérieures ne soient concernées. Tout archimage que je suis, je n'y peux rien changer. J'aurais dû…

Il s'était tu, les traits déformés par la douleur.

— Mais il est trop tard, avait-il ajouté d'une voix à peine audible. Je vais donc me retirer dans ma tour d'ivoire.

Il avait soupiré.

— Mais sachez, tous les deux — il avait posé une main sur le bras d'Eldérick — que je suis profondément désolé de ce qui est arrivé et que de tels actes restent très rarement impunis. Ma porte sera toujours ouverte pour vous et, à défaut de magie, je vous apporterai sagesse et conseils.

Il avait reposé sa main sur son bâton et Myral, qui avait jusqu'alors laissé le soin à son frère de raisonner Arkiel, s'était avancé.

— Je tiens à te dire que tu as fait beaucoup plus que tu sembles le croire, Arkiel. Tu as enfreint pour nous des règles ancestrales et je veux que tu saches que nous t'en serons éternellement redevables.

Eldérick n'avait réussi qu'à acquiescer de la tête, sans rien dire. La gorge nouée, il avait regardé son vieil ami quitter la pièce. Arkiel s'en était retourné à la citadelle dans l'heure même, au grand soulagement de Méléar. Depuis, ils n'avaient pas eu d'autre occasion de se revoir et Eldérick se demandait si, justement, ça n'en était pas une qui se présentait maintenant.

Karok et Zyruas se disputaient toujours sur l'intérêt de partir à la recherche de la pierre. Une sorcière doublée d'une guerrière. Il se souvenait qu'Arkiel lui avait déjà dit que la magie et les armes étaient deux domaines qui ne s'associaient guère et qu'ils étaient bien peu à exceller dans les deux. Se pouvait-il qu'Arkiel eût lui-même envoyé l'une de ses élèves récupérer la pierre afin de l'examiner? Après tout, on disait que Kordéron lui en avait refusé l'accès. Eldérick sourit; cette idée lui faisait chaud au cœur. Et si ce n'était pas lui, ne serait-il pas heureux de connaître les étranges pouvoirs de la voleuse de l'artefact, comme ceux de son poursuivant?

Le vieux magicien saurait sûrement les aider à trouver un sens à cette histoire. Cette expédition était dangereuse, certes, mais les événements inhabituels qui se déroulaient dans le royaume pouvaient être précurseurs de troubles. Allaient-ils les ignorer et rester cloîtrés dans leur forêt? Il sortit de ses pensées et, prévoyant une réaction explosive de la part de Zyruas, déclara :

— Il est vrai que je n'ai pas vu Arkiel depuis très longtemps.

— Ah, non! Pas toi aussi!

Désespéré, Zyruas alla s'asseoir sur une chaise.

— Merde! Vous avez tous été ensorcelés par cette sorcière!

Eldérick leva une main pour le faire taire et continua :

— On sait qu'Arkiel a appris la découverte de la pierre de la guerre et que Kordéron lui a interdit de venir l'examiner.

— Excuse-moi de t'interrompre, intervint Dowan, le conseil des magiciens devait statuer pour refuser cette décision, mais la pierre a été dérobée avant.

— En plus, reprit Eldérick, on peut en conclure que la pierre intéresse autant les membres de la citadelle que les autres. Il ne vous est pas venu à l'esprit que l'archimage ait pu décider d'acquérir l'objet ?

— Tu veux dire qu'elle l'aurait volée pour Arkiel ? s'exclama Karok.

Tous parurent partager cette idée, sauf Malek, qui secoua la tête.

— Cette fille ne venait pas de la citadelle. Personne n'enseigne le maniement des armes, là-bas, et je suis certain que ça n'a pas changé depuis mon départ.

— Peut-être bien... Dans ce cas, dit Eldérick, c'est une raison supplémentaire pour nous y rendre, car on est les seuls à connaître l'identité de cette voleuse. Des forces sont à l'œuvre et si l'archimage n'y est pour rien, il faut l'informer. En supposant que cet objet possède le pouvoir que lui attribue la légende, il est très important de savoir dans quelles mains il risque de tomber.

— En effet, ajouta Myral en regardant son frère avec un large sourire. Il est temps de demander aide et conseils, mon frère.

Eldérick lui fit un sourire, voilé malgré tout d'une légère amertume.

— On pourrait lui envoyer une missive, proposa Zyruas, provoquant le rire sarcastique de Karok.

— Une missive ! Puis quoi encore ? Quant à y être, crions-le sur tous les toits. Qu'est-ce qui se passe, avec toi ?

Zyruas lui jeta un regard froid :

— C'est tout simple : cette affaire ne nous concerne pas. On se bat depuis des années, comme tu as dit, contre ce pantin de roi. Et alors qu'il disperse son armée aux quatre coins du royaume pour récupérer ce stupide caillou, et qu'on a, du coup, le champ libre pour mener notre guerre contre les seigneurs, vous décidez de partir aussi à la poursuite de cette gamine? Et si tu veux mon avis, Karok, qui est le plus bizarre, ici? Pas moi, toi! Depuis quand tu trouves ça formidable qu'une femme manie l'épée? Est-ce qu'elles ne sont pas, comme tu l'as toujours dit, incapables de comprendre quoi que ce soit à l'art du combat?

— C'est bien ça qui est extraordinaire, répliqua Karok.

Zyruas s'appuya à la table et se passa la main sur le visage avec désolation.

— Tu n'es pas obligé de les accompagner, lui dit Myral. Reste ici avec moi, si tu trouves que c'est plus important. On poursuivra la lutte.

Zyruas se renfrogna, les lèvres pincées, sans répondre.

— Mais moi, continua Myral, je crois que mon frère a besoin d'avoir une bonne discussion avec l'archimage. Et cette histoire de guerrière est un excellent prétexte pour le rencontrer.

Eldérick hocha la tête d'un air songeur et croisa le regard de Malek. Celui-ci, qui, les yeux brillants, suivait la discussion, se retenait manifestement d'intervenir. Cible de toutes les moqueries depuis deux jours, il se gardait bien d'envenimer les choses en appuyant l'idée de poursuivre la jeune femme. Par contre, tout comme lui, Malek et Arkiel étaient de bons amis. Presque parents, à vrai dire, puisque c'était l'archimage qui avait recueilli le garçon et l'avait élevé jusqu'à ce qu'Eldérick le prenne avec lui, à l'âge de treize ans.

Il fixa son propre fils, qui les regardait, l'air ennuyé, ne sachant apparemment pas de quel côté se ranger. Éric n'aimait pas fréquenter la citadelle. Il finissait toujours par provoquer des dégâts en se disputant avec les jeunes novices, à qui il soutenait que la magie ne valait pas les armes. Soit Éric et les novices se battaient et un apprenti magicien ne pouvait plus aller en classe avant un moment, soit un jeune magicien, plus avancé, lançait un sort pour impressionner le guerrier. Le problème était que les jeunes, peu expérimentés, finissaient toujours par mettre le feu à un arbre ou à une maison en faisant tomber la foudre au mauvais endroit. Bref, dès qu'Éric mettait le pied dans la citadelle, il était immédiatement entouré de magiciens qui le surveillaient de près. De plus, Arkiel faisait toujours exprès de discourir sur la base de la magie, au point qu'Éric finissait par sortir de la pièce en le priant de cesser ce supplice. La dernière fois qu'ils l'avaient vu, Éric n'était encore qu'un jeune adolescent indiscipliné. Eldérick sourit en imaginant les dommages qu'il pourrait causer, à présent qu'il était adulte. Enfin, physiquement adulte, du moins.

— Alors, partons le plus vite possible, s'exclama Karok, qui s'élançait déjà vers la porte, il n'y a pas de temps à perdre !

Les autres hommes le suivirent rapidement. Tandis qu'ils sortaient, Eldérick s'approcha de son frère et le prit par les épaules.

— On vient à peine de se retrouver et déjà, je me prépare à partir.

Myral lui sourit et lui tapota le dos :

— Oh ! Mais ça ne me dérange pas du tout. Pars donc et retrouve cette petite. Parce que moi, tu vois, j'ai le sentiment qu'une grosse tempête se prépare à l'horizon et cette jeune femme me donne l'impression d'y être en plein centre.

Eldérick hocha lentement la tête. Il était vrai que les événements qu'ils venaient de vivre laissaient présager des troubles.

— Pourras-tu t'occuper du camp en mon absence, petit frère ?

— Bien sûr ! Autant que de ma propre famille. Tu n'as pas à t'inquiéter, on sera très vigilants, plus encore que ne le dicte la prudence.

Eldérick sourit avec satisfaction.

— Et toi, n'oublie pas de dire bonjour à Arkiel de ma part !

Ils fermèrent la porte et laissèrent Zyruas grommeler sur sa chaise. Éric alla s'asseoir à ses côtés.

— Je n'ai pas vraiment envie d'aller à la citadelle, moi non plus, marmonna-t-il en se remémorant les mésaventures qu'il y avait vécues.

— C'est complètement inutile ! déclara Zyruas. Ils prennent beaucoup trop de risques. La citadelle, en plus de tous les apprentis magiciens et magiciennes, est pleine de jeunes nobles qui y étudient les arts.

— De jeunes nobles ?

Éric fronça les sourcils. Il y avait peu de chance qu'elle y soit, mais d'un autre côté, il n'avait rien à perdre à s'y rendre. De plus, la seigneurie des Delongpré se trouvait tout près de la citadelle. Zyruas, en voyant le large sourire du jeune homme, secoua la tête avec dépit. Il venait de perdre son dernier appui. Éric se leva pour rejoindre les autres. Il se tourna vers Zyruas, mais celui-ci lui fit signe de partir. Éric sortit, en songeant qu'il changerait probablement d'idée. Karok et lui avaient vécu trop d'aventures ensemble pour que l'un d'eux laisse partir l'autre seul. Chacun se vantait du nombre de fois où il avait sauvé la vie de son compagnon en le sortant du pétrin. Il se dirigea vers le groupe qui s'activait aux préparatifs tout en donnant des ordres aux rebelles qui restaient au camp. Le jeune homme sourit en s'imaginant les circonstances dans lesquelles il pourrait revoir la jeune noble, qu'il n'arrivait plus à chasser de son esprit.

CHAPITRE 16

UN SORCIER DEPUIS LONG- TEMPS OUBLIÉ

Dans l'aile nord du château d'Yrka, au pied de la tour du roi, un violent coup de vent fit vibrer les épaisses portes de bois noires. Les deux soldats qui y étaient postés se regardèrent avec inquiétude, mais ils avaient ordre de ne bouger sous aucun prétexte. Dans la pièce luxueusement meublée, le souffle déplaça les sièges et les tables anciennes ; les fines tapisseries de soie claquèrent contre les murs de pierre. Penché sur un long bureau de bois incrusté d'or, un homme vêtu d'un élégant pourpoint mauve et bleu porta les mains à ses boudins châtains pour les empêcher de s'emmêler. Le vent qui tourbillonnait dans la pièce faisait trembler les hautes commodes dressées près du bureau principal. Le premier conseiller Krilin Lelkar jeta un œil inquiet vers les nombreuses figurines de porcelaine qui se rapprochaient dangereusement du bord des rayonnages. La cendre du foyer qui faisait face à son bureau se répandit sur le tapis déroulé devant l'âtre, avant d'envahir toute la pièce. La gorge irritée, Krilin toussa, une main sur la bouche.

Lorsque le vent retomba aussi brusquement qu'il s'était levé, faisant violemment claquer les deux portes vitrées du balcon, entre son bureau et le foyer, le premier conseiller

Lelkar observa son visiteur avec crainte. Celui-ci s'était campé, dos au balcon, les mains jointes devant lui, sous les amples manches de sa soutane gris foncé. Bien que son visage fût dissimulé par une capuche, son accès de colère semblait s'être dissipé. Krilin se redressa et entreprit de s'épousseter pour reprendre une apparence correcte. Son visiteur lui tourna le dos et observa la cour royale par la fenêtre. La voix grave et bien posée semblait venir de tous les côtés de la pièce :

— Je crois vous avoir entendu dire que ces mercenaires étaient très compétents, parmi les meilleurs, même. Je me trompe ?

Le premier conseiller tourna nerveusement la tête avec la désagréable impression qu'ils étaient plus de deux dans la pièce. Il prit une profonde inspiration pour tenter de dissiper son malaise. La puissance de son visiteur le surprenait toujours. Les dommages auraient pu être importants, mais Krilin se garda de protester, de crainte qu'il ne provoquât de réelles destructions. Il n'avait pas prévu une réaction aussi violente. Que les rebelles pussent avoir volé la pierre n'était qu'une supposition parmi tant d'autres. Le premier conseiller Lelkar refoula la peur qui montait en lui devant la fureur démesurée de son visiteur. Après tout, il n'avait rien à craindre puisque l'homme du nom de Myrkoj ne pouvait rien sans son aide.

Le sorcier restait droit, camouflé dans sa soutane gris foncé aux bords brodés d'étranges runes rouges. Il attendait une réponse.

— Ils le sont, déclara Krilin. Ils avaient Eldérick et ses hommes, mais cet étranger a surgi de nulle part.

— Et il a questionné Ghor à mon sujet, dit Myrkoj, comme pour lui-même.

Le premier conseiller fixa les profondeurs noires de la capuche et aperçut l'éclat bleu des deux sinistres points lumineux qui lui donnaient chaque fois des frissons dans le dos.

— Oui. Selon Ghor, cet homme ne faisait pas partie des rebelles, convint Krilin. D'ailleurs, il croit qu'il ne s'agit pas d'un humain.

Un rire — ou plutôt, un croassement — s'échappa des profondeurs de la capuche et l'être répliqua sèchement :

— Cet homme n'a pas un dixième de cervelle lui permettant de supposer quoi que ce soit. Vous allez devoir me trouver des hommes plus avisés, qui ne croient pas aux fantômes.

— Écoutez, je fais de mon mieux, balbutia Krilin. Et Ghor m'a toujours bien servi. Je suis sûr que si vous lui expliquez qu'il n'y a pas de magie, il ne se laissera pas vaincre une deuxième fois. Il n'y avait pas de magie, n'est-ce pas ?

Myrkoj garda le silence, puis répondit de sa voix profonde, mais soudain à peine audible :

— Non, pas de magie.

— Vous n'en semblez pas certain, commenta Krilin. Arkiel, l'archimage de la citadelle des magiciens, serait-il concerné ?

— Non, répondit Myrkoj. Je vous l'ai dit, il n'y avait pas de magie. Mais il y a autre chose. Quelque chose qu'il est inutile que j'essaie de vous expliquer. Ce n'est pas un magicien. La pierre était bien près des rebelles, mais c'est l'homme qui a tué les mercenaires qui la possédait. Il devait être avec eux et c'est ce qui m'a induit en erreur. Toutefois, je ne crois pas que les rebelles le savaient. Mais désormais, ces hommes n'ont plus aucun lien avec la pierre et le voleur s'éloigne avec elle.

Il s'approcha du premier conseiller qui se tassa sur lui-même.

— Je dois le trouver, Krilin, et cela, avant qu'il ait quitté la Dulcie. Sinon, tout ce que je vous ai dit n'aura plus de sens.

Une main sur son épaule, Myrkoj continua :

— Vous devez convaincre votre stupide roi de retirer ses soldats du royaume. Ces abrutis gênent les mercenaires dans leurs recherches.

Krilin fixait avec horreur les longs doigts grisâtres posés sur son épaule. Il ne devrait pas oublier de faire nettoyer son pourpoint très méticuleusement, après cet entretien. Cet individu lui était très déplaisant. Ce genre de sorcier était très mal vu en Dulcie, mais il était puissant. Extrêmement puissant. Assez pour mettre hors d'état de nuire ce trouble-fête d'archimage et, du même coup, prendre le contrôle du royaume, voire de tous les royaumes.

Dans cette pièce, deux mois auparavant, Krilin avait rencontré Myrkoj. Le sorcier était arrivé à sa porte et avait osé réclamer, à lui, premier conseiller du roi, une audience privée. Krilin avait tout d'abord refusé, jusqu'à ce qu'on l'avise que personne n'avait vu le visiteur entrer dans le château, ni même dans la ville. D'ailleurs, il était resté debout devant les larges portes de son bureau et quelque chose, chez lui, effrayait les soldats. Ceux-ci n'osaient pas l'approcher pour le forcer à quitter le château. Par curiosité et de peur que ce fouineur de prince Laurent n'apprît la présence de l'étrange individu, Krilin l'avait fait entrer.

Il avait tout d'abord tenté de demeurer impassible à la vue de cet homme dissimulé sous la large toge gris foncé. La tête penchée sur son bureau, Krilin feignait d'être occupé à quelque affaire, laissant son visiteur attendre près de la porte refermée, entre les deux gardes. Les mains jointes devant lui sous ses larges manches, l'étranger était resté immobile et silencieux, telle une statue de pierre. Impressionné et même plutôt mal à l'aise, Krilin l'avait invité, sans lever la tête, à s'approcher.

Les pans de la toge avaient glissé sur le parquet de bois avec un bruit feutré et Krilin avait eu la pesante intuition qu'aucune jambe ne bougeait sous le vêtement, impression confirmée ensuite par ses soldats. Adossé au fauteuil, Krilin l'avait examiné, bien qu'il ne pût voir que le même vêtement taillé, semblait-il, d'une seule pièce. Devant son silence, il avait demandé :

— Que voulez-vous ?

— Vous faire une proposition, avait répondu la voix profonde, qui paraissait provenir d'outre-tombe.

Les deux soldats avaient sursauté et observaient l'homme avec inquiétude.

— Pour qui vous prenez-vous, pour penser pouvoir me faire une proposition ? avait demandé Krilin en tentant de dissimuler le choc provoqué par la voix.

La réponse ne s'était pas fait attendre.

— Pour le sorcier le plus puissant de Melbïane.

Pour la première fois, Krilin avait aperçu les deux points lumineux sous la capuche. D'un bleu froid, presque acier, ils occupaient indéniablement la place des yeux. Un sorcier. Un homme possédant des pouvoirs, mais n'ayant jamais étudié à la citadelle, car seuls les diplômés avaient droit au titre de magicien. Les sorciers étaient souvent considérés comme des parias et les gens les fuyaient. On racontait qu'ils utilisaient des arts interdits qui les transformaient parfois en monstres. Ce que pouvait constater Krilin en observant son interlocuteur et il supposait que c'était également la raison pour laquelle il gardait son visage dans l'ombre. Il s'était pourtant retenu d'envoyer les gardes sur lui. Justement, le fait qu'il ne vienne pas de la citadelle lui plaisait et il était curieux d'entendre ce que le sorcier avait à lui dire.

— Vous n'avez jamais entendu parler de moi, avait continué le sorcier sans déplacer un pli de sa toge, car je viens de bien plus loin que les terres connues de Melbïane. Il y a longtemps que j'observe les royaumes et je m'attriste de voir à quel point vous stagnez. Prenez le vôtre, premier conseiller Lelkar. Il est mené par un faux roi qui ne sait même pas ce qui s'y passe. N'êtes-vous pas fatigué de devoir lui demander d'approuver vos requêtes, alors que nous savons très bien qui, de vous deux, dirige réellement ce royaume?

Krilin lui avait lancé un regard méfiant, mais l'être ne l'avait pas laissé nier.

— Je ne vous accuse pas, premier conseiller, au contraire, j'admire votre perspicacité; d'où ma proposition. Je veux prendre le contrôle de la citadelle des magiciens. Ne riez pas, avait-il dit devant le sourire en coin de Krilin, je suis plus que sérieux. Mes armées sont presque prêtes. Encore quelques années, et je débarquerai sur vos berges.

Perplexe, le premier conseiller Lelkar avait supposé :

— Et j'imagine que vous allez m'expliquer pourquoi vous me dévoilez vos plans de conquête.

— Effectivement : je vais avoir besoin d'un allié pour s'occuper des royaumes pendant que je gagne la citadelle des magiciens, afin que ceux-ci ne puissent s'interposer. Quelqu'un qui connaît l'endroit. J'ai observé plusieurs hommes et c'est vous qui gérez le plus efficacement votre territoire.

— Et qu'est-ce que j'y gagne?

— Je vais vous fournir assez d'effectifs pour conquérir le royaume d'Ébrême.

Il s'était tu, attendant apparemment un commentaire de Krilin.

— J'avoue que tout ça est intéressant, mais je doute de vos moyens.

— Je m'attendais à cette remarque.

Myrkoj avait écarté les bras et ce premier geste, depuis qu'il se tenait devant le bureau, avait libéré une main grisâtre aux longs doigts dépourvus d'ongles et du moindre pli. Krilin

avait reculé d'instinct devant ce membre hideux en se félici-
tant de n'avoir pas demandé à voir son visage. Ses soldats
avaient posé leurs mains sur leurs armes, comme s'ils espé-
raient pouvoir lutter contre la sorcellerie.

Dans un premier temps, rien ne s'était produit, puis
des images lui étaient apparues. En clignant frénétiquement des paupières, il avait tenté de les faire disparaître, mais
même les yeux fermés, il les voyait toujours. Il semblait
d'ailleurs être seul dans son cas, car ses soldats regardaient
toujours l'étranger, prêts à intervenir.

Il avait vu une gigantesque cité de métal briller au soleil.
Des milliers de soldats étaient réunis devant une cinquantaine
de silhouettes vêtues de la même soutane grise que celle du
sorcier. Il n'avait pu distinguer l'armée en détail, mais il devinait qu'elle n'était pas uniquement composée d'humains.
D'énormes bêtes noires, comme il n'en avait jamais vu, volaient
dans le ciel, chevauchées par d'autres sorciers. Brusquement,
le paysage s'était reculé au point de lui donner le vertige et il
avait pu visualiser la cité dans son intégralité. Ce n'était pas
quelques milliers, mais plusieurs centaines de milliers de soldats qui grouillaient dans le gris et noir de cette scène.

— Voici mon armée, avait dit l'étranger. Elle se trouve sur
une terre inconnue, mais bien plus proche que vous ne le
croyez.

En ramenant ensuite la main dans sa manche, il avait
effacé la vision.

— Et à quelle époque se situe cette image ? avait demandé
Krilin, encore émerveillé de la puissance militaire qu'il venait
de voir.

— C'est la dernière que j'aie de mon territoire, avait
répondu Myrkoj, je ne peux que montrer des souvenirs. Donc,
avec mon armée ajoutée à la vôtre, vous pourriez facilement

renverser votre voisin de l'est, l'empêchant ainsi d'intervenir lorsque j'attaquerai la citadelle. Mes frères et moi nous chargerons personnellement de l'archimage.

— Mais, l'avait interrompu Krilin, méfiant, qu'est-ce qui me dit que, quand vous aurez pris le contrôle de la citadelle, vous n'allez pas retourner votre armée contre nous ?

— Nous ne sommes pas des dirigeants dans l'âme, premier conseiller, nous sommes des intellectuels. Les royaumes ne nous intéressent pas. Nous ne voulons que la citadelle. Disons que c'est une affaire personnelle entre l'archimage et moi.

— Je ne suis donc pas le seul à avoir une dent contre le vieux bouc, remarqua Krilin, qui était de plus en plus séduit par le sorcier.

— Non. Et, comme moi, vous n'avez jamais rien pu faire contre lui. Jusqu'à aujourd'hui. Mais pour cela, il nous faut dominer Ébrême, car le roi Ferral viendra aussitôt au secours de la citadelle. Et c'est là que vous intervenez, premier conseiller. Diriger les royaumes et nous permettre de nous établir dans la citadelle. En fait, dans cette alliance, c'est vous qui pouvez me trahir, plutôt que le contraire. Lorsque la guerre sera terminée, il vous restera plus de forces que moi, car ce sont mes armées qui partiront en guerre contre Ébrême, pendant que vos hommes surveilleront votre royaume. Imaginez, roi de Dulcie et d'Ébrême. Et la citadelle ne vous sera plus hostile comme elle l'est en ce moment, mais une alliée, car j'en serai le dirigeant. Ensemble, premier conseiller, nous pourrions devenir la plus grande puissance de Melbïane.

Krilin aurait voulu y croire, mais sa raison lui répétait que tout cela était trop beau pour être vrai. Ce sorcier, manifestement puissant, n'était toutefois peut-être pas sain d'esprit. Ramenant ses mains devant lui, il se tapotait les doigts d'un air songeur. Qu'avait-il à y perdre? Si cette armée était une invention, il nierait tout et le traiterait de fou. Ce qui, dans un sens, serait vrai.

— Il est trop tôt pour vous donner une réponse, avait-il dit. Et vous dites que votre armée n'est pas prête, mais vous m'avisez déjà. N'est-ce pas imprudent?

— En temps normal, mon armée ne serait pas prête et je ne serais pas venu vous rencontrer avant quelques années. Mais les choses viennent de changer.

— La pierre de la guerre, avait soudain compris Krilin. Voilà la véritable raison de votre venue.

Myrkoj avait gardé le silence un moment, les mains de nouveau jointes devant lui, dans une complète immobilité.

— Effectivement, cette... pierre de la guerre est la raison de mon offre.

— Savez-vous utiliser ses pouvoirs? avait-il demandé avec intérêt.

— Je ne peux vous répondre sans l'avoir examinée. Mais sachez que son pouvoir est plus grand que tout ce qui existe dans ce monde. Une force que d'ailleurs, les magiciens de pacotille entourant votre roi ne réussiront pas à libérer. Elle finira par mourir et nous aurons tous deux perdu notre chance.

Il avait de nouveau écarté les bras pour tirer une bourse des pans de sa soutane et, de sa main repoussante, l'avait déposée sur la table. Krilin, reconnaissant aussitôt le doux tintement des pièces, l'avait ouvert pour en sortir une poignée de pièces d'or, avant de relever la tête vers l'étranger.

— Pour vous montrer que je suis sérieux. Mon peuple et moi n'étant pas amateurs de luxe, nous ne manquons pas de ressources. Réfléchissez bien, premier conseiller Lelkar. Je vous donne la chance de devenir un dirigeant reconnu. Passerez-vous outre ma proposition, pour vieillir aux côtés de ce roi potiche ou deviendrez-vous l'homme le plus influent de Melbïane ? Le choix vous revient, premier conseiller. Je reviendrai vous voir dans quelques jours.

Sur ces mots, il s'était tourné pour quitter la pièce de cette même allure flottante. Les soldats l'avaient suivi, fermant les portes derrière eux. On avait rapporté à Krilin que le sorcier avait disparu entre deux pièces.

Les nuits suivantes, Krilin n'avait cessé de faire le même rêve. Le prince Laurent succédait à son père sur le trône et l'expédiait dans les mines, au nord du royaume, ou pire, l'enfermait dans le donjon. Laurent le détestait, Krilin ne le savait que trop bien. Et si l'avenir que lui faisait miroiter l'étranger lui semblait hautement improbable, celui que lui réservait le prince était, lui, tout le contraire. Malgré ses nombreuses tentatives, il n'avait jamais réussi à l'éliminer, même s'il le savait concerné dans plusieurs groupes de rebelles. Il n'était jamais seul et ce capitaine Remph le protégeait comme son propre fils.

En se réveillant fortement ébranlé par l'un de ces cauchemars, Krilin avait pris sa décision. Le lendemain, comme s'il le savait, l'étrange visiteur était arrivé de nulle part et demandait à le voir. Pour sceller leur alliance, il lui avait remis un autre sac de pièces d'or, plus volumineux encore que le précédent, ainsi qu'une pierre identique à l'objet magique détenu par le roi. Il devrait la substituer à la véritable pierre pour remettre celle-ci à Myrkoj, et cela, le plus tôt possible, car le temps pressait. Mais à cause des magiciens qui tournaient comme des mouches autour de la pierre et le bal que le roi avait décidé de donner, il n'avait même pas réussi à la toucher. Puis, un soir, ce stupide voleur l'avait devancé.

Myrkoj avait déclenché sa première explosion de furie et il lui avait fallu plus d'une heure pour se calmer. Il avait gardé le silence un long moment, puis avait finalement concédé que ce n'était pas sa faute, ni même celle de personne au château.

— Vous avez affaire à une force contre laquelle vous ne pouvez rien. Il… la pierre a choisi son maître. Nous devons la retrouver, premier conseiller.

Myrkoj lui avait révélé qu'il sentait que la pierre s'était dirigée vers la forêt centrale et y était restée, sans pouvoir être plus précis, et Krilin avait aussitôt cru à un tour des rebelles d'Eldérick. Il avait alors dirigé le sorcier vers les mercenaires afin que ceux-ci partent à leur poursuite. Ils étaient simplement censés se renseigner, mais Ghor avait voulu faire du zèle et ils avaient perdu le voleur. Tout de même, ils avaient découvert plusieurs informations sur celui-ci.

Irrité par la main hideuse posée sur son épaule, Krilin se redressa, bien qu'il parvînt à peine à l'épaule de Myrkoj, et déclara d'un ton hautain :

— Vous me donnez déjà des ordres ? Je nous croyais alliés, mon cher.

Myrkoj retira sa main et hocha la tête sous la capuche.

— Vous avez raison, premier conseiller, j'ai mal formulé ma requête. Je ne suis pas dans mes meilleures dispositions, en ce moment. Je sens que la pierre m'échappe et je n'ai pas besoin de vous dire ce qui arrivera si nous la perdons.

L'image du prince Laurent arborant fièrement la couronne de son père en le toisant avec mépris apparut aussitôt à Krilin, qui frissonna.

— Nous avons besoin de cette pierre pour la victoire, premier conseiller, déclara Myrkoj.

Le prince couronné disparut et Krilin se vit trônant à sa place, les seigneurs prosternés à ses pieds et lui offrant joyaux et or. Tout cela avait l'air si vrai qu'il tendit une main pour toucher la jeune femme qui le regardait avec admiration. Elle disparut soudainement, remplacée par Laurent et Franx, que ses soldats jetaient dans les geôles avec tous leurs comparses. Il les vit se tordre de douleur sous la torture. Un sourire s'ébaucha alors sur les lèvres du premier conseiller qui ne remarqua pas, à cet instant, le vif éclat glacial dardé de sous la capuche gris foncé. Krilin secoua la tête pour sortir de sa rêverie et se frotta les mains devant la tâche qui l'attendait.

— Ce ne sera certes pas facile de faire changer Kordéron d'avis, même s'il se montre d'une rare stupidité, comme vous le dites si bien.

Krilin éclata de rire, mais se tut devant le silence du sorcier.

— Il peut aussi se montrer très borné, parfois, continua-t-il, surtout depuis que cet imbécile de capitaine Remph lui a signalé qu'une deuxième personne cherchait la pierre.

Il fit une brève pause pour mettre plus de poids à ses propos et se tapota le menton.

— Par contre, je vais tenter de le discréditer davantage auprès du roi, en rappelant à ce dernier qu'il s'est laissé berner par un seul homme, et un jeune, à ce que j'ai entendu dire. Je pourrais même inventer quelque chose...

Il regarda Myrkoj, mais l'être s'était retourné face au balcon. Pour apaiser son esprit, le sorcier promena son regard sur le petit jardin aménagé sous la galerie de pierre. À la seule mention du jeune homme, il avait ressenti un cuisant malaise qui embrouillait ses pensées. La pierre était en sa possession et elle s'était éveillée. Il le sentait au plus profond de son être : lors du bal, c'était faible, mais à présent, la force des éléments hurlait autour du voleur. Si seulement il pouvait deviner son emplacement exact... Mais il n'était pas seul : des forces étaient à l'œuvre autour de lui et le protégeaient de son regard. Des forces qu'il ne connaissait que trop.

— Thellïanessor, marmonna-t-il.

S'il n'agissait pas rapidement, le signal de la pierre s'affaiblirait et il ne pourrait plus l'entendre. Du moins connaissait-il maintenant son véritable ennemi. Une idée lui vint brusquement à l'esprit. Si Thellïanessor était celui qui avait orchestré le vol, le voleur était probablement une chasseresse. La prisonnière morte ! Myrkoj faillit éclater de rire. Bien sûr ! Comment n'y avait-il pas songé plus tôt ? Donc, il savait où le voleur allait. La chasseresse retournait dans les marais pour remettre son butin à ces traîtres d'eldéïrs.

— Premier conseiller, dit-il en se tournant vers lui, les mains jointes sous ses manches. Le voleur est une voleuse et elle se dirige vers le sud d'Ébrême.

— Com...

— Je n'ai pas le temps de vous expliquer, premier conseiller. Je dois partir. Je vous laisse votre roi.

Myrkoj se dirigea rapidement vers la porte, le pan de sa toge flottant derrière lui. Krilin détourna les yeux, de peur de voir ce qui se cachait sous le tissu. Les portes s'ouvrirent devant lui sans qu'il les touchât et il disparut derrière. Le premier conseiller lui emboîta le pas avec le pénible sentiment que le sorcier n'était probablement déjà plus dans le palais. Comme cette pensée le perturbait, il tâcha de se concentrer sur sa tâche. S'il rencontrait le roi seul dans ses appartements et, surtout, loin du capitaine Remph, il pourrait le manipuler comme il le faisait habituellement.

Par la fenêtre de la salle de rassemblement des soldats, le prince Laurent regardait les hommes se mobiliser et partir en nombre sur leur monture, sous la lumière du soleil couchant. Il appuya les mains sur le rebord de pierre noire, la même que celle dont étaient constitués les murs de la pièce. Cette dernière se trouvait au premier niveau du château, près des baraquements des soldats et des entrepôts d'armes. C'était de loin l'une des pièces les plus laides du palais d'Yrka, mais celle que le prince préférait, après sa propre chambre. À cet endroit et dans un rayon de trois cents mètres, il n'y avait ni courtisans ni seigneurs pour l'assommer de discours insipides. Il pouvait également apprendre à connaître tous les soldats de la ville et les aspirants. Plus il avait d'hommes de son côté, plus il pouvait résister aux manigances du premier conseiller Lelkar. Ce dernier bénéficiait du soutien de la majorité des officiers, mais Laurent avait les plus qualifiés.

La porte de la salle s'ouvrit et le capitaine Remph entra. Même si, depuis son retour, il n'avait probablement pas encore pris le temps de dormir, son justaucorps rouge et or était impeccable et son port aussi droit qu'à l'ordinaire.

Laurent n'avait pas revu Franx depuis son arrivée, quelques heures après les femmes. Comme à son habitude, le soldat était venu lui faire son rapport avant le roi, mais ils n'avaient pas pu en discuter, car le premier conseiller Lelkar avait réussi à les trouver et le capitaine Remph avait dû le suivre jusqu'au roi.

C'était la guerre entre le prince et Krilin pour obtenir de gouverner les actions du roi et force était à Laurent de reconnaître que le premier conseiller gagnait plus souvent que lui. Quoique sa capacité de manipulation s'améliorât au fil des ans.

Il fit face au capitaine Remph et ne put s'empêcher de sourire en voyant son regard désapprobateur s'attarder sur ses vêtements. Comme Franx, Laurent avait peu dormi, ce que, par contre, sa tenue ne démentait pas : justaucorps de cuir usé, chemise de coton fripée et pantalons aux pans débordant des bottes. L'air gêné, il passa une main dans ses cheveux hirsutes, pour tenter de les ramener en arrière. En grattant sa barbe naissante, il jeta un œil sur les soldats qui s'éloignaient derrière la large grille de la cour intérieure.

Il s'agissait des derniers hommes que le roi pouvait lancer à la poursuite de la pierre. L'évasion des prisonniers, qui avait provoqué la colère du roi, avait aussi quelque peu entamé sa confiance dans la compétence du capitaine Remph, mais celui-ci avait pu intervenir, malgré tout, dans le choix des soldats à expédier, afin de conserver auprès du prince une majorité de ceux qui lui étaient fidèles.

Franx marcha jusqu'à lui et regarda les gardes refermer les grilles derrière le cortège des hommes. Après un coup d'œil aux cheveux soignés du capitaine, Laurent demanda :

— Que fais-tu pour avoir aussi fière allure en tout temps ?

Franx sourit, le regard taquin.

— Inutile de vous réexpliquer le concept, Altesse. Il y a longtemps que j'ai perdu tout espoir de vous transformer en prince digne de ce nom.

Laurent eut un rire bref. Il savait bien que l'homme le considérait déjà comme un roi. Depuis l'enfance, Laurent avait toujours été plus proche du capitaine Remph que du reste de sa famille. Occupé par ses nombreuses réceptions, le roi laissait ses enfants aux soins des gouvernantes, mais dans le cas du jeune Laurent, seul Franx était parvenu à le discipliner. Le prince s'était parfaitement accoutumé à tout ce qui entourait les soldats du royaume et beaucoup, malgré son jeune âge, relevaient de lui avant les seigneurs du conseil et le roi lui-même.

— Alors, demanda Franx, qu'est-ce que Son Altesse a tiré de cette histoire ?

Laurent croisa les bras d'un air songeur et secoua la tête.

— Je n'arrive pas à comprendre pourquoi tu as cru ce soldat aussi facilement. Son récit était totalement fantasque.

— Je sais, répondit Franx, l'air ennuyé. Pourtant, tout était si clair dans ma tête à ce moment-là. Ce n'est qu'après qu'il est parti que j'ai réalisé, comme les autres, que son histoire ne tenait pas debout.

— La magie, tu crois ?

— Vous savez, Altesse, la magie et moi, nous ne nous sommes jamais vraiment accordés.

— Et Myral ne le connaissait pas, continua le prince.

— Non, répondit Franx avec assurance, ça, j'en suis certain. Lorsqu'ils se sont éloignés, je l'ai clairement vu s'enfuir et il avait tout un cheval. La conclusion la plus plausible à laquelle les gars et moi sommes arrivés, mais que je me suis bien retenu de dire au roi, est qu'il s'agit de l'un des magiciens de la citadelle.

Comme Laurent secouait la tête en signe de désaccord, Franx ajouta :

— Je sais bien qu'Arkiel n'a pas fait voler la pierre. Par contre, il a peut-être chargé des magiciens de retrouver le voleur pour la récupérer. Ce jeune homme aurait vraiment trouvé les mercenaires et les aurait suivis jusqu'à Eldérick, en croyant trouver la pierre. Il aurait alors sauvé les femmes et se serait déguisé en soldat pour les amener en sécurité. En découvrant les prisonniers, il aurait décidé de les libérer aussi.

Les deux hommes restèrent silencieux en réfléchissant à cette hypothèse. Au bout d'un moment, Laurent déclara :

— L'archimage n'a pas pour habitude d'envoyer des espions dans le nord du royaume sans m'aviser.

— Avez-vous communiqué avec lui ? demanda Franx.

— La réponse n'arrivera pas avant au moins une semaine. La dernière nouvelle que j'ai eue de lui était que le conseil de la citadelle des magiciens se concertait pour trouver un moyen pacifique de forcer mon père à leur permettre d'examiner la pierre. Rien depuis.

— Donc, il ne sait peut-être pas que la pierre a été volée, supposa Franx.

— En effet.

— Mais alors…

— Alors, qui est cet homme ? s'interrogea le prince.

Il s'éloigna de la fenêtre et marcha autour de la longue table au milieu de la pièce.

— Nous n'aurions pas dû laisser partir les femmes aussi vite, déclara-t-il. Elles avaient sûrement des informations qui nous auraient aidés.

Les deux sœurs Delongpré et la matrone étaient retournées vers le sud, escortées, cette fois, par le duc Delongpré et une cinquantaine de soldats chargés de patrouiller, du même

LE PRINCE LAURENT PRÈS DE LA VÉRITÉ

coup, dans les villages sur leur chemin. En tant que membre du conseil, le duc entendait aller superviser lui-même les recherches et il ne voulait plus se séparer de ses filles.

— Je ne crois pas que nous aurions pu tirer plus d'elles que le résumé de l'histoire que dame Katherine nous a fait, remarqua Franx.

Après quelques tours de table, le prince s'arrêta, songeur.

— Bon, pour l'instant, je ne peux rien faire d'autre que d'essayer de calmer mon père. Krilin essaie toujours de le convaincre que les auteurs du vol sont Eldérick et ses rebelles et je ne veux pas qu'il décide de lancer des soldats à leurs trousses. Il n'y a jamais eu de magicien dans leur groupe et je veux que tu me réunisses tous les gradés qui peuvent en témoigner.

Le capitaine Remph se campa devant lui, autoritaire :

— Si vous comptez vous présenter devant votre père, vous allez avant tout devoir changer de tenue, Altesse. Vous savez l'importance que le roi attache à l'apparence, surtout la vôtre, son fils aîné.

Laurent leva les yeux au plafond d'un air désespéré.

— Ne donnez aucune occasion à Krilin de vous discréditer, Altesse.

Laurent poussa un profond soupir, acquiesça et se dirigea vers la porte. En posant sa main sur la poignée, il s'immobilisa et se tourna à demi vers le capitaine Remph :

— Tu sais que je ne crois pas aux coïncidences, Franx. Ne trouves-tu pas curieux que cette comtesse ait été présente au bal lors du vol, puis dans le carrosse lors de cette attaque, pour ensuite disparaître ? Parce que c'est le faux soldat qui a dit aux sœurs qu'elle était morte, elles ne l'ont pas vue.

— Je ne les aurais pas laissées voir, moi non plus, répliqua Franx.

L'air peu convaincu, Laurent secoua la tête.

— Altesse, continua le capitaine Remph, à votre demande, j'ai moi-même, après le vol, fait fouiller sa chambre, ses effets et le carrosse ; or, nous n'avons rien trouvé. On ne cache pas si facilement une pierre de cette taille. Nous dirigeons parfaitement la ville, Altesse ; personne n'en est sorti. Et souvenez-vous des chiens. C'est un magicien qui a volé la pierre. Même si elle vous a fait une forte impression, je ne crois pas que cette comtesse soit mêlée à tout ça.

Laurent lâcha la poignée et s'appuya à la porte pour réfléchir. Un léger sourire aux lèvres, il avança jusqu'à être tout près du capitaine.

— Tu viens de le dire, Franx, dit-il tout bas. Les chiens ! Il m'a fallu deux jours pour convaincre mon père que ce n'était pas un magicien d'Arkiel qui avait fait le coup et qu'il y avait une autre explication. Et maintenant, cette histoire de chevaux… C'est donc bien la même personne, un magicien ou… une magicienne.

Franx soupira d'un air perplexe.

— Altesse, l'interrompit-il, si le soldat a menti sur la mort de la comtesse afin de lui permettre de disparaître avec la pierre, pourquoi a-t-il dit que les mercenaires la cherchaient, sachant pertinemment que le roi multiplierait les recherches ?

— Les nombreux soldats vont s'en prendre à des groupes comme celui des mercenaires, pas à un homme seul, encore moins une femme, ajouta-t-il avec un sourire.

— Laurent… le sermonna le capitaine Remph. Ne vous faites pas d'illusion, il y a plus de chances que cette jeune comtesse soit morte, plutôt qu'elle soit le voleur.

Le prince haussa les épaules, l'air buté, et repartit vers la porte en déclarant :

— De toute façon, cette pierre est loin d'être ma première préoccupation. Je dois surtout m'assurer que mon père ne déclarera pas la guerre, ni à Eldérick, ni à la citadelle des magiciens.

Sur ce, il sortit, laissant le capitaine Remph à sa réflexion, seul près de la longue table. Franx revit le visage du jeune soldat et tenta de se souvenir de ses traits en détail. Son attaque l'avait surpris et il devait avouer que la suite des événements l'avait désorienté, à tel point que ses souvenirs étaient tout embrouillés. Ou peut-être cela était-il dû à quelque sortilège?

Le capitaine songea avec morosité qu'il s'était rarement senti aussi abruti. Pourtant, il n'arrivait pas à en vouloir au jeune homme de l'avoir berné. Premièrement, il avait sauvé les captives, puis les prisonniers, et, deuxièmement, il avait pris la peine de lui demander pardon.

«Nos routes se sont déjà croisées.» Durant les derniers jours, Franx avait eu beau scruter en pensée chaque visage des soldats du palais, il n'en voyait aucun pour qui le jeune soldat aurait pu se faire passer. Il les connaissait presque tous par leur nom, du côté du prince comme de celui de Krilin. Quant aux nobles, ça n'était guère plus concluant. Il les côtoyait à peine et doutait fort que l'étranger eût été l'un de ceux qu'il avait eu l'obligation de fréquenter.

L'image de la comtesse qui s'était querellée avec le prince lui revint. Se pouvait-il? Une Ébrêmienne au caractère trempé et aux réflexes surprenants... La jeune femme était si fardée qu'il n'était même pas certain de pouvoir reconnaître son vrai visage. L'un de ses hommes lui avait confié après le bal qu'il avait l'impression qu'elle avait quelque chose à cacher. Il avait surveillé la porte de sa chambre et, même, jeté des coups d'œil à l'intérieur, mais elle n'avait pas bougé. Non, cette jeune femme ne pouvait être concernée.

Par contre, à bien y penser, il était possible que le voleur fût le soldat qui lui avait ravi les prisonniers. Comme le prince l'avait fait remarquer, ils avaient les mêmes pouvoirs. À cet âge, il devait travailler pour quelqu'un et si cette personne avait les mêmes valeurs que lui, Franx préférait savoir la pierre entre ses mains que dans celles de Krilin.

Il replaça trois chaises de bois trop éloignées de la table, avant de se rendre aux appartements du prince. Autant que possible, il s'assurait d'être présent lors des rencontres de Laurent avec son père. Le jeune homme avait un caractère impulsif qui l'amenait à hausser rapidement le ton. Or, le roi refusait toute discussion avec qui perturbait sa quiétude. Après cette conversation, il ne leur resterait plus qu'à attendre la réponse de l'archimage.

CHAPITRE 18

LA CITADELLE
DES MAGICIENS
ET L'ARCHIMAGE

La vingtaine de hautes tours blanches étincelaient sous les rayons ardents du soleil, semblant vouloir mettre le feu au ciel. Elles se dressaient au milieu d'une vaste prairie, dans le sud du royaume de Dulcie. Loin à l'ouest, la chaîne de montagnes du Mézarès barrait l'horizon d'une mince et interminable ligne grise. Le vent, qui balayait l'herbe verte et brillante des collines, allait se perdre dans les branches des grands arbres dont on n'apercevait que les plus hautes cimes, par-dessus la muraille de pierre blanche qui ceinturait la citadelle des magiciens. Cette enceinte était la seule protection de la cité, mais quel ennemi aurait eu l'audace d'attaquer une telle institution ?

Eldérick plissa les paupières devant son éblouissante splendeur. Sans le lierre qui recouvrait le haut des murs, altérant le reflet des rayons, ses yeux n'auraient certainement pas pu soutenir ce tableau. Il était heureux de constater que rien n'avait changé : la cité était restée telle qu'en ses souvenirs.

Derrière les épaisses portes de bois de fer s'étendaient des dizaines de kilomètres de jardins et de boisés, parsemés de maisons aux murs ornés de lierre ou de fresques. La citadelle était un véritable musée extérieur où se côtoyaient sculptures de pierre et arrangements floraux. L'architecture particulière des maisonnettes comme des grosses bâtisses était tout aussi attrayante. Là s'instruisaient plus de cinq mille étudiants en art, littérature, musique et histoire, ainsi que plusieurs centaines en magie. L'école, située au centre de la citadelle, abritait des centaines de classes réparties sur trois étages. Des vingt tours attachées au bâtiment, la plus haute était celle de l'archimage Arkiel Lilmïar.

Étudier à la citadelle était possible pour tous, à la condition de participer consciencieusement aux tâches nécessaires au bon fonctionnement de la communauté. La citadelle possédait, à son extrémité ouest, de vastes potagers ainsi que des enclos de bétail qui lui assuraient, à l'écart du monde, plusieurs dizaines d'années d'autosubsistance.

Lorsqu'un étudiant ne montrait aucun talent pour les disciplines enseignées, les instituteurs s'employaient à déceler ses propres compétences et le renvoyaient chez lui pour les travailler et les développer. Les élèves de mauvaise volonté étaient rapidement exclus de la citadelle et devaient attendre deux ans avant de pouvoir y être de nouveau acceptés.

Aucun échange d'argent n'avait cours parmi les occupants et nul ne pouvait détenir plus que ce que requéraient ses études et son travail, quelle que fût la situation de sa famille. Des groupes de magiciens âgés veillaient à la sécurité et, lors de conflits, agissaient en médiateurs. Et si la discorde persistait, Arkiel tranchait ; sa décision était irrévocable.

Certes, tout cela avait probablement changé depuis que les seigneurs dulciens avaient imposé le joug de la terreur aux paysans. Bien que les enfants issus de cette noblesse n'en fussent nullement responsables, l'archimage devait les avoir à l'œil, afin qu'ils ne fussent pas tentés de reproduire ce mode de pensée à l'intérieur de la citadelle. Peut-être même les nobles n'y venaient-ils tout simplement plus.

Neuf ans plus tôt, Eldérick et sa famille se rendaient à la citadelle au moins tous les trois mois. Il se revit, seigneur, entouré de sa femme, de son fils et de ses filles, alors qu'ils approchaient de cet endroit magnifique. Ses filles étaient toujours prises d'excitation, pressées d'aller explorer les nombreux recoins. De leur côté, Éric et Malek chuchotaient d'un air espiègle, préparant leurs mauvais coups. Sa femme gardait un œil sur eux, mais dès que les portes s'ouvraient sur les magnifiques jardins et bâtisses, elle ne pouvait s'empêcher de verser une larme en pénétrant dans l'enceinte de la citadelle, oubliant de ce fait de surveiller les deux garnements qui en profitaient pour filer en douce. Les traits de son visage ému lui revinrent si clairement en mémoire qu'il crut un instant qu'elle était toujours à ses côtés.

Les yeux clos, il se concentra sur sa respiration et les bruits environnants pour apprivoiser ce flot d'émotions. Une fois apaisé, il lança un coup d'œil vers son fils pour voir si la même vague de souvenirs le traversait, mais il ne put capter son regard sous la capuche de la robe de bure. Malek, qui chevauchait à côté d'Éric, se pencha vers son fils pour chuchoter quelques mots que celui-ci accueillit par un rire étouffé. L'un des magiciens de l'escorte leur jeta un regard réprobateur qui n'eut d'autre effet que d'accentuer l'hilarité des deux jeunes gens.

Eldérick sourit ; il n'avait nullement à s'inquiéter de l'état émotionnel de son fils ; Malek s'occuperait de lui changer les idées. Les deux jeunes hommes avaient une bien curieuse dégaine dans cette robe caractéristique des apprentis magiciens. Derrière eux, sous la sienne à la fois trop longue et trop étroite, Karok n'était pas moins ridicule. Seuls Zyruas, Dowan et Kaito semblaient à l'aise sur leur monture. Eldérick avait placé Karok entre eux pour le soustraire à la vue d'éventuels soldats en patrouille.

Lorsque Arkiel avait été informé de leur désir de le rencontrer, il avait envoyé des magiciens chargés de leur fournir des vêtements leur permettant de voyager sans se faire reconnaître. Ils les avaient rejoints deux jours auparavant et cela avait énormément augmenté leur cadence. La vingtaine de jours de route qui avaient précédé avaient été particulièrement pénibles, avec tous les soldats patrouillant sur les chemins. Un groupe de cet effectif passait difficilement inaperçu. Heureusement, les villageois les ayant hébergés durant les heures du jour, ils avaient pu profiter de l'obscurité pour avancer. Malgré tout, il leur avait fallu le double du temps nécessaire.

Pour faire taire les soupçons, l'archimage avait également annoncé qu'il recevait des confrères d'un autre royaume. Confrères qui vivaient à la dure, à en juger par la forte carrure des épaules de certains.

La citadelle des magiciens était bien le seul endroit du royaume qui n'avait pas souffert de la bêtise du roi Kordéron. Pénétrer derrière ces murs blancs revenait à changer de monde. Arkiel avait connu trop de règnes pour se laisser manipuler par le monarque. Depuis la guerre, il ne s'était plus mêlé des événements du royaume et en contrepartie, le roi devait le laisser agir comme il lui plaisait. Certes, Kordéron devait avoir hâte qu'Arkiel ne soit plus, pour enfin mettre la main sur la citadelle et ses richesses, mais le vieux magicien était enraciné à la vie plus solidement qu'un chêne au sol. Plus ils approchaient, plus Eldérick était impatient de le revoir et se reprochait de ne pas avoir pris cette initiative bien plus tôt.

À l'intérieur de la blanche enceinte, une peintre tentait de s'expliquer le changement radical d'une de ses élèves. Elle regardait la jeune fille exécuter une fresque sur le mur d'un bâtiment réservé aux peintres ; elle avait toujours pressenti le talent de cette étudiante. Une virtuosité innée, une dimension artistique que nombre de peintres ne pourraient jamais égaler, en dépit des plus grands efforts.

Ses parents ne l'avaient jamais laissée assez longtemps à la citadelle pour qu'elle puisse progresser et elle demeurait timide et réservée dans ses œuvres, qu'elle n'achevait que très rarement. En revanche, depuis qu'elle était revenue de son périple, elle semblait animée d'un feu intérieur, ne s'accordant de repos que pour manger et dormir, encore qu'il fallût parfois le lui rappeler, tant elle restait rivée à son œuvre, y mettant plus de vie que la réalité pouvait lui offrir.

Peu à peu émergeait le portrait de deux femmes, dont l'une était d'une beauté saisissante. Elle était parée d'une robe splendide et de bijoux étincelants qui tranchaient avec la froideur de son regard. À ses confrères et consœurs lui demandant pourquoi avoir gâché un aussi beau visage par une telle expression, elle avait répondu qu'ils ne pourraient pas comprendre tant qu'ils ne la regarderaient qu'avec leurs yeux.

Beldariane avait approuvé cette remarque et elle comprenait ce que la jeune femme voulait exprimer alors qu'elle observait la silhouette blonde. À côté de la belle dame apparaissait progressivement une femme du même âge, dont les traits vieillis par le dur labeur et les épreuves de la vie conservaient cependant une étrange douceur. Vêtue d'une simple robe de laine, elle n'avait pour parure que les fleurs des champs piquées dans ses cheveux et un collier de petites billes de bois. Sa personne dégageait une bonté et une générosité qui réchauffait le cœur.

La peintre se retint d'aller féliciter son élève, pour ne point troubler son inspiration. Les aventures qu'avait vécues la jeune femme semblaient être à l'origine de ce changement d'attitude, mais Mylène ne voulait pas en parler. Elle semblait avoir peur des sentiments qui l'habitaient désormais, ce que Beldariane concevait parfaitement. Elle lui laissait donc le temps de canaliser ses émotions en exécutant sa fresque, après quoi la jeune fleur lui laisserait peut-être découvrir ce que ses jolis pétales dissimulaient.

Mylène savait que, bien que Beldariane l'observât, elle ne viendrait pas troubler sa solitude. Ici, les gens se respectaient et c'est pourquoi elle s'y était arrêtée. En effet, une fois revenue au château à Yrka, Mylène ne parvenait plus à voir les gens de la même façon.

Tout en peignant, elle se remémora les événements qui avaient suivi leur retour au château. Son père les avait accueillies avec sa réserve habituelle. Sa mère, qui venait tout juste d'arriver, avait appris la nouvelle au moment même où elles rentraient saines et sauves. Pourtant, elle s'était précipitée sur elles avec des sanglots quasi hystériques, comme si elle s'était inquiétée durant des jours. La jeune noble avait eu la pénible impression que ce débordement d'émotions était destiné à la galerie plus qu'il n'était sincère. Mylène avait alors trouvé très désagréable de voir en sa mère un peu de dame Katherine. Les deux femmes s'étaient étreintes en pleurant, vite consolées par les autres courtisanes qui fustigeaient les affreux bandits. Mylène et Anna avaient échangé un regard, décidant tacitement de ne pas les contredire. Leur expérience resterait un secret, pour l'instant du moins.

Devant ce torrent de larmes féminines, son père ainsi que les autres hommes s'étaient éclipsés. Les deux sœurs, lassées d'entendre ces femmes s'indigner d'événements qui n'avaient pas eu lieu, avaient fini par disparaître à leur tour.

Pour la première fois de sa vie, Mylène se retrouvait seule. Qui, hormis Anna, pouvait comprendre les sentiments qui la tenaillaient ? Elle ne pouvait nier la joie qui l'avait envahie en apprenant l'évasion des brigands. Comment expliquer cela à ses parents, qui souhaitaient leur mort plus que tout ? Elle doutait fortement de pouvoir un jour leur avouer ses sentiments.

Pour chasser cette solitude, elle avait rejoint les courtisanes rencontrées lors du bal de la pierre. Mais après tout ce dont elle avait discuté avec Éléonore et Suzie, les propos des demoiselles l'ennuyaient tellement qu'elle ne pouvait supporter leur compagnie très longtemps.

Elle s'était donc tournée vers les jeunes hommes, pour parvenir au même résultat. Ils parlaient et riaient trop fort à propos de choses qui n'en valaient pas la peine. Vaniteux et égocentriques, ils ne pouvaient s'empêcher de jeter un œil complaisant à leur si belle image, chaque fois qu'ils passaient devant un miroir. Mylène voyait clairement qu'ils n'accordaient aucun intérêt à ses opinions ni à ses propos, quels qu'ils fussent. Ces hommes qui la considéraient avec convoitise ne voyaient en elle que la potiche à exhiber dans les soirées, pour rendre les autres jaloux. Pour tester leur écoute, la jeune femme s'était même surprise à leur conter des histoires sans queue ni tête, comme celle du chien de sa sœur qui s'était acheté un pantalon bleu et lui avait demandé d'y faire un trou pour sa queue. Certains, parfois, plus lucides que d'autres, levaient les yeux de sa poitrine pour lui demander :

— Qu'avez-vous dit, très chère ?

Elle souriait tristement en répondant que cela n'avait aucune importance et s'éloignait. Mylène s'était donc mise à fuir le regard des nobles qu'elle croisait.

Acceptant sa solitude, elle avait passé le reste de la journée à déambuler dans le château en repensant au soldat qui les avait délivrées. Il lui avait laissé une étrange impression. Comment avait-il pu savoir ce qui se tramait avec les mercenaires ? Et où les trouver à cet endroit précis ? Était-ce un hasard ? Cela était peu probable. Alors pourquoi ? Quel était le but de les délivrer pour ensuite libérer les brigands ?

L'hypothèse de son appartenance aux hommes d'Eldérick était la plus vraisemblable. Pourtant, elle s'était renseignée auprès des soldats et tous disaient que les brigands ne le connaissaient pas. Elle n'était donc pas la seule à tenter de résoudre cette énigme et ce n'était apparemment pas elle qui allait y parvenir.

Pour trouver une réponse auprès des hommes, elle avait rejoint son père occupé à discuter dans un salon. Les hommes l'avaient tout d'abord ignorée, mais Mylène s'était mise à poser des questions au sujet d'Eldérick, se risquant même à prendre sa défense devant les autres seigneurs. Ils avaient alors tous regardé le duc avec surprise et Mylène avait compris que son père devait le connaître. Qu'ils devaient tous le connaître ! Elle avait insisté jusqu'à s'attirer leur regard désapprobateur, y compris celui de son père qui l'avait finalement chassée de la pièce en lui intimant de cesser de raconter des âneries. Elle l'avait même entendu discourir sur la sottise des femmes, à laquelle elle ne faisait pas exception. Humiliée, profondément blessée, Mylène s'était éloignée et ne lui avait plus adressé la parole.

Lorsque sa mère leur avait annoncé qu'elles allaient rencontrer les princes, Mylène n'avait pas ressenti la joie qu'elle aurait dû éprouver. Elle était heureuse, certes, mais elle savait que son cœur aurait battu beaucoup plus vite si elle avait pu revoir le grand brigand blond. Mylène avait bien tenté de le chasser de son esprit, mais toujours elle le revoyait expédier les deux mercenaires au sol en ordonnant de ne pas la toucher. À ce souvenir, un sourire lui venait chaque fois aux lèvres.

Son pinceau dansant entre ses doigts, Mylène revivait sa rencontre avec ces altesses. L'aîné des princes n'avait fait qu'une brève apparition, plus par courtoisie qu'autre chose. C'était un jeune homme étrange qui, paradoxalement, paraissait mal à l'aise en compagnie des nobles.

La reine leur avait dit combien il avait été bouleversé par la mort de la comtesse Deschênes. Il semblait qu'il avait eu avec Éléonore un bref entretien durant le bal et qu'il aurait aimé la connaître davantage. La reine avait beau n'en avoir rien laissé entendre, Mylène avait bien vu à son regard que la mort de la comtesse l'arrangeait. Elle n'aurait pas souhaité voir son fils s'amouracher d'une femme d'Ébrème. Ce constat n'était pas de nature à améliorer l'humeur de Mylène, qui avait l'impression que son visage craquait chaque fois qu'elle s'obligeait à sourire. Elle revit sa mère et dame Katherine la vanter auprès des deux monarques. Comme elle ne participait pas à la conversation, elles avaient enchaîné sur des sujets qu'elles jugeaient excitants : les bals, les vêtements à la dernière mode… Avez-vous vu une telle ? Savez-vous ce qu'a fait tel autre ? Le roi et son fils y allaient toujours d'une petite blague stupide et les femmes s'esclaffaient bien trop fort pour rien.

Mylène avait tenté de les écouter, elle avait réellement essayé, mais elle ne réussissait qu'à sourire faussement lorsqu'on s'adressait à elle. Pourtant, elle-même avait participé à ces discussions vides de sens. Elle se souvenait même très clairement avoir ri à gorge déployée des blagues idiotes des jeunes gens à la seule fin d'attirer l'attention sur elle. Mais son esprit, à présent totalement lucide, n'acceptait plus de rester inactif. Tout ce qu'elle voyait et entendait était analysé. Mylène écoutait donc leurs propos sans pouvoir en ignorer l'insipidité. Elle relevait les expressions exagérées et hypocrites. Des comédiens ; voilà ce qu'ils étaient. Des comédiens devant un auditoire. Personne n'osait dire ce qu'il pensait réellement dans cette pièce. Le mépris s'était alors insinué en elle jusqu'à provoquer la peur. Peur, parce qu'elle faisait partie de ces gens-là, de ce monde-là, et que si elle venait à les mépriser, plus jamais elle ne se sentirait à l'aise parmi eux. Elle serait seule. Toute seule pour longtemps, sinon pour le reste de ses jours.

Mylène avait alors croisé le regard de sa sœur, assise sur un sofa près de leur mère. Le menton appuyé dans le creux de la main, Anna ne feignait même pas d'être intéressée par la conversation. Elle s'ennuyait à mourir et n'était pas gênée outre mesure de le faire savoir, ce que leur mère lui reprochait constamment. Voyant qu'elle la regardait, la fillette avait levé les yeux au plafond en soupirant, puis lui avait fait un clin d'œil. Mylène avait souri avant de lancer un regard vers dame Katherine, qui venait de pousser une forte exclamation. Elle avait ensuite reporté les yeux sur Anna avec un air tellement désespéré que toutes deux avaient éclaté de rire. Mylène ne pouvait nier être furieuse contre elle-même d'avoir été aussi stupide dans le passé. Anna, quant à elle, ne s'était jamais laissé prendre par le piège de la futilité et Mylène l'avait trop souvent insulté en lui disant qu'elle n'était pas normale. Or, sa petite sœur semblait lui avoir tout pardonné. Heureusement, car elles étaient désormais seules à se comprendre mutuellement.

En quatre jours, Mylène avait davantage appris sur la vie que durant toutes ses années d'étude. Elle avait beaucoup pensé à la comtesse Deschênes et à tout ce qu'elle leur avait dit. Sans aucun doute, cette femme avait changé son existence.

Mylène n'arrivait pas encore à croire qu'elle était morte. À cette évocation, la tristesse lui avait empoigné le cœur, tandis que les souvenirs qui jaillissaient éclipsaient les souverains et leurs propos. Les larmes aux yeux, elle était sortie précipitamment de la pièce, à la grande stupéfaction de tous. Sa mère était venue la rejoindre, mais au lieu de la réprimander, contrairement à son attente, elle l'avait prise dans ses bras pour la serrer contre elle. Ce geste d'amour avait fait un bien énorme à la jeune fille, tout en faisant renaître en elle l'estime qu'elle avait commencé à perdre pour sa mère.

Mylène, qui avait cru avoir perdu ses parents, s'était mise à pleurer de plus belle et sa mère avait jugé préférable pour elles toutes de retourner à la maison. Comme le duc partait avec une importante troupe de soldats, elles l'avaient accompagné, une journée à peine après leur retour. Au contraire de sa visite précédente dans la forêt centrale, Mylène avait eu le visage collé à la fenêtre du carrosse, même si elle se doutait que les rebelles ne se manifesteraient pas devant un aussi grand nombre de soldats. Surtout qu'ils avaient récupéré ceux qu'ils désiraient secourir. Néanmoins, quelque part entre ces arbres, il y avait Suzie et Éric. Quelque part entre ces arbres, il y avait le corps de la comtesse Éléonore. Mylène n'avait pu retenir ses larmes, pas plus qu'elle ne le pouvait encore à cet instant ; Anna et elle avaient pleuré silencieusement alors que leur mère les serrait contre elle.

Le trajet s'était fait rapidement, car ils ne s'arrêtaient que pour manger et dormir le soir venu. Bien que son père n'eût pas vraiment essayé de lui parler, Mylène l'avait totalement ignoré, ne lui accordant pas un regard. Il avait fini par se fatiguer de ce comportement et avait tenté de lui faire la morale, mais Mylène lui avait répondu sans plus le regarder :

— Désolée, seigneur, mais étant sotte, je ne peux comprendre vos paroles.

C'était la première fois de sa vie qu'elle lui répondait. Interdit, il avait mis un moment à saisir le sarcasme. Il s'était mis à la sermonner d'un ton sec, mais elle persistait à l'ignorer.

Voyant que la tension montait, sa mère lui avait suggéré de s'arrêter à la citadelle des magiciens, afin de pouvoir vivre son chagrin dans la plénitude des lieux. Il serait également bon d'éloigner le père et la fille l'un de l'autre, le temps que les esprits s'apaisent. Mylène avait trouvé l'idée excellente. La beauté des jardins et des bâtisses lui avait toujours procuré un sentiment de bien-être et de paix intérieure. Anna avait poursuivi le trajet jusqu'au château avec ses parents, car elle avait besoin du réconfort maternel pour apaiser le chagrin qu'elle éprouvait encore après la perte de la comtesse Deschênes.

Au début, Mylène s'était limitée à quelques promenades dans les allées bordées des fleurs, allant s'asseoir dans les boisés pour écouter le doux chant des oiseaux. Elle avait même commencé à lire quelques livres sur l'histoire et la philosophie, qu'elle trouvait naguère si fastidieux. La comtesse Deschênes lui avait dit avoir beaucoup appris dans les livres et Mylène avait décidé de suivre son exemple. Elle ne pouvait plus nier le changement opéré en elle, surtout dans cet endroit où elle se retrouvait seule face à elle-même. Elle voulait apprendre.

À cet instant, elle lisait l'histoire d'une guerrière qui avait sauvé leur monde. Étrangement, celle-ci lui faisait penser à la comtesse. Elle avait alors aperçu, sur un pilier, l'une de ses nombreuses œuvres inachevées et une image s'était accrochée à son esprit. Une image d'une clarté presque incroyable et qu'elle avait ressenti le besoin de faire vivre et d'exposer, afin que tous puissent la voir et la comprendre. Comme dans un rêve, elle était allée reprendre ses pinceaux et s'était mise au travail sur le mur d'une des maisons de jardinage. Mylène avait choisi cet endroit pour son côté discret.

Les jeunes peintres préféraient les grandes façades blanches des bâtisses principales où tout le monde pouvait admirer leurs œuvres et les complimenter sur leur travail. Mais cela n'intéressait pas Mylène. Ceux qui remarqueraient sa peinture sur ce simple mur n'en saisiraient que mieux la signification. Alors que l'image était apparue sur le mur, le temps s'était arrêté. Elle laissait sa main aller, faisant jaillir un flot d'émotions à travers le mince bâton de bois qui la reliait à son œuvre.

Jamais elle ne s'était sentie aussi vivante, aussi pleine d'une énergie nouvelle.

Son estomac gargouilla, mais elle l'ignora, comme les autres fois. Il y avait déjà deux jours qu'elle travaillait sur cette fresque, mais elle en était à peine au buste de ses personnages. Elle ignorait encore comment elle la nommerait, mais ses idées seraient certainement plus claires et il lui serait plus aisé d'en choisir le nom le ventre plein. Mylène retoucha l'expression de sa dame et recula pour vérifier si elle était vraiment telle qu'elle l'avait imaginée. Elle s'essuya les mains sur son tablier et remit son chapeau aux larges bords. Puis, elle laissa ses outils au pied de sa fresque pour se diriger en chantonnant vers les cuisines.

Lorsqu'elle revint avec un panier de fruits et un petit pain, elle aperçut un groupe de magiciens pénétrer dans la citadelle.

— Qui est-ce? demanda-t-elle à l'un des hommes qui jardinaient près d'elle.

Il leva la tête pour regarder les nouveaux arrivants et répondit après un moment :

— Ce doit être les visiteurs qui viennent rencontrer l'archimage.

Il se remit au travail sans en dire davantage. Sachant que la majorité des habitants de la citadelle n'étaient pas bavards, Mylène n'en demanda pas plus. Elle poursuivit son chemin et entra dans un boisé avec d'autres marcheurs pour libérer le chemin. Mylène observa les cavaliers et, s'étonnant de l'allure massive de certains, elle s'approcha afin de mieux les voir. Le plus petit se tourna dans sa direction pour murmurer quelques mots à son voisin, un grand homme mince, et Mylène faillit pousser un cri de surprise. Le temps qu'elle éclaircisse ses idées, il était revenu vers l'avant et avait tiré sur sa capuche.

Immobile, Mylène se demanda si son désir de revoir Éric ne lui donnait pas des hallucinations ou si elle venait réellement de voir Karok. Deux membres du groupe se détachèrent et entrèrent dans le boisé. Sans réfléchir, la jeune femme les suivit jusqu'à une clairière où se dressaient des pommiers en fleurs.

Les deux jeunes guerriers, qui n'avaient cessé de plaisanter depuis qu'ils portaient la robe de bure, ne purent que se tenir silencieux devant le paysage chargé de souvenirs qui s'offrait à leurs yeux. Les immenses portes de bois-de-fer s'ouvraient lentement, révélant les merveilles qu'elles dissimulaient. Rien n'avait changé. Les arbres brillaient sous les rayons du soleil, les fleurs multicolores bordaient les sentiers pavés de pierres et de minces ruisseaux ondulaient entre les parterres. Des bâtisses aussi blanches que les murs de la citadelle se cachaient parmi les arbres.

Les hommes et les femmes occupés à entretenir cette splendeur les saluèrent et Malek leva une main vers eux en retour. Une éternité semblait s'être écoulée depuis la dernière fois qu'il avait foulé le sol de la citadelle. Il remercia Dieu de lui avoir permis de revenir dans cet endroit féerique où il avait passé les premières années de sa vie. Il se tourna vers Éric et sut, sans distinguer ses traits, qu'il était aussi ému par le paysage. De nombreux souvenirs peuplaient ces sentiers dont ils avaient exploré les moindres recoins. Plus jeunes, ils y avaient vécu de nombreuses aventures en s'imaginant chevaliers, tueurs de démons et protecteurs du peuple, mais, ironiquement, jamais magiciens.

En apercevant un bosquet de roses qui lui était familier, Malek s'approcha de son compagnon pour lui rappeler les nombreuses fois où ils s'y étaient dissimulés. Lorsqu'un jeune novice venait y humer la senteur des fleurs, ils s'adressaient à lui pour lui faire croire que le rosier avait pris vie. Les magiciens se montraient parfois des gens singulièrement crédules.

Éric rit sous cape, en se remémorant les visages surpris. Tout devenait moins drôle, par contre, lorsqu'un surveillant les découvrait et les conduisait à leur père en les tirant par les oreilles. Ces images l'enveloppèrent d'une douce nostalgie qui atténua la douleur du souvenir de sa mère et de ses sœurs. Ses sœurs aimaient tant venir jouer dans ces jardins ! Elles les suivaient, Malek et lui, en cachette pour ensuite rapporter leurs exploits aux adultes. Éric sentit comme un nœud se former dans sa poitrine. Il ralentit sa monture, se laissant distancer par ses compagnons, et se dirigea vers le sentier de l'un des boisés. Il voulait aller voir si les pommiers que ses sœurs avaient plantés s'étaient épanouis. Sûrement étaient-ils en fleurs à cette époque de l'année. Éric vit Malek faire signe à Eldérick et il le suivit. Les deux frères s'enfoncèrent ainsi dans la verdure luxuriante des arbres.

Mylène se fraya un chemin parmi les branches retombantes des saules et elle suivit la progression des deux cavaliers. Ils s'arrêtèrent devant la petite clairière où fleurissaient deux pommiers. Elle se demandait de plus en plus si elle ne s'était pas méprise et commençait à être gênée d'espionner ainsi ces magiciens, quand son regard se figea sur l'un d'eux alors qu'il sautait à bas de sa monture. Ses sandales claquèrent durement sur le sol et il faillit perdre l'équilibre en s'empêtrant dans sa robe. Elle pouffa et pressa vivement ses mains sur sa bouche pour ne pas être entendue. Son compagnon, par contre, ne se priva pas de s'esclaffer et son rire résonna dans le boisé. Il descendit ensuite d'une allure plus gracieuse, toujours en riant, mais moins fortement. Il prononça quelques mots qu'elle ne comprit pas, car ils étaient trop loin ; cependant, elle vit très bien le premier magicien lever un poing pour, apparemment, l'abattre sur l'épaule de son compagnon. Celui-ci l'évita et elle crut que les deux hommes allaient se battre. Ils regardèrent autour d'eux pour s'assurer que personne ne les avait vus, et Mylène se plaqua derrière un tronc d'arbre. Sa gêne s'enfuit et elle retrouva son impression du départ.

Ils se mirent à marcher à travers les herbes de la clairière jusqu'aux pommiers, en se bousculant. Mylène entendait leurs éclats de rire. Elle se rapprocha des chevaux qui broutaient à la lisière de la clairière. Les deux hommes cessèrent de se chamailler et restèrent debout à regarder les pommiers. Le plus costaud s'approcha et passa sa paume sur les fleurs d'un geste caressant. Son compagnon posa une main sur son épaule et ils s'agenouillèrent pour se recueillir. Elle se cacha le plus près possible afin de pouvoir les entendre s'ils parlaient de nouveau. Au bout de quelques minutes, ils se redressèrent et vinrent récupérer leur monture.

— Je ne croyais pas que cet endroit me ferait un tel effet, déclara l'un des hommes.

Il garda un bref silence et ajouta :

— Tu ne le diras à personne, n'est-ce pas ?

— Bien sûr que non.

Cette voix ne lui était que trop familière et son cœur qui battait la chamade lui confirmait qu'il s'agissait bien d'Éric. Mais pour quelle raison se trouvaient-ils ici ? Il n'y avait qu'une seule façon de le savoir et Mylène sortit rapidement de sa cachette pour continuer à les suivre.

Les deux jeunes guerriers qui partaient au trot pour rejoindre le reste du groupe ne virent pas la jolie silhouette se faufiler parmi les arbres et les occupants de la citadelle. Le groupe s'arrêta aux écuries et trois palefreniers vinrent prendre leur monture. Les magiciens les conduisirent vers l'aile ouest de l'école, où la plupart des cours théoriques de magie se donnaient.

Parmi les tours qui se rattachaient à elle, l'une était si haute qu'on ne pouvait en voir le sommet. L'usure des pierres que le temps avait rendues grisâtres témoignait que la tour était la plus ancienne de toutes et le plus vieil ouvrage de la bâtisse. Une simple porte en bois y donnait accès, la première fenêtre se situant à une dizaine de mètres du sol. Malek sourit devant les runes gravées au-dessus de la porte.

Il se revoyait, avec Éric, debout devant cette même porte qui leur semblait à l'époque bien plus imposante. Ils s'imaginaient tout ce qu'elle réservait à l'imprudent tentant de l'enfoncer. Ils s'étaient amusés à ce jeu jusqu'à ce qu'Arkiel les aperçût. L'archimage les avait alors rejoints pour leur conter ce qu'il avait déjà vu se produire du fait de runes magiques protégeant des portes. Les deux garçons, qui buvaient ses paroles sans le quitter des yeux, l'avaient submergé de questions sur celles situées au-dessus de cette porte. Arkiel les avait laissés patienter, un sourire en coin, et avait fini par leur dire que les runes signifiaient « Bienvenue chez Arkiel, le magicien ». Bouche bée de déception, alors que toutes leurs histoires tombaient à l'eau, ils s'étaient regardés avant de partir tête basse, en jetant des coups d'œil furieux à Arkiel qui riait.

L'un des magiciens qui les avaient escortés ouvrit la porte et les invita à entrer. Eldérick et les guerriers les remercièrent pour leur aide. L'un d'eux déclara fortement :

— Ce n'est rien ! Nous vous sommes même très reconnaissants de nous donner l'occasion de nuire à Kordéron.

Ses compagnons plus âgés le réprimandèrent, mais leur ton manquait de conviction. Eldérick fut heureux de constater que le roi n'avait pas gagné en popularité parmi les magiciens au cours des dernières années. Arkiel n'y était certainement pas étranger.

Ils pénétrèrent dans la tour et gravirent les marches qui menaient aux appartements du vieux magicien. Ils passèrent devant quelques portes fermées qui donnaient dans l'école, mais Eldérick savait qu'il les attendait dans son laboratoire, tout en haut de la tour. La montée était longue et pénible et il s'était toujours demandé comment Arkiel, malgré son grand âge, réussissait encore à se rendre là-haut. Il devait, bien sûr, tricher et utiliser la magie, même s'il le niait.

À la fin de l'interminable escalier, ils aperçurent une porte ouverte. À l'intérieur de son laboratoire, un vieil homme se tenait debout devant une fenêtre, à l'autre bout de la pièce. Celle-ci était vaste et cinq fenêtres l'éclairaient. Arkiel aimait travailler au grand jour, car les endroits sombres le déprimaient. Il ne comprenait pas pourquoi la plupart des magiciens se terraient dans des pièces noires qui empestaient la fumée de leurs expériences manquées.

Les murs de pierres étaient couverts de rayonnages chargés de livres et plusieurs objets étranges étaient éparpillés sur le sol. Certains, gris de poussière, n'avaient pas quitté l'endroit où Eldérick se souvenait les avoir vus, neuf ans auparavant. Arkiel ne s'était jamais vraiment préoccupé des apparences.

Le vieux magicien avait tout de même fait un effort vestimentaire pour leur venue, à en juger par sa chemise d'un blanc impeccable, serrée à la taille par une cordelette et dont les pans retombaient sur un pantalon de toile rapiécé. Sans être des plus recherchées, cette tenue, du moins, était propre.

Eldérick sentit son cœur se serrer en apercevant son vieil ami ; il n'avait pas changé. La lueur taquine était même revenue animer son regard. Une courte barbe blanche recouvrait son menton et ses cheveux en broussailles, retenus par un simple bandeau de cuir, retombaient en mèches sur ses épaules.

Eldérick en fut surpris, car le magicien portait d'ordinaire très courts les cheveux et la barbe.

Le vieil homme lui avait jadis confié que cela était ainsi depuis qu'ils avaient flambé au cours d'une expérience et qu'il avait eu la frayeur de sa vie. Depuis ce jour, il ne les avait plus laissés pousser, du moins jusqu'à aujourd'hui. Malgré son embonpoint naissant, ses muscles saillaient encore sous ses vêtements. À cet instant, pourtant, avec ses épaules voûtées, il ressemblait vraiment à un vieillard.

Eldérick retira sa capuche, imité par ses compagnons. Comme s'il lisait dans ses pensées, le magicien s'avança en faisant claquer ses sandales sur le plancher de bois et déclara :

— Je n'ai plus la forme d'antan, je le sais bien ! Tu n'es pas obligé de faire une tête pareille, jeune homme !

Eldérick sourit, heureux de retrouver l'homme qu'il avait connu avant les événements tragiques qui avaient déchiré la Dulcie. Il avait toujours trouvé agaçante sa manie de l'appeler « jeune homme ». Quand même, il était homme depuis assez longtemps pour mériter de ne plus entendre ce sobriquet. Ses hommes se gaussèrent derrière lui, mais il les ignora pour s'approcher du magicien. Connaissant Arkiel, il savait que tous auraient droit au même traitement. Le vieux magicien sourit et ouvrit les bras.

— Je suis heureux de te revoir, mon vieil ami, s'exclama Eldérick en le serrant contre lui.

— Moi de même. Beaucoup trop d'années ont passé depuis notre dernière rencontre. Si tu n'étais pas venu, je serais allé te quérir dans ton terrier.

Le visage voilé de tristesse, Eldérick acquiesça doucement.

— Oui, dit-il tout bas. J'étais bouleversé et mes paroles ont dépassé ma pensée. J'aurais dû venir bien avant, mais la rage de la vengeance bouillait encore dans mes veines et j'avais trop de choses à faire. Je suis désolé, Arkiel. Jamais je ne t'ai jugé responsable de la mort de ma femme et de mes filles.

Un profond chagrin creusa les traits du vieil homme, qui posa une main sur l'épaule du guerrier.

— Je sais. J'avais compris ta colère, mais si cela peut te soulager, j'accepte tes excuses. Et puis, ajouta-t-il d'un air narquois, je te connais assez bien pour savoir que tu parles souvent sans réfléchir.

La tristesse déserta le visage d'Eldérick pour laisser place à l'hébétude. Derrière lui, ses compagnons s'esclaffaient. Ce vieux bougre n'en manquait pas une. Gagné à son tour par le rire, Eldérick le prit par les épaules pour faire les présentations.

— Mes amis, voici le magicien le plus renommé de tout Melbïane et le moins sérieux, Arkiel Lilmïar.

Arkiel leva un bras pour protester :

— Mais non, voyons ! Il y a longtemps que j'ai été supplanté par tous ces jeunes magiciens fous qui sortent des écoles. Désormais, je ne suis plus qu'une vieille légende.

— Ne l'as-tu pas toujours été ? demanda innocemment Éric.

Malek lui donna un coup de coude et son père lui lança un regard sévère. Éric sourit. Il n'avait pu s'empêcher de railler ce numéro d'apitoiements du magicien sur son sort. Les sourcils froncés, Arkiel fixa le frondeur. Un sourire éclaira progressivement son visage alors qu'il reconnaissait le garçon indiscipliné qui avait si souvent semé la zizanie dans la citadelle. Il s'exclama en l'observant attentivement :

— Si ce n'est pas ce petit garnement d'Éric ! Enfin, petit est une façon de parler, ajouta malicieusement Arkiel en mimant sa corpulence.

Éric écarquilla les yeux et ouvrit la bouche, sidéré.

— Je croyais que tous s'amélioraient en vieillissant, mais apparemment, il y a certaines exceptions…

Le jeune homme grommela.

— Tu l'as cherché, mon vieux, lui dit Malek en riant.

Arkiel tapota l'épaule d'Éric en souriant.

— Je suis heureux de te revoir, mon enfant. Il y a longtemps que quelqu'un a osé plaisanter ainsi à mon sujet.

— Ouais !

Éric sourit faiblement et se défendit comme s'il était totalement incompris :

— Mais je ne suis pas gros, je suis massif, ce n'est pas pareil.

Le magicien se tourna vers son compagnon. Malek le regarda et, après un bref moment de silence, ils se serrèrent dans les bras l'un de l'autre. Le vieil homme l'avait recueilli et élevé jusqu'à ses treize ans. Pour lui, Arkiel était un père tout autant qu'Eldérick. Bien que la vie à la citadelle ne convînt pas à un guerrier de son espèce, la compagnie d'Arkiel lui avait considérablement manqué. Ils s'écartèrent et restèrent à se regarder quelques minutes, partageant ainsi muettement leurs souvenirs.

— Un guerrier, finit par dire Arkiel. J'espère du moins, jeune homme, que tu ne les as pas laissés t'abrutir et que tu n'as pas cessé d'apprendre.

Les guerriers s'exclamèrent et, en riant, Malek répondit :

— Certes. Et il y a d'ailleurs plusieurs sujets sur lesquels j'ai hâte d'avoir ton opinion.

— Oh ! Mais j'en serais très heureux ! Pouvoir enfin entendre sortir de cette bouche deux phrases sérieuses serait des plus intéressants !

Malek plissa le nez et demanda :

— Étais-je si terrible que cela ?

Arkiel leva les mains et s'éloigna en lui lançant un regard malicieux.

— Du moins, vous êtes tous deux devenus des guerriers impressionnants.

Avec fierté, Eldérick regarda son fils et celui qu'il considérait comme tel depuis longtemps.

— Surveille-les bien, Eldérick, continua Arkiel en observant la carrure des jeunes hommes, car vu les dommages qu'ils causaient à la citadelle adolescents, je ne veux même pas imaginer les catastrophes qu'ils pourraient provoquer maintenant. D'autant plus qu'ils sont trois, si je ne me trompe pas.

Le magicien observa Kaito qui bougeait nerveusement sous son regard perçant. Eldérick vint passer un bras autour des épaules du jeune Arkéïrite.

— Je te présente Kaito, qui vient d'Arkéïr. Non seulement c'est un combattant hors pair, mais aussi un rival intellectuel pour Malek.

— Eh bien, mon garçon ! Pouvez-vous me dire ce qui pousse un habitant du nord à s'aventurer dans les royaumes corrompus du sud ?

— Un désir d'exploration, mon seigneur archimage.

— Oh ! Appelle-moi Arkiel.

— Oui, seigneur Arkiel. Je désirais voir les marais, mais les routes se sont révélées plus dangereuses que je ne l'avais prévu.

— Nous l'avons aidé à se sauver d'une bande de voleurs de grand chemin, il y a de cela deux ans, expliqua Éric.

— Après les discussions que nous avons eues, continua Kaito, j'ai décidé de retarder mes projets afin de les aider à servir la justice. Comparée à cette noble cause, la visite des marais me semblait bien futile.

Arkiel lui prit chaleureusement la main et s'exclama :

— Je suis enchanté de te rencontrer, mon garçon. Les personnes qui ont du cœur sont toujours les bienvenues chez moi.

— Je suis honoré de faire votre connaissance, seigneur Arkiel.

Eldérick désigna Karok et Zyruas.

— Tu connais le baron Karok Dergainte et le duc Zyruas Valleburg.

— Évidemment !

Il leur serra la main.

— Je vois que tu t'es entouré des seigneurs les plus rebelles de tout le royaume. Et même si vous avez perdu vos titres, je sais que vous les méritez encore. Je comprends, maintenant, pourquoi le roi ne réussit pas à vous mettre sous les verrous.

Le magicien se tourna vers Dowan.

— Bonjour, dit ce dernier, je suis Dowan, de la tribu de Nejmahw.

L'homme du désert baissa la tête et les doigts de sa main droite se portèrent rapidement de son cœur vers Arkiel.

— C'est un honneur pour moi de vous rencontrer, maître.

— Il faut toujours qu'il en mette trop, celui-là, chuchota Karok à son compagnon.

Mais Arkiel eut le même geste pour déclarer :

— Moi de même, Dowan, fils de Ménaï et de Feilaw.

Le guerrier releva la tête et regarda le magicien avec étonnement.

— Il n'y a pourtant rien de surprenant qu'à mon âge, je connaisse les chefs des tribus du sud et leurs descendants, lui expliqua le vieil homme. Je me souviens très bien d'un jeune garçon qui courait avec les gazelles dans la brousse qui entoure le désert. Son père se désespérait, car il ne se pliait à aucune règle de la tribu.

Karok s'exclama :

— Ah ! Ah ! Tu ne nous en avais jamais parlé, hein !

— Je ne vois pas en quoi cela est important, répliqua Dowan.

Karok s'avança vers lui.

— Eh bien ! Ce n'est donc pas nous qui t'avons incité à prendre le chemin de la rébellion.

Arkiel rit doucement et se dirigea vers sa table de travail. Il s'y assit nonchalamment et fixa les guerriers.

— Allons ! Dites-moi ce qui vous pousse à braver des hordes de soldats pour venir voir un vieux magicien remisé au grenier.

Il prit un petit pain dans une corbeille, qu'il poussa vers eux d'un geste invitant. Tandis que les trois jeunes guerriers examinaient les étranges objets que renfermait le laboratoire, Eldérick et ses hommes commencèrent à relater les derniers événements.

Il y avait peu d'endroits où se dissimuler pour se rendre à la tour et Mylène ne savait si elle devait oser tenter de s'y introduire. Pénétrer en catimini dans la tour de l'archimage était d'une témérité presque incroyable. Le vieux magicien ne s'était jamais montré très exigeant sur le protocole, insistant même pour que les élèves l'appellent Arkiel, mais elle ignorait comment il réagirait en apprenant que quelqu'un s'était introduit chez lui sans permission. Elle aurait bien sûr pu aller rapporter sa découverte, mais elle ne pouvait se résoudre à perdre cette chance de revoir Éric.

Mylène prit une longue et profonde respiration et s'approcha subtilement de la tour en examinant les fleurs et les bosquets. Lorsqu'elle fut convaincue que personne ne la voyait, la jeune femme ouvrit la porte, entra rapidement et la referma derrière elle le plus silencieusement possible. Le son sembla tout de même résonner comme un gong dans toute la tour.

Elle resta appuyée contre le battant pour calmer les battements frénétiques de son cœur. Elle l'avait fait! La jeune femme avait envie de rire. C'était étrange, mais une sensation de bien-être l'avait envahie. Elle avait l'impression d'être libre, peut-être parce qu'elle avait décidé de foncer et d'en assumer les conséquences. De toute façon, quelle qu'en fût la raison, elle ne pouvait pas se permettre ni de rire ni de flâner près de cette porte. Mylène tendit l'oreille et, ne percevant aucun son, elle monta les marches avec précaution. Elle savait que trois portes reliaient la tour à l'école des magiciens et que la dernière menait à la bibliothèque, mais là s'arrêtaient ses connaissances. Elle se dit qu'elle se rendrait tout d'abord jusqu'à cette dernière, où elle pourrait toujours disparaître si du bruit se faisait entendre du haut de l'escalier. Elle déciderait alors de la suite en fonction du risque.

La règle de bois frappa la table, brisant le silence. Les guerriers observaient Arkiel, profondément absorbé dans ses pensées. Il était resté muet depuis la fin du récit des événements. Il se leva et examina les hommes, sourcils légèrement froncés, comme un instituteur qui soupçonne son élève de raconter des histoires. Les bras croisés, il tapota la règle sur son épaule.

— Êtes-vous certains que cette femme communiquait réellement avec l'ours? Il y a peut-être eu coïncidence et vous avez cru voir des choses qui...

— Veux-tu insinuer que nous sommes fous? l'interrompit Éric, qui regardait la cour à travers une longue-vue.

— Non! Mais dans la situation où vous vous trouviez et l'obscurité de la grotte, eh bien, il serait compréhensible que...

Eldérick, à moitié assis sur l'un des tabourets pour ne pas déranger ce qui s'y trouvait, secoua la tête.

— Nous aurions tous été victimes des mêmes hallucinations? Cela n'a aucun sens.

Kaito s'approcha du magicien encore perplexe et déclara :

— Je sais que cela a toujours été impossible, du moins jusqu'à présent.

Arkiel pinça les lèvres. Le magicien semblait savoir quelque chose qu'ils ignoraient sur ce sujet. Le jeune Arkéïrite continua :

— Mais je peux vous jurer qu'il y avait une communication entre les deux. Certes, l'ours ne comprenait pas les paroles. Par contre…

Kaito relia le magicien à lui d'un geste de la main.

— C'est difficile à expliquer, dit-il lentement, mais il y avait comme un couloir de sentiments entre eux, un échange profond qui transcendait la parole.

— Et elle ne semblait pas fatiguée ? demanda le vieil homme, qui avait peine à croire que ce fût enfin arrivé.

Il s'était tristement résigné au fait qu'elle ne viendrait pas de son vivant.

— Absolument pas, affirma Dowan.

Le regard fixé sur l'homme du désert, Arkiel se flatta la barbe. Eldérick n'aimait pas l'air préoccupé de son vieil ami. L'homme avait vu suffisamment de faits étranges pour en faire le récit jusqu'à la fin de ses jours. Un événement capable de le tourmenter ne présageait rien de bon. Myral semblait avoir vu juste, car Eldérick commençait, lui aussi, à sentir venir au loin l'orage déclenché par cette étrange jeune femme.

Le vieux magicien se tourna vers la fenêtre. Éléonore Deschênes… Où avait-il entendu ce nom ? L'image d'une petite fille aux longs cheveux noirs lui revint. C'était le nom de la fillette qu'il était allé voir en Ébrême, une quinzaine d'années plus tôt. Un vieil ami, Alphéus, lui avait dit qu'elle semblait posséder d'étonnants pouvoirs. Il se souvenait être allé vérifier, mais n'avoir rien constaté. Et comme le désordre commençait à régner en Dulcie, il n'avait pas voulu s'attarder loin du royaume. D'ailleurs, Alphéus et lui ne s'étaient pas quittés en très bons termes.

Qu'avait donc cette fillette pour avoir attiré l'attention d'Alphéus, le plus prestigieux historien de Melbïane ? Arkiel fit un effort de mémoire. Il y avait bien quinze ans de cela et tant de choses s'étaient produites depuis. Éléonore Deschênes... Deschênes ! Bien sûr ! Comment avait-il pu oublier ? Elle était l'une des descendantes. Mais alors... Il se tourna vers les guerriers, qui le fixaient d'un air interrogateur. Se pût-il que le nom donné par la voleuse ne fût qu'une coïncidence ?

— Cheveux noirs et des yeux verts, murmura-t-il.

— C'est cela, acquiesça Malek avec enthousiasme. La connais-tu ?

— Peut-être bien que oui et peut-être bien que non. Je n'en suis pas encore bien sûr.

Arkiel les considéra d'un air songeur, puis dit en se dirigeant vers la porte :

— Venez avec moi, messieurs. Je crois que je dois vous montrer quelque chose avant de vous donner mon opinion sur toute cette histoire.

Les guerriers se regardèrent et se redressèrent. S'emparant d'un trousseau de clés, Arkiel s'engagea dans l'escalier, suivi des guerriers, qui remirent leur capuche.

Dans sa sandale ornée de fleurs, le pied s'immobilisa au-dessus de la marche sur laquelle il allait se poser. Mylène avait cru entendre des pas provenant d'en haut. Figée, elle fixa l'escalier. Les pas se rapprochèrent et son cœur bondit dans sa poitrine. Secouant la tête pour sortir de sa stupeur, elle fit demi-tour et descendit les marches le plus rapidement qu'elle put. La jeune femme avait beau relever les pans de sa robe, celle-ci ralentissait tout de même sa course. La bouche sèche et la gorge en feu, Mylène atteignit la porte donnant sur la bibliothèque. Elle l'ouvrit et se recomposa une apparence convenable en s'avançant entre deux étagères de livres.

Un magicien la vit et lui sourit. La jeune femme lui rendit son sourire en retenant le rythme de son souffle, qui avait tendance à siffler en sortant de sa bouche. Elle s'approcha d'une rangée de livres et fit semblant d'en chercher un en particulier. Après avoir choisi un volume, elle alla s'asseoir à une table, dans un coin sombre, attendant d'avoir retrouvé son calme avant de partir.

Dire qu'elle était presque rendue au laboratoire de l'archimage ! Elle tournait les pages du livre sans les voir. Il se passait quelque chose et elle ne savait pas si elle devait en parler ou non. La jeune femme ne pouvait pas concevoir que ces brigands aient pu attaquer l'archimage. Le vieil homme avait triomphé d'innombrables créatures dont elle ne pouvait même pas imaginer l'apparence et encore moins les pouvoirs. Et puis, elle savait bien que ces hommes n'étaient pas mauvais.

Toute à chercher la cause de ces événements, Mylène ne s'aperçut qu'à la dernière seconde que l'objet de ses préoccupations venait droit vers elle. Le livre faillit lui échapper des mains. Elle regarda de tous côtés, mais les rayonnages étaient beaucoup trop éloignés pour espérer aller s'y dissimuler sans attirer l'attention. Finalement, Mylène leva son livre devant son visage et se recula davantage dans l'ombre. Il ne fallait surtout pas qu'un des brigands la reconnaisse, car cela lui occasionnerait inévitablement des ennuis. Au moins, l'archimage ne semblait pas du tout en danger. Mylène avait même l'impression que le vieux magicien menait le groupe de faux magiciens d'un pas alerte et décidé. Elle ne l'avait jamais vu dans une telle forme.

Ils passèrent hâtivement devant elle et se dirigèrent vers un endroit isolé de la bibliothèque. Personne ne leur portait d'attention particulière. Mylène songea que l'archimage devait avoir l'habitude de recevoir des gens insolites et que les autres magiciens ne se préoccupaient pas de ce qu'ils faisaient.

Elle attendit qu'il n'y ait plus personne et, discrètement, suivit le groupe. Mylène était trop curieuse d'apprendre ce que ces brigands pouvaient bien fomenter avec le magicien le plus puissant du royaume. Si elle en parlait, elle ne saurait sûrement jamais ce qui se passait entre ces murs.

L'archimage pénétra sous la voûte où étaient préservés, derrière de grandes vitres, les plus anciens livres de magie de Melbïane. Il sortit une clé et se dirigea vers une porte en bois, au fond de la pièce. Mylène avait toujours ignoré où elle menait. Cette partie de la bibliothèque était d'ailleurs réservée aux plus vieux magiciens. La jeune femme redoubla donc de prudence. Avançant jusqu'à l'entrée de la voûte, Mylène se plaqua au mur et se cacha derrière une colonne. Subrepticement, elle se glissa sur le côté afin de les observer.

Les guerriers observaient les livres vétustes, recouverts de poussière. Malek s'approcha et glissa doucement sa main contre l'une des vitrines.

— J'ai toujours rêvé de découvrir les trésors que ces vieux bouquins recèlent, chuchota-t-il.

— Tu as choisi ta voie, répliqua Arkiel, il y a de cela plusieurs années. Ces livres ne te sont plus destinés, désormais, tu le sais très bien.

Il déverrouilla la porte qui s'ouvrit sans bruit, preuve que tout dans la citadelle était bien entretenu. Malek soupira. Il avait espéré une faveur de la part du magicien.

— De toute façon, commença Éric qui vint près de Malek en haussant les épaules, à quoi pourraient te servir toutes ces vieilleries, à part te faire pousser des toiles d'araignée dans la caboche ?

Irrité de l'entendre dénigrer ces précieux manuscrits, Malek se tourna brusquement vers son ami.

— C'est vrai, toi, les toiles d'araignée dans la tête, tu t'y connais !

Éric allait répliquer, mais Karok s'interposa entre les deux.

— Vous ne pourriez pas la fermer, tous les deux ? Vous allez finir par nous faire remarquer. Je suis bien sûr que les magiciens n'ont pas un comportement si puéril.

Arkiel, qui saisit une torche près d'eux, rit doucement :

— Vous seriez peut-être surpris, Karok.

Il s'engouffra dans l'étroite ouverture, suivi des guerriers.

Mylène vit la porte se refermer sur le dernier brigand, mais elle ne pouvait pas se précipiter pour la retenir. Elle attendit quelques minutes et s'en approcha, en espérant qu'ils ne l'avaient pas verrouillée derrière eux, car alors toute l'aventure se terminerait là. Elle y colla son oreille, mais ne perçut aucun bruit derrière le battant. D'une main tremblante, elle saisit la poignée et la tourna doucement. La porte s'ouvrit sans bruit sur un escalier qui plongeait profondément sous le sol. Elle entra, ferma la porte et commença à descendre d'un pas feutré. L'auréole entourant la torche d'Arkiel fut rapidement visible et elle n'eut plus qu'à la suivre de loin.

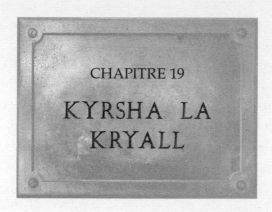

CHAPITRE 19

KYRSHA LA KRYALL

Les marches de pierre s'enfonçaient dans le sol comme si l'escalier n'avait pas de fin. Les hommes avaient l'impression de descendre au centre de Melbïane, mais Arkiel semblait savoir où il allait. Ils passèrent devant quelques tunnels que le vieux magicien ignora. Dowan demanda :

— Savez-vous ce qu'est cette pierre de la guerre et ce qu'elle peut faire ?

Malek proposa :

— Un artefact magique.

— Pour être franc, répondit le magicien qui s'arrêta et leur jeta un rapide coup d'œil, je l'ignore.

— Vous l'ignorez ! s'exclama Zyruas.

— Eh oui ! confirma Arkiel en continuant de descendre. Malgré toutes mes connaissances, cet objet demeure pour moi un mystère. Ce n'était qu'une légende racontant que le roi Martéal y aurait enfermé la puissance lui ayant permis de vaincre la sorcière Ergatséï, mille ans auparavant. Mais ni moi ni aucun membre du conseil des magiciens n'y avons jamais cru. Jusqu'à ce jour…

Eldérick demanda :

— Puisque tant de gens se l'arrachent, crois-tu qu'elle ait réellement un pouvoir ?

— C'est ce que tout cela porte à croire, répondit Arkiel. Et si ce crétin qui se prétend roi m'avait permis de m'en approcher, j'aurais pu m'en assurer. Je ne peux nier avoir été amusé lorsque j'ai appris qu'elle lui avait été volée.

Il garda pour lui-même le fait que c'était le prince Laurent qui le lui avait appris. Arkiel avait entièrement confiance en Eldérick, mais moins de gens connaissaient leur alliance et plus la sécurité du prince restait assurée. Il avait trouvé comique le vol de la pierre, croyant à un acte des rebelles, justement. Par contre, la présence du sorcier qui poursuivait la guerrière rendait les choses nettement moins drôles. Le vieux magicien s'arrêta et leur lança un regard anxieux.

— Mais ce que vous venez de me dire change tout. Je connais le poursuivant qui flotte dans les airs et je suis sûr qu'il n'est pas ici pour rien. S'il cherche la pierre, c'est qu'elle est dotée d'un réel pouvoir.

L'archimage se remit en marche et continua :

— Un pouvoir assez puissant pour avoir ressuscité des démons du passé.

— Qui est-ce ? demanda Malek.

— C'est un ténébryss et je n'en ai pas vu depuis très longtemps sur le sol de Melbïane. Ce n'est pas un humain. Ah ! Voilà ! s'exclama-t-il en s'arrêtant devant l'arche d'une large ouverture pratiquée dans le mur à leur gauche.

Un noir d'encre habitait les lieux au-delà de l'entrée. Arkiel leva sa torche et éclaira une série d'inscriptions au-dessus de l'arche.

— L'an deux mille cinq cent, murmura-t-il, et il s'engouffra dans l'entrée.

Les guerriers le suivirent et pénétrèrent dans un vaste couloir. Ils y marchèrent quelques minutes, puis la voûte s'élança brusquement vers les hauteurs, révélant une pièce aux dimensions gigantesques. D'immenses piliers de soutènement en granit formaient deux lignes parallèles qui s'étiraient à perte de vue. Les guerriers s'immobilisèrent et contemplèrent l'endroit avec émerveillement. Arkiel éleva sa torche et sa flamme se refléta sur les objets les plus proches. Entre les piliers, plusieurs statues ornaient le centre de la salle, bêtes féeriques d'une splendeur inimaginable et créatures grotesques au regard diabolique. Les murs étaient tapissés de fresques colossales évoquant combats, couronnements et naissances.

Ils avaient maintes fois entendu parler de ces endroits où les meilleurs peintres de Melbïane se réunissaient pour immortaliser l'Histoire. Ces lieux cachés étaient réservés aux magiciens les plus puissants, aux historiens chargés de consigner ces récits afin de transmettre ce savoir aux descendants et, finalement, aux peintres qui sacrifiait souvent leur vie à l'accomplissement de cette œuvre. Les guerriers avaient conscience d'être privilégiés de pouvoir pénétrer dans ces corridors. Ils suivirent Arkiel en contemplant ce spectacle, ébahis.

À mesure qu'ils avançaient, la lueur de la torche leur révélait de nouvelles merveilles. Ce fut Eldérick qui rompit soudain le silence recueilli des guerriers :

— Eh! C'est le roi Martéal Le Borgne, s'écria-t-il en s'arrêtant brusquement aux pieds de l'immense statue d'un homme grand et mince, tenant un bouclier.

Une couronne coiffait sa tête et de longs cheveux tombaient sur ses épaules. Il portait une armure partielle et une large épée pendait à sa ceinture. Ce que cette statue avait de saisissant n'était pas tant la cicatrice qui barrait d'une croix son visage de haut en bas que la fleur d'isana qu'il tenait dans la main droite. Les guerriers se groupèrent autour de l'ouvrage, admiratifs. Eldérick déclara :

— L'homme le plus courageux de notre histoire !

Karok ajouta :

— Le meilleur guerrier qui n'ait jamais existé !

Dowan s'inclina légèrement devant le roi de pierre.

— Et le roi le plus sage.

Malek et Éric observaient la statue, bouche ouverte, et Kaito s'exclama :

— Créateur tout puissant !

Les deux jeunes guerriers restèrent cois devant le juron prononcé par leur ami. Ce dernier vouait un respect inébranlable à tout ce qui concernait son Créateur, au point de se rendre presque agaçant avec ses sermons. Malek songea qu'il faudrait lui rappeler ce blasphème, lorsque Kaito le réprimanderait pour un juron. Après un instant de silence, l'Arkéïrite continua :

— C'est la première fois que je vois son visage. Il est l'un des seuls rois aux côtés de qui mon peuple s'est battu. Il est la preuve que le Créateur existe et que le Bien n'est pas une invention des faibles pour se protéger des forts, mais une vérité fondamentale de l'humanité. Ce roi n'avait rien de faible en lui. Il a voué toute sa vie aux peuples de Melbïane, se privant du luxe dont les rois ont l'habitude de s'entourer.

Éric haussa les sourcils et s'éloigna pendant que Kaito et Malek continuaient à discuter du sujet. Les considérations philosophiques avaient tendance à l'ennuyer. Il rejoignit son père en discussion avec Arkiel.

— Alors, maintenant, tu crois réellement que le roi Martéal a quelque chose à voir avec cette pierre de la guerre, supposa Eldérick. Pourtant, ce ne doit pas être mentionné dans ce couloir puisque tu l'ignorais avant sa découverte.

Arkiel, qui regardait les guerriers s'extasier devant la statue, répondit en souriant :

— Effectivement. Rien ici ne fait mention de cet artefact magique. Toutefois, je crois que nos réponses se trouvent à cette époque. Les légendes dérivent souvent de faits réels et, même si je ne crois pas que cette pierre renferme le pouvoir de gagner les guerres, je crois qu'il existe un lien entre elle et le roi Martéal, ou plus particulièrement, avec cette guerrière qui parle aux animaux.

Le magicien se retourna vers le corridor et se remit en marche. Eldérick appela ses hommes et ils le suivirent.

— En quoi la guerrière a-t-elle un lien avec cette époque? demanda le chef des rebelles.

— Avant de vous expliquer, je dois vous donner un petit cours d'histoire religieuse, la version de la citadelle et non celle de l'Église traditionnelle. Voyez-vous, messieurs, commença Arkiel, les forces du Mal sont très puissantes et les mauvais esprits influencent davantage notre monde que les bons. Pour compenser, Dieu nous a envoyé un allié pour nous soutenir dans notre lutte.

— C'est ce que les dragons étaient? constata Kaito, intéressé par le sujet.

Ces animaux légendaires l'intéressaient autant que les marais et c'était la première fois qu'il entendait un Dulcien en parler sérieusement. Ceux-ci ne croyaient pas en leur existence, contrairement aux Arkéïrites qui leur portaient une admiration révérencieuse. Kaito n'avait donc pu partager son amour des dragons depuis longtemps.

— En quelque sorte, répondit le vieux magicien, mais ils étaient surtout là pour nous guider.

— Vous y croyez? l'interrogea Zyruas avec surprise. Alors, que leur est-il arrivé? Pourquoi ont-ils disparu, s'ils ont réellement existé?

— Tu le saurais si tu lisais davantage, souffla Dowan en répondant au regard furieux du guerrier par un sourire.

Il se tourna vers Malek, à qui il adressa un clin d'œil. Le jeune homme hocha la tête en lançant un regard satisfait à Zyruas, qui l'ignora. Arkiel attendit la fin de leur manège pour continuer. Les guerriers devaient recevoir un minimum d'information afin de comprendre ce qu'il allait devoir leur expliquer sur les origines de leur mystérieuse guerrière.

— La religion régnant en Dulcie et en Ébrême insiste en effet sur l'inexistence des dragons. Les Arkéïrites, quant à eux, croient profondément aux dragons qu'ils élèvent au rang de souverains du monde, juste après Dieu.

— Tu ne nous as jamais parlé de ça, remarqua Malek à l'adresse de Kaito.

— Je savais que ce n'était pas réciproque.

— La dernière fois qu'un dragon est venu parmi nous, continua Arkiel, nous avons eu l'une des plus grosses guerres de notre histoire.

Kaito précisa :

— Celle avec la sorcière du désert, il y a mille ans.

Zyruas réitéra :

— Alors, vous y croyez vraiment.

Eldérick demanda :

— As-tu des preuves de leur existence ?

— Que crois-tu ? s'insurgea le vieux magicien. Je ne fonde pas mes croyances sur des racontars.

Éric ajouta :

— Dans ce cas, pourquoi ne pas les montrer à l'Église ?

Haussant les épaules avec indifférence, Arkiel expliqua :

— Bah ! Pourquoi perdre mon temps à voir ces religieux envahir ma citadelle avec tous leurs érudits ? Qu'ils continuent donc à ramper aux pieds des nobles ! Il y a certaines informations qu'il est préférable de garder pour nous. Il n'y a pas, que je me souvienne, un moment de l'histoire où l'Église s'est entendue avec le conseil des magiciens. Les prêtres refusent de croire que nos pouvoirs nous viennent de Dieu. Enfin, c'est une autre histoire.

Kaito demanda :

— Que savez-vous des dragons ?

— Des manuscrits qui remontent à des temps immémoriaux décrivent que lorsque Dieu créa les âmes, Il s'aperçut rapidement qu'elles n'étaient pas prêtes à vivre auprès de Lui. Alors, Il décida, pour qu'elles puissent évoluer et décider elles-mêmes de la voie à suivre, de leur créer un monde. Un monde fait de mortalité. Il créa donc un être mortel à qui Il insuffla une âme. Dieu pouvait ainsi évaluer le cheminement de chaque âme et savoir lesquelles d'entre elles étaient prêtes à venir auprès de Lui. Il leur imposa une seule loi : « aime ton prochain comme toi-même ». À chaque naissance, une nouvelle âme venait dans le monde et ce n'est que lorsqu'elle mourait qu'Il décidait si elle pouvait Le rejoindre ou s'Il la renvoyait dans le monde, par l'entremise d'un autre corps.

— Mais alors que naissait la conscience du Bien et du Mal, une force malveillante s'est réveillée pour surgir des profondeurs de la nuit. Voyant le monde et ses habitants livrés à eux-mêmes, puisque Dieu leur avait promis de les laisser libres, elle s'infiltra parmi eux. Elle leur évoqua le pouvoir et la richesse et leur montra que l'exploitation de son prochain était plus intéressante que le respect d'autrui. Elle leur enseigna que la seule personne au monde qu'il fallait considérer et contenter était soi-même et non les autres, en particulier Dieu, ce trouble-fête.

— Certains humains se détournèrent donc de Dieu pour suivre cette ombre diabolique. Ils vécurent dans l'or et la luxure, jouissant de tout, au grand désespoir de leurs frères et sœurs. Mais à leur mort, l'ombre, qui rôdait autour d'eux, s'emparait de leur âme pour les enchaîner toutes au cœur même de son domaine de ténèbres. S'apercevant de leur erreur, elles supplièrent Dieu de venir les chercher, mais aucune réponse ne leur parvint. L'ombre des ténèbres leur façonna des corps à la seule fin de les torturer. Pendant une éternité, car le temps là-bas ne suit pas le même cours qu'ici, leurs hurlements de douleur et leurs pleurs résonnèrent dans les profondeurs de l'antre du monstre. Puis, elles vinrent à aimer la douleur, et les hurlements finirent par se transformer en rires déments et en cris de joie. L'âme créée par Dieu n'était plus désormais qu'une faible étincelle enfouie au plus profond de leur corps torturé.

— Lorsque les démons furent totalement soumis au monstre, Il en fit son armée qu'Il renvoya dans le monde, afin de pervertir le reste de l'humanité. Les yeux brillants de jalousie et de haine devant leurs frères et sœurs libres, ces démons formèrent l'armée la plus redoutable jamais constituée. En constatant cela de son royaume, Dieu décida, même s'Il avait promis de ne pas s'ingérer dans la vie de Ses enfants, de leur envoyer au moins de l'aide. Il ne pouvait laisser Son peuple se faire massacrer ni permettre à ce monstre de continuer à Lui voler Ses enfants. Il prit donc Ses plus fervents et plus sages disciples et les envoya dans le monde. Pour ce faire, Il leur donna le corps d'une créature plus puissante que toutes celles déjà existantes et la dota de tous les pouvoirs.

— Ces créatures, comme vous le devinez sûrement, sont les dragons évoqués par les légendes. Les humains de l'époque les accueillirent comme des dieux et voulurent les ériger en rois, mais ils refusèrent. La tentation du pouvoir est très grande, surtout pour l'être le plus puissant du monde. Le moyen le plus sûr qu'ils imaginèrent pour éviter toute tentation fut de se trouver chacun un maître. Tout dragon venant au monde n'était pas libre de vivre comme il le souhaitait, car Dieu l'avait envoyé dans un but bien précis, celui de protéger

Ses enfants du fléau des ténèbres. Il leur fallait donc trouver un humain capable de les assister dans cette tâche.

— La personne choisie, homme ou femme, n'était évidemment pas semblable aux autres ; les dragons devaient y reconnaître celle capable d'améliorer le monde et de le ramener vers Dieu. Parfois, leur choix semblait plus que douteux, car il se portait sur un individu des rangs ennemis, mais le cœur pur des dragons ne se trompait jamais. Ils apprirent aux enfants de Dieu à se battre, sous le regard triste du souverain des cieux. Il avait dû faire un choix entre leur permettre de tuer ou devoir perdre le monde, tuer restant, certes, l'ultime solution. Les dragons et les humains chassèrent donc les démons et leurs disciples et les renvoyèrent dans leur monde de ténèbres.

— Les années passèrent et un certain équilibre s'établit entre le Bien et le Mal. Les écrits laissent même penser que la balance penchait du côté du Bien. Les peuples se multiplièrent dans l'harmonie et la joie. Les dragons et leurs maîtres purent se retirer dans des havres de paix où les dirigeants des peuples venaient parfois demander conseil.

— Hélas ! L'ombre du monstre rôdait toujours autour des enfants de Dieu et les troubles reprirent. Des groupes se formèrent dans des endroits reculés et fomentèrent des plans afin de se saisir du pouvoir, cet état tant convoité par tous les humains. Après plusieurs défaites, les peuples en vinrent à la conclusion qu'ils ne pourraient gagner sans les dragons. Ils décidèrent donc de livrer la guerre aux maîtres des animaux gigantesques. Ces ignorants croyaient qu'en tuant le maître, ils obtiendraient l'obéissance du dragon. Mais les intéressés ne considéraient pas la chose sous cet angle. Les dragons dont les maîtres furent tués se tournèrent vers Dieu. Leur permettrait-il de détruire ceux-là mêmes qu'ils étaient venus protéger ? Dieu décida alors que Son peuple s'était suffisamment endurci et qu'il pouvait désormais se défendre seul. Il permit donc aux dragons de se retirer hors de la portée de notre espèce.

— Tu veux dire qu'ils existent toujours ? s'écrièrent Zyruas et Karok en pensant à tout ce qu'ils pourraient accomplir avec l'aide d'un dragon ; reconquérir le royaume, retrouver leur statut de seigneurs, voire de souverain…

Arkiel ricana en voyant les expressions rêveuses des guerriers.

— Oui ! Mais oubliez tous vos espoirs de conquêtes, c'est justement à cause des idées de grandeur des humains qu'ils sont partis. Ils ne peuvent pas, comme je l'ai dit, être dirigés par n'importe qui. Ils choisissent eux-mêmes leur maître. De toute façon, nous n'avons eu la visite d'un dragon qu'une seule fois depuis et c'est lors de cette guerre, sous le règne de Martéal. La reine du désert avait amené dans notre monde des démons de l'antre du monstre, dont les krakens noirs. Aucun homme, aussi courageux soit-il, ne peut combattre des créatures aussi diaboliques.

Kaito termina d'un air songeur :

— Le Créateur a donc envoyé un dragon afin d'aider Ses enfants. Votre récit est très semblable à celui de la religion de mon peuple, ajouta-t-il en regardant le magicien.

— Oui, je connais votre histoire. Selon moi, vous avez conservé votre croyance aux dragons, car plusieurs maîtres étaient des hommes et femmes du nord. Autre que les dragons, il y a eu beaucoup de manifestations de Dieu durant notre histoire ; certaines évidentes et d'autres plus subtiles. Malheureusement, la plupart ont tourné en légende. C'est celle de cette époque — Arkiel fit un ample geste avec sa torche —, qui nous intéresse.

Malek, qui avait souvent discuté de ces sujets avec le magicien lorsqu'il était plus jeune, examinait toutes les statues avec attention. Chacune avait son nom inscrit à sa base. La plupart lui étaient inconnus. Les espèces avaient sûrement disparu après la guerre. Il cherchait le kraken, car quoiqu'il en eût souvent entendu parler, il n'avait jamais su à quoi ressemblaient ces créatures qui avaient failli causer la perte du roi Martéal.

Éric l'aidait à chercher un peu plus loin, sans perdre un mot de ce qu'Arkiel disait. Tout comme les autres guerriers, il était passionné par les dragons, passion certainement due à leur force incroyable. Mais si les deux jeunes hommes s'attardaient derrière le groupe, c'était aussi parce qu'Éric avait cru voir une silhouette se déplacer parmi les ombres. Il en avait fait part à Malek, qui lui avait répliqué qu'il devait s'agir d'une illusion causée par la lueur de la torche qui, en se déplaçant, paraissait faire bouger les ombres. Comme Éric insistait, il lui avait promis d'être sur ses gardes. Jusqu'à présent, il n'avait pas revu la silhouette, mais le sentiment d'être suivi l'habitait toujours. Et le comportement de Malek lui laissait penser qu'il ressentait le même malaise.

Mylène écoutait la conversation du vieux magicien et des guerriers en tentant de comprendre où il voulait en venir. L'archimage leur donnait un petit cours sur les dragons, mais à en croire l'expression interrogative des hommes, elle n'était pas la seule à se demander pourquoi. Bien qu'elle n'eût jamais entendu cette version de leur origine, Mylène n'en était pas étonnée. En fait, il n'y avait plus grand-chose pour l'étonner depuis sa rencontre avec Éléonore. Elle commençait à s'habituer à voir toutes ses connaissances remises en question. Si le prêtre de sa famille avait entendu le récit de l'archimage, il en aurait fait une crise d'apoplexie. « Que les prêtres continuent à se traîner aux pieds des nobles », avait dit Arkiel. Mylène sourit. Il avait raison. Elle aimait bien cette vision de Dieu et des dragons.

Lorsqu'elle avait posé le pied dans ce couloir et aperçu toutes les fresques, elle en avait presque avalé sa langue. C'était le rêve de tout artiste-peintre de pénétrer dans cet endroit légendaire. Elle s'était retenue, avec grande peine, de ne pas courir partout afin de ne rien manquer. Mylène avait immédiatement reconnu l'époque et en avait eu la confirmation par la découverte du roi Martéal par les guerriers.

Cachée derrière la statue d'une femme tenant un enfant par la main, elle les avait observés s'ébahir en souriant. Ces hommes n'étaient vraiment pas des bandits, même s'ils en avaient pris les manières. En tant que seigneur, Eldérick avait-il connu son père ? Mylène se souvint de la réaction de celui-ci à ses questions. Que s'était-il passé à cette époque ? Mylène s'était tournée vers sa mère, mais cette dernière avait déclaré que cela ne la concernait pas. La jeune femme avait tenté de trouver les réponses ailleurs, mais sans plus de résultat. Tout le monde fuyait le sujet.

Maintenant, elle s'en voulait un peu de ne pas avoir continué ses recherches, car le chef des bandits semblait être très proche de l'archimage. Certes, le vieux magicien fuyait souvent le protocole et demandait régulièrement à être tutoyé, mais ce qu'elle voyait entre les deux hommes était bel et bien une relation profonde. Eldérick devait avoir été très important dans le passé pour être ainsi lié à l'archimage. Mylène se mordit les lèvres. Elle aurait dû se montrer plus têtue. La prochaine fois, elle découvrirait qui étaient ces hommes, avec ou sans l'accord de son père.

Mylène écoutait avidement les paroles de l'archimage. Selon lui, l'époque représentée dans ce couloir était celle où un dragon était prétendument apparu pour la dernière fois. La jeune noble lisait justement le récit de la vie d'une femme qui en avait côtoyé un. Une guerrière de la reine du désert qui avait sauvé Melbïane en donnant son allégeance au roi

Martéal. Conformément aux préceptes de la religion, Mylène n'avait jamais cru aux dragons et avait donc pensé qu'il ne s'agissait que d'un conte. Les magiciens qu'elle avait questionnés à ce sujet lui avaient répondu que cela était sans importance. La morale à en tirer était la même, que l'héroïne eût vécu ou non. Elle avait alors songé avec amertume que tout portait à croire qu'elle n'obtiendrait jamais de réponses à ses questions. Les magiciens fuyaient probablement le sujet des dragons pour ne pas attirer les religieux à la citadelle.

Mylène sourit : à présent, elle avait ses réponses. Et peut-être verrait-elle l'image du personnage du livre sur l'une de ces parois ? Elle ne pourrait en faire part à personne, mais la jeune femme adorait garder les secrets. Et depuis quelque temps, elle en avait à revendre.

À ce qu'elle avait compris, l'archimage voulait leur montrer quelque chose et c'était apparemment assez important. Désireuse de comprendre ce qui se déroulait entre ces personnes, elle espérait que cette chose pourrait l'aider à percer leur secret.

Plus ils avançaient dans le long couloir, plus les dessins et les statues devenaient sinistres. Arkiel leur avait expliqué qu'ils étaient entrés dans l'aire de la guerre atroce qui avait dévasté les royaumes de l'époque. Les parois étaient couvertes de champs de bataille où s'empilaient des montagnes de cadavres. Plusieurs montraient également les créatures cauchemardesques que la reine du désert avait fait pénétrer dans ce monde pour accompagner les soldats ennemis. À travers les fresques, les guerriers pouvaient sentir la douleur et la peur qui habitaient le cœur de ces gens. C'était terrible ! Certes, ils avaient gagné cette guerre, mais tant de vies avaient été sacrifiées par cette reine assoiffée de pouvoir.

Le magicien poursuivait son interminable progression à travers ces scènes d'épouvante. Une fresque aux couleurs vives attira soudain leur attention. On y voyait des habitants de tous les royaumes travailler dans une certaine harmonie.

— Durant la guerre, il y eut quelques accalmies, expliqua Arkiel en montrant la fresque. Celle-ci en fut une des plus longues et il s'y produisit un événement qui a grandement aidé les rois et reines à sauver Melbïane des griffes de cette sorcière du désert.

Le vieux magicien continua, les entraînant de nouveau dans les ténèbres. Brusquement, il s'arrêta. Eldérick, qui se tenait près de lui, observa la paroi et y vit le roi Martéal, entouré de ses généraux. Derrière eux figuraient tous les soldats. Il y en avait plusieurs milliers, peints avec une précision étourdissante. Il reconnut les plaines, au sud de Dulcie, près de la frontière d'Ébrême, qui était, à l'époque, un royaume beaucoup plus petit.

Tous ces hommes devaient courir pour affronter les soldats ennemis et les créatures qui venaient à leur rencontre. Il distinguait des mercenaires, des rawghs, plusieurs ogres et maints autres monstres dont il ignorait les noms et qu'il espérait ne jamais connaître. Ils semblaient être des centaines de milliers, beaucoup trop, par rapport à l'armée du roi. Pourtant, au lieu de se livrer une bataille sanglante, à l'image des précédentes, les combattants des deux côtés, comme figés de surprise, fixaient le ciel, ahuris.

Eldérick leva la tête, mais le reste de la fresque était plongé dans le noir. Il sentit ses hommes se regrouper autour de lui et en entendit certains déplorer de ne pouvoir discerner ce que les soldats observaient avec autant d'étonnement.

— Un peu de patience, Messieurs, leur intima Arkiel en passant devant eux.

Il s'approcha de la fresque, leva sa torche et la secoua légèrement. De petites flammes se détachèrent du flambeau et voletèrent le long de la paroi. Elles atteignirent les torches qui y étaient fixées et les allumèrent une par une. La fresque se révéla ainsi lentement à eux.

Ils virent, tout d'abord, une dizaine de bêtes ailées qui survolaient les soldats. Leur corps, un peu comme celui des félins, était recouvert de poils ; bruns pour certains, blancs, orange ou mêlés pour d'autres. Par contre, leurs membres étaient plus allongés et plus fins, et leurs pattes antérieures étaient dotées d'un pouce, comme une serre. Le jaune de leur iris brillait dans leurs orbites et deux longs crocs pointus dépassaient de chaque côté de leur gueule.

Des cavalières à l'apparence aussi patibulaires que leur monture les chevauchaient. Elles étaient affublées d'armures hétéroclites aux métaux étincelants et chaque bout de peau à découvert était marqué d'une rune, jusqu'à couvrir leur visage. Ces dessins rappelaient vaguement les runes des sorciers de Zymar. Elles criaient et grimaçaient, levant des lances extraordinairement massives qu'elles maniaient cependant avec une aisance étonnante transperçant les cavaliers d'autres bêtes volant au-dessus de l'armée ennemie.

Celles-ci étaient beaucoup plus grosses que les félins volants. Leur corps d'un blanc jaunâtre semblait n'être recouvert d'aucune peau, comme s'il ne s'agissait que d'os. Nulle patte n'apparaissait sous leurs corps difformes, mais une douzaine de tentacules d'un noir luisant sortaient d'orifices du ventre et du torse, comme celles des êtres peuplant les plus profonds océans. À chaque extrémité, les tentacules se divisaient en trois doigts pourvus de griffes acérées du même jaune que le corps. Le cou des bêtes, massif, était très court. Elles ouvraient une gueule énorme qui ne semblait constituée que de dents. Eldérick en compta quatre rangées et il frissonna en imaginant qu'elles se prolongeaient peut-être dans la gorge. Les arcades sourcilières prononcées leur conféraient une attitude furieuse et malfaisante qui devait être permanente, puisque l'absence de peau éliminait toute possibilité d'expression, d'émotions ou de sentiments. Au fond des cavités orbitales brillaient de sinistres billes noires. Leur corps était hérissé par endroits de pointes osseuses qui empêchaient toute autre bête de s'approcher de trop près. Le plus étrange était leurs ailes. Elles semblaient avoir été ajoutées à la créature d'origine. Au nombre de six, elles étaient constituées d'une mince membrane translucide parcourue de veinules. On aurait dit des ailes d'insectes. Il s'agissait sûrement du seul point faible de ces créatures qui, autrement, semblaient invulnérables.

Toutes ces horreurs étaient également montées par des cavaliers. Revêtus d'une robe grise, ceux-ci n'avaient aucune particularité, à part celle de tenir chacun un globe bleu pâle dans les mains. Les globes semblaient rayonner, mais il ne s'agissait sûrement que d'une illusion provoquée par la peinture et la lueur des torches.

Arkiel se tourna vers Malek.

— Les voilà, tes krakens, mon fils, déclara-t-il.

Malek grimaça. Ce n'était pas vraiment ce qu'il avait imaginé ; en fait, jamais il n'aurait pu concevoir une telle horreur.

Le visage des rebelles affichait, à cet instant, le même étonnement que celui des personnages de la fresque. La signification de la scène leur échappait. Les cavalières et leur monstrueuse monture avaient tout pour être dans le clan de la reine du désert et pourtant, elles luttaient contre les krakens tant redoutés. Eldérick scruta les soldats apparemment ébahis par cette aide venue du ciel et c'est alors qu'il remarqua le mince sourire sur les lèvres du roi. Il observa, dans le même temps, la colère doublée de peur panique que trahissaient les visages grimaçants des ennemis. Il se tourna vers Arkiel.

— Qu'est-ce que cela signifie ? demanda-t-il.

Les guerriers se tournèrent vers le magicien, en quête d'une explication à ce tableau déroutant. Arkiel secoua la tête et leur fit signe de regarder plus haut, alors que les torches finissaient de s'allumer toutes.

— C'est une longue histoire et nous n'avons pas vraiment le temps. Peut-être vous la conterai-je un jour.

Les paires d'yeux qui se tournèrent vers le haut de la fresque s'agrandirent de stupeur.

Le dernier brigand se trouvait si près qu'elle aurait pu le toucher. C'était très risqué, mais Mylène voulait voir la fresque. Contrairement aux guerriers, elle comprit presque aussitôt le sens de la scène ainsi que l'époque à laquelle elle se déroulait. La jeune femme connaissait le cheminement de ces guerrières pour en avoir lu les récits. Elle avait donc raison. Elles avaient réellement existé. Mais alors… Son cœur se mit à battre plus fort alors qu'elle regardait le haut de la fresque s'illuminer lentement.

Au début, elle ne distingua qu'une immense masse d'un noir bleuté. Puis, elle aperçut les ailes immenses du corps gigantesque qui planait dans les airs. Elle discernait les griffes aux extrémités de ces dernières, les transformant en armes redoutables. Mylène étouffa le cri qui lui montait dans la gorge, alors que le dragon se révélait à elle dans toute sa splendeur. Des muscles puissants saillaient sous les écailles, démontrant à tous ses ennemis sa force invincible. Repliés le long de son corps, ses membres inférieurs pourvus de griffes grosses comme des couteaux restaient prêts à agripper violemment tout ennemi qui passerait à leur portée. L'extrémité des membres supérieurs ressemblait étrangement à des mains, hormis leurs écailles et leurs longues griffes pointues. Elles balayaient l'air à la recherche d'une possible proie. Une longue queue, armée de pointes à son extrémité, achevait de protéger l'animal. Un long cou prolongeait le corps mince et souple du monstre. Deux grandes cornes couronnaient la tête, au milieu de plusieurs autres, plus petites. À la place d'oreilles, des membranes semblables à des branchies encadraient la gueule ouverte découvrant une rangée de crocs d'une quinzaine de centimètres. Du fond de sa gorge, un torrent de flammes rouge orangé se déversait sur l'ennemi. Une fumée d'un gris presque noir, aussi terrifiante que les flammes, s'échappait des naseaux. Mais ce qui fascinait le plus la jeune femme était le violet profond des yeux de l'animal, où brillait une prunelle de chat argentée. Ils reflétaient une intelligence et une sagesse qui rendaient la bête encore plus redoutable. C'était une créature magnifique. De tous les animaux de la terre qu'elle avait pu voir, celui-ci était le plus beau. Elle frissonna : il était aussi le plus dangereux.

Tout comme les autres bêtes, il était chevauché par une cavalière. Mylène la reconnut immédiatement. C'était l'héroïne de son livre. Ses cheveux bruns étaient ramenés en une longue tresse qui flottait dans son dos. La guerrière portait une armure aussi noire que sa monture et striée de fines lignes d'argent. Comme chez ses consœurs, son visage et ses bras étaient marqués de symboles bleu foncé. Elle brandissait un immense bouclier et une lance argentée tachée de rouge. Les rênes par lesquelles elle guidait sa monture se perdaient dans les écailles de la bête. Les poids du bouclier et de la lance devaient s'équilibrer pour lui permettre de se maintenir sans difficulté sur le dos du monstre.

Les krakens reculaient devant le dragon et sa cavalière, mais les flammes meurtrières les rattrapaient. Les félins-volants — dont elle avait lu qu'ils se nommaient loïtchays

— profitaient de l'effroi que provoquait le dragon pour attaquer les créatures cauchemardesques.

— Par Martéal ! s'écria Karok, alors que tous les autres demeuraient sans voix. Et dire que cette image est ici depuis toutes ces années sans que personne ne puisse venir la contempler.

— À quoi cela aurait-il bien pu servir ? lui demanda l'archimage, d'un ton triste. L'Église aurait crié sur tous les toits que cette fresque est une supercherie.

Dowan répliqua doucement :

— Peut-être. Mais c'est le rêve de tout guerrier de voir une de ces bêtes fantastiques.

— Ce n'est qu'une image, dit Arkiel en les voyant perdre leurs moyens devant une simple mosaïque. Je croyais vous avoir préparés.

— Comment pourrions-nous être préparés à cela ? s'exclama Eldérick. L'entendre, c'est une chose, mais le voir…

Dowan continua :

— Je donnerais cher pour être à la place d'un de ces soldats.

— Se battre aux côtés d'un dragon… Cher, dis-tu ?

Karok soupira.

— Moi, je donnerais encore plus !

— Il est magnifique ! s'exclama Éric.

— Oui ! continua Kaito tristement. Et c'est nous, les humains, qui les avons fait fuir notre monde.

Arkiel leva les bras. Il abandonnait. Ces hommes étaient, tels des enfants, perdus dans leurs rêveries. Il se recula et les laissa contempler la bête légendaire.

Malek trouvait le dragon d'une splendeur incroyable, mais son attention était plutôt attirée par sa cavalière. C'était la femme du médaillon. Elle et son dragon. Et si son imagination ne lui jouait pas des tours, elle ressemblait à leur guerrière. Il se gratta la tête sans oser en parler aux autres, de peur de se faire encore ridiculiser. Il se tourna vers eux et son regard croisa celui d'Arkiel, qui lui sourit.

— Aurais-tu remarqué quelque chose d'étrange, mon garçon ? lui demanda-t-il tout en semblant très bien savoir de quoi il s'agissait.

Le jeune homme lui lança un regard noir, croyant que le magicien, ayant deviné ses pensées, se moquait de lui. Tous les guerriers se tournèrent dans sa direction.

— Tu as vu un détail qui nous a échappé ? lui demanda à son tour Eldérick sans, par contre, le sourire en coin d'Arkiel.

— Eh bien…

Alors qu'il jetait de nouveau les yeux sur la guerrière, l'impression lui revint et il garda un bref silence.

— Je me trompe sûrement, finit-il par dire.

— Non ! Continue ! lui intima le magicien.

Malek se doutait bien que ses amis allaient se tordre de rire aussitôt qu'il aurait exprimé sa pensée, mais comme Arkiel insistait, il déclara d'un coup :

— Premièrement, cette image est celle du médaillon de la guerrière et deuxièmement, j'ai l'impression que la cavalière du dragon lui ressemble réellement.

Zyruas pouffa de rire et dit à Karok :

— On dirait que c'est plus grave qu'on croyait. S'il commence à la voir partout…

Les deux hommes ricanèrent et Éric poussa son ami du coude.

— Tu t'es fait ensorceler par cette fille ou quoi ?

Le guerrier les ignora et croisa les bras en dévisageant Arkiel. Ce dernier hochait la tête en souriant. C'est ce qu'il avait espéré entendre.

— Ne riez pas, il n'a peut-être pas tout à fait tort, leur dit-il en se dirigeant vers un gros livre posé sur un piédestal.

Il alluma les chandelles qui l'entouraient en continuant :

— Ce que vous ignorez, c'est que cette cavalière avait un don. Ce que je vous ai expliqué plus tôt sur le fait que Dieu nous envoie de l'aide. Elle n'était pas magicienne, mais, depuis son enfance, elle pouvait communiquer avec les animaux.

— Comme notre guerrière, affirma Dowan.

Le magicien hocha la tête.

— Avant de partir, à la fin de la guerre, dit-il, le dragon a confié aux magiciens et aux historiens de l'époque que le don de la guerrière était héréditaire et qu'il referait surface lorsque Dieu jugerait que les hommes auraient à nouveau besoin d'aide.

Les guerriers examinèrent la cavalière et commencèrent à réaliser ce qu'Arkiel leur expliquait.

— Ils ont donc inscrit les noms de tous les descendants de cette femme, afin de ne pas perdre leurs traces.

Il tournait lentement les pages. Sur chacune d'elles figurait un arbre sur les branches duquel des noms étaient inscrits. Il semblait y en avoir des dizaines.

— Cela a dû prendre un temps fou, s'exclama Eldérick en regardant Arkiel tourner les innombrables pages du livre. Il doit bien y avoir des milliers de descendants, depuis toutes ces années.

Il ne comprenait strictement rien à toutes ces branches de familles et se demandait comment le magicien faisait pour s'y retrouver.

— Nous sommes très nombreux à avoir travaillé sur ce livre, expliqua l'archimage. Comme je l'ai dit, des magiciens et des historiens, dans tous les royaumes, suivent les lignées de cette femme. Ils nous envoient leur relevé des noms en indiquant où ils sont rendus chaque année. Chacun, sans exception, espère être celui ou celle qui trouvera la personne et aura la chance de la prendre en charge. Vous ne vous rendez pas encore compte de tout le pouvoir que ce don procure à l'individu qui en jouit, ainsi que tous les dommages qu'il peut entraîner si celui-ci a de mauvaises influences.

Arkiel lança un regard en coin à la cavalière et revint au livre. Eldérick, qui avait suivi son regard, se dit qu'il ne devrait pas oublier de demander à Arkiel de lui conter l'histoire de cette femme, lorsqu'il en aurait le temps.

— Je ne crois pas qu'elle soit du mauvais côté, déclara Malek.

— Moi non plus, l'appuya Kaito.

— Certes, non ! s'écria Karok, elle nous a tous sauvé la vie, celle de Myral, en plus de causer des ennuis à cet imbécile de Kordéron en volant sa pierre.

Dowan se tourna vers le vieux magicien, toujours plongé dans sa lecture.

— En parlant de cette pierre, demanda l'homme du désert, vous croyez donc, maître, qu'elle est reliée à la jeune femme. Si elle descend vraiment de cette guerrière, son origine et celle de la pierre sont de la même époque.

— C'est probable, mais je ne saurais l'affirmer. Et cesse de m'appeler maître, veux-tu ? grommela Arkiel, qui regardait les pages en se demandant si sa mémoire ne lui avait pas joué des tours. L'origine de votre guerrière est la seule raison de notre présence ici. En ce qui concerne la pierre de la guerre, nous devrons nous en tenir à la légende tant que je n'aurai pas eu l'occasion de l'examiner pour découvrir son réel pouvoir. En espérant que le ténébryss ne la récupère pas avant moi. Nous les croyions tous morts. J'aurais dû me méfier davantage, ils fomentaient sûrement quelque chose et ils viennent de passer à l'action.

— Ces ténébryss, avança Malek, sont les sorciers qui ont jadis tenté de conquérir Zymar et que vous avez chassés ?

— En effet.

— Qu'est-ce que des sorciers voulaient faire en Zymar ? demanda Karok. Il n'y a que des montagnes et des mines de fer, là-bas.

— Je crois, répondit Arkiel en feuilletant toujours le livre, que Zymar n'était qu'un début. Les Zymariens sont un peuple plutôt primitif et ils n'auraient pas pu se défendre contre les ténébryss. Et ceux-là, cachés dans les montagnes, auraient pu conquérir leur territoire sans que personne ne le sache, pour ensuite se répandre en Ébrême.

— Et comment avez-vous su ? demanda Kaito.

Arkiel releva la tête du livre pour fixer l'Arkéïrite d'un air songeur.

— C'est curieux à dire, mais nous n'avons jamais su d'où nous venait l'information. C'est un magicien qui l'a entendu d'un autre magicien et ainsi de suite, de sorte que l'informateur est resté inconnu. Toutefois, vu le danger que représentent les ténébryss, nous nous sommes quand même déplacés et heureusement, car ils avaient déjà détruit plusieurs villages.

Revenant au livre, il continua :

— Nous n'avons jamais su ce qu'ils désiraient exactement. Selon moi, leur but était plus complexe que la conquête des royaumes. Mais peu importe, l'un d'eux croit manifestement que la pierre de la guerre peut les aider et, je suis certain que ce n'est pas du fait de cette légende. Enfin ! s'écria-t-il. Je ne m'étais pas trompé. Regardez !

Les guerriers se réunirent autour du livre, au grand désespoir d'une jeune femme qui, tapie dans l'ombre, ne pouvait plus rien voir. Du bout du doigt, il leur montra un nom : « Roland Deschênes ». À ses côtés était inscrit : « Moïra Deschênes » suivi, entre parenthèses, de « Zéleste », qui devait être son nom de jeune fille. Il y avait également un symbole runique. Sous ces noms, les branches se séparaient en quatre, «Kyll», «Hugh», «Ramaël» et «Éléonore». Près de cette dernière était inscrite la même rune que sa mère et, entre parenthèses, «disparue à quatorze ans».

— Que signifie le symbole à côté des deux femmes? demanda Eldérick en le montrant.

— La mort, dit simplement Arkiel.

— La mort? s'exclama Malek, mais… il regarda la cavalière, la ressemblance…

Le vieux magicien leva la tête et le dévisagea. Malek se tut.

— Si tu me laissais continuer, je pourrais expliquer ce à quoi je pense.

Le jeune homme hocha la tête et reporta son attention sur la rune, près du nom. Elle ne pouvait pas être morte, il était presque certain que la jeune femme mystérieuse avait un lien avec la cavalière.

Les hommes se redressèrent, les yeux noyés dans leurs pensées. Mylène commençait à avoir peur. Certes, suivre les guerriers s'était avéré très excitant, mais la situation devenait dangereuse. Les brigands seraient sûrement mécontents de savoir que quelqu'un les avait entendus. D'autant plus qu'il semblait être question de la pierre et de la personne qui l'avait subtilisée. L'imagination de la jeune femme s'agita soudainement et des images inquiétantes lui vinrent à l'esprit.

Elle regarda l'archimage s'éloigner du livre et s'appuyer sur son bâton. Mylène n'avait plus vraiment envie d'entendre ce qu'il allait expliquer, mais elle s'était trop rapprochée d'eux et elle ne pouvait plus, sans risquer d'être repérée, sortir de derrière la colonne où elle se cachait.

La jeune femme porta son attention sur le grand blond qui observait Malek. Elle n'avait pas à se le cacher, c'était en partie à lui qu'elle devait son geste insouciant. Mylène regarda les traits rieurs du jeune homme ; il devait chercher un sarcasme à lancer à son ami à propos de cette guerrière dont ils parlaient. Malek semblait avoir eu une relation quelconque avec elle, dans le passé.

Elle tenta de se rassurer en songeant qu'Éric avait risqué sa vie pour elle, dans les bois, mais le problème était qu'il n'était pas seul. Mylène jeta un regard vers les autres brigands. C'était eux qui constituaient un réel danger. Elle frissonna. Jamais elle n'aurait cru se mettre dans un tel pétrin dans le seul but de voir un homme. Sans compter qu'habituellement, c'était eux qui s'ingéniaient à s'approcher d'elle. La jeune femme soupira. Elle était vraiment stupide.

— Sa mort n'a pas été constatée, continua Arkiel, mais elle a disparu à quatorze ans et il y a de cela environ dix ans. Personne ne l'a retrouvée.

— Elle a peut-être été enlevée ? supposa Eldérick.

Arkiel secoua la tête.

— Je ne crois pas. Elle était consciente de son don dès l'enfance et l'utilisait déjà. Alors, personne, pas même un magicien, n'aurait pu l'enlever.

— Tu l'as déjà vue ? demanda vivement Malek. Est-elle comme je te l'ai décrite ?

Une main levée pour apaiser le jeune homme, Arkiel l'interrompit :

— Du calme ! Du calme, mon fils ! Je ne l'ai vue qu'une fois. C'est un historien qui demeure dans une université d'Ébrême qui, s'étant lié d'amitié avec la fillette, m'avait écrit pour me dire qu'elle se comportait parfois d'une étrange façon. Je me suis rendu sur les lieux, mais je n'ai rien constaté, à part le fait qu'elle semblait légèrement attardée et qu'elle avait très mauvais caractère. Je ne me suis pas mis en colère contre lui, car il était assez âgé et qu'il s'était sûrement mépris, sans vouloir mal faire. Mais il a insisté et m'a dit que c'était moi qui étais trop vieux pour remarquer des évidences et finalement, nous nous sommes querellés. Querelle qui dure toujours, d'ailleurs.

Éric pouffa en s'imaginant les deux vieux se lancer des insultes par la tête. Arkiel et son père lui lancèrent un regard mauvais et il ravala son rire.

— Je réalise maintenant qu'elle s'est probablement moquée de moi.

Les hommes restèrent cois devant cette affirmation, tandis qu'Éric éclatait de rire. Son père leva la main pour lui assener une claque derrière la tête, mais l'archimage le retint d'un signe.

— Non ! Je sais que cela peut sembler très drôle qu'un vieux magicien comme moi puisse se faire mener en bateau par une fillette. Elle semble très habile pour jouer la comédie. Et vous en avez eu l'expérience, n'est-ce pas ?

Les guerriers acquiescèrent et grommelèrent au souvenir de la jeune femme. Elle les avait effectivement tous eus, sauf Malek.

Mylène se tourna pour s'appuyer contre la colonne et ferma les yeux. C'était impossible ! Ça ne pouvait pas être elle. Cette voleuse déguisée était forcément quelqu'un d'autre. Elle avait sauvé les hommes, mais ça ne devait pas être des mercenaires. Qu'elle fût originaire d'une seigneurie d'Ébrême était une coïncidence.

Mylène passa ses mains dans ses cheveux en se répétant que ça ne pouvait pas être elle. Son imagination devait lui jouer des tours. La comtesse avait bouleversé sa vie ! Grâce à elle, elle découvrait à présent un monde qui lui avait toujours paru sans importance. La jeune femme ne verrait plus jamais les personnes qui l'entouraient de la même façon, même en essayant.

Non! Elle ne pouvait pas être une simple voleuse. Mylène regarda l'archimage. Elle ne pouvait plus partir comme elle tentait de le faire depuis un moment, car elle voulait être certaine qu'elle n'avait pas été bernée par cette femme, elle aussi. Pourtant, elle avait le mauvais pressentiment que son imagination ne la trompait pas et cela lui donnait des sueurs froides.

— Elle ne m'aimait pas, continuait l'archimage. Non! En fait, elle avait peur de moi.

Il lança aussitôt un regard menaçant à Éric, qui referma la bouche et retint les propos sarcastiques qu'il s'apprêtait à lancer.

— J'ignore pourquoi, ajouta Arkiel sans quitter des yeux le jeune guerrier, déçu de se voir ainsi privé d'une excellente occasion de ne pouvoir narguer le vieil homme, mais elle me craignait. Pourtant, je n'ai rien de si patibulaire et les enfants m'aiment bien, habituellement. Mais, cette petite fille, je m'en souviens très bien maintenant, et je ne sais pas pourquoi je ne m'en étais pas aperçu à ce moment-là, n'était pas comme les autres. Ses yeux reflétaient parfois une méfiance trop adulte pour son âge et alors, il n'y avait plus trace d'innocence en elle. Sur le moment, ces regards ne m'ont pas frappé, tellement j'étais persuadé qu'elle n'était qu'une fillette un peu simple, et puis, j'avais l'esprit ailleurs, murmura-t-il en baissant les yeux.

Le magicien, qui semblait parler plus pour lui-même, secoua lentement la tête.

— Bon sang! Cette vieille mule d'Alphéus avait raison.

— Qu'est-ce qui vous rend si certain que c'est elle? demanda soudain Zyruas, légèrement frustré de voir leurs recherches avancer.

— Tout! s'exclama Karok. Le fait qu'elle connaissait si bien son entourage, ce pour quoi ses émotions semblaient si réelles...

— Peut-être bien! l'interrompit le grand guerrier, mais vous ne trouvez pas cela drôlement imprudent, d'utiliser son propre nom comme couverture?

— Pas vraiment, répliqua Dowan. Les deux royaumes ne sont pas en très bons termes depuis que Kordéron est monté sur le trône. Les nobles ne se connaissent plus, ou très peu. C'est pourquoi, justement, elle a dû être choisie pour ce travail. C'est assez astucieux de la part de ceux qui l'ont chargée de cette quête.

— Effectivement, l'appuya Arkiel. Et j'ai bien hâte de les connaître.

Il referma soigneusement le livre et éteignit les bougies. Ils commencèrent à s'éloigner. Malek fixait le livre, en souriant. Éléonore Deschênes. Il murmura:

— Gare à toi, ma petite biche, nous commençons à te rattraper.

Il se tourna et tomba nez à nez avec un Éric tout sourire. Celui-ci ouvrit la bouche, mais Malek l'empêcha de parler:

— Quel que soit ce que tu veux me dire, je m'en moque complètement.

Le sourire du grand guerrier disparut et il répondit d'un ton attristé:

— Oh! Malek, ça me fait de la peine que tu me sous-estimes ainsi. Je voulais juste te dire à quel point j'étais heureux d'avoir découvert qui était cette jeune femme mystérieuse.

Malek éclata de rire et poussa son ami.

— N'essaye pas! Tu mens encore plus mal que tu manges.

Éric leva le nez et poussa un hoquet de dédain alors que Malek le dépassait.

— Tu es bien placé pour parler ! J'ai vu des ogres manger, qui étaient plus attirants que toi ! lui cria-t-il.

Sans relever, Malek continua de marcher.

— Elle est quand même intelligente, ajouta Éric en lançant un dernier regard au livre avant de partir. Kordéron ne réalisera pas qu'elle n'était pas la comtesse Éléonore Deschênes tant qu'il la croira morte. Quand il s'en apercevra, s'il s'en aperçoit un jour, elle sera sûrement déjà très loin.

Mylène, qui, depuis un moment, avait réalisé qu'il parlait effectivement de la comtesse, reculait lentement. Elle n'était pas morte. Elle leur avait menti. Le soldat... c'était elle. Comment ne l'avait-elle pas remarqué ? Des larmes de frustration lui vinrent aux yeux, mais elle les refoula rapidement, car elle accrocha une statue qui se balança légèrement sur son socle. Mylène la rattrapa à temps et la stabilisa, mais elle vit qu'Éric regardait dans sa direction. Il l'avait entendue. Le rythme de son cœur s'accéléra. Elle retint jusqu'à son souffle. Dissimulée derrière la statue et une partie de la colonne, elle observa le jeune homme. Il finit par hausser les épaules, croyant sûrement avoir rêvé, et partit rejoindre les autres.

La jeune femme soupira et se dirigea vers une partie plus sombre du couloir. Elle longeait rapidement le mur pour devancer les guerriers qui avançaient lentement. Elle n'arrivait toujours pas à concevoir que la comtesse ne fût qu'une voleuse. Elle s'était servie d'elles pour pénétrer dans le château et dérober la pierre de la guerre. Tout le long, elle ne leur avait conté que des inventions.

Soudain, un frottement discret derrière elle la tira de ses pensées. La jeune femme s'immobilisa, le cœur battant. C'était sûrement sa robe qui avait frôlé un objet. Elle paniquait pour rien. Elle ne devrait même pas perdre son temps ainsi, il fallait continuer... Mais elle n'arrivait plus à bouger, tant elle avait peur. Calme-toi, se dit-elle. Ce n'est rien, tu verras. Son imagination jouait avec elle.

Mylène reprit confiance, rit d'elle-même et de ses peurs et se retourna vivement. Elle se retrouva alors face à face avec une silhouette encapuchonnée. Dans un cri de surprise, elle recula et, par malheur, entra dans le faisceau d'une torche. L'individu poussa à son tour une exclamation de surprise et resta figé sur place.

Sans plus attendre et sans même réfléchir, elle se précipita vers la sortie du couloir. Elle n'avait pas fait quatre pas qu'elle heurta un deuxième individu. Elle tenta de le repousser, mais deux bras l'emprisonnèrent dans leur étau. Mylène se débattit encore, jusqu'à ce que l'étau lui coupe le souffle, l'immobilisant totalement. Elle vit l'autre individu les rejoindre et se placer à leur côté pour la regarder.

— Eh bien! Eh bien! s'exclama Malek qui la tenait. Qu'avons-nous là, une espionne?

— Oui! Et c'est qu'elle est très jolie en plus, ajouta Éric en passant sa main sur la joue de la jeune femme.

Mylène tenta de se soustraire, sans succès, à la caresse du jeune homme. Elle regarda le visage dans l'ombre et vit son immense sourire. Elle déglutit péniblement en se répétant qu'elle était vraiment stupide!

CHAPITRE 20

LA FUITE D'ÉLI

L e chant des oiseaux et le murmure de l'eau d'un ruisseau tout proche la berçaient dans son sommeil. La jeune femme entrouvrit un œil, éblouie par les rayons du soleil qui transperçaient le feuillage des arbres. D'après sa position, il devait être près de midi. Éli grogna. Elle pouvait se reposer une heure encore. Elle l'avait bien mérité, après tous ces jours sans sommeil.

Cela devait faire une bonne vingtaine de jours — elle n'avait pas fait le compte — qu'elle avançait à ce rythme et elle était encore loin de la frontière. Même si elle était partie en force en quittant Myral et les prisonniers, elle avait considérablement ralenti son rythme en descendant de Kalessyn afin de traverser la forêt centrale. Comme elle voulait éviter les routes, Éli avait dû frayer un chemin parmi les branches à Kalessyn, qui ne pouvait pas se faufiler comme elle. Une fois sortie, elle avait bien voulu reprendre le galop, mais il y avait beaucoup de soldats sur les routes et ils interceptaient tous les voyageurs.

Son don avait beau lui permettre de voir venir les soldats où qu'elle fût, il ne lui permettait pas de disparaître lorsqu'elle se trouvait au beau milieu d'un champ. D'autant qu'en ce début de printemps, les plans commençaient à peine à pousser. Elle avait donc dû voyager la nuit en s'assurant d'avoir regagné le couvert des arbres avant le lever du jour. Elle essayait ensuite de dormir à l'abri des branches, mais son sommeil était constamment interrompu par les patrouilles.

De plus, n'osant pas s'approcher des villages, elle devait chasser pour se nourrir et elle détestait cela. Son don la rendait très proche des bêtes et même si elle savait que tuer pour se nourrir était une loi de la nature, cela la rendait extrêmement triste et elle digérait mal.

Enfant, elle avait tout bonnement cessé de manger de la viande. Le seul fait de regarder son assiette, en pensant à l'animal, lui enlevait tout appétit. Au cours des mois, elle s'était tant affaiblie que son père avait fait appel à plusieurs médecins, mais aucun n'avait pu découvrir le problème.

C'est son vieil ami Alphéus qui avait fini par mettre le doigt sur l'origine de son malaise. Il avait eu avec elle une longue discussion sur les animaux. Certes, elle ne lui avait jamais parlé de son don — elle n'en parlait à personne —, néanmoins, il savait qu'elle était plus proche des bêtes que la moyenne des gens. Ensemble, ils avaient réussi à établir un menu, à base de poissons et de noix, qui l'avait remise sur pied.

Cela avait bien fonctionné jusqu'à ce qu'elle entre dans les rangs des chasseresses. Du fait de l'entraînement intensif qu'elle avait suivi, Éli n'avait pas eu le choix : il lui avait fallu ajouter la viande à son régime alimentaire. Comme ses sœurs connaissaient toutes son don, elles comprenaient ses sentiments envers les animaux et les corvées de chasse et de dépeçage lui étaient épargnées.

Par contre, personne ne chassait à sa place lors de ses quêtes ; elle ne voulait pas non plus utiliser les prédateurs pour se procurer de la nourriture. Éli avait donc cueilli tout ce qu'elle avait pu, mais ce pauvre régime avait commencé à l'affecter et elle avait dû se résigner à capturer sur son chemin quelques lièvres dont elle avait tiré le maximum.

La jeune femme se retourna sur le dos et regarda le ciel bleu azur strié de minuscules filaments blancs. Une autre journée de chaleur intense en perspective. Elle repoussa sa cape et ferma les yeux pour se reposer un peu. Le vent qui se faufilait entre les nombreux arbres et buissons venait lui ébouriffer les cheveux et emportait un peu de la chaleur du soleil avec lui.

Éli commençait tout juste à pénétrer dans le monde des rêves lorsque de gros naseaux humides se frottèrent contre sa joue. La jeune femme les repoussa de la main, mais ils revinrent avec plus d'insistance.

— Oh! Kalessyn, vieux fatigant, veux-tu bien me laisser dormir en paix!

Elle saisit sa cape et se la rabattit sur la tête. Le cheval, nullement découragé, saisit le tissu entre ses dents et le lui arracha pour le jeter plus loin. Éli coula un regard noir vers le grand destrier pommelé, mais resta muette devant l'éclat pressant de ses yeux. Il hennit faiblement et se dirigea vers un groupe compact d'arbres, tout en jetant à la guerrière des regards significatifs. Elle se leva d'un bond, saisit ses sacs et autres effets et balaya l'endroit où elle avait dormi pour faire disparaître ses traces.

Elle avait abandonné son armure dulcienne le soir même de son évasion. Dans les sacs que portait Kalessyn, elle avait récupéré une tenue de voyage moins voyante. Elle portait de larges pantalons de peau brun foncé à multiples poches et une chemise de coton beige lacée au col, sous une veste d'un brun plus pâle qu'ajustait une large ceinture bombée, à différents endroits, par les couteaux et les dagues dissimulés sous le vêtement. Ses bottes de cuir noir renforcé lui montaient jusqu'à mi-mollet et un vieux chapeau bosselé, aux larges bords défraîchis, maintenait son visage dans l'ombre.

Éli avait elle-même cousu et assemblé tous ses habits, conçus pour qu'elle passe inaperçue, tel un simple cavalier errant. Par contre, comme elle devait avoir plus de protection que son épée, elle avait cousu, à l'intérieur de ses vêtements, une carapace écailleuse qu'elle avait prélevée d'un cadavre d'une créature trouvée dans les monts de Zymar. Cette protection se révélait plus efficace qu'une cotte de mailles tout en étant moins lourde. Éli n'avait donc aucune difficulté à grimper lestement aux arbres.

Elle se dissimula dans le feuillage d'un gros érable et attendit. Kalessyn était sûrement allé se cacher dans un bosquet. Elle ne s'en faisait pas pour lui, il savait s'arranger. De toute façon, elle avait sur elle le plus important.

Il se passa plusieurs minutes avant qu'elle ne les entende parler au loin. Bon sang! Ils étaient vraiment partout. Le premier soldat surgit de la végétation, de l'autre côté du ruisseau, en fauchant les branches de son épée.

— Enfin! Le voilà! s'exclama-t-il en apercevant le cours d'eau.

Un deuxième soldat apparut derrière lui en grommelant.

— Tu parles d'une affectation! Patrouiller dans les bois. Autant chercher une aiguille dans une botte de foin.

— Ouais! dit un troisième. Le roi devient complètement fou, tout ça pour un vulgaire caillou.

— Un vulgaire caillou! répliqua le premier en retirant les gourdes de ses épaules. C'est la pierre de la guerre!

— Parce que tu y crois, toi, à ces histoires?

Ils se penchèrent au-dessus du cours d'eau pour remplir les récipients. Éli leur donnait moins de vingt ans, sauf au premier, qui devait être dans la trentaine.

— Vous voulez que je vous dise ? demanda le deuxième soldat. Eh bien, moi, pour une fois, je suis d'accord avec le premier conseiller. Le roi ne devrait pas envoyer autant d'hommes à la recherche de ce voleur. Ça ne sert à rien du tout. Moi, c'est me battre que je veux, pas faire la chasse à la sorcière.

— Eh oui, te battre, dit le plus vieux.

Éli observa le visage de l'homme qui considérait tristement ses deux jeunes confrères. Elle avait perçu dans sa voix une pointe de sarcasme. Effectivement, se battre contre des villageois n'était pas ce qu'elle appelait une bonne bataille, ce que, apparemment, elle n'était pas la seule à penser. Elle était heureuse de voir que des soldats n'approuvaient pas les ordres royaux d'attaquer les paysans qui se rebellaient contre ses lois, même plus au sud du royaume. Il suffirait de donner une poussée dans le dos à ces hommes… Elle revit le capitaine Remph. Peut-être reviendrait-elle après sa quête pour inciter ces hommes à se soulever contre ce premier conseiller qui semblait être à l'origine de la conduite insensée du roi.

— C'est vrai ! approuva le troisième, en interrompant les pensées de la jeune femme. Si ce guignol a réussi à s'introduire dans le château et dans la chambre aux trésors et à subtiliser la pierre sans se faire prendre, il ne se laissera certainement pas attraper facilement. Il n'est peut-être même plus dans le royaume.

Son ami acquiesça.

— De toute façon, les interrompit le plus vieux, les ordres sont les ordres et il faut les respecter. Je ne sais pas pour vous, mais moi, j'aime mieux courir après un voleur que me battre contre les villageois.

Éli sourit. Il l'avait dit. Le troisième soldat se redressa et regarda autour de lui, comme pour être certain que personne ne les entendait.

— Tu as raison, dit-il en baissant la voix. Je n'avais pas vu ça sous cet angle. Le temps que Kordéron passe sur cette pierre, il laisse les paysans en paix.

La conversation devenait de plus en plus intéressante.

— Bien sûr, déclara son compagnon. Et je ne comprends pas pourquoi le premier conseiller Lelkar ne veut pas qu'on perde notre temps à la chercher, ça lui donnerait une bonne excuse pour encore augmenter les impôts.

— Ouais! Et c'est nous qu'on prendra pour aller les collecter.

À ces mots, le plus vieux soldat se releva, passa les nombreuses gourdes en bandoulière et sortit son épée pour se frayer à nouveau un chemin parmi les branchages.

— Bon sang! s'exclama-t-il. On dirait que ces satanées branches repoussent dès qu'on les a coupées.

Les deux jeunes eurent un grognement d'approbation et l'un d'eux déclara sèchement :

— J'aurais dû me faire magicien. Ils ont la belle vie, ceux de la citadelle; loin du roi et de ce damné Krilin Lelkar.

— Fais quand même attention à ce que tu dis, le jeune, lui conseilla son aîné. Ça pourrait t'attirer des ennuis.

Éli secoua la tête. Elle ne comprenait pas pourquoi ces hommes ne se prenaient pas en main pour changer les choses. Elle était certaine qu'ils étaient assez nombreux, mais peut-être l'ignoraient-ils? Si c'était le cas, elle tâcherait d'y remédier avec plaisir en les réunissant.

— De toute façon, tu es bien trop bête pour pouvoir devenir magicien, ne put s'empêcher d'ajouter son compagnon.

L'autre jeune soldat le poussa du coude et ils disparurent dans les bois en se lançant des insultes. Éli les suivit des yeux et s'assit plus confortablement sur sa branche en attendant que Kalessyn se montre. Elle se demandait comment elle réussirait à convaincre ses maîtresses de revenir aider ces gens. Elles n'approuvaient généralement pas que l'une de leurs chasseresses se mêlât des affaires des royaumes. «Ils veulent se mettre dans le fumier. Eh bien! Qu'ils s'en sortent tout seuls, disait Rîamka lorsqu'elle lui faisait part de ce sujet. Je n'ai aucune envie de risquer la vie de mes filles pour le manque de jugement de ces imbéciles d'hommes. J'espère que je me suis bien fait comprendre!»

Éli sourit en se remémorant le visage furieux de sa maîtresse d'armes. Malgré son caractère exécrable, elle devait bien admettre qu'il lui tardait de la revoir. Les yeux fixés vers le sud-est, elle soupira. Il y avait encore tant de chemin à parcourir... Et ces soldats qui semblaient sortir de partout, comme des bestioles! À la réflexion, avoir révélé au capitaine Remph que le roi avait de la concurrence n'était peut-être pas une si bonne idée. Elle n'avait jamais imaginé qu'il enverrait tant d'hommes. Elle aurait pourtant dû le savoir assez fou, comme le soldat l'avait dit, pour expédier toute son armée à ses trousses. Mais c'était fait et elle devait faire avec. Éli eut un nouveau soupir. Revenir chez elle lui prendrait encore plus de temps.

Des branches frémirent et elle vit une crinière noire onduler entre les feuilles. Éli siffla discrètement et entreprit de descendre. Alors qu'elle sautait à terre, Kalessyn vint s'arrêter près d'elle. Elle attacha les sacoches à la selle rudimentaire de l'animal.

Éli avait installé cette selle ainsi que les fausses rênes dans le seul but que les gens ne se posent pas de questions en la voyant chevaucher le destrier. Ce harnachement était, bien sûr, inutile et Kalessyn le détestait au plus haut point, mais elle n'avait pas le choix. Les hommes qu'elle croisait auraient été bien trop surpris de voir un cavalier monter sans rênes un cheval aussi impressionnant. C'était pour le moins inhabituel, sinon exceptionnel. Elle avait dû expliquer longuement tout cela à Kalessyn pour qu'il accepte de se laisser seller, ce qui ne l'empêchait pas de renâcler constamment, à la façon ingrate dont elle le traitait. Éli faisait alors mine de ne pas le remarquer, comme à cet instant.

Lorsqu'elle eut fini, elle attacha la gaine de son épée dans son dos et se remit en route, marchant devant son compagnon. Il était plus facile d'avancer ainsi et de toute façon, leur progression n'aurait pas été plus rapide si Éli s'était mise en selle ; la forêt était beaucoup trop dense.

— Je te remercie de m'avoir réveillée et excuse-moi de t'avoir traité de vieux fatigant.

Le cheval émit un bref hennissement et lui donna un coup de museau affectueux.

— Je suis vraiment trop imprudente. Je ne sais pas ce qui me prend, mais je suis tellement fatiguée et nous sommes encore si loin de la frontière... Heureusement que tu es là, parce que je me serais retrouvée dans le pétrin s'ils m'avaient vue.

Elle lui flatta la crinière et l'animal lui lança un bref coup d'œil.

— Oui, je sais, toi, tu peux sommeiller en marchant et tu es heureux de pouvoir m'aider, mais une chasseresse ne peut pas toujours se fier aux autres.

Éli se tut. Elle était en train de reprendre la mauvaise habitude de parler à voix haute. Rien de plus inutile, puisque Kalessyn comprenait ses pensées et non ses paroles. Elle avait du mal à y renoncer, car ce réflexe était humain et elle devait donc y faire constamment attention. Lorsqu'ils étaient seuls, ce n'était pas un problème, mais si elle cédait trop souvent à ce penchant, elle risquait de se trahir en public. Comme cela avait été le cas dans la grotte, avec l'ours. Son attitude irréfléchie avait dû soulever bien des questions dans la tête de ces guerriers.

Éli sourit à leur souvenir. Elle aurait bien aimé voir la tête d'Eldérick au retour de ses hommes. Bien peu de gens des royaumes lui étaient agréables à côtoyer, mais eux en auraient sûrement fait partie. C'était une raison de plus pour revenir en Dulcie. Kalessyn s'arrêta brusquement et elle entendit les avertissements des animaux. Éli sauta dans un buisson et se terra près d'une famille de lièvres. Ces derniers se rapprochèrent d'elle pour être plus en sécurité. Il devait y avoir des chiens pisteurs avec les soldats.

Elle resta tapie un moment et demanda aux lièvres s'ils avaient vu beaucoup d'autres humains dans les bois. Ils lui répondirent qu'il y en avait effectivement plus que d'habitude et que cela les angoissait beaucoup. Ils ne pouvaient lui donner le nombre d'hommes, puisque cette notion leur était étrangère. Elle comprit cependant qu'ils devaient être relativement nombreux pour que les petites bêtes soient aussi perturbées.

Éli reporta son attention sur la direction d'où venaient les soldats. Elle aperçut tout d'abord les chiens, mais leur donna l'ordre de l'ignorer. Ils hésitèrent, car il s'agissait de bêtes loyales, mais elle insista et ils finirent par obéir, de peur de la mettre en colère. Ils continuèrent leur route, reniflant le sol avec vigueur. Quatre paires de jambes en armure dorées passèrent devant elle et suivirent les chiens.

Éli soupira et attendit qu'ils soient loin avant de se redresser. Les lièvres la remercièrent et se précipitèrent vers leur terrier. Kalessyn la rejoignit et tous deux se remirent en route. Elle était sur les nerfs. Et le pire était à venir : tout se passait bien pour l'instant, car le centre de la Dulcie était couvert de boisés, mais plus elle avançait vers le sud, plus ils se faisaient rares, supplantés par d'interminables étendues de champs. Elle devrait bientôt les traverser pour se rendre à l'est, ce qu'elle ne pourrait faire d'un seul trait.

En chemin, la guerrière allait devoir s'arrêter dans les villages pour se cacher parmi les villageois ou tenter de se joindre à un groupe de voyageurs, comme elle le faisait souvent. Elle aurait à faire jouer ses connaissances, quoiqu'elles fussent minimes en Dulcie.

Elle baissa les yeux sur la sacoche qui renfermait la pierre, qu'elle avait enroulée dans plusieurs couches de tissu pour éviter sa détérioration durant le transport. La jeune femme avait également pris soin de mettre plusieurs obstacles entre elle et la pierre. Pourtant, le seul fait de regarder son emplacement lui donnait l'immense tentation de la prendre dans ses mains, de la garder au chaud près d'elle.

La jeune femme ralentit le pas sans s'en rendre compte et Kalessyn lui donna un léger coup de museau. Elle dut secouer la tête pour reporter son attention sur la forêt, devant eux.

La pierre n'avait pas le même effet sur Kalessyn, probablement parce qu'il était un animal. Au contraire, il la craignait, mais la confiance qu'il avait en sa maîtresse lui permettait de surmonter ce sentiment. Éli avait tenté de percer la nature du sentiment que la pierre produisait chez elle. Elle avait souvent eu à transporter des artefacts. Certains, parfois même très puissants pour les eldéïrs, mais elle ne subissait pas la même attirance en leur présence. Lorsqu'elle avait un objet magique en sa possession, elle acquérait, en quelque sorte, un grand pouvoir, ce qui expliquait son désir de le garder. Car la proximité du pouvoir corrompt les idéaux humains que seule la force de caractère peut sauvegarder.

Comme elle, Tilka s'était toujours montrée forte de nature et c'est pourquoi toutes deux étaient souvent choisies par les eldéïrs pour les quêtes d'ordre mystique. Mais cette fois-ci, Éli avait été la seule désignée et sa sœur en avait été très offusquée. Or, Tilka n'aurait jamais pu tenir aussi longtemps le rôle de noble sans se trahir. Elle était d'un tempérament si impétueux ! Éli rit doucement en imaginant la réaction que sa sœur aurait eue, à sa place, quand elle s'était fait capturer par les rebelles. Jamais elle n'aurait pu se retenir d'en rosser un ou deux dès sa sortie du carrosse.

La guerrière lança un bref coup d'œil à la sacoche. Au contraire des autres artefacts, la pierre ne lui procurait aucun sentiment de pouvoir, mais un étrange besoin de sécurité. C'était pour la protéger et pour en prendre soin qu'Éli aurait voulu la conserver. Pourquoi ? Elle n'en avait pas la moindre idée. Ce n'était qu'un caillou, après tout. Au pire, il perdrait un ou deux morceaux, s'il tombait…

À cette seule pensée, un frisson d'horreur la parcourut et elle faillit se précipiter vers la sacoche. Bon sang ! Elle devenait complètement folle. Le sorcier qui l'avait conçue devait tout simplement lui avoir jeté un sort afin qu'elle ne soit jamais égarée ou abandonnée. C'est ce qui devait l'affecter et rien de plus. Restait que cette pierre était le véritable objet qu'évoquait la légende. Celui qui avait fait gagner la guerre au roi Martéal. Quel genre de puissance cela impliquait-il ? Éli aimait mieux ne pas y penser.

Elle dut s'éloigner de Kalessyn pour éviter un groupe d'arbustes, mais ses yeux restèrent rivés sur la sacoche. Malgré tout le tissu dont elle avait enveloppé la pierre, Éli savait que si elle tendait la main vers elle, les veinules rouges paraîtraient au travers. Pourtant, la pierre n'avait émis aucune lumière lorsque les magiciens l'avaient touchée, lors du bal.

Elle aurait de nombreuses questions à poser aux eldéïrs à son retour. Entre autres, qui était ce sorcier qui cherchait à mettre la main sur la pierre de la guerre et qui leur ressemblait tant ? La seule différence était que ceux-ci ne flottaient pas dans les airs. Toutefois, ils en avaient tout de même la capacité. Peut-être que les eldéïrs ne connaissaient pas non plus leur existence, sinon, ils l'auraient mise en garde contre eux.

Fronçant les sourcils d'un air préoccupé, elle jeta un coup d'œil à la sacoche. Elle n'avait pas l'habitude de laisser l'anxiété la gagner lors de ses quêtes, mais, cette fois, elle n'arrivait pas à la chasser. Il y avait trop d'éléments inexpliqués autour d'elle.

Elle leva la tête vers un épervier qui survolait la forêt et regarda par les yeux du rapace pour avoir un aperçu des environs. Elle en avait encore pour trois bonnes heures à marcher dans la forêt vers le sud. Ensuite, il n'y avait que des champs. Elle envoya l'épervier les observer et repérer les villages. En chemin, elle le laissa piquer sur un mulot qu'il avala en deux becquées avant de continuer. Éli mémorisa les fermettes où il n'y avait pas trace de soldats et où elle pourrait s'arrêter. Lorsqu'elle sentit l'oiseau perturbé de se trouver aussi loin de son territoire, elle le ramena vers elle.

Les pensées d'Éli revinrent à la forêt qui l'entourait, alors qu'elle se concentrait sur sa prochaine destination. Elle devait se remémorer les principales caractéristiques des villageois ; accent, coutumes, bref historique… etc. Les villages qu'elle avait ciblés étaient habités par des agriculteurs et les voyageurs ne s'y attardaient que pour acheter des vivres.

Ses quêtes précédentes lui avaient fait connaître quelques agriculteurs du sud de la Dulcie en qui certains de ses personnages pouvaient avoir confiance. À partir de là, il lui faudrait trouver le moyen de se joindre à un groupe de voyageurs, au risque d'avancer à petits pas et de ne pas atteindre la frontière avant plus d'une semaine. Éli n'avait pas encore décidé si elle passerait la frontière par un des ponts qui surplombaient le fleuve qui la bordait ou si elle traverserait la ville frontalière. Cette décision dépendrait du groupe avec lequel elle choisirait de voyager.

Éli reporta soudain son attention sur les oiseaux, qui disaient que des humains marchaient plus à l'est. Il fallait qu'elle arrête de trop réfléchir, sinon, elle finirait par se faire surprendre. Elle chassa toutes ses considérations et elle bifurqua vers l'ouest pour s'éloigner des soldats. Encore un détour.

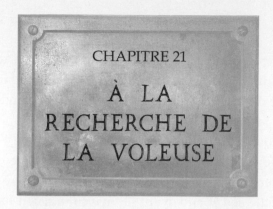

Éric prit Mylène par la taille et la poussa vers les autres guerriers, qui s'étaient tus. Elle entra dans la lumière des torches, les yeux rivés sur ses sandales. Ils restèrent tous muets de surprise.

Arkiel examina la jeune femme en se caressant la barbe d'un air songeur. Il l'avait vue ces derniers jours, mais pour quelle raison? Ah oui! Beldariane lui avait mentionné que cette jeune personne possédait un réel talent pour la peinture. Depuis qu'elle était revenue, elle faisait preuve d'une sagesse bien supérieure aux autres élèves. Mais son nom lui échappait. L'enseignante avait expliqué que ce nouveau comportement était sûrement dû à ses jours de captivité parmi les brigands. Arkiel releva vivement la tête et regarda les expressions ahuries de ses compagnons. Il reporta son attention sur la demoiselle, dont le visage s'était teint d'un rouge cramoisi. Elle semblait plus gênée qu'apeurée. Il rit doucement en s'approchant de la jeune femme.

— On dirait que vous vous êtes fait découvrir, Messieurs. Et vous vous connaissez, si je ne me trompe pas.

— Oui, dit lentement Eldérick. Nous avons eu l'occasion de nous rencontrer il y a peu de temps.

— De plus en plus d'emmerdes en perspective... grogna Zyruas.

Mylène lui lança un regard inquiet. Incapable de bouger d'un centimètre, elle fixa Arkiel. Son sort se jouait dans ce couloir et elle devait s'expliquer. L'archimage interviendrait peut-être en sa faveur.

— Écoutez! dit-elle d'une toute petite voix à l'intention d'Arkiel. Je ne voulais pas mal faire. Je croyais que vous étiez peut-être en danger et...

Mais elle se tut en voyant le vieux magicien hausser un sourcil. Elle n'eut pas le temps de continuer : les guerriers éclatèrent de rire. Mylène se mordit la lèvre inférieure. Apparemment, ce n'était pas la bonne chose à dire. Comme elle l'avait pensé plus tôt, ce n'était certainement pas une bande de brigands qui pouvait mettre le magicien en péril, mais elle ne pouvait pas leur révéler l'autre raison de sa conduite.

L'archimage l'observait et Mylène rougit. Elle avait la désagréable impression qu'il lisait dans ses pensées. Elle baissa les yeux, de peur de lancer un regard vers Éric et que le vieil homme comprenne.

— C'est gentil de votre part de vous inquiéter ainsi pour ma personne, déclara Arkiel, pour mettre fin aux rires des hommes.

Il voyait pourtant dans les yeux de la jeune femme que celle-ci taisait une autre raison.

— Et quel est le nom de cette demoiselle si charmante?

Mylène n'eut pas le loisir de répondre, car Éric s'écriait déjà :

— Mylène Delongpré, fille du duc Edward Delongpré.

Arkiel observa le jeune guerrier. Il connaissait la jovialité inébranlable qui l'habitait depuis l'enfance, mais le sourire qu'il affichait à cet instant exprimait un sentiment plus profond que sa moquerie habituelle. Il se souvint alors du récit de la grotte et de son comportement dans le laboratoire. C'était donc ça! Arkiel plissa les yeux et déclara :

— Tu sembles être bien informé, jeune homme.

Éric fronça les sourcils, soupçonneux. Le ton et l'expression du vieux magicien laissaient croire qu'il allait le narguer. Le magicien ne laissa pas au guerrier le temps de trouver une défense et il demanda le plus innocemment du monde :

— C'est donc elle que tu cherchais avec autant d'ardeur, dans la cour, avec ma longue-vue, quand nous étions dans mon laboratoire ?

Éric écarquilla les yeux et pinça les lèvres. Malek toussota pour masquer le fou rire qui montait dans sa gorge. Eldérick se tourna vers son fils et vit les joues du jeune homme s'empourprer. Il observa l'objet de cette rougeur, qui était aussi mal à l'aise que lui, n'osant même pas lever les yeux du sol. Ce n'était certainement pas leur présence à eux qui le gênait; Éric leur parlait constamment de filles. Il était même considéré comme un fléau par toutes les jeunes femmes du camp qui ne parvenaient pas à décourager ses avances. La présence de cette noble n'aurait pas dû provoquer une telle gêne. Eldérick trouva donc cette réaction très étrange. Il se dit qu'il aurait une discussion avec son fils au sujet de cette Mylène Delongpré.

— Je ne... je ne vois pas ce que tu veux dire, répliqua Éric à Arkiel, qui ne l'écoutait plus.

Le magicien s'apprêtait à éteindre les torches de la fresque avant de quitter les lieux, mais Kaito le retint.

— Attendez! Je veux seulement pouvoir le regarder un petit instant encore.

Arkiel acquiesça et se tourna vers la jeune femme, qui regardait les guerriers se regrouper une dernière fois au pied de la fresque. Elle soupira, soulagée de les voir s'éloigner d'elle.

— Alors, demoiselle, demanda Arkiel, explique-moi comment tu as fait pour te retrouver dans ce sinistre endroit rempli d'hommes aussi peu fréquentables. Moi excepté, bien sûr! ajouta-t-il rapidement.

— Toi, le pire de tous, tu veux dire! lui cria Malek.

Mylène sourit timidement et répliqua :

— Sinistre endroit? Certainement pas! Ces couloirs sont le paradis de tout artiste-peintre. J'en aurais pour des mois, même des années, à admirer toutes ces œuvres.

— C'est justement ce que nous devrions faire, déclara Zyruas. La laisser ici pour le moment.

Éric se tourna brusquement vers lui et s'écria :

— Pas question!

Le jeune guerrier le dévisagea et continua d'un ton menaçant, en serrant les poings.

— Tu n'as pas de cœur! La laisser ici... Nous la garderons avec nous.

En levant les mains, Zyruas lui intima :

— Du calme, le jeune! Je ne pensais pas ce que je disais, ne prends pas tout au pied de la lettre, Éric. Je ne suis quand même pas un monstre. Sauf que cette fille, continua-t-il en la pointant, va nous entraîner des tas d'ennuis et tu n'as pas l'air de t'en rendre compte.

Éric allait répliquer, mais son père les sépara.

— Bon! Écoutez-moi, tous les deux. On va tous retourner dans le laboratoire, laisser la jeune femme dire ce qu'elle a à dire et ensuite, nous prendrons une décision. Je ne veux pas de discussion dans ce couloir ni ailleurs, tant que nous ne serons pas dans la tour. Me suis-je bien fait comprendre?

Zyruas hocha la tête et Éric eut un grognement affirmatif. Les guerriers les rejoignirent. Arkiel leva un bras et fit quelques signes avec sa main. Les torches furent soufflées par une bourrasque, jetant un voile de ténèbres sur la fresque. Les hommes remirent leur capuche. Mylène vit Éric se diriger vers elle dans l'intention apparente de l'escorter, mais le vieux magicien le devança. Il tendit le bras à la jeune femme et Mylène le prit avec un sourire reconnaissant. Le jeune guerrier marmonna, frustré de se voir ainsi éloigné de sa prise. Malek passa près de lui en le bousculant, ce qui ne contribua pas à améliorer son humeur.

— Avez-vous tenté d'avertir qui que ce soit de notre présence, demoiselle ? s'enquit doucement Dowan, d'une voix qu'il ne voulait surtout pas menaçante.

— Non, répondit tout simplement Mylène, peu désireuse de leur expliquer pourquoi.

L'homme du désert hocha la tête et Arkiel eut un sourire satisfait. La plupart des magiciens savaient qui étaient les supposés visiteurs, mais cela éviterait tout de même beaucoup de complications inutiles.

Ils reprirent en silence le chemin en sens inverse, chacun réfléchissant aux découvertes qu'ils avaient faites. Mylène, dont le désir le plus cher était de disparaître sous le plancher un instant plus tôt, commençait à reprendre un peu courage. Ainsi qu'elle l'avait prévu, les guerriers avaient été très contrariés de la voir, mais le visage jovial de l'archimage lui rendait confiance. Arkiel ne semblait pas du tout troublé par sa présence. Il lui avait même chuchoté de ne pas s'inquiéter, car tout irait bien. Il y veillerait. Il avait ajouté aussi, en riant, qu'il ne serait pas le seul à y veiller, mais elle ne comprit pas ce qu'il entendait par là.

Elle monta les marches sans se plaindre de la fatigue, ce qui étonna les guerriers. Cette jeune femme donnait une telle impression de fragilité et de délicatesse ! Apparemment, elle cachait sa force.

Mylène avait souvent entendu parler des nombreuses expériences de l'archimage, mais elle ne connaissait personne ayant mis le pied dans son laboratoire. Elle se sentit donc très chanceuse de pouvoir y pénétrer, elle qui n'était qu'une artiste-peintre. Arkiel retira une pile de cartes et de livres d'un fauteuil qu'il rapprocha à son intention. Mylène s'y assit en observant tous les objets qui l'entouraient. Elle tentait de deviner leur utilité, lorsque ses yeux s'arrêtèrent sur la longue-vue posée près d'une fenêtre. Elle détourna rapidement les yeux et regarda les guerriers du coin de l'œil.

Ils étaient tous dans la pièce et Éric refermait la porte. Les hommes semblaient nerveux. Ayant mal interprété son regard fixé vers la fenêtre, ils devaient avoir peur qu'elle s'y précipite pour crier. D'après leur sourire, seuls Arkiel et Malek avaient compris qu'elle avait aperçu la longue-vue. De dos, Éric n'avait rien remarqué. Il vit les yeux baissés de la jeune femme et se dirigea subtilement vers la fenêtre. Mylène le regarda se poster devant cette dernière, les bras croisés, lui signifiant clairement que son accès lui était interdit.

D'un geste qu'il voulait anodin et afin de s'appuyer contre le rebord de la fenêtre sans rien briser, il ramassa plusieurs objets, dont la longue-vue, et les déposa plus loin, à l'abri des regards. Arkiel vit un sourire effleurer les lèvres de la jeune femme, devant la diversion d'Éric, et se dit qu'il venait peut-être de découvrir la raison pour laquelle elle ne les avait pas dénoncés.

Eldérick vint s'asseoir sur un coin du bureau du vieux magicien et dit :

— Bon ! Maintenant, demoiselle, racontez-nous donc comment vous vous êtes retrouvée avec nous dans ce couloir.

Mylène lança un coup d'œil à Éric et Malek en songeant qu'ils allaient probablement écoper d'une réprimande. Elle leur expliqua partiellement ses faits et gestes ainsi que leurs raisons, depuis le moment où elle les avait vus arriver.

Éric regardait la jeune femme alors qu'elle parlait. Dans le couloir, il n'en avait pas vraiment eu le temps. Elle lui parut légèrement différente de la Mylène qu'ils avaient enlevée quelques jours plus tôt. Ses cheveux étaient ramenés derrière la tête, en une toque d'où s'échappaient plusieurs mèches, encadrant son visage sans maquillage, pour tomber sur ses épaules. La jeune femme portait la robe de coton blanc et les sandales typiques des étudiants en art de la citadelle. Elle avait égayé sa tenue en l'ornant de rubans et de fleurs. Il remercia Dieu de lui avoir permis de la revoir. Elle était encore plus jolie que dans son souvenir.

Malek observait également Mylène, mais loin des pensées de son compagnon; il se disait qu'elle avait bien du cran, cette jeune femme, pour les avoir suivis aussi loin. Il se demandait ce qu'ils allaient faire d'elle, car elle en savait beaucoup trop pour la laisser partir. Malek considéra Eldérick et Arkiel, qui se consultaient du regard. Ils finirent par hocher la tête. Apparemment, ils venaient de prendre une décision.

Lâchant l'un de ses rubans avant de le déchirer, la jeune femme serra ses mains l'une contre l'autre. Elle n'osait lever les yeux tandis qu'elle parlait. Elle entendait les hommes murmurer autour d'elle et c'était bien assez. Ils ne la laisseraient jamais partir, mais elle n'était pas complètement morte de peur, car elle savait qu'ils ne lui feraient aucun mal. Elle avait pensé mentir, mais s'était finalement dit qu'en présence de l'archimage, le mensonge était risqué.

Mylène finit son récit en confiant qu'elle avait entendu leurs propos sur Éléonore Deschênes. Sa voix se mit alors à trembler légèrement et elle se tut. Elle regarda Eldérick et songea que, puisqu'elle en savait déjà trop, elle pouvait lui poser la question.

— Le soldat qui nous a sauvé la vie et qui est entré dans la caverne où vous vous trouviez, c'était elle aussi, n'est-ce pas?

Eldérick observa la mine sérieuse de la jeune femme, dont les yeux flambaient de colère. Tout comme eux, elle avait été dupée. Il regarda ses hommes pour quêter leur avis. Ceux-ci haussèrent les épaules. Qu'est-ce que cela pouvait changer à la situation ? Eldérick comprenait d'ailleurs très bien que la jeune femme voulût savoir si elle s'était fait berner. Myral leur avait dit que les prisonnières croyaient leur amie morte. Elles avaient dû en avoir beaucoup de chagrin. Or, voici qu'elle apprenait que, non seulement elle était vivante, mais qu'en plus, elle leur avait menti tout le long du voyage.

— Oui.

Mylène pinça les lèvres en fixant, droit devant elle, des yeux baignés de larmes, tandis que les guerriers, mal à l'aise, s'appliquaient à regarder ailleurs. Arkiel s'approcha et posa une main chaleureuse sur l'épaule de la jeune femme.

— Il ne faut pas lui en vouloir, mon enfant. Cette jeune femme a une tâche bien difficile à accomplir et je suis certain qu'elle a été très peinée de devoir te mentir.

— Ce n'est qu'une voleuse ! souffla Mylène. Et dire qu'elle s'est permis de nous faire la morale…

Malek ouvrit la bouche pour intervenir, mais Arkiel lui fit signe de s'abstenir. Tout cela arrivait trop vite, et elle devait avoir le temps d'y réfléchir afin d'y voir plus clair. La jeune femme se reprit et se tourna vers Arkiel.

— Que ferez-vous de moi, maintenant ? lui demanda-t-elle avec une pointe d'anxiété.

— N'aie crainte ! Tu n'es plus seulement avec des brigands de la pire espèce qui enlèvent des femmes.

Eldérick leva les yeux au plafond en soupirant, et autour d'elle s'élevèrent les protestations des brigands de la pire espèce. Mylène eut un petit sourire timide.

— Certes ! continua le vieux magicien. Je ne peux pas te laisser conter à tous vents ce que tu as vu, mais je crois avoir trouvé un compromis. Et que, de plus, tu apprécieras beaucoup.

Mylène le regarda, intéressée. Arkiel se leva et s'approcha du chef des guerriers, qui se tenait les bras croisés.

— Eldérick et moi pensons qu'il serait bon d'aller voir l'historien dont je vous ai parlé plus tôt.

— Quoi! s'écria Zyruas. Aller jusqu'en Ébrême? Vous êtes complètement fous! Il y a des milliers de soldats dehors qui parcourent les routes. On va se faire…

— Veux-tu bien le laisser finir? l'interrompit Karok.

— Zyruas n'a pas tout à fait tort, ajouta Éric. C'est un voyage dangereux et, si je me souviens bien, nous voulions tenter de retrouver cette femme pour la protéger, en Dulcie. Alors, c'est inutile de courir après elle à l'extérieur de nos frontières, puisqu'elle ne sera plus en danger.

— Exactement! l'appuya fortement Zyruas.

Kaito et Dowan se regardèrent, indécis.

— Il est vrai que nous avons déjà une guerre à mener dans ce royaume, dit doucement Dowan. Chercher la jeune femme ici, c'est bien, mais aller jusqu'à l'université… et seulement pour quelques renseignements. C'est, selon moi, une grande perte de temps, sans vouloir vous offenser, bien sûr, maître Arkiel.

Ce dernier se frappa la tête sur son bâton. Il ne réussirait jamais à lui retirer ce mot de la bouche.

— Les gens meurent de faim, ici, continua Zyruas. Nous nous battons contre ça depuis si longtemps. On ne peut pas partir aussi loin pour une simple femme, alors qu'ils sont si nombreux dans ce royaume à souffrir.

Malek fut obligé d'approuver. Eldérick, voyant qu'il perdait l'accord de ses hommes, déclara:

— Vous avez tous raison, mais le problème est, précisément, que cette jeune femme n'est justement pas simple…

— Et ce qu'elle transporte probablement l'est encore moins, finit Arkiel. De plus, il n'existe pas d'endroit où le

ténébryss ne peut l'atteindre et où elle pourrait être complètement hors de danger.

Devant leur mine soucieuse, il continua :

— Je sais tout ce que vous avez fait pour le peuple et que
de nombreuses vies innocentes ont été épargnées grâce à vous.
Mais croyez-moi, si cette demoiselle tombe entre de mauvaises
mains, il y a de gros risques que votre guerre vous paraisse
bien infime en comparaison de ce qui arriverait.

— Mais qu'arriverait-il, justement, maître Arkiel ? demanda
Dowan.

Le vieux magicien se tourna vers lui.

— Je n'en ai pas la moindre idée. Mais je sais par expérience que tout ce qui a trait aux ténébryss égale souffrance et
mort.

Kaito fixa le visage sérieux du vieux magicien et frissonna.
Il consulta Malek et Éric du regard, mais ils semblaient aussi
indécis que les autres. Eldérick et Karok, par contre, hochaient
gravement la tête. Leur confiance dans le raisonnement
d'Arkiel était sans équivoque.

L'archimage lança un coup d'œil au chef des guerriers et
celui-ci lui adressa un léger sourire. Il voyait ses compagnons
hésiter, même Zyruas, qui commençait à percevoir la gravité
de la situation. Arkiel n'avait plus qu'à leur donner une légère
poussée pour qu'ils basculent de son côté. Le vieux magicien
haussa les épaules et écarta vaguement les bras en signe
d'impuissance.

— Je ne peux certes pas vous forcer à m'accompagner où
que ce soit. Mais cela importe peu, je trouverai bien d'autres
guerriers prêts à risquer leur vie pour cette cause, à se porter à
la tête d'une bataille, l'une des plus grosses du siècle... Et qui
sait ? Du millénaire, peut-être ! Comme celle du roi Martéal,
elle s'inscrira dans l'Histoire...

Arkiel s'était tourné, à moitié de dos aux guerriers, et se parlait comme à lui-même, haussant progressivement la voix. Malek fixa le visage du magicien. Il avait l'œil brillant et un léger sourire aux lèvres, comme s'il voyait déjà les scènes qu'il évoquait. Le jeune homme croisa les bras et observa l'auditoire, un sourire en coin. Tous pouvaient voir les mêmes images que le vieux magicien. Sauf Éric, qui mimait Arkiel en remuant les lèvres d'un air ennuyé. Cependant, Malek voyait dans son regard grandir la même flamme qui parcourait son propre corps. Ils étaient avant tout des combattants dans l'âme. Arkiel s'attendait vraiment à une guerre se préparant dans l'ombre. Ils s'arracheraient un à un les ongles s'ils n'y participaient pas, alors que l'occasion de combattre aux premiers rangs leur était donnée.

— Ils seront des héros, continua Arkiel en levant un bras. On se rappellera leur nom comme…

— Bon! C'est beau! C'est beau! l'interrompit Malek. Tu peux arrêter ta comédie, nous avons compris.

Le magicien tourna vers lui un visage innocent. Malek et lui regardèrent les guerriers, que leurs rêveries laissaient subjugués. Malek se doutait bien qu'ils n'étaient pas assez naïfs pour croire au manège du magicien, Éric lui-même ne s'était pas laissé prendre. Néanmoins, ils étaient malgré eux touchés par ses paroles. Zyruas fut le premier à réagir. Il pointa un doigt accusateur vers Arkiel.

— Vous essayez de nous manipuler! s'exclama-t-il sèchement.

Le vieil homme ne répondit que par un sourire énigmatique.

— Alors, messieurs! dit Eldérick. Y en a-t-il encore un qui s'oppose à ce que nous partions avec l'archimage vénéré ici présent?

— Non ! répondit Dowan, qui ajouta pour lui-même : et il y a si longtemps que je ne suis pas retourné parmi mon peuple.

— Ma première destination était les marais, dit Kaito, sans manquer d'ajouter : j'ai foi en votre jugement, seigneur Arkiel, je vous suivrai tant que vous aurez besoin de nous.

Malek et Éric levèrent les yeux au plafond, puis échangèrent un coup d'œil espiègle avant de déclarer d'une même voix :

— Nous aussi, nous vous suivrons, seigneur Arkiel.

Le vieux magicien se passa une main sur la figure, l'air désespéré. Mylène sourit : elle savait à quel point il avait horreur des honneurs. Éric ajouta alors :

— Il est vrai qu'il est toujours bon de suivre le jugement d'un ancêtre. Il a tellement vécu…

— Éric !

D'un geste sec de la main, son père lui fit comprendre que c'était assez. Arkiel lui lança un regard noir, alors que Mylène réprimait un rire en se mordant les lèvres. Kaito regardait le plancher, gêné de ce que ses paroles avaient déclenché, tandis que Dowan secouait gravement la tête devant un tel manque de respect.

— Tu vas finir par te faire transformer en crapaud ! lui dit Malek en riant.

— Même en crapaud, je serai toujours plus beau que toi, le balafré, lui répliqua-t-il.

Malek eut un geste d'indifférence accompagné d'un claquement de langue signifiant que cela ne l'atteignait pas du tout. Arkiel plissa un œil en dévisageant Éric de la tête aux pieds.

— Au moins, cela améliorerait-il peut-être un peu ton problème de poids, finit-il par dire. Et j'ai bien dit peut-être un peu.

Les hommes éclatèrent de rire, mais Éric regarda son père et pensa qu'il était plus prudent de se tenir coi. Il se renfrogna en ronchonnant tout bas que c'était injuste ; personne ne riait de ses blagues alors que s'il se faisait insulter, tout le monde se tordait de rire. Les vieux avaient toujours toutes les faveurs et lui, rien…

Mylène, assez près de lui pour l'entendre, se tenait calée dans le fauteuil en pressant les deux mains sur sa bouche, mais les soubresauts de ses épaules la trahissaient. Elle avait souvent entendu les amies de sa mère ainsi que celle-ci évoquer le comportement souvent puéril des hommes, mais jamais elle n'en avait eu une telle manifestation.

Arkiel alla se camper devant Zyruas, qui regardait par la fenêtre, par-dessus l'épaule du vieux magicien. Ce dernier joignit ses mains derrière son dos et se pencha légèrement en avant.

— Alors, mon cher duc ! Qu'avez-vous décidé ? lui demanda-t-il.

Zyruas baissa les yeux sur lui et les reporta vers Eldérick.

— Je suis avec vous, dit-il. Mais mieux vaut que ce soit vrai, votre histoire, sinon…

Il laissa sa phrase en suspens, sachant parfaitement qu'il n'y aurait aucun « sinon ». Karok éclata de rire.

— Enfin, je reconnais là mon vieil ami, s'exclama-t-il en lui donnant une bourrade.

Le grand guerrier marmonna quelque peu pour leur montrer qu'il n'abandonnait pas totalement son point de vue. Avec un sourire satisfait, Arkiel revint près d'Eldérick et se tourna vers la jeune femme. Elle n'avait sûrement pas compris la totalité de leurs paroles, mais il voyait à ses yeux que tout ne lui avait pas échappé non plus. Et, d'après le sourire qu'elle avait peine à dissimuler, la discussion devait l'avoir beaucoup amusée. Ses joues rosirent légèrement lorsqu'elle remarqua que l'attention s'était reportée sur sa personne. Elle se redressa dans son fauteuil en reprenant son sérieux, impatiente d'entendre ce qu'Arkiel voulait lui proposer.

— Maintenant que j'ai l'accord de tous, dit-il, je peux continuer. Comme je l'ai dit plus tôt, nous devrions tout d'abord aller voir Alphéus, l'historien de l'université d'Ébrême. Et c'est là que le cours des événements va sûrement te plaire, jeune fille.

Mylène lui lança un regard intéressé et il supposa :

— Tu as certainement entendu parler du musée d'Härguilazeste.

— Certes, oui! s'exclama-t-elle. Ce peintre a réuni les chefs-d'œuvre d'artistes de tous les royaumes. Seuls les meilleurs élèves de la citadelle vont étudier à…

La jeune femme se tut et fixa le magicien, la bouche ouverte.

— Voulez-vous dire que l'université dont vous parlez est celle située près du musée d'Härguilazeste?

Mylène savait bien que son talent était insuffisant pour lui permettre de se rendre jusqu'à l'université. Et si Beldariane lui avait prédit que ses œuvres égaleraient, voire dépasseraient bientôt celles des meilleurs, Mylène n'y croyait toujours pas. Arkiel, voyant qu'il avait provoqué l'effet escompté, acquiesça :

— Oui! Et voici mon compromis : si tu nous promets de rester sage et de ne nous attirer aucun problème, comme tenter de t'évader ou d'avertir les soldats du roi, en retour, je m'engage à t'emmener dans ce musée. Et qui sait ce qui pourrait arriver par la suite?

Mylène, qui avait deviné la nature du compromis avant même que le vieux magicien n'ait prononcé un mot, restait bouche bée. C'était trop beau pour être vrai!

— Alors ? demanda-t-il. Qu'en dis-t…

Il n'eut pas le temps de terminer qu'elle se leva d'un bond et lui saisit la main.

— J'accepte ! s'écria-t-elle si vivement, de peur qu'il ne change d'avis, que les guerriers en sursautèrent presque. Je vous promets de rester tranquille et même de ne prononcer aucun mot, si c'est ce que vous voulez.

— Certainement pas ! répliqua Arkiel. Nous voyagerons ensemble et si tu restes muette, le trajet semblera interminable.

La jeune femme rit. Elle sautait presque sur place, tant elle avait hâte d'y être.

— Arkiel dira qu'il part en Ébrême pour aller visiter l'université avec des élèves particulièrement talentueux, déclara Eldérick. Bien sûr, pour le voyage, une escorte de guerriers sera nécessaire et je crois que nous pouvons jouer ce rôle. Tu vois, continua-t-il à l'attention de Zyruas, cette jeune femme va nous aider au lieu de nous causer des problèmes. Il suffit de réfléchir un peu.

Le grand guerrier grogna, mais ne trouva rien à répliquer.

— Qui sont les autres ? demanda Karok au magicien.

Mylène avait repris son calme et s'était rassise dans son fauteuil, mais elle ne quittait plus Arkiel des yeux.

— L'un de mes jeunes magiciens. Il aura deux rôles : non seulement il jouera les élèves, mais aussi, il nous servira d'arme. Il a tendance à faire le bouffon, mais j'ai toute confiance en sa loyauté. Nous n'aurons rien à lui cacher.

— Il n'y en a qu'un ? s'étonna Zyruas.

— Il n'y en a qu'un nouveau à notre groupe. Le deuxième sera Kaito, s'il est d'accord, bien entendu.

Le jeune guerrier hocha la tête.

— Vu ta stature, continua l'archimage, tu passeras facilement pour un jeune magicien, tandis qu'un garde arkéïrite, c'est plutôt rare.

— Je comprends.

— Et il nous faut un cocher.

Arkiel se tourna lentement vers Zyruas. Ce dernier se redressa subitement et vit tous les regards rivés sur lui.

— Moi ! s'exclama-t-il. Pourquoi ?

— Eh bien ! Ta physionomie est la plus appropriée, avança doucement Eldérick, en faisant référence à la minceur de l'homme et à son visage émacié.

— Comment ça, ma physionomie plus appropriée ? Je suis un guerrier et...

— Je ne mets pas en doute tes compétences, Zyruas, commença Eldérick, mais le guerrier ne le laissa pas continuer.

— Dowan serait bien mieux placé pour ce rôle, vu sa couleur de peau. Et, d'ailleurs, il est meilleur comédien que moi.

L'homme du désert haussa les épaules, ne voyant aucun inconvénient à jouer les cochers.

— Non, interrompit Arkiel, Dowan est trop musclé pour un cocher. Il y a autant d'habitants du désert dans la citadelle que ceux des autres territoires. Il n'attirera pas l'attention.

Zyruas regarda les autres et, ne trouvant aucun soutien, frappa ses mains sur ses cuisses et alla s'appuyer au mur, à l'écart.

— Il faut apprendre à être conciliant dans ce genre d'aventure, Zyruas, lui dit Karok, qui riait dans sa barbe.

— Exact ! ajouta Arkiel. Et je suis heureux que tu en parles, Karok, car les gardes ont à suivre des règles strictes de bienséance.

Les guerriers lui lancèrent des regards inquisiteurs et il lâcha :

— Vous devrez donc tous vous tailler la barbe et veiller à la garder aussi courte que possible.

Des protestations lui parvinrent de part et d'autre, mais ce furent Karok et Éric qui en eurent littéralement le souffle coupé. Éric entretenait, depuis quelques années, les longues tresses qui pendaient de son menton et Karok était fier de sa barbe fournie.

— Jamais ! s'écria-t-il.

— Voyons, Karok, tu sais bien qu'il faut se montrer conciliant dans ce genre d'aventure, lui dit Zyruas, ironiquement.

Karok l'assassina du regard et chercha une porte de sortie.

— Je pourrais être le cocher, dit-il rapidement.

— On pourrait être deux cochers, ajouta Éric.

Arkiel secoua la tête.

— J'ai distribué les rôles de la meilleure façon. Si vous n'êtes pas d'accord, retournez dans votre forêt. Vous avez dit vous-même que l'expédition était dangereuse, il faut donc prendre le plus de précautions possible.

Vaincu, Karok alla s'adosser au mur en marmonnant, à côté de son compagnon. Mylène regardait Éric, qui se mirait avec désespoir dans un plat de métal. Eldérick et Malek flattaient leur barbe en grimaçant. Même avec beaucoup d'efforts, elle était incapable d'imaginer ces hommes mal fagotés se métamorphoser en gardes à l'allure soignée. Arkiel considéra tous les guerriers et s'enquit :

— Alors, messieurs ! Y en a-t-il qui reviennent sur leur décision ?

Tous affichaient une mine déprimée, sauf Kaito, pas du tout fâché du rôle que le magicien lui avait assigné. Pourtant, nul ne dit mot. Satisfait, Arkiel frappa dans ses mains et continua :

— Nous partirons donc demain matin.

Il se tourna vers Mylène.

— Cela te convient-il, demoiselle ?

Mylène, qui voulait partir le plus tôt possible, acquiesça avec vigueur.

— Beldariane t'aidera à tes préparatifs.

Comme la jeune femme haussait les sourcils, étonnée de se voir accorder une telle liberté, il ajouta :

— Tu m'as fait une promesse, n'oublie pas !

Mylène écarquilla les yeux et hocha vigoureusement la tête. Promesse ou pas promesse, pour rien au monde, elle n'aurait manqué ce voyage. Et puis, elle aurait peut-être l'occasion d'obtenir des réponses à bon nombre de ses questions. Elle se leva, les hommes remirent leur capuche et Arkiel les reconduisit respectivement à la bâtisse des peintres et à celle des gardes, laissant chaque fois des instructions précises. À l'ouest, le soleil avait commencé sa lente descente.

De retour à ses appartements, il fit demander son jeune ami. Il entendit le jeune homme gravir l'escalier bien avant de le voir. Depuis son plus jeune âge, Eldébäne avait l'habitude de monter les marches en courant. C'était d'ailleurs ainsi que le vieux magicien avait fait sa connaissance.

Le magicien, qui n'était alors qu'un enfant, pariait régulièrement avec ses amis à qui serait le plus rapide à aller toucher la porte du laboratoire de l'archimage pour ressortir en premier de la tour. Ils attendaient, pour leur jeu, d'être certains qu'Arkiel ne s'y trouvait plus, mais l'archimage, qui avait fini par s'en apercevoir, prenait plaisir à observer leur manège de loin. Le vieux magicien avait alors perçu une source de magie parmi les garçons : l'un d'eux parvenait à se téléporter, ce qui, la plupart du temps, lui assurait la victoire. Comme la téléportation ne leur avait pas encore été enseignée, Arkiel s'était informé auprès des professeurs sur cet enfant. Ceux-ci lui avaient appris, avant tout, qu'il se comportait en vrai petit diable.

— Il n'écoute aucun d'entre nous et n'en fait qu'à sa tête, s'était exclamé Méléar, l'instituteur en chef, qui inculquait les bases de la magie.

— Il parle constamment et perturbe toute la classe, avait ajouté Zélorie, institutrice chargée d'enseigner l'art de manier le feu.

— C'est un véritable moulin à paroles et à blagues; un incorrigible clown, avait ajouté Méléar. S'il y a du grabuge quelque part, vous pouvez être certain qu'Eldébäne est dans le coup.

Sur ce, tous s'étaient mis à parler en même temps, jusqu'à ce qu'Arkiel leur demande de se calmer. Quand il avait demandé pourquoi cet élève n'avait pas été expulsé de la citadelle, les magiciens avaient échangé des regards, puis l'instituteur en chef s'était levé pour le conduire dans sa classe, escorté des autres magiciens. Il lui avait alors montré d'un large geste du bras la statue grossièrement taillée d'une femme et d'un homme nus qui s'étreignaient. Arkiel avait haussé un sourcil en jetant au magicien un regard étonné.

— Tu apprends de drôles de choses à tes élèves dans tes cours, Méléar.

— Bien sûr que non! s'était écrié ce dernier, outragé, sans s'apercevoir que l'archimage se moquait de lui.

— Je conçois qu'il s'agit d'un aspect de la vie qui aura son importance dans leur avenir, avait continué Arkiel, mais pour le moment, je les trouve un peu trop jeunes.

— Tu ne comprends pas, l'avait interrompu l'instituteur. Ceci, avait-il dit en pointant un long doigt vers la statue, est son résultat d'examen.

— Vraiment! s'était exclamé l'archimage. Et quel en était le véritable sujet? avait-il demandé, avec un intérêt naissant.

— La lévitation de pierres, avait dit le magicien.

— Ah bon ?

Arkiel avait cherché les pierres, mais il n'y avait que la statue dans la salle.

— Et si je devine bien, les pierres sont…

Méléar avait indiqué la statue d'un geste du menton.

— Là, en effet !

Le sourire moqueur qu'Arkiel affichait depuis un moment avait brusquement disparu pour laisser place à une expression incrédule.

— C'est impossible, avait-il murmuré. Il a conçu cette statue en alliant toutes les pierres de ses camarades ?

Tandis que les instituteurs restaient silencieux, il s'était approché de la statue. En promenant sa main sur sa matière, il y reconnut effectivement plusieurs grains venant de minéraux différents.

— Et tu n'as pas vu la tempête qu'il a déchaînée dans ma classe : les devoirs de tous mes élèves ont été réduits en petits morceaux, juste parce qu'il n'avait pas fait le sien, avait renchéri Fesba, l'instituteur en arts interdits.

— Il arrive même à dormir en cours sur son bureau ou bien couché par terre, en donnant à tous l'illusion qu'il est bien assis à sa place, avait ajouté Méléar. En fait, si l'on s'en aperçoit, c'est parce que l'on n'entend plus ses âneries, ce qui est évidemment suspect.

Arkiel avait tourné autour de la statue, que chaque détail stupéfiait. Certes, l'œuvre n'était pas parfaite, mais sa précision révélait un talent hors du commun. Certains élèves très avancés auraient eu de la difficulté à atteindre un tel niveau. L'archimage s'était tourné vers Îléa, qui enseignait l'art de manipuler la flore.

— T'a-t-il attiré des problèmes, jusqu'à présent ? lui avait-il demandé, connaissant le tempérament très doux et calme de la magicienne.

Elle venait tout juste de recevoir son titre d'enseignante et elle s'était avérée excellente institutrice. Elle était merveilleuse avec les élèves et il n'avait entendu que des éloges à son égard. Le vieux magicien aurait été particulièrement furieux contre quiconque lui aurait causé du tort.

— Oh non ! s'était-elle exclamée. J'ai même de la difficulté à imaginer ce dont mes collègues parlent. C'est un élève tellement dévoué, aimable et si gentil.

Les autres magiciens avaient hoqueté de surprise, mais Arkiel les avait ignorés. Il commençait à saisir le profil de ce garçon.

— Ce n'est pas croyable, avait marmonné Méléar pour lui-même.

— J'ai peine à croire qu'il puisse faire autant de bêtises, avait continué Îléa. C'est un élève tellement attentif. Cet enfant sait se montrer serviable, malgré tout ce que mes collègues peuvent en dire. Je l'ai vu brûler toutes les mauvaises herbes des jardins de ses collègues, sans même détériorer une seule feuille.

— Oui ! Mais il faut préciser « collègues » au féminin, était intervenu Méléar, car il fait aussi pleuvoir sur la tête de ses confrères.

— Voyons ! Ne soyez pas si mauvaise langue, Méléar ! s'indigna Îléa.

— La seule chose qui me permet de supporter ce garçon est ce don qu'il a.

Arkiel avait secoué la tête en fixant la statue.

— Non, avait dit doucement l'archimage, il est doué, mais il y a autre chose.

— Que veux-tu qu'il y ait d'autre ? s'était exclamé Méléar,
il n'écoute jamais en classe et il ne fait pas ses devoirs. Pourtant, il excelle dans tout.

Arkiel était resté à fixer la statue sans répondre. Un don
non travaillé ne pouvait pas permettre de réaliser un alliage
aussi complexe de minéraux ni de maîtriser un élément aussi
imprévisible que le vent. Un tel niveau ne pouvait être atteint
qu'après des heures d'études et une grande persévérance.
Doué ou pas, nul ne pouvait démontrer ce savoir-faire sans
avoir rien appris. Et pourtant, l'enfant, selon ses instituteurs,
ne travaillait pas et ne voulait rien apprendre. Arkiel, qui
s'était reculé en observant la statue tout en se frottant le
menton, avait déclaré :

— Tu aurais dû me prévenir aussitôt que tu t'es douté que
cet enfant était différent, Méléar.

— Je ne voulais pas te déranger. J'espérais pouvoir découvrir comment il avait appris à jeter de tels sorts, avant de venir
t'en parler.

Arkiel avait hoché la tête.

— Ne tentez plus rien avec cet élève, leur avait-il ordonné.
Je vais m'en occuper personnellement.

Depuis lors, il avait pris l'élève en charge. Il lui avait fallu
plusieurs semaines, mais le jeune garçon avait fini par le conduire jusqu'à une caverne condamnée dans l'un des boisés de
la citadelle où il allait pour être seul. Arkiel y avait découvert
des centaines de bouquins subtilisés par l'enfant. Il les avait
presque tous lus, certains même plusieurs fois, afin de les
mémoriser et d'en comprendre toutes les subtilités. Capable
d'y passer des nuits entières, il dormait en classe pour récupérer son énergie. L'enfant avait la capacité, la discipline et,
surtout, la patience requises pour étudier par lui-même les
sujets qui le passionnaient. L'archimage lui avait donc permis
de n'assister qu'aux cours qui l'intéressaient. Cependant, si, au

cours de ses lectures, il ne trouvait aucune réponse à ses questions, il devait venir le consulter.

Le principal problème d'Eldébäne était qu'il détestait l'autorité. Il disait que Dieu lui avait donné une vie et qu'il en ferait donc ce qu'il voulait. Arkiel n'avait pu l'approcher qu'en devenant son ami. L'enfant n'acceptait ses conseils que parce qu'il possédait une plus grande expérience que lui et non parce qu'il était son supérieur. Certes, avec les années, le jeune homme avait acquis un certain sens du respect, mais il n'en faisait toujours qu'à sa tête. Malgré tout, Arkiel avait confiance en lui plus qu'en tout autre, car il n'ignorait pas que son jeune ami avait un excellent jugement et qu'en outre, il savait reconnaître et corriger ses erreurs. De surcroît, le jeune homme connaissait tout du contexte politique du règne de Kordéron. Il désapprouvait les actes et décisions du souverain et serait d'autant plus heureux de pouvoir enfin agir. L'absence d'intervention des occupants de la citadelle avait souvent été au centre de leurs nombreuses discussions. Mais dans le cas qui se présentait, le décret ne s'appliquait pas, car il y avait bien plus que la Dulcie en jeu.

— Tu m'as fait appeler, Arkiel ? demanda le jeune homme, légèrement essoufflé.

Le magicien resta un instant encore dans ses pensées, puis il se retourna. Cheveux bruns coupés court et œil noisette, Eldébäne était un jeune homme ordinaire, de taille et de corpulence moyennes, il n'avait rien pour attirer l'attention. On posait les yeux sur lui quelques secondes pour oublier son visage sitôt qu'on regardait ailleurs, sans se douter qu'il faisait partie des hommes et des femmes les plus puissants et redoutables de Melbïane. Avec sa robe de bure mal ajustée qui laissait entrevoir sa chemise blanche, ses sandales nouées à la va-vite pour être ôtées et remises sans avoir à se pencher et ses cheveux en bataille comme autant de brindilles de foin, il avait tout de l'étudiant type, dont il se distinguait cependant par son audace : aucun étudiant n'aurait osé se présenter de la sorte devant l'archimage.

— Oui. J'ai une mission importante à te confier.

Le jeune magicien eut un rire sarcastique.

— Ah oui? Et de quoi s'agit-il, cette fois, faire pleuvoir sur les jardins? Aider à accélérer la restauration de l'aile nord de l'école sur laquelle un des élèves a fait tomber la foudre la semaine dernière? Ou plutôt, non, je sais : mettre de l'ordre dans ton bordel de laboratoire!

Mais, après avoir déplacé négligemment un objet, Eldébäne cessa subitement de ricaner en constatant qu'Arkiel restait de marbre. Habituellement, l'archimage lui assignait des tâches ridicules pour occuper le temps qu'il passait sinon à contrarier ses camarades. Or, cette fois, cela avait l'air sérieux. Le jeune homme fronça les sourcils et se redressa pour faire face à l'archimage et non plus au vieil Arkiel moqueur qui le faisait rire et avec qui il faisait des concours d'insultes.

— Ce n'est pas une de tes blagues, dit-il.

Le magicien secoua la tête :

— Malheureusement non. C'est même très sérieux. Tu vas enfin pouvoir mettre tes compétences à l'épreuve, mon garçon. Assieds-toi et je vais t'expliquer la situation.

— C'est en rapport avec les hommes venus te rencontrer, n'est-ce pas? On va enfin pouvoir agir contre cet imbécile de roi.

Le jeune homme s'approcha de lui, les yeux brillants. Arkiel le prit par les épaules et l'installa sur le fauteuil où Mylène s'était assise un peu plus tôt.

— Écoute-moi et tu vas comprendre.

Eldébäne se pencha en avant, plus sage qu'il ne l'avait jamais été, alors qu'Arkiel lui narrait en détail les événements de la journée. Comme le ciel s'assombrissait, le jeune magicien créa une étincelle dans sa main, qu'il envoya allumer les chandelles du laboratoire. Il buvait les paroles de l'archimage avec avidité. Grâce à ses lectures, il connaissait la plupart des personnages évoqués par le vieil homme et son cœur battait à tout rompre tandis que dans son esprit défilaient leurs images. De même, il avait déjà vu le dragon représenté dans le couloir, pour s'y être introduit en cachette afin d'en explorer tous les mystères. Excellent conteur, le vieux magicien ne laissait, dans son récit, aucune zone d'ombre susceptible d'amener le jeune homme à s'interroger. Eldébäne ne pouvait donc qu'écouter en contenant le flot de paroles qui lui montait aux lèvres.

Cette excitation n'échappait pas à Arkiel, soudain conscient qu'il aurait plus de difficulté que prévu à garder les rênes sur son poulain. Lorsqu'il eut terminé, le jeune magicien, le poing pressé sur les lèvres, resta silencieux un moment, révisant mentalement ce qu'il venait d'entendre. Il déclara finalement :

— Et tu m'as choisi, moi, pour cette expédition ! Pourquoi ? Je suis le pire élève que la citadelle n'ait jamais connu…

— Faux ! l'interrompit Arkiel. C'est moi. Toi, tu n'es que le second violon.

Eldébäne sourit.

— Dois-je comprendre que tu n'es pas content ? Que tu ne veux pas venir ? Je suis certain que nombreux sont ceux prêts à te remplacer.

Le jeune homme le dévisagea et répondit précipitamment :

— Bien sûr que je veux t'accompagner ! Il n'y a pas plus heureux que moi dans tout Melbïane. Mais il risque d'y avoir des mécontents. Méléar va en avaler ses sandales…

— Mais pas s'il l'ignore, fit doucement Arkiel, l'air malicieux.

Eldébäne écarquilla les yeux de surprise et s'exclama :

— Quoi ? Tu veux cacher une mission d'une telle importance au conseil ? Ils vont t'arracher les poils de la barbe un par un !

L'air détendu, l'archimage se cala dans son fauteuil.

— Ils n'ont pas à le savoir, pour l'instant. Tu devras apprendre, mon garçon, qu'il y a certaines choses qu'il vaut mieux ne pas révéler trop tôt.

— Certaines choses ! s'exclama Eldébäne.

Il se leva de son fauteuil et vint s'appuyer sur le bureau du magicien.

— Arkiel, cela n'a pas de bon sens... Un ténébryss avec une créature des marais, la femme qui communique avec les animaux et un artefact dont toi-même ignores les pouvoirs. Tu ne peux pas passer ces faits sous silence, ils mettent en cause beaucoup trop de monde... Que dis-je ? s'écria-t-il en levant les bras. Melbïane au complet !

Le vieil homme le fixait, un sourire en coin. Il se mit à tapoter sa cuisse avec sa règle, nullement perturbé par l'argumentation du jeune homme.

— Qu'entends-je donc là ? railla-t-il. Le roi des cachotteries compte me faire la morale ?

Eldébäne laissa retomber ses bras avec un soupir et se mit à arpenter furieusement la pièce.

— Cela n'a rien à voir, répliqua-t-il. Il ne s'agit pas d'une simple cachotterie, mais d'un acte tout bonnement insouciant.

Arkiel lui lança un coup d'œil narquois.

— Me traiterais-tu d'insouciant, par hasard, mon garçon ?

Cette question, qui aurait décontenancé la plupart des membres de la citadelle, laissa Eldébäne indifférent. Il croisa les bras sur sa poitrine et regarda le magicien sans dire un mot. Devant ce silence, plus révélateur que ses paroles, Arkiel se leva et alla lui poser une main sur le bras.

— Écoute-moi. Ce n'est pas pour me réserver la gloire de l'action ou tous les privilèges. Mais tu sais de quoi les ténébryss sont capables. Ils ont un grand charisme et savent s'adjoindre les meilleurs dans leurs rangs. Ça faisait si longtemps que j'en avais entendu parler et les personnes en qui j'avais toute confiance ne sont plus de ce monde.

Sourcils froncés, Eldébäne ouvrit la bouche, mais Arkiel le devança :

— Je n'affirme pas qu'il y a des traîtres parmi les magiciens de la citadelle. La plupart sont de très bons amis, mais cette quête est, comme tu le dis, d'une importance capitale. Je ne peux donc prendre aucun risque, tu comprends ? Avant de révéler quoi que ce soit, je dois m'assurer que cette jeune femme est en sécurité.

— Mais Méléar ?

— Méléar est juste et bon, mais je le sais ambitieux. Et ce trait de caractère en a entraîné plus d'un dans les ténèbres. Je te le répète : je ne veux pas prendre l'ombre d'un risque tant que je n'aurai pas cette demoiselle devant moi.

— Et tu n'as pas pris de risque en me racontant tout ça ?

Arkiel sourit.

— Je ne crois pas qu'il existe sur cette terre une seule personne capable de t'influencer, Eldébäne, même si tu accuses une certaine faiblesse pour les femmes. Tu es un solitaire, tout comme moi, qui ne souhaite pas plus mener les autres que d'être mené lui-même. Le pouvoir n'a aucune emprise sur toi.

Le magicien lui serra affectueusement le bras.

— J'ai confiance en toi autant qu'en moi-même, mon garçon.

Muet de fierté, Eldébäne regarda le vieil homme, son seul ami durant toutes ses années d'études dans la citadelle. Il aurait aimé dire quelque chose, mais sa langue lui restait collée au palais. Arkiel comprit et, toujours souriant, retourna s'asseoir à son bureau. La journée l'avait fatigué.

— Je te remercie, parvint à prononcer Eldébäne en se maudissant de ne pas trouver mieux.

— Oh! Mais ce n'est rien. Maintenant, as-tu des questions sur ce que je viens de te relater?

Le jeune homme vint s'asseoir sur le coin de son bureau en hochant la tête.

— D'après ce que je comprends, nous partons demain matin pour l'université d'Ébrême, voir Alphéus. Vous semblez tous certains que la jeune femme est Éléonore Deschênes, mais vous n'en avez aucune preuve concrète, il n'est question que de concordances. Et si vous vous trompiez?

Arkiel secoua la tête, mais Eldébäne leva une main.

— Attends que je termine. Selon moi, mieux vaudrait obtenir des preuves qu'il s'agit bel et bien d'Éléonore Deschênes. Et qui de mieux placé pour cela que son père? Il doit habiter près de l'université, puisqu'elle était amie avec Alphéus. Ne serait-il pas plus astucieux d'aller rendre visite au comte, avant toute autre chose? Je suis certain que nous y obtiendrons des informations intéressantes et il serait normal que le comte apprenne que sa fille est peut-être encore vivante. Il sera sûrement heureux de nous aider. Et puis, d'après ce que j'ai entendu, ce n'est pas l'amour, entre l'historien et toi.

Arkiel hocha la tête. Le jeune homme n'avait pas tort.

— Tu as raison, nous nous sommes exaltés sur l'identité de cette jeune personne. Mais la route est longue jusqu'en Ébrême, nous aurons le temps de tous en discuter.

Le jeune homme sauta à bas du bureau et se dirigea vers la porte.

— Allons-nous souper ensemble?

— Oui, mais nous ne parlerons bien sûr pas de cette histoire. Je ne veux surtout pas trop attirer l'attention de Méléar sur nous. Eldérick et moi allons discuter du bon vieux temps et dire que nous partons visiter quelques villages.

— D'accord. À plus tard alors. Je vais aller me préparer pour demain.

— À plus tard, mon garçon.

L'archimage regarda le jeune homme descendre les marches à toute vitesse. Il était heureux qu'Eldébäne ait compris. Il alla à son bureau et prépara deux parchemins. Même s'il ne voulait pas immédiatement informer le conseil de la situation, il devait s'assurer qu'il le soit, s'il lui arrivait quelque chose en chemin. Il remettrait donc une lettre contenant le récit des événements à l'un de ses amis de confiance, avec consigne de la remettre au conseil dans un mois. Cela lui donnerait le temps de se rendre à Ènlira et de rencontrer Alphéus. Ainsi, il aurait moins d'explications à fournir à son retour et Méléar aurait le temps de calmer sa colère face à son silence.

La deuxième lettre était pour le prince Laurent. Il ne lui révélerait pas qui avait volé la pierre, mais il le rassurerait en disant qu'il avait la situation en main. Ce qui n'était pas tout à fait le cas, mais le prince avait assez de préoccupations comme cela.

Arkiel fut interrompu par un long bâillement. Lui qui, reclus, menait une existence si morne depuis quelques années avait, en l'espace d'une journée, mis en branle un voyage qui s'annonçait très long. Il avait de quoi être épuisé. Épuisé, mais en même temps plein d'énergie : une dernière quête lui était accordée.

— Je te remercie bien, dit-il à Dieu alors que sa plume se promenait sur le parchemin. J'avais commencé à croire que tu me trouvais trop vieux pour ce genre d'aventure. Je suis heureux de voir que tu as encore besoin d'un vieux haïssable comme moi pour te servir et j'espère que tu seras satisfait. Je voudrais également te demander de jeter un œil sur cette jeune personne afin de la protéger du ténébryss.

Un ténébryss… Sa plume s'arrêta et il tourna la tête pour observer le ciel bleu foncé qui n'avait plus de soleil, mais pas encore de lune. Cent ans. Cent ans avaient passé depuis la dernière fois qu'il les avait vus. Pourtant, Arkiel se souvenait très clairement d'eux, de leur peau claire et lisse et de leurs longs cheveux blancs. Ils étaient grands et frêles, mais d'une puissance terrifiante. Malgré le récit qu'il avait fait au guerrier, il ne croyait pas que des démons puissent venir dans le monde des vivants. Toutefois, ces êtres se rapprochaient sérieusement de leur définition. Ils étaient haineux et sans pitié. Arkiel n'avait jamais réussi à savoir exactement ce qu'ils voulaient. À chaque attaque, ils ne faisaient que tuer sans rien voler, pas même le territoire. Des démons. C'est ce que, malgré lui, les magiciens du conseil de l'époque avaient conclu. Il n'était pas encore archimage et ne pouvait que se plier à la majorité, mais Arkiel avait toujours pensé qu'il y avait autre chose. C'était trop facile de nommer ces êtres des démons pour la seule raison qu'ils ne comprenaient pas leurs motivations. Des monstres oui, mais pas des démons. Or, Arkiel n'avait pas pu prouver sa pensée, car, après le combat livré en Zymar, ils avaient disparu. Ce qui n'était certes pas une mauvaise chose. Même s'il avait perdu la chance de trouver une raison à leurs actes, il s'était, comme ses confrères et consœurs, hautement réjoui de cette victoire et ne s'était jamais plaint de leur disparition.

Et voici que la découverte de cet artefact venait d'en faire réapparaître un. Des démons… Non, Arkiel continuait de croire qu'il n'en était rien. Pas plus qu'il ne croyait qu'une pierre pouvait donner le pouvoir de vaincre les guerres. Deux mystères. Deux mystères reliés l'un à l'autre et, au centre, la descendante qui parlait aux animaux. Cela ne faisait aucun doute, comme Eldérick le lui avait dit : une grosse tempête semblait se préparer à l'horizon.

Arkiel ramena son regard sur la lettre destinée au conseil. Insouciant ? Peut-être. Mais en parler au conseil signifierait des heures de palabres, alors que lui désirait partir au plus vite. En outre, il ne pouvait prendre le risque que l'information se répande parmi les magiciens. Ceux-ci communiquaient régulièrement par la pensée et si un ténébryss se trouvait près de la citadelle à écouter les conversations mentales, il apprendrait qui était la voleuse. Un magicien ordinaire ne pouvait percevoir les conversations à plus d'un kilomètre, mais les ténébryss étaient des sorciers beaucoup plus puissants qu'eux. Non, il n'était pas insouciant : seulement prévenant. Arkiel chassa ses pensées et se concentra sur son message. Tout devait être très clair lorsqu'ils liraient sa lettre.

CHAPITRE 22 :

EN ROUTE
VERS ÉBRÊME

L'un des tableaux tomba sur le sol dallé et le jeune écuyer le ramassa rapidement pour le remettre avec les autres. Ils prenaient presque tout le porte-bagages arrière de la calèche. Arkiel observait la scène de loin, alors qu'il se dirigeait vers l'attelage. Le soleil commençait à peine à poindre à l'horizon. Beldariane s'y était prise de bonne heure pour être certaine qu'il ne s'interpose pas. Elle se tenait très droite à côté de la calèche pour superviser le travail. Lorsqu'elle l'aperçut, elle se croisa les bras et leva le menton d'un air décidé, le défiant du regard. Arkiel soupira. Toutes discussions ne mèneraient apparemment à rien et leur feraient perdre un temps précieux. Ils devraient donc s'encombrer de tous ces tableaux.

— Bonjour, Beldariane, dit-il en arrivant près d'elle.

L'institutrice lui lança un regard soupçonneux et répondit :

— Bonjour, Arkiel.

Elle s'attendait à des protestations de la part de l'archimage devant ce surplus de bagages et s'apprêtait à lui expliquer que c'était essentiel pour son élève. Le fait qu'il n'y portât pas plus d'attention lui parut donc assez étrange. Elle le dévisagea en tentant de deviner ses pensées et finit par soupirer.

— Tu aurais tout de même pu faire un petit effort vesti-mentaire, Arkiel, s'exclama-t-elle en examinant l'allure du magicien.

— Mais c'est ce que j'ai fait, répliqua ce dernier.

Resserrée à la taille par le cordon qui attachait tous ses vêtements, sa soutane gris-bleu à larges manches et aux bords brodés de runes violettes était trop courte. Les manches lui arrivaient au-dessus des poignets et l'on apercevait le bas de ses mollets. Le tissu, quoique de qualité, avait tant vécu qu'il était râpé au point de laisser entrevoir, à certains endroits, la chemise blanche portée en dessous. Quant à ses bottes, elles étaient déjà tachées de boue et d'herbe.

Du moins, le vieux magicien s'était lavé et ses cheveux étaient peignés. Son bâton reluisait à un point tel qu'on pou-vait regarder son reflet dans le bois. Devant l'incompréhension manifeste d'Arkiel, Beldariane abandonna la partie. Elle l'avait toujours connu indifférent aux apparences et ce n'était certai-nement pas elle qui allait réussir à le raisonner, quand tous les autres avaient échoué. Voyant qu'elle n'avait plus rien à dire à propos de ses vêtements, il leva la tête vers les rayons du soleil qui pointaient à l'horizon et s'exclama d'un ton joyeux :

— Une magnifique journée s'annonce. Où est ta petite protégée ?

— Ici, dit derrière lui une voix hésitante.

Arkiel se retourna et rencontra le regard soucieux de la jeune femme.

— J'ai essayé de lui dire qu'elle en faisait trop, déclara rapidement Mylène. Mais elle ne veut rien entendre.

— Certes non ! s'écria Beldariane. Vous devez montrer à ceux du musée toute l'étendue de votre talent. J'ai moi-même choisi ces toiles et je suis certaine qu'ils les aimeront. Tout de même ! Je ne laisserai pas mon élève se rendre au musée les mains vides. Qu'iraient-ils penser de nous ?

— Vous voyez !

Mylène lança un regard découragé au vieux magicien qui, en riant, lui prit la main.

— Je ne peux pas lui dire que le but de notre voyage n'a aucun rapport avec ce qu'elle croit, lui chuchota-t-elle.

— Je sais. Je sais, dit-il. Ne t'en fais pas avec cela, ce n'est pas grave.

Beldariane s'approcha d'eux.

— Cessez vos messes basses, tous les deux. Ces tableaux vous suivront, que vous le vouliez ou non.

Arkiel hocha la tête, résigné.

— Ils viendront donc.

L'institutrice ne se calma pas pour autant, mais elle se détourna d'eux pour aller superviser les écuyers qui empaquetaient les bagages de son élève, ainsi que les provisions. Mylène examina le véhicule dans lequel ils allaient effectuer le voyage. Il était magnifique. Jamais la jeune femme n'avait imaginé que la citadelle renfermait de telles richesses. Elle admira la calèche, qui rivalisait sûrement avec celles des plus riches seigneurs du royaume. Son père lui-même n'en possédait pas de semblable. Elle était d'un blanc qui semblait briller de sa propre lumière. Ses portes et ses bords étaient gravés d'arabesques en or. La calèche était également ornée de fleurs aux couleurs vives à tous les coins, répandant une odeur exquise. Les banquettes étaient recouvertes d'un velours pourpre aux dessins de feuilles d'arbres bleus. Elles étaient exposées à l'air libre, mais Mylène aperçut une toile repliée à l'arrière. S'il pleuvait, elle n'aurait qu'à être rabattue pour les protéger de l'eau.

Les six chevaux, d'un blanc pur comme la neige, avaient fière allure dans leur harnachement de fines lanières de cuir entremêlées de fils d'or. La jeune femme regarda Arkiel qui se tenait bien droit, les deux mains sur sa taille, visiblement très content de lui et de l'effet produit par l'équipage.

— Alors, comment la trouves-tu ?

Mylène hésita, ne voulant pas décevoir le vieil homme.

— Eh bien ! Elle est vraiment magnifique, mais ne craignez-vous pas que nous puissions nous faire attaquer, avec tout cet or ? demanda-t-elle.

Le vieux magicien la regarda avec étonnement et lui indiqua du doigt les deux drapeaux qui flottaient au vent à l'arrière de la calèche. Ils étaient pourpres et l'on pouvait y voir un dragon d'or ; emblème de la citadelle des magiciens depuis des lustres.

— À mon avis, la calèche pourrait être en or massif que nous ne risquerions rien : aucun brigand n'oserait attaquer une voiture transportant des magiciens. Et s'ils ont le malheur de ne pas savoir ce que ces drapeaux signifient, nous nous ferons un plaisir de le leur apprendre.

Le vieux magicien continua plus bas :

— De toute façon, l'attaque ne viserait pas l'or, mais ma mort. Et comme Kordéron est trop préoccupé par sa pierre pour envoyer des tueurs à mes trousses, je n'ai pas non plus à m'en inquiéter.

Mylène le dévisagea et Arkiel se tut aussitôt. La jeune femme semblait d'une telle simplicité dans sa robe de coton blanche et ses cheveux noués en toque qu'il oubliait qu'elle était, avant tout, une noble certainement fidèle à son roi. Un silence pesant tomba sur eux. Arkiel se mit à regarder ailleurs. Vieil imbécile qu'il était ! À présent, il devait chercher un moyen d'atténuer la portée de ses paroles. C'est alors qu'il vit leurs gardes approcher.

— Eh bien ! Eh bien ! s'exclama-t-il, soulagé de pouvoir changer de sujet. Voyez-vous qui arrive ?

Mylène se retourna vivement et oublia temporairement ce qu'elle venait d'entendre. Trois des guerriers approchaient. Ils avaient revêtu l'armure des gardes de la citadelle. Le métal était blanc et ses reliefs, de bronze. Les jointures, les gants et les bottes étaient façonnés de cuir couleur bronze. Un dragon d'or était peint sur leur pectoral ainsi que sur leur bouclier. Une cape violette leur fouettait les jambes tandis qu'ils marchaient. Tous portaient à la ceinture une longue épée au fourreau de bronze. Ils tenaient sous le bras leur heaume du même métal blanc que l'armure et à la visière de bronze surmontée d'un plumeau violet. Karok seul s'en était coiffé, visière rabattue. Mylène ne le reconnut que par sa taille et sa carrure, mais sans barbe, jamais elle n'aurait pu deviner que ces soldats étaient les brigands.

Karok et Eldérick avançaient d'un pas rapide, apparemment nullement gênés par leur armure. À l'inverse, les gestes saccadés de Dowan trahissaient une certaine difficulté. L'air mécontent, Eldérick s'arrêta devant Arkiel. Peigné et rasé de près, il avait tout d'un général d'armée. Mylène s'efforça, sans y parvenir, de retrouver chez cet homme le brigand mal fagoté qui l'avait extirpée du carrosse, plus de deux semaines auparavant. Un doigt ganté pointé sur la calèche, il déclara :

— J'espère que tu n'envisages pas de voyager dans cette chose flamboyante !

— Bien sûr ! Tu ne l'aimes pas ?

— Arkiel !

Eldérick se passa une main sur le visage.

— Je crois avoir fait mon possible pour te satisfaire en acceptant de porter ces armures qui nous font remarquer à des kilomètres à la ronde, mais voilà qui est vraiment trop.

— Ce n'est pas une joyeuse randonnée que nous allons faire, dit Karok à voix basse. Tout le monde va nous remarquer.

— Celui qui se fait remarquer n'a rien à cacher, dit Dowan.

Eldérick se tourna vers lui d'un air désespéré, alors qu'Arkiel continuait :

— Dowan a raison et, en tant qu'archimage, il est normal que je me déplace dans une calèche luxueuse, digne de mon rang.

Le chef des rebelles leva les bras au ciel. Qu'avait-il donc fait de si grave pour mériter cela ? Karok tapota affectueusement sa visière.

— Que Dieu bénisse cette visière, dit-il. Tu devrais mettre ton heaume, Eldérick, au moins, personne ne te verrait ainsi.

Eldérick hocha la tête, coiffa son heaume d'un geste brusque et se dirigea vers les chevaux que les écuyers amenaient. Karok le suivit après avoir marmonné quelques imprécations qu'Arkiel fit mine de ne pas entendre. Dowan échangea un sourire avec le magicien et prit la même direction d'un pas plus lent.

— Qu'est-ce que c'est que cette calèche de bonne femme ? s'écria une voix d'homme, derrière eux.

Mylène se retourna et fut éblouie par l'éclat des deux autres gardes qui venaient d'arriver. Le soleil, qui s'était élevé au-dessus de la muraille, se réfléchissait sur le métal blanc. Elle leva la tête vers celui qui venait de s'exclamer et resta un moment à le fixer, tandis qu'Arkiel leur fournissait les arguments exposés précédemment aux autres.

— Au moins, on n'est pas assis dedans, dit Malek. Imagine Kaito. Lui, il a de quoi se plaindre.

— Heureusement ! On a assez l'air de beaux crétins, avec cet accoutrement, s'exclama Éric.

Arkiel, fatigué d'entendre ses guerriers ignares rire de ses biens, leur tourna les talons pour rejoindre l'équipe affairée à charger la calèche et à vérifier l'attelage. Mylène se retrouva donc seule avec les deux jeunes hommes.

Elle ne les avait pas revus depuis la rencontre dans le laboratoire. À l'annonce du voyage, Beldariane avait pris soin d'occuper chaque seconde de son temps. Malek, au port droit et sérieux au naturel, n'avait pas énormément changé. Sans barbe, sa cicatrice se remarquait davantage, lui donnant l'air encore plus effrayant. À cette marque, il était facilement reconnaissable, quel que soit son habillement.

Éric, par contre, semblait plus jeune. En fait, Mylène s'aperçut qu'il n'était pas beaucoup plus âgé qu'elle. Ses cheveux rabattus et noués derrière la nuque accentuaient les traits masculins de son visage. Il observait la calèche sérieusement, sans savoir qu'il donnait à la jeune femme l'impression de se trouver en présence d'un chevalier tout droit sorti d'un conte de fées. Il soupira et se tourna vers Malek. Il avisa alors Mylène, qu'il n'avait pas vue, tant il était obsédé par cette calèche trop voyante. Elle sursauta presque d'être ainsi surprise à fixer le jeune homme, mais elle se retint et lui sourit timidement. L'air grave d'Éric disparut aussitôt pour faire place à un immense sourire. Ses yeux brillèrent du même éclat rieur qu'elle y avait si souvent observé.

— Ne voilà-t-il pas notre jolie petite prisonnière ! fit-il sans pouvoir continuer, car Malek lui enfonçait son coude dans les côtes.

Éric regarda vivement alentour, mais personne ne l'avait entendu. Il se redressa, bien droit comme Malek, tandis que ce dernier se pencha en avant pour saluer galamment Mylène.

— Demoiselle, dit-il.

Elle fit une légère révérence :

— Seigneur, répondit-elle.

Il se dirigea ensuite vers les chevaux pour rejoindre les autres gardes, mais en glissant deux mots à l'oreille d'Éric.

— On est des gardes de la citadelle, polis et galants, alors ne fais pas ta grosse brute, d'accord ?

— Grosse brute ! s'étrangla son frère.

Éric le regarda s'éloigner, indigné.

— Grosse brute ! répéta-t-il pour lui-même. Qu'il se regarde avant de parler…

Il se tourna vers Mylène qui l'observait, un sourire au coin des lèvres. Elle trouvait cela drôle, assurément, mais il n'abandonnerait pas aussi facilement. Il pouvait encore profiter de la situation.

Le sourire de Mylène disparut alors qu'elle voyait s'élargir celui du jeune homme. Elle le regarda se pencher vers elle, mais, au lieu de se contenter de la saluer comme son ami, il lui prit délicatement la main et la porta à ses lèvres. La jeune femme le regarda faire avec de grands yeux surpris. Son cœur se mit à cogner dans sa poitrine alors qu'il glissait ses lèvres sur sa main. Elle rougit et le fusilla du regard en tentant de retirer sa main, mais il la retint fermement. Pour ne pas attirer l'attention sur eux, elle cessa de tirer.

— Arrêtez ! lui souffla-t-elle, presque suppliante.

Éric sourit et se redressa lentement.

— Mon vœu est de combler vos désirs les plus chers, demoiselle, lui déclara-t-il d'un ton charmeur.

Sa voix était si chargée de sous-entendus que Mylène ouvrit la bouche, mais resta sans voix à le dévisager. Éric la regarda des pieds à la tête d'un regard appréciateur et lui adressa un clin d'œil. Il enfila ensuite son heaume et marcha vers les chevaux. Mylène le regarda en pinçant les lèvres d'un air irrité qui cachait un autre malaise. Elle fut tirée de ses pensées par deux magiciens qui s'approchaient.

— Ce garde vous importunait-il, demoiselle ? s'enquit l'un d'eux.

Mylène cherchait à fournir une explication lorsqu'elle reconnut le visage de Kaito sous la capuche. Elle se contenta de répondre entre ses dents :

— Pas plus que d'habitude.

Le jeune homme rit.

— Vous êtes sûrement Mylène Delongpré, dit le second magicien.

Mylène acquiesça et le questionna des yeux. L'homme retira sa capuche et lança un regard significatif à Kaito qui l'imita.

— Permettez-moi de me présenter, Eldébäne Moralta, le magicien qui vous accompagnera lors de ce périple.

Il lui tendit la main. Mylène, voyant l'occasion de prendre une petite revanche, lança un rapide coup d'œil vers les guerriers pour constater avec satisfaction qu'Éric les observait. Elle tendit donc la main au jeune magicien avec un immense sourire. Il la baisa délicatement.

— Enchantée de vous connaître, dit-elle.

Arkiel arriva sur le fait.

— Ah! Je vois que vous avez fait les présentations. Alors, demoiselle, comment trouves-tu mon second magicien?

Il passa un bras autour des épaules de Kaito.

— Eldébäne a passé toute la soirée d'hier à lui montrer comment se comporter en magicien.

— Cela a dû être très difficile, déclara-t-elle d'un ton sec, pour faire allusion à leurs mauvaises manières de brigands.

— Hé! objecta Kaito. Ne passez pas votre frustration sur moi.

— Frustration? interrogea Arkiel.

— Éric, répondit tout simplement Kaito.

Arkiel regarda Mylène, qui fixait méchamment le garde blond, et hocha la tête d'un air entendu. Ce vaurien avait probablement importuné la jeune femme.

— Il faudrait constamment le garder sous surveillance celui-là, déclara-t-il. Allez, venez avec moi. Nous sommes presque prêts à partir.

Éric, qui était monté sur son cheval et attendait en rang avec les autres, les regarda se diriger vers la calèche. Il dévisagea le jeune magicien, qui multipliait les civilités envers la jeune femme. Voilà qui n'était pas pour améliorer leur relation, après leur altercation de la veille, lorsqu'Arkiel leur avait présenté son jeune ami. Eldérick avait alors décidé de placer son fils avec Malek, à l'avant-garde de la calèche, pour l'avoir à l'œil et pour qu'Éric ne puisse voir Eldébäne et Mylène. Si un conflit naissait entre les jeunes hommes, le voyage risquait en effet d'être long et très mouvementé. À l'intérieur de la citadelle, Éric restait sage, excepté les chuchotements et ricanements échangés avec Malek. Voyant leur comportement, Eldérick fit un signe discret à Karok et il balança son pied sur le mollet de Malek. Ce dernier grinça des dents, ravala un juron et lança un regard mauvais à son voisin, mais se tut. Toutefois, une fois loin de la citadelle, Éric se délierait sûrement la langue et tenterait d'humilier Eldébäne.

Beldariane fit ses derniers au revoir à son élève et le convoi s'ébranla vers la sortie. Malek et Éric ouvraient la marche, suivis de la calèche. Dowan, Karok et Eldérick la refermaient.

L'ombrelle la cachait des rayons du soleil, mais la chaleur l'atteignait tout de même. Mylène observait les guerriers en armure et se sentait épuisée pour eux. Elle se retourna pour voir Malek et Éric en conversation, au-devant de la calèche. La jeune femme aurait aimé pouvoir regarder le grand guerrier blond, mais elle était assise dos au cocher.

Ils n'avaient croisé qu'une seule troupe importante de soldats, qui ne leur avaient causé aucun problème. Ils s'étaient seulement arrêtés pour saluer l'archimage en lui demandant s'il souhaitait qu'ils l'escortent un moment. Les gardes étaient restés impassibles et parfaitement muets tout le temps que les soldats avaient voyagé avec eux. Depuis quelques heures déjà, ceux-ci avaient bifurqué sur un autre chemin.

Zyruas avait tout d'abord mené les chevaux au trot, mais Arkiel lui avait dit de ralentir, car, sous cette chaleur, ils risquaient de se fatiguer trop rapidement. Zyruas n'était plus du tout mécontent de jouer le cocher. Il n'avait d'ailleurs pas à porter l'armure blanche de la citadelle.

Mylène n'arrivait pas à comprendre en quoi les guerriers trouvaient l'armure ridicule, tandis qu'elle-même la trouvait plutôt jolie.

Zyruas portait des pantalons et une chemise du même tissu brun rêche d'apparence confortable. Il avait également une cape grise sous laquelle il avait dissimulé une large épée sanglée dans son dos. Il avait rabattu sa capuche pour se cacher du soleil, comme les deux jeunes magiciens.

De son côté, Arkiel ne semblait pas le moins du monde incommodé par le soleil. Il avait même refusé de tendre la toile de la calèche pour être à l'ombre. Il chantonnait, le visage exposé aux rayons. Mylène remercia mentalement Beldariane d'avoir pensé à tout, car n'ayant jamais eu à faire elle-même ses bagages, elle aurait sans doute oublié toutes ces choses pas vraiment essentielles, mais extrêmement utiles dans certains cas, comme cette ombrelle.

Elle allait devoir commencer à s'occuper d'elle désormais, sans mère ni servante ou institutrice attentionnées pour lui indiquer quoi faire et ne pas faire. La jeune femme regarda ses compagnons de voyage. Elle commençait à se sentir un peu seule parmi tous ces hommes. La jeune fille songea qu'en engageant la conversation, elle cesserait peut-être de s'attrister. Elle se tourna vers Karok, qui chevauchait à côté de sa portière.

— Comment faites-vous pour supporter cette chaleur sous ce métal ? demanda-t-elle. Je mourrais, à votre place.

Karok, qui avait soulevé sa visière depuis un moment, pour mieux observer les alentours, haussa les épaules.

— Ce doit être une question d'habitude, répondit-il.

— Bon sang ! s'exclama-t-elle. Moi, je ne pourrais jamais m'y habituer.

— Vous n'aurez jamais à le faire non plus, dit Zyruas derrière elle. Vous êtes une femme.

Mylène appuya son coude sur le bord de la calèche et posa son menton dans sa main.

— Ouais ! Une femme, dit-elle sur le même ton sec que lui. En effet, on ne peut pas faire beaucoup de choses lorsqu'on est une femme.

Zyruas l'interrompit en se tournant vers elle :

— Mais vous venez de dire...

— Il faut toujours que ça se plaigne ! s'exclama Karok. Elles ne veulent pas endurer d'armure, mais se plaignent de ne pas pouvoir en porter. Essayez donc d'y comprendre quelque chose !

Zyruas secoua la tête et Eldérick déclara :

— Il ne faut justement pas essayer de comprendre une femme, c'est trop tortueux.

— Laissez-moi terminer, ce n'est pas ce que je voulais dire, répliqua-t-elle. Vous ne comprenez pas, je ne parlais pas de l'armure, mais du fait d'être une femme, comme Zyruas l'a dit. Les hommes peuvent faire ce qu'ils veulent, mais les femmes ont plus de restrictions que de règles à suivre.

Arkiel vit la jeune femme soupirer en regardant Karok. Celui-ci eut un sourire amusé et déclara :

— Restrictions ? Règles à suivre ? Je crois que ce sont deux termes qu'on a oublié d'apprendre aux femmes de notre village.

Les hommes ricanèrent et Mylène marmonna :

— J'imagine qu'il y a des avantages et des inconvénients à toute situation.

L'attention se reporta sur elle et la jeune femme resta un moment silencieuse. Elle avait envie de parler, mais était tellement habituée à garder son opinion pour elle qu'elle ne savait plus comment s'exprimer. Elle regarda Karok, puis Eldérick, en réfléchissant. Avec eux, elle n'avait pas à se taire. Elle ne serait pas jugée pour avoir été impolie. Comme le disait Karok et comme elle l'avait constaté au camp, les femmes ne se gênaient pas pour dire ce qu'elles pensaient. Mylène pouvait même exprimer tout ce qui lui passait par la tête.

— Suzie n'aurait pas eu la même personnalité libre et combative si vous étiez restés parmi la noblesse, expliqua-t-elle. Une noble apprend dès l'enfance à faire preuve de retenue en tout temps, en se montrant gracieuse, délicate, souriante…

Avec une moue méprisante, elle ajouta :

— Vaporeuse et insipide. Aussitôt que l'on essaie de montrer une force de caractère ou une endurance physique, quelqu'un est toujours là pour nous répéter que ce n'est pas la vigueur que les hommes cherchent chez les femmes.

— Ben ! Ça dépend pour quelles activités, dit Karok, un sourire en coin.

La jeune femme le regarda avec de grands yeux, alors que Zyruas et les deux magiciens éclataient de rire.

— Karok ! s'écria Eldérick. Veux-tu bien faire attention à ce que tu dis devant la demoiselle ?

L'interpellé se retourna et dévisagea Eldérick. Le chef des guerriers soutint son regard et Karok finit par marmonner une excuse à l'adresse de la jeune femme. Arkiel, penché vers Mylène, murmura :

— Ne fais pas attention à ce que disent ces hommes, ils n'ont pas l'habitude de réfléchir avant de parler.

Elle dissimula un sourire derrière sa main. Elle n'était pas si seule, après tout. Quoiqu'il arrive, le vieux magicien veillerait sur elle.

— Comment savez-vous que nous étions de la noblesse? demanda Eldérick en fixant la jeune femme.

Mylène revit soudain la comtesse en selle avec Malek qui lui révélait ce fait. Cette femme qui avait tant ébranlé sa vie…

— C'est elle qui me l'a dit, répondit-elle d'une voix morne.

— Elle? La comtesse?

La jeune femme confirma d'un vague geste de la main. Mais pour elle, cette femme n'avait plus de nom et Mylène ne voulait pas y penser. Elle s'efforça donc de reporter son attention sur les rebelles. Son père avait refusé de lui en parler et elle avait craint de ne jamais connaître la vérité, mais ces hommes-là pouvaient lui répondre. Mylène brûlait d'envie de leur demander ce qui avait pu se produire dans leur vie pour qu'ils finissent dans les bois à détrousser les gens, mais elle craignait en même temps d'entendre des choses affreuses. Elle n'était pas stupide. Eldérick avait un fils, mais elle n'avait pas vu sa mère au camp, ni de famille pour Zyruas et Karok.

Mylène leva les yeux vers lui en se mordant les lèvres. Elle rencontra alors le regard d'Arkiel. Il devina la question qui hantait la jeune femme et secoua lentement la tête. Mylène fronça les sourcils et le vieux magicien posa une main sur la sienne.

— Pas maintenant, lui murmura-t-il.

La jeune femme sentit un flot d'émotions monter en elle. Les yeux du vieil homme étaient empreints d'une telle tristesse! Quelle souffrance ces hommes pouvaient-ils avoir endurée? Et quelles pertes? Elle regarda de nouveau Eldérick, qui semblait perdu dans ses pensées, puis tous les autres. Voilà que soudainement, ils lui apparaissaient différemment. Mylène fixa son regard sur ses souliers. La voleuse avait su tout cela, elle l'avait deviné, tandis qu'elle-même n'avait vu que les injustices faites à sa petite personne. Elle était si égoïste...

Mylène releva la tête pour considérer les guerriers. Bon sang ! Elle se rendait compte, à présent, qu'elle ignorait tout des événements qui s'étaient produits dans un royaume prétendument le sien. Elle avait presque envie de rire en songeant à l'idiote qu'elle avait dû être aux yeux de la voleuse ; une jeune frivole courtisant les hommes et se croyant meilleure que toutes les autres, sans pourtant rien connaître d'étranger à son petit cocon. Oui ! Idiote, c'est ce qu'elle était !

Eldébäne, qui avait également deviné la question qui brûlait les lèvres de la jeune femme, vit Arkiel lui dire de ne rien demander dans le moment. Le vieux magicien eut ensuite un regard compatissant pour Eldérick. Le jeune homme savait que l'archimage avait beaucoup souffert de ce qui était arrivé au seigneur déchu. Eldébäne était encore jeune, mais il se souvenait que sa colère avait mis toute la citadelle à l'envers alors qu'il avait brisé ce stupide traité. Le jeune magicien remarqua alors l'expression tendue de la jeune femme. Ses sourcils étaient si froncés qu'elle en avait le front plissé, les yeux humides et les lèvres pincées. Il ne parvenait pas à percer les pensées qui suscitaient une telle réaction, mais il lisait clairement de la fureur sur son visage. Fureur tournée, semblait-il, contre elle-même. Il donna un coup de pied à Arkiel et lui désigna Mylène d'un mouvement du menton.

Le vieux magicien n'avait pas cru que la jeune femme comprendrait si vite. Manifestement, elle avait l'esprit vif. Il se douta qu'elle se reprochait d'être noble et d'avoir toujours eu la vie facile, alors que des gens souffraient. Mylène ignorait sûrement les événements des années durant lesquelles le premier conseiller avait incité le roi à livrer la guerre aux seigneurs qui ne les appuyaient pas, mais elle commençait apparemment à deviner et cela lui faisait mal. Arkiel n'avait jamais souhaité causer un tel émoi à la jeune femme, aussi lui fallait-il vite trouver un moyen de lui changer les idées. Il observa Eldébäne en se disant que les innombrables blagues du jeune magicien pourraient la divertir, mais il en avait déjà conté plusieurs pour passer le temps.

— Tu as parlé de choses que tu ne pouvais faire, demoiselle, dit-il. En ce moment, qu'aurais-tu envie de faire qui t'est interdit habituellement ?

Mylène se tourna vers Arkiel, déconcertée. Après un moment, elle posa les yeux sur les chevaux de bât qui suivaient la calèche et qu'elle fixa d'un air songeur.

— Galoper dans les champs, finit-elle par dire.

Eldérick lança un regard perçant à Arkiel pour lui signaler qu'il n'était pas d'accord avec cette idée.

— Eh bien ! commença l'archimage en ignorant le chef des rebelles. C'est vrai que nous voyageons depuis plusieurs heures. Tu dois commencer à t'ankyloser.

Eldébäne sourit et Mylène devina que les deux magiciens s'amusaient à défier l'autorité du chef des rebelles. De son côté, elle ne souhaitait pas se mettre l'homme à dos et elle répondit, pour changer de sujet :

— En fait, j'ai surtout très chaud. Si l'on pouvait rabattre le capot pour cacher le soleil, je me sentirais beaucoup mieux. Ma robe est presque en train de fondre sur mon corps, ajouta-t-elle pour appuyer ses propos.

Karok éclata de rire.

— Je suis certain qu'il y en a un qui serait très heureux de voir ça !

— Karok !

Cette fois-ci, ce furent les voix de Kaito et de Zyruas qui s'élevèrent en chœur pour le sermonner. Eldérick s'étrangla avec sa salive, tandis qu'Arkiel, penché par-dessus bord, regardait intensément le sol défiler sous la calèche, pour que Mylène ne le voie pas rire. La jeune fille, devenue toute rouge, s'enfonça dans la banquette en se maudissant pour sa métaphore. Sous sa capuche, Eldébäne observait la réaction de la jeune femme en souriant.

— Je crois que vous devrez désormais vous habituer à ce genre de remarques, demoiselle, dit-il. Mais dites-vous que ce ne sont que des plaisanteries. Ce sont là des habitudes d'hommes. Mais à la différence des nobles, ils ne se gênent pas devant les femmes.

Mylène hocha la tête, mais ses joues n'en perdirent pas pour autant leur rougeur. Il était vrai qu'aucun homme qu'elle avait fréquenté n'aurait osé une telle remarque devant elle, la réservant plutôt aux conversations entre hommes. C'était une question de galanterie. Or les guerriers avaient apparemment une autre conception de la galanterie. Ce n'était pas la première fois qu'elle en pâtissait et elle craignait fort de ne jamais pouvoir s'y habituer.

— Karok, souffla Eldérick entre ses dents.

Karok lui lança un regard innocent, mais le chef des guerriers semblait très irrité.

— Ce n'était qu'une blague, se défendit-il.

— Oui et je suis certain que les chevaux de bât, derrière, sont très désireux de les entendre, tes blagues.

Le guerrier allait répliquer, mais le regard implacable d'Eldérick l'en dissuada. Il lui fallait reconnaître y être sans doute allé un peu fort avec son sous-entendu, mais la jeune femme n'était pas stupide. Elle devait bien remarquer qu'Éric lui tournait autour avec des yeux doux. Dans un profond soupir d'incompris, Karok tourna bride pour aller échanger sa place avec Dowan derrière le cortège.

— Karok, lui dit Arkiel. Veux-tu demander à Dowan de ramener un cheval de bât ? La jument beige en particulier.

Il grogna un assentiment sans se demander ce que le magicien voulait en faire. Il était de trop mauvaise humeur pour y réfléchir. Cette idée, aussi, de voyager avec une noble! Il fallait toujours surveiller ses paroles. Eldérick semblait oublier qu'il s'agissait d'une prisonnière. Il détestait les nobles depuis qu'il avait été chassé de ses terres. Il se souvenait très bien qu'Eldérick avait traité la jeune femme avec une délicatesse d'ogre en l'enlevant. Alors pourquoi ressortait-il tout à coup ces anciennes règles de bienséance? Karok n'arrivait pas à suivre ce revirement. C'était peut-être à cause de la présence d'Arkiel. Il était vrai que le vieux magicien leur rappelait leur ancienne vie. Lui-même en était touché en se revoyant baron, dans son château et sur ses terres. Mais contrairement à Eldérick, il ne s'était jamais montré très gentilhomme, son père étant un forgeron qui avait épousé la fille d'un riche baron.

— Dowan! s'écria-t-il. Va prendre ma place.

— Tu as fait des tiennes? lui demanda-t-il en souriant. J'ai entendu les gars crier ton nom, tantôt.

— J'ai la langue trop bien pendue, apparemment, répondit Karok. Et Eldérick a décidé de faire son petit seigneur.

L'homme du désert observa son chef, qui avait vraiment des allures de seigneur dans son armure et avec son apparence soignée. Il devait ressembler à celui qu'il était alors qu'il était encore seigneur. Dowan aurait aimé le connaître alors, avant que la vie ne fasse de lui un brigand. Il sourit. Peut-être allait-il enfin en avoir l'occasion.

— Ne l'ennuie pas avec ça, d'accord? dit-il à Karok. Il y a longtemps qu'il attendait ce moment.

— Ouais! Il n'a jamais eu l'âme d'un brigand, de toute façon.

L'homme du désert le regarda, un sourire en coin.

— Parce que tu l'as déjà été, toi? lui demanda-t-il d'un ton moqueur.

Karok leva le nez sans répondre. Inutile de protester : son ami avait trop vécu parmi eux pour être dupe.

— Rejoins-les donc, dit-il.

Et alors que Dowan se dirigeait vers le côté de la calèche, Karok ajouta :

— Et amène la jument beige à Arkiel.

— Pourquoi ?

— Je crois que c'est pour la noble.

Dowan détacha la jument des autres chevaux de bât et se rendit lentement jusqu'à la calèche. Eldébäne racontait ses aventures de jeune magicien marginal. Ce devait être très drôle, parce que Kaito était encore en train de rire de ce qu'il avait dit plus tôt. Mylène se maîtrisait davantage, mais un sourire ne quittait pas ses lèvres. Eldérick et Zyruas affichaient un mince sourire en coin en écoutant d'une oreille. Arkiel, qui se tenait le front d'une main, leva la tête à son approche. Il semblait désespéré des paroles de son jeune ami, sur qui il ne semblait pas avoir grand contrôle.

— Pourquoi ce cheval de bât ? demanda Eldérick en interrompant le récit du jeune homme.

Arkiel se tourna vers Mylène, soulagé de pouvoir enfin faire dévier la conversation.

— Tu as dit souhaiter galoper dans les champs. Alors, si le cœur t'en dit, j'ai pensé que tu pourrais t'éloigner un peu sur cette jument, pourvu que notre chef de la garde, ici présent, le permette, bien entendu.

Mylène se redressa nerveusement sans un mot, mais son envie était flagrante. Eldérick grimaça en regardant les champs qui les entouraient. Il savait qu'un village se trouvait non loin et qu'ils croiseraient quelques petits bois. Mais il devait reconnaître que tant qu'ils traversaient les champs, ils pouvaient apercevoir quiconque s'approcherait et qu'il n'y avait donc pas grand risque. Il se tourna vers Mylène, qui n'osait lui avouer qu'en chevauchant, elle désirait ardemment sortir de cette calèche et se changer les idées. Il décida qu'il pouvait lui accorder cette faveur.

— Je le permets, dit-il. Je crois que nous sommes assez nombreux pour protéger adéquatement cette demoiselle. Si vous voulez prendre un peu d'avance, Dowan vous accompagnera.

Mylène se leva presque d'un bond. Zyruas se retourna pour attraper l'épaule de la jeune femme avant qu'elle ne bascule par-dessus bord et arrêta la calèche. Elle confia son ombrelle à Kaito, tandis que Dowan retirait les sacs du dos de la jument pour les mettre à l'arrière du banc.

— Attendez que je vous aide… commença-t-il, mais Mylène, qui était debout dans la calèche, sauta d'un bond souple sur le dos du cheval.

— Je peux monter seule, répliqua-t-elle avec un large sourire. Venez !

Cette manœuvre n'avait rien de féminin et pourtant, personne n'émit de remarque. La bouffée de liberté qui s'était emparée d'elle en entrant dans la tour de l'archimage l'enivra à nouveau, alors qu'elle s'emparait des rênes. Mylène n'avait jamais été elle-même devant quiconque auparavant et elle avait une soudaine volonté de montrer à ces hommes ce qu'habituellement, elle s'interdisait de montrer. À califourchon, elle resserra les pans de sa robe autour de ses jambes et partit d'un trot rapide devant la calèche. Zyruas fit repartir l'équipage pour ne pas trop se laisser distancer. Éric et Malek, qui avaient entendu la calèche s'arrêter, s'étaient retournés et regardaient la jeune femme d'un air surpris.

— Elle monte bien, commenta Kaito. Je ne m'en serais jamais douté. Elle semblait beaucoup trop délicate et raffinée pour ce genre d'exercice, comme toutes les nobles de votre royaume.

— Son père est l'un des meilleurs éleveurs de chevaux de tout le royaume, expliqua Arkiel. Elle est sûrement née parmi ces bêtes. Elle ne l'a jamais montré, parce que, comme elle le dit, il n'est pas convenable qu'une femme sache monter comme un homme. Tu connaissais le duc Delongpré, n'est-ce pas, Eldérick?

Zyruas émit un hoquet sarcastique, mais ne dit rien. Eldérick observait la jeune femme qui trottait devant la calèche, un peu derrière son fils et Malek. Elle se tenait le dos droit, assise à califourchon sur le cheval, les rênes fermement en mains. La sévérité gagna son visage et ses yeux se vidèrent de toute expression.

— Je l'ai connu, en effet, dit-il.

Le ton neutre d'Eldérick dissuada Arkiel de poursuivre sur le sujet. Un silence tomba sur les hommes et Kaito demanda à Eldébäne de finir de conter son histoire, qu'il n'avait pas achevée. L'archimage se cogna la tête sur le dossier de la banquette. Les histoires du jeune magicien, il les connaissait toutes par cœur, pour les avoir entendues de la bouche de ses confrères et non dans les meilleures circonstances. Il n'avait donc aucune envie de subir le récit des mauvais coups d'Eldébäne durant tout le voyage. Arkiel avait enduré cela pour divertir Mylène, mais à présent…

— La vie est parfois bien étrange, déclara soudain Kaito, alors qu'Eldébäne cherchait une autre histoire. Comment une brève rencontre avec une personne peut changer toute une vie…

Il se tourna vers Eldérick et Zyruas.

— C'est vrai, vous vous souvenez de la jeune femme que nous avons enlevée?

Ils hochèrent la tête.

— Eh bien! Regardez-la maintenant.

— Quelle rencontre? demanda Zyruas.

— Éléonore, sans doute, supposa Eldérick.

— Oui! Vous n'étiez pas avec nous à ce moment-là, et nous ne vous l'avons pas raconté, croyant que c'était sans importance.

Kaito leur relata ce que la supposée comtesse avait expliqué sur la vie à Mylène et Anna.

— Ce n'est pas seulement avec les animaux qu'elle semble douée pour communiquer, déclara Eldébäne.

— Je comprends sa colère contre cette fausse comtesse, dit Arkiel. Cette femme a bouleversé toute sa vision du monde en remettant du même coup en question l'éducation reçue depuis son enfance.

Zyruas eut un rire sarcastique :

— Cette Éléonore a vraiment marqué ce royaume comme le passage d'une tornade. Nous-mêmes sommes atteints et pas rien qu'un peu… Regardez-moi, au beau milieu de la Dulcie, en route vers Ébrême, déguisé en cocher.

Il secoua la tête, toujours en riant.

— Pour ma part, s'exclama Eldérick, je suis très heureux de ce changement. Et j'ai très hâte de pouvoir reparler à cette jeune personne.

— Pas autant que j'ai hâte de la rencontrer, dit Arkiel.

Ils continuèrent en silence, absorbés par leurs pensées. Mylène trottait devant, le visage exposé au vent, et discutait équidés avec Dowan : ils évoquaient ce qui distinguait les chevaux de Dulcie de ceux du désert. Dowan était très sympathique. La jeune fille faisait exprès de rester juste devant la calèche pour qu'Éric ne puisse les rejoindre sans quitter son poste. La jeune femme avait donc tout le loisir de le regarder sans que cela se remarque.

CHAPITRE 23

DES ALLIÉS INATTENDUS

Un rot sonore retentit dans la plaine, provoquant l'envol d'une famille de canards.

— Bon sang, Koll ! Tu veux ameuter toute la région de not'venue ?

Un gros homme musclé éclata de rire, se gratta l'intérieur d'une oreille et en lança le contenu sur son ami.

— Tout le monde sait déjà qu'on arrive, rien qu'à ta puanteur, Zélir, s'exclama-t-il fortement.

Les cinq hommes s'esclaffèrent, sauf Zélir qui répliqua :

— À ta place, je me tairais. Tu pues ben plus que moé avec ton gros cul.

Koll regarda Zélir, qui était plus petit, mais tout aussi musclé que lui. Ses cheveux noirs frisés, qui n'avaient pas vu le peigne depuis sûrement plusieurs mois, lui retombaient sur le visage, cachant en partie ses yeux. Il cherchait une réplique lorsqu'une voix de jeune homme s'éleva :

— Pas la peine de discuter, vous puez tous comme des porcs. Les femmes vont fuir dès que vous aurez mis le pied à Tabem.

Koll le pointa du doigt, alors que les autres hommes protestaient.

— Fais attention à c'que tu dis, le jeune, dit-il de sa voix profonde, mais son sourire démentait ses paroles. Tu pourrais t'attirer des coups.

Le jeune homme souleva du pouce un bord de son chapeau, libérant une mèche de cheveux noirs qu'il replaça aussitôt. Son visage était incrusté du sable des grand-routes et de la crasse d'un long voyage sans bain. Il eut un sourire en coin en observant le gros costaud.

Koll avait la tête chauve et une cicatrice marquait une de ses tempes. Ses sourcils bruns et broussailleux lui donnaient constamment l'air en colère, mais le jeune homme ne le craignait pas.

— Amène-toi quand tu veux, tête d'œuf. Mais à ta place, je ferais gare à mon gros cul, lança-t-il en le défiant du regard.

Koll le dévisagea sérieusement et éclata de rire, suivi de ses compagnons.

— On peut dire que t'en as du culot, petit! s'exclama Zélir. J'connais pas grand monde qui aurait osé parler comme ça à Koll.

Le jeune homme haussa les épaules et s'écrasa sur son cheval pour être plus à l'aise, sous la chaleur du soleil. Sa monture protesta, trouvant injuste de travailler alors que sa maîtresse faisait la belle vie en haut.

« Kal, cesse de ronchonner! pensa-t-elle, nous sommes presque arrivés en ville. »

Elle leva les yeux sur l'horizon et aperçut effectivement, au loin, les hauts murs de la ville. Tabem! Enfin, elle atteignait la ville la plus proche de la frontière. Éli sourit et reporta son attention sur les hommes qui l'accompagnaient. Elle n'avait pas plus de cran que quiconque en les insultant ainsi. Ils s'amusaient à ce jeu depuis déjà plusieurs heures. Cela passait le temps tout en les faisant rire. Elle savait bien que ce n'étaient pas de mauvais bougres. Et c'était précisément pour cette raison qu'elle avait choisi de cheminer avec eux.

Après trois jours de chevauchée nocturne à travers champs, Éli était restée prise deux jours entiers dans une petite forêt. Un paysan, qu'elle avait jadis aidé, l'avait hébergée avec plaisir. Il lui avait indiqué l'emplacement de ce minuscule coin de bois où elle pourrait faire une escale. Il lui avait également dit où passaient les voyageurs en route vers Tabem et avec qui elle pourrait voyager.

Mais les voyageurs se rendant à Tabem n'étaient pas dignes de confiance. Elle avait donc dû attendre de rencontrer le groupe idéal. Elle en avait profité pour se reposer, sachant que les soldats, croyant qu'elle ne serait pas assez stupide pour tenter de s'y cacher, ne viendraient pas la chercher dans un si petit bois. Ils ne se doutaient certainement pas que la personne qu'ils poursuivaient était presque une créature des forêts.

Les cinq hommes avaient fait halte dans le bois pour faire boire leurs chevaux. Ils ressemblaient à tous les autres. Robustes et légèrement gras du fait d'une mauvaise alimentation, ils étaient sales et leurs vêtements puaient la sueur à plein nez. D'après les haches qui pendaient de leurs selles et le reste de leur équipement, elle avait reconnu les bûcherons qu'ils étaient. Ils étaient vêtus de peaux et de fourrures qui semblaient durcies et desséchées par la crasse.

Sans doute en congé, ils se rendaient à Tabem pour se divertir. Ils n'avaient probablement pas de femmes et, si oui, celles-ci étaient loin et ils avaient besoin d'assouvir leurs envies sexuelles. Des bûcherons n'étaient certes pas la meilleure des compagnies, mais c'était toujours mieux que les voleurs de grand chemin ou les escrocs qu'elle avait vus passer avant eux. Ils étaient peut-être des brutes grossières pour la plupart et ignoraient ce que le mot « bienséance » signifiait, mais ils possédaient tout de même un certain code moral.

Éli les avait alors suivis à distance, pour être certaine de pouvoir voyager avec eux. Elle se demandait comment les approcher, lorsqu'ils avaient croisé une petite ferme. Une femme tentait de déraciner une souche d'arbre avec une jument si maigre qu'on lui devinait les côtes. Sans même devoir se concerter, les hommes s'étaient dirigés vers la ferme. Ils avaient attaché leurs montures à la souche. Les chevaux de trait, rompus à la besogne, avaient déraciné le tronc sans effort. Éli les avait regardés faire en souriant ; sa décision était prise.

Quelques souches étaient encore enracinées dans le champ de la femme et Éli voyait bien que les hommes semblaient partis pour toutes les enlever. Elle avait donc dirigé Kalessyn vers eux. Éli s'était déjà construit un personnage, qu'elle avait d'ailleurs souvent utilisé dans le passé. Il ne lui restait plus qu'à se présenter aux bûcherons.

Kalessyn était entré sur le terrain de la dame et Éli avait salué celle-ci avant de rejoindre les hommes. Elle leur avait proposé l'aide de son puissant cheval. Ils avaient accepté avec joie et passé ainsi le reste de l'après-midi à déraciner des souches. Kalessyn n'avait pas protesté une seule fois, plaignant la dame et la pauvre jument, qui devaient effectuer seules un si dur labeur. Les hommes avaient ensuite eux-mêmes offert à Éli de les accompagner jusqu'à Tabem.

Il y avait donc trois jours qu'elle voyageait avec eux. Elle leur avait dit s'appeler Balka et être passeur, c'est-à-dire quelqu'un qui, connaissant bien tous les territoires, aide les gens à se rendre d'un endroit à l'autre sans se perdre, contre rémunération. Comme les bûcherons trouvaient ce guide bien jeune, elle avait répondu que c'était le métier de son grand-père comme de son père et qu'elle avait été élevée ainsi. Ils en avaient conclu qu'elle devait connaître les royaumes comme le fond de sa poche et Koll avait souhaité entendre ses récits de voyage ; il y en avait sûrement de très intéressants ! Éli leur avait donc narré plusieurs de ses aventures, mais elle les avait vus échanger à plusieurs reprises des coups d'œil sceptiques.

Il était vrai que nombre de ses récits étaient peu crédibles et elle en inventait parfois quelques-uns. Mais les bûcherons n'avaient pas fait de remarque, sachant que les jeunes avaient souvent besoin de se glorifier auprès de leurs aînés. Ils en riraient un bon coup, plus tard, lorsqu'elle les aurait quittés, et ils conteraient ses histoires à d'autres. Éli était habituée. Balka étant l'un de ses personnages préférés, elle avait souvent recours à lui.

Une goutte d'eau tomba sur sa main et elle se tourna vers Koll, qui s'aspergeait le visage avec une gourde.

— Mais qu'est-ce que tu fais, abruti ? s'écria Romaré.

Le bûcheron, bâti comme les autres, avait de longs cheveux châtains qui tombaient raides dans son dos. Il ne portait pas la barbe et son visage aux traits aristocratiques était allongé. Il était le plus jeune des cinq, sa peau n'avait pas encore souffert des durs travaux des bois et les autres le narguaient constamment à ce sujet. Il s'approcha de Koll et lui arracha la gourde des mains pour l'attacher dans ses bagages.

— T'énerve pas, le délicat ! On est presque rendus, se défendit Koll.

— Ouais ! Mais il fait de plus en plus chaud, alors arrête de faire ta femmelette et endure un peu, lui dit Keldîm.

Éli regarda ce dernier, le plus mince des cinq. Il avait les cheveux bruns et courts, mais la crasse les rendait noirs. Ses yeux bleu clair jetaient deux lumières dans son visage poussiéreux que mangeait une barbe naissante. Certes, l'allure de Keldîm était très négligée, mais Éli ne s'y fiait pas, car ses yeux brillaient d'intelligence. Il était le chef des cinq et ne devait apparemment pas sa place à la force physique. Il ne parlait que s'il avait quelque chose à dire et Éli le savait qui écoutait et mémorisait chaque détail de leurs conversations. Elle était incapable de déterminer son âge, ce qui l'agaçait légèrement, car elle ne pouvait évaluer ses connaissances ni son degré de sagesse.

Parfois, à sa façon de la regarder, Éli avait l'impression qu'il doutait de son identité. Il connaissait peut-être le métier de passeur mieux qu'elle et savait des choses qu'elle ignorait. Elle était encore jeune et n'en avait appris que superficielle-ment les aspects, comptant sur l'ignorance des autres. Néan-moins, quoi qu'il eût en tête, Keldîm le gardait pour lui et ne lui avait pas posé une seule question.

Koll se passa une main sur le visage pour apprécier la fraî-cheur de l'eau avant qu'elle ne s'évapore. Lalko, le frère aîné de Romaré, s'approcha d'eux et prit la gourde à son frère. Il avait les mêmes cheveux châtains, mais ses traits burinés par la chaleur étaient plus durs. Plus sérieux que les autres, il riait de leurs plaisanteries sans pour autant y participer. Éli devinait que les frères n'avaient pas toujours été bûcherons. Les épées cachées près de leur selle le prouvaient. Lalko vint près d'elle et lui tendit la gourde.

— Si je me souviens bien, il y a longtemps que je t'ai vu boire, le jeune, dit-il.

Éli secoua la tête.

— Je suis encore bon pour un bout de chemin.

En se frappant le ventre, elle continua :

— Je dois être un peu comme un ruminant du désert ; j'emmagasine l'eau. Tu comprends, quand on voyage souvent de longues distances, on s'habitue à économiser tout ce qu'on a.

— Bon ! Si tu le dis.

Lalko lança la gourde à son frère.

— Qu'est que c'est, un ruminant du désert ? demanda Romaré.

— C'est comme un cheval, répondit Éli, mais adapté au désert. Il est plus gros, ses sabots s'enfoncent moins dans l'sable, il a des longs cils pour s'protéger des vents d'sable et deux grosses bosses sur le dos où on dit qu'il fait provision de graisse pour pouvoir marcher longtemps sans boire.

Les bûcherons restèrent un moment silencieux, mais Éli les sentait incrédules. Puis, Romaré éclata de rire, suivi de tous les autres.

— Un ch'val avec des bosses su' l'dos, s'écria Koll en s'étranglant de rire.

— Ben quoi ! C'est vrai, se plaignit Éli. J'vous jure.

Mais les hommes se tordaient de rire sur leur cheval. Éli fit mine de bouder et se croisa les bras en marmonnant. Elle rencontra le regard de Keldîm qui l'observait, les sourcils froncés.

— Arrêtez de rire, bande d'idiots, s'écria-t-il. Le jeune dit vrai.

Les rires s'estompèrent graduellement pour devenir de simples hoquets avant de s'éteindre complètement. Les bûcherons regardèrent leur chef avec étonnement.

— C'est vrai ? demanda Zélir. Tu en as déjà vu, de ces chevaux à bosses ?

Keldîm hocha la tête, sans quitter Éli des yeux.

— Dans une foire au sud d'Ébrême. Mais je ne savais pas que les passeurs allaient dans le désert. À part les tribus, il n'y a rien, là-bas. Et la proximité des marais est drôlement dangereuse.

Tous les visages se tournèrent vers elle.

— Ouais ! Pourquoi tu allais là, Balka ? demanda Koll.

Elle se gratta la nuque et haussa les épaules.

— Vous allez pas l'croire, commença-t-elle lentement, mais y en a qui veulent voir les marais. Y en a même qui m'ont demandé de les conduire pour essayer de les traverser.

— Des genres de petits héros ratés, dit Zélir en hochant la tête.

— Ouais ! C'est ça. Et je peux vous dire qu'y ont pas été loin, que j'les ai entendus gueuler comme des porcs qu'on égorge.

Elle baissa la tête en la secouant, plus pour fuir le regard perçant de Keldîm que pour mettre du poids à ses paroles.

— C'est pas des souvenirs qu'on aime s'rappeler, moi je vous l'dis.

— On comprend, dit Koll. Même moi, y a rien qui me forcerait à aller par là-bas.

Les bûcherons approuvèrent avec force. Éli regarda Keldîm qui souriait, mais il ne dit rien et reporta son regard devant eux. La ville se rapprochait de plus en plus. Plusieurs carrioles, cavaliers et autres s'y dirigeaient, la plupart étant des individus peu amicaux. Les visages étaient camouflés sous les capuches et personne ne se regardait dans les yeux. À chacun ses affaires. Tous les commerçants étaient entourés de leurs gardes personnels qui veillaient sur la marchandise.

Si des bagarres naissaient parmi les voyageurs attendant aux portes, les soldats n'en faisaient pas cas et laissaient entrer autant l'agresseur que l'agressé. En temps normal, les soldats de Tabem se tenaient là plus par principe que pour assurer la sécurité de la ville.

À cause de cette inaction, Éli avait longtemps cru que les soldats mutés dans la pire ville du royaume étaient aussi corrompus que la population des lieux. Or, elle avait découvert que ce n'était pas le cas. Dans le passé, peut-être aurait-elle eu raison, mais depuis les dernières années, nombreux étaient les soldats qui se rendaient dans cette ville pour fuir le roi et n'étaient en rien malhonnêtes.

Pourtant, il semblait tout de même exister une entente entre les soldats et les membres de la guilde des voleurs, à laquelle devaient répondre tous les escrocs qui sévissaient à Tabem depuis des dizaines d'années. Toutefois, malgré ses nombreux passages dans cette ville, Éli n'arrivait pas à en comprendre les termes. Les membres de la guilde étaient des gens très discrets et s'en approcher était dangereux, même pour elle.

Les soldats étaient plus accessibles, mais elle n'avait rien constaté d'anormal. Ils ne vivaient pas au-dessus de leur condition et patrouillaient dans la ville avec professionnalisme, sans abuser de leur pouvoir. Ils procédaient à quelques arrestations, mais aucune exécution n'avait jamais lieu, ce qu'Éli avait toujours trouvé étrange. Les exécutions étaient le meilleur procédé pour débarrasser les villes des criminels et faire peur à ceux qui étaient tentés de le devenir, et Tabem en grouillait littéralement.

C'était par hasard qu'Éli avait découvert quelque chose d'anormal entre les soldats et les voleurs. Plusieurs de ses quêtes la menaient à Tabem, où elle venait souvent récupérer des objets volés, qui finissaient pour la plupart entre les murs de cette ville. Un jour, elle avait dû s'introduire dans la prison pour obtenir d'un détenu une information qui lui manquait. Équipée de son trousseau de piques pour déverrouiller les portes, elle avait fait une découverte qui l'avait totalement déstabilisée et avait bien failli entraîner sa perte. Aucune des cellules n'était réellement verrouillée. Elles semblaient l'être pour des seigneurs ou des marchands venus vérifier l'endroit, mais un seul doigt suffisait à faire jouer le mécanisme. Or, si cela était bien utile pour atteindre son objectif, les huit prisonniers dont elle ne se méfiait pas étaient soudain devenus très dangereux.

Dès qu'elle avait découvert leur secret, ils avaient déverrouillé le mécanisme pour tenter d'attraper l'intrus. Abandonnant son but, Éli avait pris ses jambes à son cou en profitant de la fraction de seconde qui lui était donnée pendant qu'ils ouvraient les portes. Inutile de se mesurer aux membres de la guilde sur leur propre territoire. Éli était sortie de la prison à la vitesse de l'éclair. Trois des hommes l'avaient suivie dans le passage secret qu'elle avait emprunté et les cinq autres étaient tout bonnement sortis par l'entrée principale, ce qui avait confirmé ses soupçons quant au lien entre les détenus et les soldats. Elle s'en était sortie de justesse et avait dû imaginer un autre moyen pour récupérer l'objet de sa quête.

Éli avait conclu de cette expérience que les soldats arrêtaient des voleurs pour contenter les riches marchands ainsi que le seigneur qui contrôlait la ville. Les hommes se laissaient arrêter, sachant qu'ils ne resteraient incarcérés que le temps de se faire oublier. Lorsque c'était fait, ils sortaient — probablement par le passage qu'elle avait utilisé — et les soldats laissaient croire qu'ils les avaient exécutés. La ville était si vaste que le risque était très faible qu'un marchand tombe sur le même voleur dans le laps de temps où il pouvait le reconnaître.

De leur côté, les voleurs devaient sûrement tempérer leurs crimes pour donner au seigneur l'illusion d'avoir le contrôle de sa ville. Que se passait-il quand un voleur ne respectait pas les règles de l'entente ? Éli avait songé aux hommes qui l'avaient poursuivie dans la prison en se disant que les membres de la guilde devaient régler ces cas à leur niveau. Et c'était probablement aussi à ce niveau que l'on procédait à l'exécution des indésirables.

Hormis la guilde, il y avait quatre sortes d'habitants à Tabem ; les pauvres qui mendiaient dans les rues et buvaient tout ce qu'ils récoltaient et les riches marchands, tout aussi voleurs que les membres de la guilde. Il y avait également tous ceux qui dirigeaient les nombreuses auberges qui caractérisaient cette ville et ceux qui y travaillaient. C'était cette particularité qui la rendait si populaire auprès des voyageurs. Tabem était donc tout sauf une ville où il faisait bon vivre et l'on ne s'y rendait pas non plus si l'on était une femme seule. Les paysans allaient plutôt à Dégromn, la deuxième plus grande ville de la région, pour vendre leurs produits.

Éli reporta son attention sur le nombre anormalement élevé de soldats en faction aux portes. Comme il lui avait fallu un temps considérable pour se rendre à la ville, la nouvelle du vol de la pierre y était déjà parvenue depuis un moment. Jamais un voleur sensé ne serait passé par Tabem en possession d'un tel objet, mais le roi ne prenait aucun risque. Éli aurait pu tenter de traverser la frontière autrement, Kalessyn pouvant échapper à n'importe quel autre cheval. Toutefois, elle avait besoin de faire le plein de vivres et de prendre un peu de repos avant de poursuivre sa route.

Le fermier qu'elle avait vu lui avait donné, malgré ses pauvres moyens, des provisions pour deux jours, ce qu'Éli avait tenté, sans succès, de refuser. Néanmoins, elle en avait été très heureuse, car elle n'avait plus eu à chasser. Elle continuait de se nourrir de plantes, réservant la viande sèche du fermier pour les jours maigres. Les bûcherons avaient également eu pitié en voyant ses provisions végétales et avaient partagé avec elle leur propre repas.

Un sourire effleura ses lèvres, alors qu'ils se joignaient à la file de voyageurs. Tout cela leur serait rendu au centuple dès qu'ils seraient dans la ville.

Devant eux, les hauts murs de pierre s'étendaient du nord au sud sur plusieurs kilomètres. Les toits des maisons les plus volumineuses dépassaient à peine des créneaux. Rien n'indiquait, de l'extérieur, le climat inquiétant qui régnait à l'intérieur de la ville.

Les rues qui croisaient l'artère principale partaient dans toutes les directions et menaient, pour la plupart, à des recoins lugubres. Pour quiconque ne connaissant pas les lieux ou n'étant pas un combattant émérite, s'éloigner de plus de cinq cents mètres de la rue principale était extrêmement dangereux.

Éli avait souvent parcouru cette ville, sous plusieurs identités, et elle en connaissait bon nombre de recoins. Tabem était le terrain idéal pour menteurs, manipulateurs, enjôleurs et voleurs souhaitant tester leurs talents. C'était ici que l'avait formée Noéka, à qui elle avait succédé. Grâce à sa capacité de convaincre les gens au plus profond d'eux-mêmes, Éli avait rapidement dépassé sa maîtresse.

À l'époque de Noéka, par contre, il n'existait pas de lien entre les soldats et les membres de la guilde. Le capitaine responsable de la ville livrait une lutte perpétuelle pour tenter d'y faire régner l'ordre. Même si l'endroit restait dangereux, il était beaucoup plus violent dans ces années-là.

Devant eux, un rayon de soleil se refléta sur le métal des armures or et rouge. Éli avait déjà préparé ses réponses aux questions des soldats, mais elle espérait qu'ils ne les questionneraient pas trop. Au pire, ils les fouilleraient sans résultat, car la pierre avait regagné sa cachette sous le ventre de Kalessyn et, cette fois-ci, Éli avait méticuleusement arrangé le dispositif, de sorte que la bosse était répartie sur la longueur du corps du cheval. Celui-ci avait de nouveau l'air gros, mais pas difforme.

— Les soldats risquent de t'poser des questions, le jeune, déclara Lalko en regardant aussi les soldats, près des portes. T'es un voyageur solitaire, après tout.

Éli haussa les épaules avec indifférence.

— Je l'sais, mais j'commence à être habitué. Mes affaires sont toutes placées pour qu'ils puissent les fouiller le plus vite possible et je n'ai pas grand-chose de toute façon. Vous n'êtes pas obligés de m'attendre.

Lalko hocha la tête en lançant un regard à ses compagnons. Sans discuter, ils décidèrent qu'ils resteraient tout de même avec le jeune. Ils le lui devaient bien, puisqu'il leur avait indiqué un chemin beaucoup plus court pour se rendre à Tabem, en contrepartie de leur compagnie durant le voyage.

Il leur avait expliqué que, pour avoir voyagé seul un très long moment, il éprouvait le besoin d'avoir à qui parler. De plus, il n'avait même plus d'occasion de travailler depuis les dernières semaines, parce que la présence d'un grand nombre de soldats dans le royaume décourageait les voyageurs. Il avait donc décidé de se rendre en Ébrème pour faire de meilleures affaires. En passant par Tabem, il se ferait sûrement quelques contacts. Il disait le faire souvent et il semblait bien connaître la ville.

— On leur dira que t'es des nôtres, dit soudainement Keldîm. T'as la taille suffisante et si t'es un peu fluet, tu passeras pour un nouveau, comme Romaré.

Apparemment, il y réfléchissait depuis un moment.

— Vous avez compris, vous autres ?

Les bûcherons acquiescèrent. C'était une bonne idée, car, ainsi, ils n'attireraient pas du tout l'attention des soldats. Éli observa Keldîm, mais les yeux bleus dissimulés derrière les mèches de cheveux sales restaient impénétrables.

— J'vous r'mercie, chef, dit-elle. Vous m'évitez une bien grosse perte de temps.

Keldîm lui fit un léger sourire.

— C'est rien, le jeune. Tu nous as aussi fait gagner bien du temps, avec tes raccourcis, alors on est quittes, maintenant.

En lui rendant son sourire, Éli vit la malice pétiller dans les yeux du bûcheron. Il cachait quelque chose, mais il était tout de même de son côté. Elle reçut soudain une claque retentissante dans le dos et serra les dents en grognant. Elle se tourna lentement vers Koll, les yeux plissés de frustration.

— Pour ça, l'jeune, veux-tu nous dire où on peut trouver de belles poupées, pis de la bonne bouffe ? Tu dois le savoir, si t'es souvent venu ici.

En reniflant, Éli se gonfla et lui jeta un regard de sous son chapeau.

— Si j'en connais, des bons coins ! s'exclama-t-elle d'un ton hautain. Hein ! Sûr que j'en connais, et les meilleurs, si tu veux savoir !

Puis, elle se tut et regarda ailleurs, un léger sourire aux lèvres, feignant de revivre des souvenirs très agréables.

— Accouche, le jeune ! éructa Koll.

— Eh bien ! Je connais une auberge où on mange des côtes de porc dans le miel et des poitrines de chevreuil extra. Sans parler de l'alcool, il y en a pour tous les goûts.

Les bûcherons la regardaient, l'eau à la bouche.

— En plus, continua-t-elle, et le plus important, les filles sont magnifiques. Pas des putains de seconde classe pleines de maladies et qui puent, non, de vraies princesses qui vous font des trucs que vous n'êtes même pas capables d'imaginer.

— Ouais ! Mais ça doit coûter un bras, ton affaire. C'est pas dans nos moyens, déclara Zélir, au désespoir des autres bûcherons.

Ils coulèrent des regards mauvais sur Éli : le passeur était encore en train de leur conter des histoires.

— Non ! s'écria-t-elle d'un air offensé. Laissez-moi donc finir, avant de parler.

Les hommes se turent et la regardèrent, l'air soupçonneux.

— Bon ! C'est vrai que c'est plutôt cher, sauf que j'connais la propriétaire de l'auberge, personnellement, et l'argent s'ra pas un problème.

Et, en réponse aux coups d'œil de ses compagnons, Éli ajouta d'un ton bougon :

— Et si vous ne me croyez pas, vous n'avez qu'à trouver une place vous-même. J'irai tout seul dans mon auberge.

Avec un léger rire, Keldîm dit :

— On ira avec toi.

— Et si c'est pas vrai, on t'arrachera un œil, ajouta Koll.

Éli rit et lui serra l'épaule.

— Je te jure que c'est vrai, le gros.

Un groupe de cavaliers qui passait près d'eux à toute allure fut intercepté par les soldats postés le long de la file des voyageurs. Ainsi occupés par eux, les soldats ne leur prêtèrent qu'une brève attention et leur groupe put continuer vers l'entrée de la ville. Les deux grandes portes en bois de fer censées en interdire l'accès étaient rarement fermées.

Contrairement à celles des autres villes, elles restaient ouvertes toute la nuit pour permettre l'entrée aux voyageurs nocturnes. Qu'importait si des brigands s'y faufilaient, la ville regorgeait déjà de bandits de toute espèce. Éli voyait qu'une dizaine de gardes observaient et questionnaient les gens qui entraient et sortaient. Les voyageurs avançaient lentement et en silence jusqu'à atteindre les soldats. Keldîm déclara qu'ils étaient bûcherons de la forêt de Dèbre qui avaient à faire dans le sud. Après avoir tâté leur bagage, les gardes leur firent signe de continuer. Éli sourit intérieurement. Cela n'aurait pas pu être plus facile.

Sitôt sur la rue principale, elle prit les devants pour conduire les hommes à l'Auberge de la flamme bleue. Ils avançaient lentement dans les rues bondées. La majorité des commerces s'étendaient le long de la voie principale ou tout près. On y remarquait plusieurs commerces d'aliments et de pièces d'équipements. La ville était aussi réputée pour son choix presque infini de magasins d'armes et d'armures de tout acabit. Large d'une trentaine de mètres, cette artère séparait la ville en deux et menait directement à la porte est qui donnait en sol ébrêmien.

Plus loin au nord, des bâtisses aussi sales que vétustes bordaient des rues obscures. Celles-ci étaient agencées de telle sorte qu'elles semblaient avoir été conçues pour former un véritable labyrinthe et faciliter la tâche des voleurs. Malgré ses nombreuses venues à Tabem, sans son sens aigu de l'orientation, Éli s'y serait facilement perdue. Noéka lui avait dit qu'il était inutile de mémoriser les rues, puisque des bâtisses apparaissaient et disparaissaient régulièrement, modifiant la configuration des lieux. Les brigands établis dans la ville ne voulaient pas que les visiteurs puissent se sentir trop à l'aise sur leur terrain.

À l'opposé du fief des voleurs, au sud de la voie principale, les rues, plus larges, étaient bordées d'arbres et de fleurs. Là se trouvait le territoire des riches marchands, où se côtoyaient de luxueuses demeures aux couleurs pimpantes. Contrairement au secteur nord, le sud était constamment éclairé et bien entretenu. Nettement moins étendu, il n'abritait que des manoirs et aucun commerce. Seuls les riverains ou leurs proches avaient le droit de s'y promener, ce qui semblait faciliter le travail des soldats qui patrouillaient dans les rues. Éli se doutait cependant que l'entente avec la guilde des voleurs prévoyait de ne pas importuner ces gens chez eux. De toute façon, Éli savait qu'il y avait bien d'autres moyens de voler ces hommes que de s'introduire dans leur demeure.

Après une centaine de mètres, Éli conduisit Kalessyn dans une rue qui menait vers le nord. Rapidement, les passants se firent plus rares et ils se retrouvèrent dans des rues sombres avant de s'en être aperçus. Les bûcherons, qui avaient fait plusieurs remarques à leur entrée dans la ville, étaient maintenant silencieux et inquiets. Ils connaissaient la réputation du secteur nord et s'étaient toujours contentés de fréquenter les auberges proches de la rue principale.

Autour d'eux, les gens dont les visages se perdaient dans l'ombre les regardaient passer. Les mendiants, aveugles ou estropiés, tendaient les bras vers eux pour quémander quelques pièces.

— Ignorez-les, dit Éli. Presque tous sont des comédiens et des voleurs.

Les hommes acquiescèrent et se tinrent loin des mendiants. En outre, comme certains leur semblaient malades, ils aimaient mieux ne pas avoir à les toucher. Éli tourna dans une ruelle plus déserte encore. Au vacarme de la rue principale, estompé depuis un moment, succédaient divers bruits aux provenances rarement identifiables. Elle bifurqua ensuite à plusieurs reprises et les bûcherons eurent tôt fait de se trouver complètement désorientés.

Les immeubles, qui comptaient parfois quatre étages, semblaient se pencher vers eux, prêts à s'écrouler à tout moment. Il n'y avait plus personne dans les ruelles, excepté quelques rôdeurs qui parlaient tout seuls et fouillaient dans les amoncellements de déchets qui longeaient les bâtisses. Des rats gros comme des chats passèrent sous leur nez et les chevaux, inquiets, se mirent à caracoler. Kalessyn hennit violemment en dansant sur place.

— Veux-tu bien te calmer, espèce de gros balourd ! Ce ne sont que des rats. Tu es cent fois plus gros qu'eux, sinon plus.

Calmé, le cheval se remit en route, attentif aux alentours. Il détestait les rats. Éli le savait bien et ne manquait pas de le taquiner à ce sujet.

— Non, mais tu parles d'un cheval peureux !

Les bûcherons les regardèrent, mais ne dirent rien. À maintes reprises, ils avaient déjà surpris le passeur à parler avec son cheval, comme si tous deux se comprenaient. C'était probablement d'avoir voyagé seul longtemps qui le conduisait à discuter avec le seul être vivant qui l'accompagnait, tout comme eux-mêmes insultaient parfois des arbres récalcitrants.

— Tu es sûr de savoir où tu vas, comme ça, Balka ? lui demanda Romaré, qui commençait à se demander s'il ne les menait pas dans un coupe-gorge.

Éli se tourna vers lui d'un air moqueur.

— Non ! répondit-elle, ironique. Hé ! J'vous fais marcher ! On est presque arrivés, ajouta-t-elle en remarquant leur mine de plus en plus anxieuse.

L'Auberge de la flamme bleue, isolée comme dans un trou, n'était connue que de ses habitués. La propriétaire, née dans les bas-fonds de Tabem, savait qu'elle aurait ainsi plus de contrôle sur la clientèle.

Éli avait découvert cet établissement lors d'une précédente quête, toujours sous l'identité de Balka. C'est en effet dans cette auberge qu'Éli avait discrètement suivi le voleur à qui elle devait reprendre un livre dérobé à un magicien.

Durant son séjour, ce brigand au comportement violent s'en était pris à l'une des filles de l'auberge. Éli, qui s'était interposée avant que celle-ci appelle à l'aide, avait dû le tuer. Elle avait donc pu récupérer le livre tout en gagnant les faveurs de la propriétaire.

Éli était restée un moment à l'auberge en y travaillant comme garde du corps des occupantes. L'argent accordé pour ses quêtes étant rarement élevé, le travail était toujours bienvenu. La jeune femme n'approuvait pas ce genre d'établissement, mais les filles qui y travaillaient étaient gentilles et la propriétaire les traitait convenablement.

Livianne était une bonne personne, qui disait avoir vu trop de laideur pour croire au concept du Bien. Née dans les ruelles, d'une mère dont elle ne se souvenait plus du visage, Livianne avait longtemps vécu de ses petits larcins. Si les garçons réussissaient à s'en sortir, les filles se retrouvaient presque toutes devant le même choix, les emplois dans la ville étant beaucoup plus rares pour elles. Livianne, qui n'avait jamais cru à l'amour, traitait tous les hommes avec la même indifférence. La prostitution avait donc été le moyen de se sortir de la rue.

Pour commencer, elle avait été prise en charge par un homme qui, moyennant un pourcentage de ses gains, lui fournissait toit et protection. Il dirigeait un petit secteur depuis quelques années et elle s'était jointe aux quatre filles qui travaillaient pour lui. Il n'était pas trop exigeant et ne leur avait jamais donné envie de faire autre chose. Toutefois, les années avaient passé et l'homme avait disparu pour être remplacé par deux autres. Ces derniers s'étaient rapidement montrés plus demandant et les filles réticentes avaient reçu de sévères corrections. Livianne faisait partie de celles-là et bien qu'elle n'en fût pas à sa première bataille, elle s'était tenue tranquille. Son train de vie lui convenait, elle avait une belle somme de côté et bénéficiait de plusieurs clients réguliers qui payaient bien. Grande, mince et d'une beauté féerique, elle obtenait ce qu'elle voulait des hommes et plusieurs lui étaient totalement dévoués.

Les deux entremetteurs avaient donc fini par disparaître et Livianne avait pris elle-même le contrôle de son secteur. Du fait de son influence notoire dans les alentours, personne n'avait osé venir l'importuner, pas plus qu'elle n'avait tenté d'en profiter à outrance. Avec l'aide des filles, elle avait réussi à réunir suffisamment d'économies pour acheter une vieille auberge, devenue l'Auberge de la flamme bleue.

Livianne avait abandonné la prostitution bien avant de rencontrer Balka. Son établissement était avant tout une auberge, où hommes et femmes venaient se restaurer et passer une bonne soirée ou une nuit dans une chambre confortable. Les serveuses étaient chaleureuses sans être indécentes et l'on fournissait un supplément de service si le client le désirait.

Livianne indiquait que c'était sa façon de lutter contre la noirceur de la ville. Elle tournait en avantage la principale faiblesse des hommes, pour aider les filles à se sortir de la misère. Éli n'approuvait pas tout à fait ce concept ; toutefois, il lui fallait bien reconnaître que les filles de l'auberge semblaient heureuses et toutes reconnaissantes à Livianne.

Dans un moment de prière, Éli demanda donc pardon au Créateur d'encourager ce genre d'endroit et ne put s'empêcher d'espérer qu'il ait l'esprit aussi ouvert qu'elle.

Devant l'établissement, le visage d'une femme attrayante souriait au centre d'une flamme bleue, sur une vieille pancarte aux couleurs pratiquement effacées. C'est là qu'Éli arrêta son cheval et sauta au sol. Les bûcherons l'imitèrent, non sans jeter autour d'eux des regards méfiants. Elle se dirigea vers un porche obscur et siffla une brève mélodie. Quelques minutes passèrent et un garçon sortit de l'ombre sans s'approcher davantage des visiteurs.

Il ne mesurait qu'un peu plus d'un mètre cinquante et paraissait tout mince. Ses vêtements de laine foncés se différenciaient difficilement des ombres et ses yeux étaient dissimulés sous un bonnet tout aussi sombre. La canne de bois, qu'il tenait devant lui, lui arrivait sous le nez.

— Bonjour Tinné! dit Éli. J'ai six chevaux à mettre en lieu sûr.

Le visage de l'enfant s'éclaira d'un large sourire et il se précipita aussitôt vers Éli, qui s'était accroupie, sous les regards amusés des bûcherons.

— Balka! s'écria-t-il. Je suis content de te voir! Ça faisait longtemps que tu n'étais pas venu.

— Je sais.

Éli serra l'enfant contre elle.

— Bon sang, t'as encore grandi! Tu vas finir par me rattraper avant d'être adulte.

L'enfant sourit et se redressa fièrement en ramenant les deux mains sur sa canne. Maintenant qu'il était sorti de l'ombre, les hommes observèrent plus attentivement le garçon. Ses yeux, quoique ouverts, semblaient ne rien fixer. Son visage était tourné vers Éli, mais il ne la regardait pas.

— Kal est avec toi? demanda-t-il, la voix pleine d'espoir.

— Bien sûr, tu sais bien qu'on est inséparables, tous les deux.

Tinné leva une main et le cheval pommelé d'Éli se dirigea vers lui, comme s'il comprenait l'invitation. Il posa doucement ses naseaux dans la main de l'enfant qui le tira vers lui en riant. Le cheval appuya sa tête immense sur la mince épaule, laissant au garçon tout le loisir de le flatter.

— Salut, Kalessyn, dit le garçon. Tu dois être fatigué. J'ai de l'eau propre et du foin fraîchement coupé, juste pour toi.

L'enfant passa la main dans la crinière, prit les rênes et mena l'animal sous le porche sombre. Il se tourna vers Éli.

— À plus tard, Balka, dit-il, et il disparut dans l'obscurité.

Les cinq autres chevaux le suivirent sans broncher, sous le regard stupéfait des bûcherons. Il leur semblait être dans l'un de ces contes où les animaux ont une vie propre. Ils regardaient Kalessyn s'enfoncer dans le noir, en tentant de comprendre ce qui venait de se passer sous leurs yeux. Seul, Keldîm observait Balka qui fixait l'endroit où avait disparu Tinné.

Ses yeux étaient teintés de joie, mais aussi d'une profonde tristesse pour le garçon. Keldîm eut l'impression de regarder non pas un jeune homme, mais une femme, car ce regard qui adoucissait ses traits témoignait d'une grande sensibilité. Balka baissa les yeux et secoua la tête. Lorsqu'il se tourna vers eux, il avait retrouvé le même visage railleur typique de sa jeunesse. Le regard fier, il renifla, cracha par terre et, les mains dans les poches, se redressa en se balançant.

— J'vous l'avais dit que j'connaissais cet endroit, hein! Et vous vouliez pas me croire! déclara Éli en attendant des excuses.

Koll poussa un long soupir et leva les yeux au ciel.

— Bon! On s'excuse, marmonna-t-il. T'avais raison, le jeune.

Les autres firent de même et Éli se retourna, satisfaite. Elle descendit quelques marches et ouvrit une lourde porte en bois de fer.

Keldîm le suivit en silence, encore saisi par ce regard. Balka était peut-être apparenté à l'enfant, ce qui expliquait l'émotion qu'il y avait lue. Pourtant, il y avait le reste... Une fumée claire s'échappa par la porte et les entoura, accompagnée d'une odeur exquise de viande cuite qui le sortit de ses pensées.

La pièce était chaude, remplie de rires et de chants. En franchissant le seuil, ils eurent l'impression de changer de monde. Des musiciens jouaient quelque part dans l'établissement. Une trentaine de tables étaient occupées par des fêtards engloutissant des plats qui semblaient délicieux. Des serveuses allaient et venaient, chargées de chopes de bière mousseuse, blanchies tant elles étaient froides. Un bar parcourait le mur du fond et disparaissait dans une autre pièce à leur gauche. À droite du bar, une porte semblait donner sur les cuisines et une grosse matrone en sortait avec des plats qu'elle déposait sur le bar en criant son contenu à la serveuse qui avait passé la commande.

Éli s'avança parmi les tables et quelques filles s'arrêtèrent pour la saluer et l'embrasser. Aucune d'elles ne savait que c'était une femme. Derrière elle, les bûcherons se tordaient le cou et la regardaient avec envie.

— Balka!

La voix s'éleva de sa droite et Éli se tourna vers une jeune femme aux longs cheveux blonds et à la robe très échancrée qui venait vers eux, un plateau vide à la main. Lilas avait un large sourire aux lèvres, alors qu'elle avançait agilement entre les tables. Quelques mains se tendirent vers elle et elle se pencha pour murmurer des paroles aux hommes. Comme à chaque fois, Éli la regarda faire sans réussir à comprendre, elle qui aurait cassé tout doigt osant seulement lui effleurer les fesses.

— Balka! répéta Lilas en arrivant finalement devant Éli.

Elle posa le plateau sur le bar et la serra dans ses bras.

— Que ça me fait plaisir de te voir! C'est Livianne qui va être contente. Elle me parlait justement de toi, y a pas long-temps, parce qu'il y a eu de la casse ici. Mais on s'est bien débrouillées. Bon, y en a eu peut-être quelques-unes avec des ecchymoses, mais on a gagné. Tu sais que je me suis beaucoup entraînée, ces derniers temps? Je l'aurais pas cru, mais les hommes aiment bien les femmes vigoureuses qui peuvent les retourner cul par-dessus tête dans le lit!

Éli, qui essayait d'interrompre le flot de paroles de Lilas, remarqua les larges sourires des bûcherons.

— Mais tu dois savoir, hein, Balka ? demanda-t-elle en mettant une forte intonation sur le nom. Même si je sais que c'est pas pour ça que tu nous as appris ces trucs. Tu veux voir mes progrès ? Je peux te montrer ça tout d'suite et le reste, ce sera pour dans la chambre, plus tard. Allez, r'garde ben !

Lilas se mit en position de combat, les poings levés, avec, sur son joli visage, un air sérieux qu'elle voulait agressif.

— Lilas, marmonna Éli en jetant un regard embarrassé aux bûcherons qui l'observaient, amusés. C'est pas vraiment l'moment.

Mais Lilas, déterminée, tenait à donner son spectacle et à impressionner la galerie. Avec un profond soupir, Éli se plaça en position de combat.

— Frappe-moi ! ordonna Lilas en souriant.

Éli leva les yeux au plafond, hésita et lança son poing vers le visage de la jeune femme. Lilas l'évita agilement et lui donna une claque sur l'épaule.

— Haaa ! s'exclama-t-elle. Frappe-moi pour vrai, sinon je pourrai pas te le montrer.

Éli se replaça en secouant la tête. Lilas était bien décidée à humilier Balka publiquement.

— Tu l'auras voulu, dit-elle.

Éli, cette fois, projeta son coup avec force. Les bûcherons écarquillèrent les yeux, persuadés que la jeune femme allait le recevoir en plein visage, mais celle-ci bondit rapidement de côté pour l'éviter. De la paume de la main, elle frappa le bras assaillant d'Éli, la déséquilibrant sur le côté, par son propre élan. De l'autre main, elle lui saisit le poignet, qu'elle lui tordit dans le dos, en utilisant à nouveau l'élan de son assaillant. En grognant, Éli dut se pencher en avant pour atténuer la douleur. La jeune femme attendit un moment, puis la lâcha. Éli se redressa en se massant le poignet, l'air maussade, tandis que

Lilas, tout sourire, la regardait en attendant son avis avec impatience.

— Alors ? demanda Lilas.

— Eh ben !

Éli hocha la tête en continuant à frotter son poignet.

— C'est mieux, certain. Excellent, même !

Lilas tapa dans ses mains en riant de satisfaction. Elle reprit son plateau d'un geste leste et avisa les cinq hommes qui se tenaient derrière Éli. Ses yeux prirent le temps d'apprécier le large torse de Koll, que celui-ci se crut obligé de bomber davantage.

— Tes amis, supposa-t-elle en lui lançant un regard complice.

Pour toute réponse, Éli se força à sourire pour cacher son exaspération devant cette attitude aguichante, presque provocatrice.

— Alors, venez, je vais vous mener à Livianne. Elle va avoir toute une surprise en te voyant.

Lilas se dirigea vers la deuxième pièce en évitant, cette fois, les mains qui se tendaient vers elle.

— T'as l'air plus qu'une connaissance, lui murmura Lalko.

Effectivement, les filles continuaient de lui envoyer la main en lui adressant des sourires avenants. Éli lui sourit fièrement pour camoufler le malaise qu'elle ressentait vraiment, comme chaque fois qu'elle se trouvait dans ce genre de situation, et répondit :

— Quand j'disais que j'connaissais bien la propriétaire, c'était pas des blagues. Elle me doit quelques services.

— Ouais ! À ce qu'on a pu voir tantôt, tu leur as appris à se défendre, s'exclama Koll.

— Vrai ! Je déteste ceux qui sont assez lâches pour toucher à une femme. Là, y en a qui s'en mordront les doigts, j'peux vous l'dire. Et vous savez quoi ? J'en suis ben fier.

— Ça veut dire qu'y va falloir faire gaffe à notre peau si on rentre dans une de leurs chambres, conclut Zélir. On risque de se faire retourner cul par-dessus tête, si j'ai bien compris.

Les hommes gloussèrent et Keldîm déclara :

— On peut dire en tout cas que t'es tout un numéro, le jeune.

— Ben moi, chu ben d'accord avec lui, dit Romaré. J'peux même t'aider si tu veux, ajouta-t-il en regardant la jeune femme qui marchait devant eux.

Éli le dévisagea et déclara d'un air moqueur :

— Messemb' ! J'sais pas pourquoi, mais j'sens que tu leur apprendras pas les mêmes mouvements que moi.

Romaré l'envoya promener, mais il ne put s'empêcher de sourire, tandis que ses compagnons éclataient de rire. Au bout de la deuxième pièce, semblable à la première, tout en étant plus grande, ils arrivèrent devant un rideau formé de fils de perles que Lilas écarta pour disparaître derrière, Éli sur ses talons.

La salle était plus étroite et l'ambiance moins enflammée. Les clients, vêtus avec plus de raffinement, avaient des manières soignées. De luxueuses tentures habillaient les murs où dansait la lueur de chandeliers finement ouvragés. Ils marchèrent jusqu'au fond, où une grande femme mince descendait un escalier.

Elle avait de longs cheveux noirs auxquels se mêlaient les longs fils bleus et argentés de sa coiffe. Sa robe indigo, retenue par deux minces bretelles, moulait son corps élancé et le tissu fendu sur le côté révélait à chacun de ses pas une jambe longue et fine. Elle posa sur les visiteurs des yeux d'un bleu profond que rehaussait l'arc léger de ses sourcils. Ses lèvres pulpeuses étaient colorées d'un rouge discret. Elle n'était pas le genre de femme à avoir besoin de maquillage.

Lilas la rejoignit, mais la femme avait déjà aperçu Éli, car un large sourire éclairait son visage. Elle atteignit le bas des marches et remercia Lilas qui s'éloigna, non sans avoir lancé un dernier regard appréciateur à Koll. Éli et Livianne se serrèrent dans une accolade amicale, puis s'embrassèrent sur les joues, sous les regards envieux des bûcherons.

Keldîm fronça les sourcils. C'était la première fois qu'il voyait un homme embrasser une femme aussi belle sans presque la toucher. Habituellement, tous en profitaient, un peu du moins. Balka la fixait d'ailleurs dans les yeux sans même les avoir baissés une fraction de seconde sur sa poitrine. L'homme semblait être le seul à remarquer ces détails. Peut-être étaient-ils insignifiants? Était-il trop soupçonneux? Pour la énième fois, il mit ses pensées de côté. Même s'il n'était pas celui qu'il disait être, Balka avait du cœur et leur seule présence dans un tel endroit valait un bon lot de mensonges. Sans lâcher les épaules de Balka, Livianne se recula pour l'observer.

— Plus tu vieillis et plus tu es sale, dit-elle d'une voix chaude en secouant un visage désapprobateur.

Éli retroussa une lèvre. En effet, ses traits étaient de plus en plus féminins au cours des dernières années et elle devait les couvrir davantage pour qu'ils ne la trahissent pas.

— Les temps sont durs, répondit-elle en haussant les épaules.

Elle se retourna vers les bûcherons.

— J'ai amené des amis. Ils m'ont rendu un grand service.

— Ah oui? s'exclama Livianne avec enthousiasme, en examinant les cinq hommes. Les amis de Balka sont toujours les bienvenus.

Éli fit les présentations.

— Enchantée de vous connaître, messieurs. Je suis Livianne, propriétaire de cette auberge. Vous devez avoir faim après ce long voyage.

Les hommes acquiescèrent en chœur.

— Eh bien! Suivez-moi, je vais vous conduire à une table.

Elle les mena à une grande table sculptée, entourée de fauteuils qui semblaient très confortables. Les hommes s'y assirent, sourire admiratif aux lèvres, et Livianne déclara :

— On viendra vous servir. S'il y a quoi que ce soit que vous voulez, faites-le savoir, nous ferons notre possible pour que vous soyez satisfaits.

Ils la remercièrent et elle s'éloigna avec Éli. Une femme vint prendre leur commande en précisant que tout leur était offert par la maison. Les hommes se regardèrent, éberlués.

— Bon sang! s'exclama Romaré. Balka a dû faire bien plus que leur apprendre des trucs de combat, pour être aussi aimé. Je me demande comment il s'y est pris?

— Tu n'es pas le seul! dit Zélir.

Ils regardèrent Livianne et Balka qui conversaient près de l'escalier. Éli replaça son chapeau et revint vers eux, avec un sourire en coin.

— Alors, le jeune! s'écria Koll en lui assenant une tape dans le dos.

Éli grinça des dents. Cette manie-là n'allait certainement pas lui manquer lorsqu'elle se séparerait de leur groupe.

— Tu as décroché le gros lot, on dirait.

Zélir lui passa un bras autour du cou et s'approcha d'elle.

— Elle t'attend dans sa chambre, c'est ça! Elle et peut-être aussi la petite blonde.

Éli ne lui répondit que par un sourire énigmatique. Koll éclata de rire et Éli esquiva de justesse une seconde claque.

— Eh oui, dit-elle. J'mangerai pas avec vous. Et j'suis venu vous dire au revoir, si on n'a pas l'occasion de se reparler.

— Tu resteras pas longtemps ? lui demanda Romaré.

— Non ! Les affaires m'appellent.

— Ouais ! On voit le genre d'affaires, dit Koll en riant.

Il lui tendit l'une de ses grosses mains.

— Eh bien ! Ça m'a fait plaisir de te connaître, le jeune, continua-t-il.

Éli serra sa main avec force, en espérant s'en sortir sans fracture aux doigts.

— Adieu, l'jeune.

— Ouais ! firent à leur tour Lalko et Zélir. Adieu et bonne chance.

— J'espère qu'on se reverra, lui dit Romaré. Ç'a été bien de voyager avec toi.

Éli se retourna et se dirigea vers l'escalier d'un pas lent. Était-ce un effet de son imagination ou est-ce que le Créateur jouait réellement avec ses sentiments ? Elle avait toujours été une chasseresse solitaire, hormis quand Tilka l'accompagnait, et cela tout simplement parce que les gens ne lui plaisaient pas. Éli fuyait les hommes des royaumes plus que tout et lorsqu'elle était dans l'obligation d'en côtoyer un, elle remerciait le Créateur de ne plus faire partie de ceux-là et de leur culture ridicule. Mais depuis cet enlèvement, soit les personnes qu'elle rencontrait étaient plus sympathiques que d'habitude, soit c'était elle qui n'arrivait plus à voir leur côté noir.

« À quoi me préparez-vous donc ? » demanda-t-elle en levant les yeux au plafond. « Je ne fais plus partie de ce monde depuis dix ans et je ne veux pas y revenir non plus », continua-t-elle sévèrement.

À l'instant où elle mit un pied sur la première marche, une main se posa sur son épaule et elle eut le sentiment qu'elle allait recevoir une réponse à sa prière. Ses muscles se crispèrent et elle se retourna pour se trouver face à face avec Keldîm.

Elle sentit les battements de son cœur s'accélérer, mais elle n'eut pas le temps de prononcer un mot. Il déclara :

— J'sais pas qui t'es, l'jeune. T'es peut-être réellement un passeur, peut-être que non.

Éli fronça les sourcils et ouvrit la bouche, mais Keldîm leva une main pour l'empêcher de parler.

— Quelle que soit la réponse, j'veux pas la savoir. Depuis l'début, j'ai l'impression que t'es comme dans l'irréalité. Des fois, j'ai même eu l'impression que t'étais pas un homme. Mais qui que tu sois et quoi que tu sois venu faire dans ce royaume, je peux te dire que j'ai été heureux que nos chemins se soient croisés et ça m'a fait plaisir de te rendre service.

Keldîm lui serra l'épaule et retira un collier avec une petite sculpture à l'effigie d'un ours de sous sa chemise.

— Si un jour, t'as de nouveau besoin d'aide, l'jeune, je veux que tu saches que tu pourras toujours venir me voir. Après not'tit séjour, on s'en va travailler dans la forêt de Dèbre, au nord.

Il lui tendit le collier et Éli le prit d'un air étonné.

— Bonne chance, l'jeune, dit-il en lui serrant le bras. Et que Dieu t'accompagne sur ta route.

— Merci, bégaya-t-elle, sur le point de laisser sa voix la trahir.

Keldîm lui tourna le dos et retourna vers ses compagnons, qui avaient déjà commencé à festoyer. Éli le suivit des yeux, le collier dans sa main, l'air idiot. « Bon sang ! Mais à quoi me préparez-vous ? répéta-t-elle. Que va-t-il arriver, pour que j'aie autant besoin d'aide ? Eldérick, ce capitaine Remph, et, maintenant, eux. » Mais bien sûr, elle n'eut aucune autre réponse et n'en obtiendrait pas avant un long moment. C'était ainsi, avec le Créateur.

Elle détourna le regard avant que Keldîm ne la voie l'observer ainsi et monta les marches pour rejoindre Livianne dans sa chambre.

CHAPITRE 24

OÙ ARKIEL FAIT HALTE À TABEM

Un rayon de soleil se reflétait sur le tranchant affilé de la hache d'armes. Elle était longue d'au moins un mètre et avait deux larges tranchants. Des dessins de bêtes sauvages étaient gravés tout le long du manche, fait d'un alliage gris foncé rayé d'argent. Les deux lames représentaient les ailes d'un dragon, et l'extrémité du manche la tête, d'où dépassaient deux cornes pointues aussi redoutables que les lames. Un homme trapu, vêtu d'une veste de cuir brune, l'admirait à travers la vitrine, la tête si près du verre qu'il y laissait de la buée à chaque respiration.

— Veux-tu bien arrêter de baver sur cette vitre, Karok! ordonna Eldérick. On n'a pas de temps à perdre.

— Ouais! Mais tu as vu cette merveille? s'exclama Karok sans détourner les yeux.

Eldérick lui saisit la manche et le tira loin de la boutique, comme un enfant.

— Bon sang, Karok! On a des dizaines de personnes à interroger. Tu n'as pas le temps de faire les yeux doux à une hache.

— Tu reviendras avant que nous partions, lui dit Dowan.

— De toute façon, je suis certain qu'elle est beaucoup trop chère pour toi, ajouta Zyruas.

Ils se dirigèrent vers une auberge et en franchirent le seuil. Le soir approchait et l'établissement commençait à se remplir. L'un des clients se leva en apercevant Eldérick et vint le rejoindre, les bras ouverts. C'était un homme de stature imposante, au crâne chauve et aux bras couverts de tatouages. Parmi ceux-ci apparaissait une lune noire, symbole de la guilde des voleurs de la ville de Tabem. Le lien entre la lune et le titre de voleur n'était connu que des proches de la guilde et des initiés.

— Eh bien! Si c'est pas mes amis! s'écria Wiltor.

Ils se serrèrent et le voleur s'immobilisa devant Karok.

— Mais qu'est-ce qui est arrivé à ta barbe?

Karok grogna quelques jurons et Wiltor crut bon de ne pas insister. Il conduisit le groupe à sa table et demanda à Eldérick :

— Qu'est-ce qui t'amène dans ce trou? Tu prends des risques, tu sais. Il y a des soldats plein les rues, qui interrogent tous les étrangers.

Ils s'assirent et l'un des clients tapota le bras d'Eldérick.

— On a appris, pour Myral. Je suis bien content pour toi.

Eldérick lui sourit et revint vers Wiltor.

— Nous aussi cherchons quelqu'un et, comme je sais que tu peux savoir presque tout ce qui se passe dans cette ville, je suis venu te poser quelques questions.

— Bien certainement!

Wiltor s'appuya sur le dossier de sa chaise et commanda de la bière pour ses amis.

— Demande-moi et je ferai mon possible pour te trouver les réponses.

Eldérick lui fournit quelques explications où se mêlaient fiction et réalité, ne pouvant lui révéler le fin fond de l'histoire. Il indiqua ensuite brièvement à quoi pouvait ressembler

Éléonore, sans mentionner pour autant qu'il s'agissait d'une femme. Il espérait que Wiltor pourrait lui donner plus d'informations que ce qu'ils avaient pu obtenir dans les autres villages.

Ils étaient arrivés à Tabem dans la matinée et Arkiel les avait immédiatement dirigés vers un grand manoir gris et sombre, dans le secteur sud. Mylène, qui l'avait trouvé sinistre au premier abord, avait manifesté quelque inquiétude, mais Arkiel lui avait déclaré que le seigneur du manoir, Novalté Brawm, était un homme au cœur d'or.

Il avait acheté cette demeure pour une bouchée de pain, et s'était établi dans cette ville de débauche en espérant pouvoir sauver quelques âmes de cet enfer. Sa demeure était ouverte à tous ceux qui souffraient et il leur offrait le gîte et le couvert. Novalté s'occupait aussi, et plus particulièrement, des enfants.

Eldérick ne l'avait jamais rencontré, mais Arkiel lui en avait souvent parlé. Il s'était imaginé un vieil homme sage, au visage doux et au dos légèrement voûté. Il fut donc grandement surpris de découvrir un homme d'une cinquantaine d'années, aux épaules larges et aux muscles saillants. Il avait de longs cheveux bruns noués derrière la nuque et une courte barbe confinée au menton. Le bandeau qui lui recouvrait un œil laissait entrevoir les deux extrémités d'une cicatrice laissée par une lame. Son autre œil bougeait rapidement, ne manquant aucun mouvement autour de lui. La blessure devait être ancienne, car l'homme n'en semblait nullement gêné. À son oreille brillait l'or d'un bijou dont l'éclat rejoignait celui de quelques dents en or que son sourire découvrait par instants. Novalté portait un justaucorps de soie vert orné de fils d'or. Les manches et le col étaient garnis de dentelle. Les boutons étaient de cuir noir, tout comme ses souliers. Son pantalon de soie noire s'arrêtait à mi-mollet, laissant paraître des jambes couturées de cicatrices. D'ailleurs, chaque parcelle de peau était empreinte de marques blanches. L'index de sa main gauche ainsi que la moitié de son auriculaire droit étaient absents. L'homme avait sans aucun doute un passé de bandit.

Eldérick avait lu dans les yeux de Mylène que celle-ci trouvait leur hôte aussi sinistre que sa demeure. Elle était restée derrière Arkiel et n'avait répondu à son salut galant que par une brève inclinaison de la tête. Alors qu'en entrant dans le manoir, ils s'attendaient à découvrir un sombre repaire de brigands, ils découvrirent à l'intérieur l'exact opposé. L'homme avait apparemment des goûts raffinés, quoique très excentriques. Autant l'extérieur était gris et morne, autant l'intérieur éclatait d'une variété de couleurs telle que la pupille ne pouvait toutes les interpréter. Peintures, portraits, tentures, tapisseries, tapis, coussins et meubles provenant des quatre coins de Melbïane remplissaient chaque pièce.

Karok lui ayant signifié qu'il avait des airs de pirate, Novalté, souriant, avait acquiescé en expliquant qu'après le naufrage de son bateau, des êtres l'avaient soigné après lui avoir sauvé la vie. Ses souvenirs de son séjour parmi eux étaient flous, mais la bonté et la sagesse de ses bienfaiteurs lui avaient purifié le cœur au point qu'il avait eu l'impression de renaître. Sa guérison accomplie, des personnes l'avaient reconduit jusqu'au continent. Celles-ci n'étaient pas les êtres qui l'avaient sauvé, mais il ignorait s'il s'agissait d'humains. Novalté pensait plutôt à des fées, car elles avaient toutes la voix haut perchée, comme des enfants. Il ne le saurait probablement jamais.

Le pirate avait alors décidé de faire part à tous ceux qui voulaient l'entendre de la sagesse qu'il avait acquise quant au monde et son Créateur. Il voulait également donner une chance de bonheur au plus grand nombre d'enfants possible, car lui n'en avait jamais eu. Novalté avait acheté ce manoir grâce aux richesses provenant de son navire et que les êtres avaient sauvées des eaux. Il avait dissimulé le reste, en cas de besoin, geste caractéristique des pirates. En quelque sorte, l'homme était, à l'image de sa demeure, sinistre à l'extérieur et accueillant à l'intérieur.

Plusieurs personnes, jeunes pour la plupart, vaquaient à diverses occupations. Les enfants cessaient toute activité au passage des visiteurs, qu'ils regardaient passer avec admiration, probablement du fait des armures que portaient les gardes de la citadelle. Heureux de recevoir ses hôtes, Novalté s'était lancé dans toutes sortes d'anecdotes avec une grande jovialité et n'avait pas manqué de leur présenter tous ceux qui le secondaient dans ses tâches. Puis, il leur avait fait faire le tour de la propriété.

À l'arrière était un immense jardin où se côtoyaient fruits, légumes et fleurs de toutes sortes. Des jeunes filles occupées à tailler un rosier les avaient observés en riant dans leurs mains au passage des jeunes hommes. Mylène s'était approchée du rosier, aussitôt assaillie par les demoiselles. Elles avaient demandé à Novalté si elles pouvaient elles-mêmes lui faire faire le tour du jardin. Après avoir interrogé Arkiel du regard, il avait donné son accord et Mylène avait remercié en souriant. Puis, elles avaient disparu dans la végétation en jacassant. Eldérick ne l'avait plus revue depuis.

Après avoir parlé un moment avec Novalté, il avait décidé, avec ses hommes, d'aller faire un tour en ville pour voir si la guerrière n'était pas passée par là. C'était l'un des meilleurs endroits de toute la Dulcie pour se dissimuler. Ils connaissaient tous la ville, qu'ils avaient sillonnée durant leurs années d'escroquerie. Novalté leur avait également fourni quelques endroits où se rendre et certaines personnes à demander en son nom. Ils s'étaient séparés en deux groupes, laissant les jeunes ensemble. Eldérick se fiait à Kaïto pour empêcher Éric et Malek d'irriter Eldébäne. Arkiel, quant à lui, était resté au manoir avec son ami.

Tabem possédait plusieurs passages secrets pour entrer et sortir et Eldérick pensait qu'Éléonore aurait utilisé l'un d'eux pour pénétrer dans la ville. Il avait interrogé les chefs des voleurs qui surveillaient habituellement ces passages et aucun n'avait vu quiconque correspondant à la description qui leur était faite. Sans mentionner qu'il s'agissait d'une femme, les compagnons décrivaient en gros son apparence.

Eldérick doutait qu'elle soit passée par la porte principale : elle n'était tout de même pas complètement insensée. Cependant, Karok avait insisté pour qu'ils continuent les recherches. Il prétendait que, s'ils ne la trouvaient pas ici, ils rencontreraient bien quelqu'un sachant quelque chose d'elle. Les hommes avaient déjà visité nombre d'auberges, de tavernes et de commerces où ils avaient des amis, sans rien trouver. Il ne leur restait que quelques heures avant de rejoindre le lieu de rendez-vous fixé avec les jeunes. Eldérick interrogeait Wiltor, plus pour faire plaisir à Karok que par véritable intérêt.

Wiltor, sourcils froncés, regardait ses mains jointes sur son ventre. Il y avait un énorme va-et-vient dans la ville et si le gars ne s'était adressé à personne sur son chemin, il était presque impossible de le retrouver. De plus, il n'y avait, chez lui, rien de particulier : légèrement plus grand que la moyenne, mince, cheveux noirs et courts, yeux verts… Cette description correspondait déjà à un grand nombre d'habitants de la ville, sans compter les voyageurs. Il leva la tête vers Eldérick et vit que ce dernier savait parfaitement que sa requête était presque irréalisable.

— Sais-tu s'il est toujours ici ? lui demanda-t-il. Parce que s'il n'a fait que passer, j'ai bien peur de ne pas pouvoir faire grand-chose pour toi.

— En fait, il n'est même pas certain qu'il soit passé par cette ville, répondit Eldérick.

— On espérait que tu pouvais nous aider à le savoir, ajouta Karok.

Le voleur fit claquer sa langue contre son palais en observant Karok.

— Je vais me renseigner, mais ça va sûrement prendre du temps, surtout s'il n'a fait que passer. Par contre, s'il était avec le cheval dont vous parlez, cela va être plus facile, parce que sinon… Il peut ressembler à n'importe qui, si j'ai bien compris.

Eldérick émit un rire sarcastique et répondit lentement :

— Oui, vraiment à n'importe qui.

Ses trois compagnons sourirent ironiquement. Wiltor les observa en songeant que quoi qu'ait fait cet individu aux brigands, il les avait fortement marqués. Il était donc important qu'il retrouve ce jeune homme pour ses amis.

— Bon ! déclara Wiltor. J'ai combien de temps ?

— Nous partons demain.

Il haussa les sourcils.

— Bon sang ! Ce n'est pas beaucoup ! s'exclama-t-il.

Wiltor se leva en frappant les mains sur la table.

— Je vais aller voir ce que je peux faire immédiatement. Attendez-moi !

D'un pas rapide, il disparut dans la cuisine de l'auberge. Eldérick fut aussitôt assailli par les hommes, qui lui demandèrent de leur conter comment Myral s'était échappé. Presque tous avaient une version différente, sans pour autant connaître la vérité. Eldérick, Zyruas et Karok leur contèrent donc l'histoire en changeant quelque peu les faits, sachant qu'aucun d'entre eux ne dirait qui était réellement intervenu, car ils en avaient discuté avant leur départ.

Dowan, qui était un très mauvais menteur, se leva et alla se promener dans l'auberge. En entrant, il avait aperçu, assis seul à une table, un vieil homme qu'il se souvenait avoir vu mendier à l'entrée de la ville. C'était probablement son habitude et il était peut-être là lorsque la jeune femme était arrivée.

Le vagabond portait une longue barbe clairsemée et jaunie. Il était en haillons et un vieux béret lui retombait sur le front. Il tenait sa chope à deux mains et en fixait l'intérieur avec désespoir. Dowan supposa qu'elle était vide. Il fit signe au barman et ce dernier vint porter deux chopes pleines sur la table. Le vieillard regarda avec méfiance Dowan s'installer devant lui.

— Pourquoi me fais-tu la charité, homme du désert? demanda-t-il d'une voix grinçante.

Il n'avait plus dans la bouche que deux chicots jaunis et son haleine empestait l'herbe chiquée.

— Je ne te fais pas la charité, vieil homme, je te paie, répliqua Dowan en poussant la chope vers lui.

Le mendiant la fixa un instant avec envie avant de la saisir d'un geste rapide. Il but goulûment, la vidant d'un trait, et s'essuya la bouche de sa manche. Puis, il s'appuya sur son dossier et croisa les bras d'un air important.

— Alors! Que veux-tu savoir?

Dowan dissimula un sourire derrière sa main. Le vieil homme était apparemment habitué à se faire demander des renseignements.

— Nous recherchons un jeune homme.

Il le lui décrivit.

— Je t'ai vu près des portes de la ville et j'aimerais savoir si tu ne l'aurais pas aperçu.

Le mendiant éclata de rire et secoua la tête.

— Tu as gaspillé ton argent, homme du désert : des dizaines de gars semblables entrent dans la ville tous les jours. Je ne pourrais pas te dire si le tien se trouvait bien parmi eux.

— Je sais, dit Dowan en hochant la tête, mais celui-là n'est pas comme les autres, car il n'est pas ce qu'il paraît être.

— Un fraudeur ou un voleur ? Vous le recherchez, parce qu'il vous a roulés.

Sans répondre, Dowan observa le clochard sérieusement, en lui faisant comprendre que cela ne le regardait pas. Nonchalamment, il fit ondoyer la bière dans sa chope.

— Non, ce n'est pas un bandit et c'est justement pour ça qu'il est différent.

Le vieil homme fronça les sourcils et caressa sa barbe. Il ne quittait pas la chope des yeux.

— Tu sais certainement reconnaître un voleur, n'est-ce pas ? demanda Dowan.

— Tu oses insinuer que j'en suis un ! s'écria le mendiant, qui se redressa, insulté.

Un sourire goguenard sur les lèvres, l'homme du désert planta ses yeux dans ceux du vieil homme.

— Je veux juste dire que pour survivre dans ce genre de ville, il faut savoir faire la différence, rien d'autre, dit-il doucement.

Le vieil homme plissa le nez en le dévisageant, mais son regard se reporta rapidement sur la bière à laquelle Dowan n'avait pas encore touché. Il se lécha les lèvres.

— Un homme qui se fait passer pour ce qu'il n'est pas, mais qui n'est pas un voleur, dit-il en se caressant de nouveau la barbe. Je suis effectivement bien placé pour remarquer ce genre de détail, car je vois de près la plupart des gens qui entrent dans la ville.

Il eut un rire sec et cassant qui fit grincer les dents de Dowan.

— Mais je ne suis pas sûr de me souvenir de tous, continua-t-il en regardant la chope de manière significative.

L'homme du désert lui en commanda une autre, qui subit le même traitement que la précédente. Le vieil homme lui traça ensuite le portrait des voyageurs qui lui avaient laissé une impression bizarre, mais Dowan réussissait toujours à trouver un détail qui les éliminait.

Le mendiant regardait le plafond, tentant de trouver d'autres personnes qu'il aurait oubliées. Il remarqua que l'homme du désert commençait à s'impatienter et songea qu'il partirait bientôt, sans lui payer une dernière bière. Dowan, devant l'agitation du mendiant, se dit qu'il ferait mieux de le quitter avant qu'il ne commence à lui inventer des histoires pour obtenir encore à boire. Il le remercia donc et alors qu'il se levait, le vieil homme le retint par le bras.

— J'en ai une dernière, dit-il. Ça s'est passé il y a seulement deux jours.

Dowan s'immobilisa et, d'un signe de tête, l'engagea à poursuivre.

— Il a l'air de ce que tu dis et le cheval aussi. Mais il était tellement sale que j'ai pas vu son visage. En fait, j'ai rarement vu un voyageur aussi crasseux. Le corps, c'est normal, mais d'habitude, le visage, c'est pas si pire. Je m'en souviens très bien, parce que je me suis dit qu'à côté de lui, même moi, j'avais l'air propre.

Dowan souleva un coin de lèvre. C'était plutôt difficile à croire.

— C'est la première chose qui m'a étonnée chez ce garçon et pas la seule.

— Continue, lui intima-t-il en se rassoyant, la conversation devenant intéressante

— Il voyageait avec des bûcherons, commença le vieil homme.

Dowan poussa un soupir exaspéré : ce n'était certainement pas elle. Le vieil homme ajouta rapidement :

— Mais c'était pas un bûcheron, je peux te l'assurer. Pourtant, il y en a un qui a dit aux gardes qu'il faisait partie de leur groupe. Mais comme je te l'ai dit, je connais les gens et celui-là, c'était pas un bûcheron. Pas seulement parce qu'il était beaucoup trop mince, mais aussi parce qu'il avait les manières et les gestes d'un cavalier expérimenté. Est-ce que les autres le savaient, j'en sais rien, mais en tout cas, le jeune avait quelque chose à cacher aux soldats. Je ne crois pas que c'était un voleur et d'ailleurs, je n'ai pas réussi à savoir ce qu'il était. C'est surtout ses yeux qui m'ont frappé, remarqua-t-il en regardant ses mains, comme s'il se parlait à lui-même. Quand il a regardé les enfants dans les rues, il avait l'air doux comme une femme. Mais après, je me suis dit que j'avais sûrement rêvé, parce que quand il s'est remis à regarder les bûcherons, ses yeux étaient durs et froids.

Une bière atterrit devant lui, le sortant brusquement de ses pensées. Il leva la tête, mais l'homme du désert avait déjà disparu parmi les clients. Eldérick, qui discutait avec les hommes, aperçut Dowan qui approchait rapidement. Il se leva et alla le rejoindre, suivi des deux autres.

— Que se passe-t-il ? lui demanda-t-il.

— Elle est entrée dans la ville il y a deux jours, dit Dowan.

Ils s'assirent à une table reculée et il leur répéta les dires du vieux mendiant. Ils restèrent silencieux un instant.

— Rien ne nous prouve que c'est elle, dit Zyruas. En plus, ce vieux a bien pu te raconter n'importe quelle histoire farfelue, juste pour avoir sa bière. Ils sont souvent experts dans ce jeu-là, tu sais.

— Il y a quand même beaucoup de similitudes, répliqua Eldérick. On ne perd rien à suivre sa trace. Maintenant qu'on sait qu'elle est avec son cheval, elle sera plus facile à repérer.

Karok, qui était resté muet jusqu'à présent, éclata de rire.

— Elle est incroyable, cette petite ! s'écria-t-il.

Zyruas lui enfonça son coude dans les côtes alors que des têtes se tournaient vers eux. Karok baissa la voix pour continuer, sans avoir perdu sa bonne humeur.

— Elle s'est mêlée à un groupe de bûcherons et elle est entrée dans la ville par la porte principale, sous le nez de tous ces crétins de soldats. Et ces hommes qui ne doivent même pas savoir qu'ils voyagent avec une femme... J'aimerais bien connaître ses professeurs, poursuivit-il, plus pour lui-même.

Voyant ses compagnons motivés pour retrouver la jeune femme, Zyruas s'interposa. Il n'avait aucune envie de gaspiller le temps qu'ils avaient pour se reposer en courant après une gamine, dans une ville où les cachettes abondaient.

— Inutile d'approfondir là-dessus, dit-il. Elle n'est probablement même plus dans la ville.

— Au contraire, répliqua Eldérick. On n'entre pas dans une ville, surtout après tant d'efforts, pour en sortir aussitôt. Elle est certainement encore ici. Plus pour longtemps, mais nous avons une chance.

Ils discutaient du moyen de découvrir où elle se serait cachée ou, sinon, de trouver les bûcherons avec qui elle avait voyagé, lorsque Wiltor réapparut. Il arborait un large sourire lorsqu'il se pencha sur la table pour déclarer joyeusement :

— Je crois, messieurs, que j'ai un petit quelque chose pour vous. Ce n'est pas beaucoup, mais on ne sait jamais.

Saisissant une chaise, il s'assit près d'eux.

— Trois de mes hommes ont vu un cheval comme celui du jeune homme, dans trois auberges différentes.

Zyruas ricana.

— Je sais que ça ne veut rien dire, reconnut Wiltor. Mais des canassons gris pommelé, il n'y en a pas des centaines et c'est même plutôt rare. Vous ne perdez rien à aller voir.

— Cela fait combien de temps? demanda Dowan.

— Le premier, quelques semaines et les deux autres, hier même.

— Alors, on oublie le premier, dit Eldérick, ça fait trop longtemps. Où sont les deux autres?

— À l'Auberge du cheval noir et l'autre, à celle de la flamme bleue, mais vous ne la connaissez sûrement pas.

Relevant brusquement la tête, Zyruas répéta :

— À l'Auberge de la flamme bleue! Je connais cet endroit, la propriétaire est une ancienne amie à moi.

— Vraiment? s'exclama Wiltor.

Il sourit.

— Alors, tu es un homme très chanceux, Zyruas. Livianne n'est pas le genre de femme qui donne son amitié à n'importe qui.

— On se séparera en deux groupes et on ira là-bas ce soir, dit Eldérick.

Ils se levèrent et serrèrent la main de Wiltor, qui indiqua à Eldérick :

— Si j'ai d'autres renseignements, l'ami, je te les ferai parvenir chez Nov.

— Je te remercie beaucoup. Maintenant, continua-t-il à l'endroit de ses compagnons, allons rejoindre les jeunes pour leur dire ce que nous avons trouvé. On décidera ensuite qui il est préférable d'envoyer là-bas.

Ils se dirigèrent vers la sortie, sous l'œil amusé de Wiltor. Il avait rarement vu Eldérick se donner autant de peine pour retrouver une personne. Wiltor tambourina des doigts sur la table. Sa curiosité était piquée. Il s'informerait pour eux, mais aussi pour lui. Étant membre de la guilde des voleurs, il était normal que les gens ne lui fassent pas confiance. Mais Eldérick le savait homme de parole et Wiltor ne l'avait jamais trahi. Il se demandait donc pourquoi ils lui avaient caché ce que le vieil homme leur avait dit.

En effet, l'un de ses hommes lui avait indiqué que Dowan avait eu une conversation avec le mendiant de la porte. Wiltor irait voir celui-ci. Tout ce que lui avaient raconté Eldérick et ses compagnons était bien vague. Ils ne lui avaient peut-être pas menti, mais il était clair qu'ils avaient tu de nombreux éléments. La situation devait être d'une grande importance pour que l'archimage se soit déplacé et il comptait bien découvrir pourquoi. Il n'avait aucune intention d'attirer des problèmes à Eldérick, mais il aimait bien être renseigné sur les événements du royaume. Il plaignait ce jeune homme, finalement, car il ignorait ce qui allait bientôt lui tomber sur la tête.

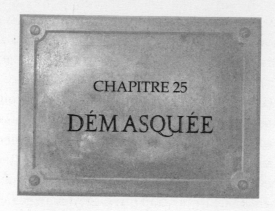

CHAPITRE 25

DÉMASQUÉE

Une grande silhouette, suivie de près par une plus petite, pénétra discrètement par la porte arrière de l'auberge. Tournant la tête des deux côtés pour s'assurer qu'il n'y avait personne, elles se dirigèrent vers la porte, au bout du couloir. Elles se déplaçaient sur la pointe des pieds, mais une grosse voix s'éleva derrière elles.

— Ah non! s'écria Nowie, la cuisinière. Revenez immédiatement sur vos pas, sales gamins. Je ne vous laisserai certainement pas marcher sur mon plancher propre avec vos bottes boueuses.

— Oh zut! On est pris, s'exclama le plus petit.

Les deux intrus soupirèrent et revinrent à la porte en traînant des pieds tout en marmonnant.

— À ton âge, tu devrais donner l'exemple, Balka, dit la cuisinière. Enlevez vos souliers et mettez-les sur le tapis dehors pour qu'ils n'empestent pas la pièce.

Elle s'approcha d'eux et saisit une vadrouille au passage.

— Tiens! Prends ça et nettoie-moi ces taches.

Éli attrapa la vadrouille et la traîna négligemment sur le plancher, sous la haute surveillance de Nowie. Lorsque le passage des deux jeunes fut effacé, Nowie rangea la vadrouille et les envoya dans les escaliers.

— Hors de ma vue, petits monstres ! Et que je ne vous revoie plus mettre vos pattes sales dans ma cuisine.

Éli et Tinné ouvrirent la porte au bout du couloir et montèrent les escaliers en courant. Ils avaient passé toute la journée, ainsi que celle de la veille, à courir les rues et les boutiques, comme le faisait toujours Éli lors de ses passages à Tabem. Elle venait acheter quelques équipements et nouveaux objets pour ses déguisements. Éli s'achetait rarement des armes, car elle ne les gardait jamais longtemps. Souvent, elle devait s'en débarrasser en changeant de personnage et en prenait alors une autre sur un cadavre ou un adversaire vaincu.

Tinné l'accompagnait, juché sur Kalessyn. Il adorait monter à cheval, mais en avait rarement l'occasion. Certes, Livianne s'efforçait de combler au maximum les besoins de l'enfant, mais elle n'avait pas assez de temps pour s'occuper de ses loisirs. Tinné était ainsi livré à lui-même la plupart du temps et la présence d'Éli était donc un véritable cadeau. Elle l'emmenait partout avec elle et lui contait des histoires.

L'enfant savait certes depuis le début qu'elle était une femme. Éli trompait les gens par son apparence et ses façons d'agir ; or, le piège ne fonctionnait pas avec Tinné, car il était aveugle : elle avait été trahie par sa voix. Le garçon ne lui avait rien fait remarquer, mais peu après, il en avait fait part à Livianne. La propriétaire, qui avait donc ensuite recherché la femme en elle, l'avait bien entendu trouvée.

Tinné pouvait maintenant reconnaître Éli, quelle que fût la personnalité qu'elle incarnait. Cela le rendait certes très dangereux, mais Éli avait confiance en lui. L'enfant l'avait adoptée comme sa sœur et aurait mieux aimé mourir que la trahir.

Ils arrivèrent en haut des marches en se bousculant. Éli écarta une chaise qui ne se trouvait pas à sa place habituelle, pour que Tinné ne s'y prenne pas les pieds, et ils reprirent leur course. Tinné se plaqua à la porte de la chambre et l'ouvrit à la volée. Il entra en riant, suivi d'Éli qui referma le battant derrière elle. Balka se promenait dans la ville depuis trop longtemps déjà. Il était temps pour lui d'aller travailler et de laisser la place à un autre. Tinné se laissa tomber sur le lit.

— C'est moi qui ai gagné! s'écria-t-il.

Éli déposa ses quelques achats dans un coin et versa dans une cuvette l'eau chaude qu'elle avait demandée à Livianne. Elle ôta son chapeau, le lança sur Tinné qui protesta et commença à enlever de son visage le gros de la crasse.

— Tu es un tricheur, c'est pour ça, répliqua-t-elle.

— C'est pas vrai! Je t'ai même laissé une chance, mais ça suffisait pas pour toi.

Éli rit et lui ébouriffa les cheveux. L'enfant s'assit en indien et caressa sa nouvelle canne pour en sentir tous les reliefs. Éli lui avait fait ce cadeau qu'un vieux sculpteur avait offert à l'un de ses personnages. Sculpté dans une branche de chêne, l'objet était orné de bêtes mythiques. Tinné l'avait reçu avec beaucoup de bonheur, car il avait grandi et son ancienne canne commençait à être usée.

Ils restèrent silencieux, car ils n'avaient pas arrêté de bavarder depuis les deux derniers jours. Éli lui avait conté toutes ses aventures et Tinné lui avait relaté les événements dont il avait entendu parler dans les rues et ruelles. Son ouïe très développée le tenait au courant de nombreux faits censés rester secrets pour la plupart. Il avait toujours été une source d'informations très utiles pour Éli.

De légers coups furent frappés à la porte.

— Un instant, dit Tinné.

Éli saisit la cuvette et se dirigea vers un paravent dressé au fond de la pièce.

— Bon, vous pouvez entrer.

Livianne ouvrit la porte et pénétra dans la chambre. Elle portait une large robe de velours rouge sombre bordée de dentelle. Elle regarda le paravent et croisa les bras.

— C'est pas trop tôt! s'exclama-t-elle. Si je te voyais encore une seule journée avec cette crasse, je te lavais de force.

Le rire d'Éli s'éleva de derrière le paravent.

— Non, mais c'est incroyable! continua Livianne, indignée. Comment peux-tu vivre comme ça? Moi, je ne pourrais même pas me supporter plus de deux minutes!

— On finit par s'y habituer, lui dit Éli. Et, en plus, c'est de plus en plus nécessaire.

— C'est tellement dommage. Je suis certaine que ton visage est très beau. J'espère que tu me laisseras le voir un jour.

— Sûrement pas! Tinné est déjà en danger par ma faute, je n'ai pas envie que tu le sois aussi.

Livianne soupira et s'assit dans un fauteuil.

— Et qui vais-je voir ressortir, cette fois-ci?

— Éthanie, répondit Éli, tout sourire, en attendant la réaction de Livianne.

— Ah non! Pas celle-là, elle est agaçante.

Éthanie, serveuse taciturne, se lamentait constamment sur son sort. Affreuse, elle n'était pas destinée aux plaisirs des clients. Livianne l'avait recueillie et lui faisait exécuter diverses tâches, ce qui expliquait qu'on la voyait rarement occupée à servir dans l'auberge.

— Pourquoi elle? demanda Livianne.

— Parce que j'ai une idée en tête avec elle pour m'en aller en Ébrême. Il me faut juste la provoquer.

— Ça ne me dit rien de bon.

— Ne t'en fais pas pour toi, ça ne te touchera pas. En fait, peut-être juste un peu.

— C'est pas pour moi que je m'en fais, voyons. C'est pour toi. Il y a tellement de soldats dans les rues, ces jours-ci…

Livianne se tut subitement et fixa le paravent, la bouche ouverte, alors que l'évidence lui frappait l'esprit.

— Ils ne sont pas après toi, tout de même ?

Éli garda le silence alors qu'elle passait la robe orange à rayures blanches d'Éthanie.

— Oh ben ça ! s'exclama Livianne. C'est toi la voleuse dont on parle partout et que tout le monde recherche ? J'aurais dû me douter qu'il n'y avait qu'une au monde pour voler un des objets les plus précieux du royaume, des mains mêmes du roi.

Tinné ricana.

— Éli, c'est la plus forte ! déclara-t-il fièrement.

Livianne le dévisagea. Elle n'était pas certaine de bien comprendre. Qu'avait fait cette petite écervelée encore ? Et dans quel pétrin s'était-elle mise ? Soudain, la porte qui s'ouvrit violemment les fit sursauter, pour se refermer aussi brutalement. La jolie blonde qui entra se pencha aussitôt sur Tinné pour lui embrasser les joues et ce dernier se débattit en faisant la grimace.

— Laisse-moi tranquille, Lilas ! C'est dégoûtant ! s'écria-t-il.

Elle se redressa en riant.

— Tu verras. Un jour, tu aimeras ça.

— Jamais !

Lilas se tourna vers le paravent.

— Alors ! Tu nous fais enfin grâce de ta présence. Il n'y a pas que Tinné ici, tu sais. Je vais commencer à être jalouse.

Sans laisser à Éli le temps de répliquer, elle continua :

— Et qui est derrière ce paravent ?

— Éthanie, dit Livianne d'une voix découragée, en appuyant son menton dans le creux de sa main.

— Pas cette horreur ! Liv, tu ne peux pas la laisser faire. Elle va salir toute la réputation de ton établissement. Il y a des hommes qui parlent encore de la dernière fois qu'on l'a vue.

— J'ai besoin d'elle pour mettre un plan à exécution, se défendit Éli. Ensuite, vous ne la reverrez plus jamais.

— Oh! Toi et tes plans... Tu m'énerves! Mais si on ne la revoit jamais plus, ça va.

Lilas alla s'asseoir près de Tinné, qui s'écarta légèrement tout en écoutant attentivement les gestes de la jeune femme.

— Et tu n'as encore rien entendu, lui dit Livianne.

Tinné, qui prévoyait qu'Éli devrait leur conter sa dernière aventure avant que les deux femmes la laissent sortir, se leva et alla vers la porte.

— Je vais voir comment vont les chevaux, dit-il. Comme c'est moi le plus important, je connais déjà l'histoire.

Il fit un large sourire suffisant dans la direction de Lilas et disparut par la porte en entendant le matelas grincer légèrement. La jeune femme alla verrouiller le battant et se dirigea vers le paravent. Elle saisit les vêtements de Balka et les fourra dans un sac en toile.

— Elles empestent, ces guenilles. Et dire que je t'ai serrée contre moi alors que tu portais ça!

Lilas grimaça et lança le sac dans un coin de la chambre.

— En passant, je t'en dois un, à toi, dit Éli. Tu as fait passer Balka pour un idiot devant ses compagnons de voyage. Et qu'est-ce c'était que ce «on va se revoir dans ma chambre»?

Un rire cristallin s'égrena dans la chambre.

— Oui! Et c'était vraiment très drôle, s'exclama Lilas. Tu aurais dû voir sa tête, dit-elle à Livianne. On aurait cru qu'elle voulait disparaître sous le parquet.

Lilas raconta ce qu'elle avait fait et deux rires montèrent dans la chambre.

— C'est cela! Moquez-vous de moi, toutes les deux. Je vais me mettre en colère et je ne vous raconterai pas ce qui m'est arrivé dernièrement et vous savez que Tinné n'en touchera pas un mot, même pas à vous.

— Du chantage! s'offusqua Lilas.

— Certainement! Je ne me laisserai pas rabaisser comme ça sans me défendre.

— Pour le nombre de fois où toi, tu nous as tournées en ridicule, c'est à toi qu'on doit des coups, pas le contraire, lui dit Livianne.

Éli resta silencieuse, un large sourire aux lèvres.

— Tu ne dis rien, hein! s'exclama Lilas.

Une femme sortit de derrière le paravent. Elle n'avait strictement rien de ressemblant avec le jeune homme qui y était entré, excepté les yeux vert émeraude. Ses cheveux roux, qui tiraient sur le jaune, étaient bouclés et emmêlés comme autant de brins de foin. Ils descendaient un peu plus bas que les épaules. Elle avait, sur le dessus de sa tête, des mèches plus courtes dont certaines se dressaient dans les airs et lui donnaient une allure de fauve. Elle se serait coiffée avec une fourchette que cela aurait donné le même résultat. Légèrement bossu, son nez était parsemé, comme ses pommettes, de taches de rousseur. Sur ses lèvres luisait un rouge pimpant qui débordait de chaque côté de sa bouche. Le fard à paupières autour de ses yeux rétrécissait son regard au lieu de l'agrandir, comme celui de la comtesse Deschênes. Ses ongles étaient d'un rouge foncé granuleux aussi grossièrement appliqué que le rouge à lèvres.

— Éthanie, soupira Livianne.

— Oh! soupira la grande rouquine d'une voix désagréablement aiguë. Ce travail est tellement fatigant, je suis épuisée. C'est injuste, regardez à quel point la vie est dure avec moi. Mais qu'est-ce que j'ai fait pour mériter cela?

Elle poussa un autre profond soupir, la tête basse et les épaules voûtées. Se tournant vers Livianne et Lilas qui la regardaient avec désespoir, Éli éclata de rire.

— Pourquoi faut-il toujours que tu t'affubles de façon aussi dégoûtante ? lui demanda Lilas. Tu attires l'attention bien plus qu'autre chose.

— Entre nous deux, Lilas, tu attires bien plus l'attention que moi. La laideur, la malpropreté et la puanteur éloignent les gens, c'est connu. Ils vous dévisagent peut-être un instant, mais ils se tiennent loin de vous. C'est ce que je veux. Et ensuite, même s'ils gardent notre image en mémoire, elle rejoindra toutes les autres du même genre et tu sais qu'il y en a beaucoup.

Lilas hocha la tête d'un air peu convaincu.

— De toute façon, ce n'est pas des charmes d'Éthanie dont j'ai besoin, mais de son air piteux et malheureux.

— Bon ! Comme on ne connaîtra pas ton plan avant de l'avoir vu de nos yeux, dit Livianne, raconte-nous donc tes aventures. J'ai bien hâte de savoir pourquoi Tinné a déclaré que tu étais la plus forte.

Éli s'assit sur la chaise de la commode et se tourna vers elles, les avant-bras appuyés sur les cuisses. Lorsqu'elle avait été découverte, elles avaient fait un marché. Livianne l'hébergerait chaque fois qu'elle aurait besoin d'aide, mais en retour, elle devait leur relater ses aventures. Livianne voulait savoir ce que pouvait bien être la vie d'une guerrière. Éli avait fini par prendre plaisir à leur raconter ses quêtes passées. Le fait de revivre ses expériences l'aidait à mieux comprendre ses erreurs et ses réussites.

Contrairement à ce qu'elle faisait avec Tinné, elle leur racontait presque tout et n'inventait rien sans, toutefois, ou sinon, très rarement, leur révéler l'identité exacte de ceux qui étaient mêlés à ses aventures. Elle leur donnait habituellement des noms fictifs correspondant à l'impression qu'ils lui avaient laissée. Elle leur avait encore moins révélé d'où elle venait et où elle demeurait, mais se permettait parfois de leur décrire certaines de ses sœurs. Elles ne les reconnaîtraient de toute façon jamais si elles les voyaient.

Tilka, l'une de ses sœurs, était venue plusieurs fois et avait même joué le rôle d'Éthanie, sans se faire prendre. Seul Tinné les différenciait et il gardait le secret. C'était d'ailleurs Tilka qui avait inventé la rouquine et qui l'avait incarnée pour la première fois. Et tout cela, sous le nez même de Livianne. Sa sœur avait plus de facilité avec ce personnage, car elle était réellement rousse, bien que sans reflets jaunes dans les cheveux. Lorsqu'elle eut terminé, Lilas, qui se retenait de rire depuis un moment, éclata finalement.

— Qu'est-ce que j'aurais donné pour être là quand ils ont découvert que tu étais une femme! s'exclama-t-elle.

Elle se laissa tomber sur le côté, dans le lit.

— J'imagine les faces qu'ils ont faites!

Éli rit avec elle jusqu'à ce que Livianne demande, d'un ton indifférent :

— Et le jeune homme, le balafré comme tu l'appelles, que lui as-tu fait pour te venger? Ce n'est pas dans tes habitudes de laisser passer les affronts.

Les éclats de rire cessèrent et Éli se tourna vers Livianne. Elle n'avait pas dit qu'elle l'avait embrassé, par crainte de la réaction des deux femmes à ce geste. Elles l'auraient sans aucun doute taquinée, voulant voir, dans ce baiser, plus qu'un simple acte d'humiliation qu'elle voulait lui infliger. En fait, elle n'avait aucune envie d'en reparler. Chaque fois qu'elle y pensait, le goût des lèvres du jeune guerrier lui revenait en mémoire en lui laissant d'étranges sentiments. Elle préférait que personne ne le sache jamais. Elle n'avait pas pensé se mettre, elle aussi, dans l'embarras en agissant ainsi. Éli avait de la difficulté à comprendre ce qui lui était passé par la tête; aussi était-elle extrêmement heureuse qu'il soit loin d'elle. Puisqu'elle ne reverrait jamais le jeune homme, elle n'avait pas à se préoccuper de ses sentiments : ils s'effaceraient probablement avec le temps.

— Je me suis dit qu'il avait été assez humilié par ses compagnons, qui riaient sans arrêt de lui depuis le début, répondit-elle en haussant les épaules.

Livianne et Lilas se regardèrent en arquant les sourcils.

— Pourtant, ça ne te ressemble guère, lui répéta Lilas. Tu en as frappé pour bien moins que cela.

— Il était ligoté, répliqua Éli. Je ne frappe pas un homme qui ne peut pas se défendre. C'est lâche.

— Ouais ! Je sais, dit Lilas. Mais tu n'as pas trouvé autre chose, comme pour les mercenaires que tu as abandonnés tout nus au milieu de la route parce qu'ils obligeaient une famille de fermiers à les nourrir ?

Éli releva un coin de lèvres à ce souvenir.

— Je n'avais pas le temps. Bon ! Maintenant, assez de papotage ! Il faut que je m'y mette, si vous voulez être débarrassées d'Éthanie au plus vite.

Elle se leva, suivie de Lilas, qui lui demanda ce qu'elle pouvait faire pour l'aider. Livianne resta assise et les regarda sortir en jouant distraitement avec l'un de ses colliers. Avait-elle rêvé ou les oreilles de la jeune guerrière s'étaient-elles vraiment enflammées à la mention de ce jeune homme ? Éli leur avait certainement caché quelque chose. Livianne sourit. Elle tâcherait de remettre le souvenir du guerrier devant les yeux d'Éli le plus souvent possible. Elle n'allait sûrement pas s'en sortir comme ça.

Le barman envoya deux plateaux remplis de chopes de bière, sitôt emportés par deux serveuses.

— Et ? demanda Éli tout bas.

Lilas lui indiqua quelques hommes du doigt et elles prirent chacune une direction différente. Éli lui avait demandé de trouver un homme assez aisé, aussi âgé que possible et se rendant en Ébrême. Elle voulait sûrement qu'il prenne Éthanie en pitié et qu'il la ramène avec lui en Ébrême. Mais Lilas doutait qu'aucun homme, aussi gentil fût-il, ne souhaite raccompagner une femme aussi laide où que ce soit. Une serveuse l'arrêta en chemin pour se plaindre du retour d'Éthanie.

— Je ne comprends vraiment pas pourquoi Liv la laisse travailler ici. Bon sang ! Tu l'as entendue ? Je comprends qu'on se lamente quand on est moche à ce point, mais il y a quand même des limites !

Lilas appuya ses propos en se faisant violence pour ne pas rire. Elle avait oublié à quel point c'était comique d'entendre Éthanie quand on savait que la femme sous ce déguisement était tout son contraire. Elle était vraiment incroyable ! Lilas l'avait maintes fois vue à l'œuvre dans la peau de ses personnages, mais jamais en tant qu'Éli. Elle aurait donné cher pour être l'une de ses sœurs, comme elle les appelait, et voyager avec elles. Elles ne s'entendraient sans doute pas bien longtemps, compte tenu de quelques différences de points de vue sur certains sujets.

Toujours souriante, elle regarda Éthanie, qui semblait toujours sur le point de s'écrouler de dépit. Après avoir déposé ses bières et rempli son plateau de chopes vides, Lilas se dirigea vers le comptoir. Occupée à observer Éthanie, elle ne vit pas le jeune homme qui venait vers elle et ils se percutèrent. Il rattrapa le plateau et les chopes qui tombaient revinrent d'elles-mêmes sur celui-ci. Lilas resta un instant interdite à fixer son plateau et s'exclama en s'empressant d'essuyer les éclaboussures sur la veste du jeune homme :

— Oh ! Je suis désolée !

— Ce n'est rien, demoiselle. Entrer en collision avec une si belle dame vaut amplement quelques taches sur mes habits.

Elle leva les yeux et rencontra le regard noisette du jeune homme. Elle aperçut alors les runes brodées sur le bord de sa pèlerine et écarquilla les yeux d'étonnement. La présence d'un magicien dans une auberge comme la leur était chose rare. Elle n'avait donc pas rêvé, il avait bien fait voler les chopes. Il lui sourit et prit le plateau qu'elle tenait précairement.

— Voilà un fardeau bien lourd à transporter, pour une jeune demoiselle aussi délicate.

— C'est mon travail, répondit Lilas lentement, sans quitter les iris bruns aux reflets intenses.

Elle le suivit jusqu'au comptoir, où il déposa le plateau.

— Votre patronne vous laisse-t-elle parfois un moment pour vous reposer?

Lilas hocha la tête, sans pouvoir rien dire.

— Je m'appelle Eldébäne, se présenta-t-il.

— Lilas, dit-elle.

Il lui baisa la main et continua :

— Alors, me feriez-vous le plaisir, Lilas, de venir passer votre temps libre en ma compagnie?

Elle acquiesça timidement. Il lui prit la main et elle le suivit à travers la salle. Jamais elle n'avait eu de magicien comme client et elle devait reconnaître que celui-ci était très mignon. Le jeune magicien marchait d'un pas lent et calme et chaque fois qu'il posait les yeux sur elle, plus rien ne semblait avoir d'importance.

— M'avez-vous ensorcelée? lui demanda-t-elle d'une toute petite voix.

Le jeune homme rit doucement.

— Certes non! Jamais je n'oserais. Le seul sortilège qui flotte dans les airs est l'éclat de votre beauté, chère dame.

Le rouge monta aux joues de Lilas. Bien qu'elle eût l'habitude des compliments, ils étaient souvent portés davantage sur ses atouts physiques que sur sa beauté. Sans doute était-ce la gentillesse et la délicatesse du jeune homme qui l'hypnotisaient ainsi. Les clients se donnaient très rarement la peine d'être galants. Il la mena dans la troisième salle. Lilas supposa que le métier de magicien devait être bien rémunéré pour qu'il puisse s'offrir cet endroit. Tous deux marchèrent jusqu'à une table à laquelle étaient assis deux autres jeunes hommes.

— Laissez-moi vous présenter mes amis, lui dit-il.

L'un des deux était arkéïrite et les regardait approcher avec un sourire en coin. L'autre, un blond costaud, les observait plus sérieusement, les bras croisés. Lilas crut même lire une pointe de frustration dans ses yeux. Elle fut surprise de le voir seul. Beau comme il était, les filles étaient certainement déjà toutes venues le voir. Peut-être n'en avait-il trouvé aucune à son goût ? Lorsqu'ils arrivèrent à la table, les deux jeunes hommes se levèrent. L'Arkéïrite, prénommé Kaito, la salua avec la réserve propre aux gens de son peuple, tandis que le blond, Éric, lui baisa la main. Certes, son geste et son regard avaient la chaleur de celui qui sait s'y prendre avec les femmes, mais son esprit était manifestement ailleurs. Elle s'était peut-être trompée : ce n'était pas qu'il ne trouvait pas ici de femme à son goût, mais plutôt que celle qui lui plaisait ne se trouvait pas dans cet endroit.

Eldébäne et le blond se dévisagèrent. Ils ne semblaient pas s'aimer beaucoup. Éric porta soudain les yeux derrière eux. Eldébäne se retourna.

— Je te présente Malek, dit-il. Un autre de mes compagnons.

Lilas se tourna vers le dénommé Malek et à l'instant où son regard se posa sur son visage, elle poussa un cri de surprise. Elle fit un pas vers l'arrière, s'empêtra les pieds dans une chaise et se serait affalée de tout son long sur le plancher si Éric ne s'était pas trouvé derrière elle pour la rattraper. Il la remit sur pied et elle s'appuya sur une chaise, le souffle court.

Puis, elle se passa une main dans les cheveux d'un geste nerveux. Une fois remise, elle les considéra l'un après l'autre, mais d'une manière toute différente. Son visage était blême et elle semblait extrêmement mal à l'aise. Malek haussa les sourcils et croisa les bras.

— Je me savais peu séduisant, mais pas à ce point.

Éric ne put s'empêcher d'éclater de rire.

— Ça! On peut dire que tu fais de l'effet aux femmes, mon vieux!

Mais Malek ne lui prêta pas attention, car il observait Lilas. Celle-ci lui lança un coup d'œil gêné et bredouilla :

— Je... je m'excuse... je... je ne voulais pas vous...

Malek leva une main pour l'interrompre et mettre ainsi fin à son supplice.

— Ce n'est rien, dit-il, mais ses yeux noirs la fixaient toujours aussi intensément.

Lilas déglutit péniblement. Elle aurait sûrement réussi à garder son sang-froid si elle avait été préparée à cette rencontre, mais prise ainsi au dépourvu et cernée de quatre paires d'yeux, elle ne savait plus où se mettre. Il lui fallait à tout prix trouver un prétexte pour les quitter et aller avertir Éli. Elle se tourna vers Eldébäne et dit rapidement :

— J'avais oublié, mais j'ai encore du travail à terminer avant de pouvoir rester avec vous. Je dois partir.

Comme elle s'apprêtait à se diriger vers la première salle où devait travailler Éthanie, un bras lui barra le passage.

— Regardez-moi! lui ordonna son propriétaire.

Lilas se tourna vers Malek, le cœur battant à tout rompre. Il l'examina un moment, scrutant chaque détail de son visage. Elle ne saisit pas immédiatement ce qu'il faisait et lorsqu'elle comprit, elle respira profondément pour ne pas céder davantage à ses émotions. Devant sa réaction, l'homme devait la prendre pour Éli. Mais après quelques minutes, il parut se convaincre du contraire, quoique réticent à la laisser partir.

— Malek… commença Eldébäne. Je ne crois pas qu'il soit utile de retenir la dame plus longtemps.

Malek lui lança un regard peu avenant et laissa le champ libre à la jeune femme. Lilas remercia Eldébäne et disparut rapidement parmi les clients, suivie du regard triste du jeune magicien.

— C'est bizarre, avança Kaito. Mais j'ai eu l'impression que c'était plus que ta cicatrice qui l'a effrayée. Elle t'a regardé comme si elle te reconnaissait. En fait, comme si elle nous reconnaissait tous.

— Elle a peut-être entendu parler de nous par une certaine personne, supposa Éric.

— Franchement, répliqua Eldébäne. Ne nous réjouissons pas ! Elle a simplement été surprise, c'est tout.

— Surprise ! Elle a presque eu une crise cardiaque, s'exclama Éric.

— Malek lui rappelle sans doute quelqu'un dont elle garde de mauvais souvenirs, ajouta Eldébäne. Elle se déguise, oui, mais elle ne peut pas se rapetisser.

Les jeunes hommes haussèrent les épaules et se rassirent.

— On devrait quand même la garder à l'œil, dit Malek. Quoique tu puisses en dire, moi, je trouve sa réaction bizarre.

Il plissa le nez et continua :

— Je ne peux pas croire que je suis affreux à ce point.

Eldébäne s'assit en soupirant.

— De toute façon, elle ne reviendra certainement pas après ton comportement. Elle a dû avoir une peur bleue.

Il regarda avec regret vers la porte qui menait à l'autre pièce.

Des protestations s'élevaient des gens debout dans l'auberge, sur le passage d'une jeune femme se frayant un chemin en les bousculant. Lilas cherchait Éthanie, mais les clients étaient si nombreux qu'elle apercevait au moins une trentaine de têtes rousses parmi eux. En outre, sa taille l'obligeait à sauter pour voir les alentours. Elle devait absolument la retrouver avant qu'elle change de salle. Et ce devait être pour bientôt, car il ne restait plus beaucoup de tables qu'elle n'avait pas vérifiées. Éli devait certainement avoir hâte de rentrer chez elle, ce que Lilas comprenait fort bien.

Elle avisa soudain Livianne en discussion avec un homme devant la porte de la cuisine et se précipita aussitôt vers elle.

— Liv ! Tu dois m'aider à trouver Éthanie au plus vite, s'écria-t-elle.

Tous deux la regardèrent, étonnés. Elle arriva près d'eux essoufflée et s'appuya sur l'épaule de Livianne.

— Bon sang, Lilas ! Tu peux m'expliquer ce qui t'arrive ? lui demanda Livianne, soucieuse.

Lilas se pencha vers elle et lui chuchota à l'oreille :

— Ils sont ici, je les ai vus.

— Mais de qui parles-tu ?

Voyant que la jeune femme ne voulait pas être entendue, Livianne se tourna vers elle, après s'être excusée auprès de son interlocuteur. Lilas, qui tentait en vain de retrouver son souffle, lui relata tout d'un trait.

— De ceux qui ont enlevé Éli, voyons ! Les brigands de la forêt dont elle nous a parlé. Ils doivent être à sa recherche. Il faut l'avertir parce qu'à cause de moi, ils doivent avoir des soupçons et…

— Calme-toi un peu ! Respire ! lui dit Livianne. Comment veux-tu que je comprenne ce que tu me dis, si tu débites tes phrases comme ça ?

— Mais c'est que c'est urgent, tu ne vois pas ? Ils la cherchent, ici !

— Tu es sûre que c'est bien eux ?

— Certaine ! Le balafré, le grand blond costaud et l'Arkéïrite. C'est eux, c'est sûr.

Livianne regarda Lilas, dont les joues étaient en feu. Elle lui prit le bras et dit :

— Alors, trouve-la. Moi, de mon côté, je vais faire ce que je peux. Ils sont où ?

— Dans la salle des œuvres.

— Vraiment ! s'exclama Livianne.

On n'autorisait dans cette pièce que les connaissances ou les clients fortunés. Elle fronça les sourcils en songeant qu'il lui faudrait apprendre comment ils avaient fait pour être admis là. Si c'était vrai qu'ils étaient beaux, les filles leur avaient sûrement accordé un passe-droit.

Lilas disparut parmi les clients dans une tornade de cheveux blonds. Il aurait fallu qu'elle lui répète de se calmer, elle était au bord de l'apoplexie. La présence de ces jeunes hommes n'était sûrement qu'une coïncidence. C'étaient des bandits, après tout. Leur visite à Tabem n'était donc pas si étrange. Elle se retourna vers son ami.

— Désolé, Zyruas, dit-elle. Mes employées sont énervées quand il y a trop de clients. Elles ne savent plus où donner de la tête.

— Oh ! Ce n'est rien !

— De quoi parlait-on, déjà ? Ah oui ! Tu as besoin de mon aide.

Il acquiesça.

— Je te suis toute dévouée. Que veux-tu ?

— On recherche quelqu'un. Un jeune homme. J'ignore son nom, mais je sais à peu près à quoi il ressemble.

Zyruas le décrivit brièvement.

— J'ai entendu dire qu'il était venu dans ton auberge récemment. Il voyageait avec des bûcherons. Est-ce que cela te dit quelque chose?

Livianne l'écoutait, bouche entrouverte, incapable d'émettre un son. Elle regarda les yeux bruns de Zyruas, ses traits durs et son nez légèrement en bec d'aigle. Bon sang! Pourquoi Éli ne leur avait-elle pas donné de noms? Et comment avaient-ils réussi à la retracer jusqu'ici? Dieu merci, il n'avait pas entendu les propos de Lilas.

Elle connaissait Zyruas depuis assez longtemps pour savoir qu'il n'était pas du genre à faire les choses à moitié. Outre un guerrier extrêmement habile, c'était un homme à l'esprit vif. Éli avait bien raison en déclarant qu'ils étaient autre chose que de simples brigands.

Lilas avait dit vrai, la situation était urgente et elle devait éloigner Éli de l'auberge au plus vite. Entre-temps, il valait mieux rester avec Zyruas pour diriger ses faits et gestes.

— Où sont tes compagnons dont tu me parlais plus tôt? lui demanda-t-elle innocemment.

— Ils m'attendent dans la salle des œuvres.

— Oh! On peut y aller? J'aimerais bien les rencontrer.

— Bien sûr! C'est toi la patronne, ici.

Livianne lui sourit et prit le bras qu'il lui tendait. Elle comprenait maintenant pourquoi les jeunes hommes se trouvaient dans cette salle. Ils accompagnaient Zyruas, qui était bien plus qu'une simple connaissance.

— Tu le sais, dit-elle. Il y a énormément de gens qui passent ici. Ce que tu me demandes n'est pas simple. Je ne peux pas me souvenir des visages de tous et encore moins de leur moyen de gagner leur vie.

— Je sais bien. Mais celui-là est très différent. Presque… anormal. Une de tes filles aura sûrement remarqué un détail.

Livianne sourit en se souvenant avoir entendu le même mot, « anormal », dans la bouche de Lilas, quelques années auparavant.

— Je vais passer le message, lui dit-elle. On verra ce que ça donnera.

Elle parlait rapidement et tenta de ralentir son rythme, mais son cœur battait trop vite. Au contraire de Lilas, elle n'avait nullement peur de ces hommes, mais elle se doutait bien que s'ils avaient fait tout ce chemin pour la retrouver, ce n'était pas elle qui les empêcherait de capturer Éli s'ils la découvraient. Ils arrivèrent à la table où les quatre jeunes hommes étaient assis. Elle en reconnut trois, mais elle ne se souvenait pas avoir entendu parler du quatrième.

— Je vous présente Livianne, la patronne de cet établissement, déclara Zyruas, fièrement.

Ils se levèrent et la saluèrent. Elle ne porta son regard sur Malek que quelques secondes. Il avait les yeux perçants d'un individu intelligent. Or, Livianne n'était pas une virtuose du mensonge, aussi craignait-elle qu'il ne découvre qu'elle leur cachait des faits. Ils parlèrent quelques minutes de la nourriture servie à l'auberge, puis elle déclara qu'elle devait partir s'ils voulaient qu'elle leur transmette l'information le plus rapidement possible. Toutefois, ce n'était pas des renseignements qu'elle allait chercher, mais le sujet même de ces renseignements.

— Si elle est ici, on le saura, déclara Zyruas en s'asseyant.

— Quant à moi, je me demande pourquoi elle serait venue se cacher dans cette auberge, dit Eldébäne. La plupart des serveuses sont des filles de joie, il faudrait qu'elle prenne une chambre seule et ça attirerait l'attention.

— C'est exactement pour ça que nous saurons vite si elle est venue ici, répliqua Zyruas. C'est un des meilleurs endroits pour apprendre ce qui se passe.

— Moi, je crois bien qu'il y a quelque chose de louche ici, dit Malek. Et si tu avais vu tantôt la réaction de la belle, tu le croirais aussi.

Fronçant les sourcils d'un air soudain perplexe, Zyruas demanda :

— Quelle belle ?

Eldébäne lui expliqua ce qui s'était passé et le grand guerrier appuya ses coudes sur la table, d'un air intéressé.

— Une blonde avec une robe mauve pâle ?

Ils hochèrent la tête. Zyruas se tapota la lèvre inférieure en regardant dans la direction qu'avait prise Livianne. Lui avait-elle menti ? Il finit par se lever et déclara :

— Je vais aller la trouver et essayer de tirer ça au clair. Parce que, si elle n'est pas de notre côté, je ne sais pas comment on va s'y prendre pour retrouver cette jeune voleuse. Livianne est une femme très influente et tous ceux qui travaillent dans l'auberge lui sont fidèles.

Il partit d'un pas rapide, pressé d'avoir une discussion avec Livianne.

— Il n'avait pas l'air content, déclara Éric.

— C'est une amie de longue date, commenta Malek.

— À ce que je vois, dit Eldébäne, cette Éléonore met tout à l'envers partout où elle passe.

Ils approuvèrent par de graves hochements de tête.

— Tu peux me dire ce que tu fais ? demanda soudain Éric à Malek, qui faisait signe à une serveuse. On a déjà commandé. Ça n'arrivera pas plus vite en appelant toutes les filles.

Malek se tourna vers lui d'un air découragé.

— Tu me prends pour un idiot ? Je le sais, je veux simplement voir leur visage à toutes. Et on ferait mieux de se dépêcher si on veut la prendre.

— Qu'est-ce qui te fait croire qu'elle joue à la serveuse ? lui demanda Éric.

Malek pointa du doigt Lilas qui marchait dans la salle. Elle regardait partout, puis allait ailleurs, en n'adressant la parole qu'aux serveuses.

— D'après toi, qui est-ce qu'elle chercherait, sinon, avec tant d'empressement?

Eldébäne observa Malek avec un large sourire.

— Bon sang! Et toi, tu analyses tout cela depuis tantôt. Eh bien! Je retire ce que j'ai toujours dit sur la stupidité des guerriers, dit-il, sans pouvoir s'empêcher de jeter un coup d'œil à Éric, qui se retint de saisir le jeune magicien par le collet pour lui faire ravaler ses paroles. Parce qu'il semble y avoir des exceptions, termina ce dernier.

Lilas monta l'escalier en courant, remontant sa robe tellement haut qu'ils virent ses mollets. Ils se regardèrent et se retournèrent tous vivement pour commencer à appeler des serveuses.

— Cherchez des yeux verts, leur dit Malek, et prévenez-moi.

Leurs agissements ne paraissaient pas étranges, puisque les jeunes hommes qui fréquentaient ce genre d'endroit faisaient souvent montre d'un grand enthousiasme. Après quelques minutes, Kaito se leva pour gagner l'autre pièce. Eldébäne resta là, en prétextant qu'il ne servirait à rien en l'accompagnant, puisqu'il était encore moins capable de la reconnaître qu'eux. Mais Malek savait que c'était plutôt dans l'espoir de revoir la belle blonde.

Éric n'avait presque pas besoin d'appeler qui que ce soit, les filles allaient toutes à lui, croyant qu'il s'était enfin décidé à en choisir une.

Malek, qui cherchait à repérer parmi celles-ci un visage qu'il n'aurait pas encore aperçu, allait se lever afin de rejoindre Kaito dans l'autre pièce quand il entendit Éric pousser une exclamation de dégoût, comme quand il voyait une femme qu'il jugeait repoussante. Il se laissa retomber sur sa chaise. La dernière fois qu'Éric avait eu cette réaction, c'était en découvrant Éléonore, la noble, alors qu'elle sortait du carrosse. Une grande rouquine s'approcha lentement d'Eldébäne, qui l'appelait depuis quelques minutes. Elle semblait épuisée et baissait la tête, l'air abattu.

— Que voulez-vous, mon seigneur ? lui demanda-t-elle d'une voix pointue et tellement faible qu'il était difficile de la comprendre dans le bruit ambiant.

Eldébäne resta sans voix devant l'apparence de la jeune femme. Il se voyait mal lui dire que ses charmes l'avaient envoûté au point qu'il voulait l'entendre lui parler pour être certain qu'elle n'était pas qu'un mirage. Il chercha un prétexte en regardant autour de lui et saisit soudain sa chope, qu'il lui tendit.

— Ma chope est presque vide… et… et je n'en veux plus, bredouilla-t-il, sous le regard amusé des deux guerriers.

Éli fronça les sourcils en l'observant. Le comportement de ce jeune homme était bien curieux. Peut-être que, la voyant de dos, il s'était imaginé qu'elle était jolie et qu'il ne savait plus trop quoi lui dire pour s'en débarrasser. Elle prit la chope presque vide et remarqua les runes. Un magicien ! Elle ignorait qu'ils venaient dans ce genre d'établissement.

Elle leva la tête vers l'un des compagnons et la chope qu'elle tenait faillit se renverser sur la table. Elle la retint de justesse et la posa sur son plateau avec les gestes incertains de quelqu'un que la fatigue rend maladroit. De loin, sans sa barbe, elle n'avait pas reconnu Éric. Elle espéra qu'il ne s'agissait que d'une coïncidence. Il ne pouvait en être autrement. Elle prit soin de ne pas regarder vers l'autre jeune homme assis à l'autre bout de la table. Elle avait beau ne le voir que du coin de l'œil, elle savait très bien de qui il s'agissait, aussi jugea-t-elle prudent de ne pas s'éterniser dans cet endroit.

— Si vous ne désirez plus rien, mon seigneur, je vais me retirer, dit-elle.

Sur le point de s'éloigner, elle sentit une main lui saisir le bras.

— Attendez! dit Éric. C'est qu'Eldébäne, ici présent, vous trouve à son goût, mais il est trop timide pour vous le dire.

Le dénommé Eldébäne ouvrit la bouche, mais n'osa rien dire, trop poli pour protester et lui faire comprendre qu'elle n'était pas très jolie. Éric eut un sourire en coin et elle vit l'autre guerrier sourire également. Ils ne devaient pas beaucoup aimer le magicien. Les armes et la magie ne faisaient effectivement pas toujours bon ménage. Toutefois, elle n'avait aucune intention de laisser le grand blond embarrasser ce jeune homme qui lui semblait très aimable.

Éli se rapprocha d'Éric et lui caressa le torse avec un sourire qui se voulait aguicheur. Il grimaça. Habituellement, elle se gardait bien d'agir de la sorte, de peur qu'un homme désespéré la désire, mais elle savait bien trop qu'Éric la repousserait, sans même y penser. Effectivement, il la lâcha en frissonnant.

— Non, merci! J'ai une femme et des enfants, s'exclama-t-il.

Éli s'interdit de rire, contrairement à Malek, qui ne se gêna pas.

— Dommage, dit-elle d'un ton navré.

Elle remarqua alors le signe qu'Eldébäne adressait à Malek. Il était plus que temps pour elle de déguerpir, mais la voix de Malek s'éleva :

— Ma chope aussi est vide.

Il la leva dans les airs.

— Ça vous amuse de me faire travailler davantage? glissa-t-elle entre les dents. Vous auriez pu me la donner avec la sienne.

Sans répondre, il la regarda venir vers lui en tournant sa chope dans ses mains. Éric et Eldébäne s'esquivèrent, peu désireux de devoir affronter une seconde fois les avances de la jeune femme. Elle se pencha pour prendre l'objet, mais il déposa celui-ci plus loin, sur la table. Éli le regarda se lever, les sourcils froncés. Elle n'aimait pas se trouver si près de lui lorsqu'il était debout, car il lui fallait lever la tête pour le regarder dans les yeux et elle se savait ainsi beaucoup trop vulnérable. Il lui prit des mains le plateau qu'elle tentait de laisser entre eux deux pour qu'il ne puisse pas s'approcher davantage.

— J'ai une autre commande pour vous, demoiselle, lui dit-il en le déposant sur la table.

— Mettez-vous toujours autant de temps à vous décider ? grommela-t-elle. Vous n'êtes pas le seul client à servir, vous savez.

Elle gardait la tête inclinée pour se soustraire à son regard ; or, il semblait chercher précisément le contraire. Éli vit l'un des bras du guerrier se dresser et elle sentit sa main sous son menton. Il leva doucement sa tête vers la sienne.

— J'aime qu'on me regarde quand je parle.

Éli eut un haussement d'épaules qui exprimait exactement l'inverse de ce qu'elle ressentait. Elle avait l'impression de marcher sur le bord d'une immense falaise où des bourrasques de vent venaient s'abattre pour la déséquilibrer. Un seul faux pas et ce serait la chute.

— Alors, vous me dites ce que vous voulez ? demanda-t-elle avec impatience. Ou bien vous attendez que l'auberge ferme ses portes ?

— Êtes-vous toujours aussi impertinente avec les clients ?

— Seulement quand ils me font perdre mon temps.

Il sourit et ses yeux noirs transpercèrent les siens.

— J'aimerais avoir une petite biche bien grillée, dit-il d'un ton sournois.

Éli baissa immédiatement le regard sur ses mains pour qu'il ne lise pas son malaise, mais redressa la tête avant qu'il n'ait fait le geste de la lui relever.

— Une petite biche? Je ne sais pas par chez vous, mais ici, on appelle ça un faon et on n'en a pas. Je suis désolée.

Malek ricana. Certes, la jeune femme était hideuse et elle répandait une odeur évoquant à la fois la vieille bière et la vomissure, mais ses yeux… Il aurait pu reconnaître ces yeux vert émeraude entre mille. Ils étaient comme gravés dans sa mémoire. Alors qu'à nouveau, elle faisait mine de partir, il lui saisit la taille d'un bras, la plaquant contre lui. Peu importait son aspect. Le seul fait de penser que c'était elle lui faisait tout oublier.

— Mais qu'est-ce qui vous prend? protesta-t-elle. Je ne donne pas ce genre de services.

— Ah non! Pourtant, je trouve que vous donnez des baisers bien facilement, répliqua-t-il d'un ton sec.

Il vit avec satisfaction s'enflammer les oreilles de la jeune femme. Le maquillage était assurément trop épais pour laisser paraître le rouge de ses joues.

— Vous rougissez, demoiselle, vous aurai-je gênée? demanda-t-il innocemment.

Éli serra les mâchoires. De tous les êtres qu'elle avait rencontrés, jamais elle n'en avait détesté un autant qu'à cet instant. Elle aurait dû lui trancher la gorge lorsqu'elle en avait eu l'occasion. Il dardait sur elle ses yeux noirs et lorsqu'elle voulut détourner la tête, il lui saisit la nuque pour l'en empêcher. Il la pressait fortement contre lui et le seul moyen de se libérer de cette étreinte aurait été de lui faire une clé de poignet ou de se battre. Ce qui était, bien sûr, hors de question. Des soldats étaient attablés tout près.

— Je ne vois pas de quoi vous voulez parler, déclara-t-elle en tentant de le repousser. Laissez-moi, maintenant ! J'ai du travail.

Il poussa une exclamation et déclara :

— Ne me fais pas rire ! Arrête, je sais que c'est toi. Va-t-il falloir que je t'arrache tes vêtements pour ne te laisser que ton collier ?

Éli gémit et s'éloigna de lui le plus qu'elle put.

— Mais vous êtes complètement fou ! s'exclama-t-elle.

Malek grinça des dents et plissa le nez. Éli sentit ses muscles se bander alors que son étreinte se resserrait autour d'elle. Il cherchait de la frustration dans les yeux de la jeune femme, mais il n'y voyait que de la crainte. Il commençait réellement à perdre le contrôle et une immense envie de la traîner au-dehors pour lui faire cracher qui elle était l'envahit. Cela aurait satisfait son orgueil, mais Arkiel en aurait été très mécontent. Il ne devait pas oublier qu'ils poursuivaient la jeune femme non pour l'effrayer, mais pour la protéger du ténébryss. Sans compter qu'elle avait libéré Myral et les autres. Sa colère tomba. Néanmoins, il doutait fort qu'elle le suive, quels que soient ses arguments, d'autant que la diplomatie n'était pas son point fort.

Avant toute autre parole, il devait prouver son identité. Ensuite, peut-être, se sentirait-elle obligée de le suivre et Arkiel saurait-il déployer la diplomatie dont lui-même était dépourvu. La pensée du collier lui revint à l'esprit. C'était une excellente idée, en effet. Malek glissa sa main dans le cou de la jeune femme et y promena ses doigts jusqu'à ce qu'ils rencontrent le métal d'une chaînette.

Éli fulminait. Il allait la découvrir et elle ne pouvait rien faire. Elle sentait au travers de sa veste l'une des dagues que portait Malek. Comme il aurait été facile de la saisir et de la lui planter entre les côtes ! Mais autant crier à tue-tête dans la salle qui elle était… Malek ramena lentement la chaînette qui sortit peu à peu du corsage d'Éthanie. Elle était parvenue au-dessus de son épaule lorsqu'une main lui saisit fermement le poignet, arrêtant son geste.

— Arrêtez! ordonna-t-elle. Sinon, je vous fais jeter dehors.

Il éclata de rire et porta son regard sur un point derrière, en le lui indiquant du menton. Éli tourna la tête et vit Livianne sur le palier du deuxième étage, en compagnie de Zyruas. Ce dernier lui bloquait le passage et ils semblaient avoir une vive discussion.

— Je ne crois pas que tu auras de l'aide venant de là, ma petite biche.

Éli resta un instant à fixer Livianne qui menaçait Zyruas du doigt, mais il restait devant les marches, les bras croisés. Elle tentait de ne pas paraître ébranlée, mais sa gorge était complètement sèche. Comment faisaient-ils pour savoir tout cela? Pour l'avoir reconnue aussi facilement et être aussi cer-tain que ce soit elle, il fallait qu'ils la cherchent. Ils l'avaient donc poursuivie jusqu'à Tabem et même jusque dans cette auberge. Aucun doute : ils voulaient la pierre. Mais comment avaient-ils fait? se rabâchait-elle en reportant son regard sur Malek.

— Vous êtes des brigands, souffla-t-elle d'une voix sou-dainement tremblante. Oh! Doux Créateur! s'exclama-t-elle.

— Tu ne lâches pas facilement. J'admire ça, mais c'est com-plètement inutile, ma petite biche.

Sur ces mots, il continua à sortir le collier du corsage, malgré la résistance de la jeune femme. Éli le regarda prendre le médaillon au creux de sa paume et l'y tourner, un sourire en coin. Il l'avait peut-être eue par la force, mais elle ne s'avouait pas encore vaincue.

— Tiens! Tiens! Comme on se retrouve et tu es toujours aussi belle, on dirait, ma petite biche, dit-il d'un ton ironique.

— Cesse de m'appeler comme ça, siffla-t-elle entre ses dents.

Malek éclata de rire.

— Sûrement pas! Voir tes yeux pétiller de colère est bien trop amusant.

Éli serra les mâchoires sous le regard rieur du jeune homme. Jamais elle n'avait eu une telle envie de tuer une personne. Mais pas avant de lui avoir demandé comment il avait fait.

— Et qu'est-ce que tu vas faire, maintenant? se contenta de demander Éli.

— Eh bien! Premièrement, je veux que tu viennes avec moi. Tu cours un grave danger et…

Ce fut au tour d'Éli d'éclater de rire.

— Cesse de dire des bêtises! Tente quoi que ce soit et je crie à tout rompre qui tu es.

— Ah oui! s'exclama-t-il. À ta place, je n'essaierais pas, tu es dans une bien plus mauvaise position que moi. Au cas où tu ne l'avais pas remarqué, il y a des soldats dans cette pièce.

Éli le dévisagea sans rien dire.

— J'ai bien l'impression que nous sommes dans une impasse, déclara Malek. Tu… mais il fut interrompu par un faible cri qui s'éleva des clients près d'eux.

Ils tournèrent la tête dans cette direction. Lilas, à trois mètres d'eux, les fixait, bouche ouverte. Elle jeta un coup d'œil stupéfait à Éli et regarda alentour. Éli pesta entre ses dents; il était évident que Lilas savait ce qui se passait. De plus, elle semblait avoir l'intention de s'en mêler et les risques qu'elle commette une bêtise étaient énormes.

Éli tenta de lui faire signe de fuir avant que les autres guerriers ne reviennent et s'emparent d'elle. Lilas serait un bon atout pour eux, vu qu'elle la connaissait. Mais Malek l'écrasa contre lui, bloquant tout mouvement de ses bras. Elle lui lança un regard mauvais, mais elle n'eut pour réponse qu'un sourire narquois.

Éli vit du coin de l'œil Lilas s'approcher d'eux. Un grand blond et un Arkéïrite se détachèrent alors des gens pour s'interposer, obligeant, en avançant, Lilas à s'éloigner. Ils furent bientôt hors de son champ de vision, mais Éli se doutait qu'ils ne laisseraient certainement pas la jeune femme s'échapper.

Elle lança un coup d'œil à son dernier espoir, mais il n'y avait plus personne sur le palier de l'étage. Éli avait peur que Lilas fasse une scène pour tenter de faire expulser les guerriers. Elle ignorait la façon dont Malek réagirait. Son cœur commençait à s'emballer. Elle avait réussi à échapper à des hordes de soldats et voilà qu'elle se trouvait menacée par un seul guerrier. Éli regarda autour d'eux. Éthanie avait réussi à s'attirer la pitié de quelques personnes et l'une d'elles se trouvait tout près, une qu'elle avait, au demeurant, rayée de la liste sans hésitation, mais plus elle y réfléchissait, plus elle se disait qu'après tout, l'ironie s'était souvent révélée une bonne alliée. Elle se mit donc à appeler mentalement l'homme.

— Alors ? demanda-t-il. À part rester ainsi dans mes bras toute la nuit, je ne vois pas ce que tu peux faire d'autre que de me suivre, ma petite biche.

Il aurait pu encore tenter de lui expliquer qu'ils voulaient la protéger, mais son rire lui avait nettement fait comprendre qu'elle ne le croirait jamais. Dans un endroit isolé, il pourrait prendre le temps de la raisonner.

— Tu n'as pas le choix, répéta-t-il. Tu sais que nous ne sommes pas mauvais et qu'aucun de nous ne te fera du mal.

Une lueur interrogative traversa le regard de la jeune femme, aussitôt remplacée par une profonde crainte. Elle semblait même être sur le point d'éclater en sanglots. Malek crut pendant un instant qu'il était parvenu à se faire entendre. Il ouvrit la bouche pour continuer, mais une main se posa sur son épaule et la serra fortement. Une voix grave s'éleva derrière lui :

— Pardon, monsieur, mais je crois que votre comportement importune la jeune femme. Nous allons faire comme si vous n'en aviez pas eu conscience et vous allez quitter cette auberge. Inutile de vous dire que si je vous revois agir de la sorte avec une femme, vous aurez de graves problèmes.

Malek voulut se retourner, mais les deux mains qui pesaient contre son torse l'en empêchèrent. Éli entrouvrit la bouche et murmura sans presque remuer les lèvres :

— C'est un soldat.

Il se crispa. Sa physionomie était assez connue et il ne pouvait pas se risquer à regarder le soldat. Il dévisagea sa captive, en se demandant si elle avait provoqué cette intervention ou si elle se trouvait, elle aussi, en très mauvaise posture. Malek n'avait pas le choix. Il lâcha à regret la jeune femme tant recherchée et se tourna à demi vers le soldat.

— Vous avez raison, je crois me souvenir que des occupations m'attendent ailleurs. Désolé si je vous ai importunée, demoiselle.

Sur ces mots, il alla rejoindre Éric et Kaito, qui avaient observé la scène de loin.

— Où est la blonde ? leur demanda-t-il.

Elle était probablement l'une de leurs dernières chances de s'emparer de la guerrière.

— En lieu sûr, lui répondit Éric.

— Et nous serions mieux d'y aller nous aussi, ajouta Kaito. Malek a attiré l'attention des mauvaises personnes, on dirait.

Malek regarda alentour et aperçut Eldébäne dans les escaliers. Il lui fit signe de venir et ce dernier descendit les marches de mauvaise grâce.

— Quoi ?

— Reste ici! lui ordonna Malek. Et écoute ce qu'ils se disent. On ne peut pas rester, mais on doit savoir ce qui va se passer.

— Pourquoi moi? maugréa le jeune magicien, qui voulait rester auprès de leur nouvelle captive.

— Parce que tu es le seul qu'ils ne connaissent pas, le magicien. C'est trop dangereux pour nous de rester dans cette salle.

Ils se dirigèrent vers les escaliers.

— Viens nous prévenir dès que tu vois un moyen d'intervenir.

Eldébäne hocha la tête et marcha vers la grande rouquine. Il subtilisa une chope de bière au passage et s'arrêta pour parler à plusieurs clients. Il voulait paraître de la fête. Lentement, il se rapprocha du duo, mais le brouhaha environnant était si gênant qu'il comprenait à peine ce qu'ils se disaient. Il lui fallut venir juste derrière eux, le dos tourné, pour les entendre. Il se joignit à la conversation de deux voyageurs en n'intervenant que par quelques interjections approbatives ou négatives, afin de suivre ce qui se disait derrière lui.

— Êtes-vous certaine, demoiselle, de vouloir continuer à travailler aujourd'hui? demanda le soldat d'un ton où perçait l'inquiétude.

— Oui! Oui! s'exclama-t-elle avec empressement.

Elle saisit son plateau avec maladresse et y déposa la chope que Malek avait laissée sur la table. Le soldat l'avait sortie d'un mauvais pas, mais elle n'arrivait plus à s'en débarrasser. Il n'avait, à l'évidence, que de bonnes intentions, mais elle était obnubilée par la pensée des cinq hommes et de leurs compagnons, certainement toujours dans l'auberge. Elle devait se sauver à tout prix. Quant à Livianne et Lilas, Éli n'était pas inquiète : les hommes n'étaient pas méchants et elles sauraient s'en sortir.

— Si vous voulez, je peux aller le demander pour vous à votre patronne, insista le soldat.

— Non! s'écria-t-elle, s'attirant le regard de plusieurs clients.

Livianne était sûrement en présence des cinq hommes, que le soldat ne devait surtout pas voir. Éli s'en voulut de s'être ainsi emportée et regarda alentour en hésitant, l'air égaré.

Le soldat, surpris d'une telle réaction, la retint doucement. Comme elle devait redouter sa patronne! Il ne pouvait pas la laisser disparaître sans avoir tenté réellement de l'aider. Il était entré dans l'armée pour protéger les innocents et il le ferait. Cette jeune femme aurait pu être sa fille. Elle paraissait bien trop jeune pour travailler dans cet endroit de peu de vertu. Ce maquillage excessif et maladroit, sous lequel elle tentait de camoufler la jeunesse de ses traits, en était la démonstration.

— Vous semblez effrayée, êtes vous maltraitée? demanda-t-il.

Attirer des ennuis à Livianne était la dernière chose qu'Éli souhaitait, aussi répondit-elle rapidement :

— Oh non! Au contraire, elle m'a recueillie quand je n'avais nulle part où aller et plus un sou. Elle a été très bonne. Mais j'ai besoin de travailler pour me faire le plus d'argent possible et quitter cette ville. Je ne peux pas me reposer et perdre des heures de paye.

L'homme acquiesça, mais ne la laissa pas partir.

— Auriez-vous vécu quelque malheur? s'inquiéta-t-il, les sourcils froncés.

Paupières baissées, la jeune femme resta muette, comme assaillie de terribles souvenirs. Or, Éli réfléchissait. Une idée venait de lui traverser l'esprit. C'était extrêmement téméraire, mais elle se débarrasserait de la menace de Malek et de ses compagnons pour un bon moment. En pinçant les lèvres, elle leva vers lui des yeux tristes qu'elle rabaissa aussitôt, hésitant, semblait-il, à se confier.

— N'ayez crainte, demoiselle. Je veux simplement vous aider.

— C'est qu'il y a de cela quelques mois, je ne me souviens plus au juste... J'ai perdu la notion du temps. J'étais avec ma famille ; on venait rendre visite à des amis, près de la frontière, mais le carrosse a été attaqué et...

Elle laissa échapper un sanglot et réussit péniblement à ravaler les autres.

— Et ils les ont tous tués.

Éli vit les traits du soldat se durcir d'une rage contenue, mais ses yeux posés sur elle restaient doux.

— Moi, ils m'ont épargnée parce qu'ils croyaient pouvoir gagner une petite somme en me vendant.

On entendit comme un hoquet au sein de la foule qui les entourait. Le soldat releva brusquement la tête, mais personne ne semblait les écouter et il reporta son attention sur elle. Éli, par contre, avait aperçu la pèlerine brodée de runes et reconnut le jeune magicien. Elle baissa les yeux en tournant la tête, comme pour cacher ses larmes au soldat et leva une main sur sa bouche pour cacher un sourire. Éli imaginait très nettement l'expression des rebelles lorsqu'ils apprendraient ce qu'elle allait faire. Elle prit une profonde inspiration pour calmer ses émotions et continua lentement :

— La dame d'ici l'a appris et elle a réussi à me reprendre à eux, j'ignore comment, et elle a été très gentille. Elle me nourrit et me loge pour rien. Mais je dois tout de même gagner de l'argent, car elle n'a pas les moyens de me faire retourner en Ébrême et puis, je ne veux pas y aller toute seule.

Elle passa une main sur son visage pour essuyer une larme imaginaire, puis continua :

— J'ai peur de me perdre ou de...

Elle ne continua pas, secouée de nouveaux sanglots.

— Seigneur ! s'exclama le soldat tout bas. C'est terrible !

Il continua en marmonnant :

— C'est ce genre de criminels que nous devrions poursuivre.

Un bras protecteur autour des épaules de la jeune femme, il ajouta :

— Ne vous inquiétez plus, demoiselle, désormais, vous serez entre de bonnes mains.

La jeune femme leva des yeux interrogateurs et rencontra son sourire chaleureux.

— Nous nous ferons un plaisir de vous reconduire personnellement chez des parents à vous, en Ébrême, expliqua-t-il.

Personne ne perçut le second hoquet qui s'éleva de la foule, sauf Éli, qui guettait la réaction du jeune magicien. La bouche ouverte d'étonnement, elle fixa le soldat.

— C'est très aimable à vous, bredouilla-t-elle, mais... mais je ne veux pas m'imposer. Je sais que vous êtes en train de rechercher un dangereux criminel et...

Le soldat eut un rire bref.

— Et je ne voudrais pas vous détourner de votre mission, finit-elle.

— Premièrement, dit-il en l'entraînant lentement avec lui, mes soldats et moi patrouillons justement dans un des secteurs près de la frontière. En allant un peu plus loin, nous aurions peut-être davantage d'informations. Et — il baissa la voix en poursuivant comme pour lui-même — de toute façon, il est bien plus important de s'occuper de vous et de vos assaillants que de ce voleur.

Éli ouvrit la bouche pour protester à nouveau, mais il déclara :

— Ne protestez plus. C'est un ordre. Je vais tout d'abord vous sortir de cette auberge pour vous conduire dans un endroit plus respectable. Avez-vous des effets personnels ?

— Quelques vêtements que m'a offerts Liv, c'est tout. Et un cheval qui appartenait à mon père et que Liv a réussi à récupérer.

Le soldat sourit et hocha la tête.

— C'est parfait !

Il se tourna brusquement vers elle.

— Oh ! Mais avec tout ça, je ne me suis pas présenté : lieutenant Galator Lamorie, mais vous pouvez m'appeler Galator.

— Je m'appelle Éthanie Beaupré.

— Eh bien ! Enchanté, demoiselle.

Il lui baisa la main et l'escorta jusqu'à la sortie de l'auberge. Tinné apparut aussitôt et Éli le renvoya chercher ses effets dans sa chambre, sans lui souffler mot de la situation. Elle savait que les guerriers ne l'intercepteraient pas. Elle attendit avec le soldat, qui proposa à son sergent de rester avec le reste des hommes pour terminer leur repas. Tinné revint rapidement avec les deux sacoches d'Éli. Pour le reste, elle savait qu'il cacherait le plus compromettant : ils avaient établi, quelques années plus tôt, un plan d'action en cas de départ précipité de la ville. Accompagnée du soldat, elle suivit ensuite l'enfant pour récupérer leurs chevaux.

— Il t'emmène où, le soldat ? demanda Tinné à Éthanie, d'une voix légèrement teintée de peur.

— Le lieutenant me reconduit en Ébrême, répondit-elle d'un ton joyeux, comme si elle commençait à accepter le fait que le soldat allait la ramener chez elle.

L'enfant se tut un moment pour analyser ce qu'il venait d'entendre. Il finit par articuler avec tristesse :

— Tu t'en vas, alors !

Et il ajouta d'un air encore plus dramatique :

— Pour toujours ?

— J'ai bien peur que oui, Tinné.

Et comme elle se penchait pour le serrer dans ses bras, elle en profita pour lui murmurer :

— Tu peux venir avec moi, si tu veux. J'en discuterais avec le lieutenant.

— Non ! Je veux rester pour aider Liv. Et, de toute façon, je serais un fardeau pour toi.

— Tu sais bien que non ! Enfin, c'est ton choix.

Éthanie se redressa tandis que l'enfant essuyait ses larmes.

— Je ferai mon possible pour revenir te voir, lui dit-elle.

Elle rejoignit le lieutenant qui tenait les chevaux et dès que le bruit des sabots eut disparu, Tinné se précipita à l'arrière de l'auberge. Bien sûr, Éli ne lui avait rien dit pour qu'il ne s'en mêle pas. Il savait qu'elle ne voulait pas qu'il coure de risque, mais il n'était plus un enfant. Pour qu'elle parte de la sorte, c'était qu'il était arrivé quelque chose. Liv n'était pas en danger, sinon Éli ne serait pas partie, mais il voulait tout de même savoir. Il pourrait apporter son aide.

CHAPITRE 26

UNE NOUVELLE PRISONNIÈRE

L e poing s'abattit une nouvelle fois sur la commode.

— Et dire que je la tenais! s'exclama Éric. Je l'avais dans les mains.

Il regarda ses paumes vides et les frappa sur la commode en jurant.

— Je te rappelle que moi aussi, je la tenais. Et bien plus que toi, répliqua Malek, assis à une petite table de salon.

— Ouais! Mais toi, tu es trop baratineur. Si moi j'avais su, je l'aurais traînée dehors avant même qu'elle ait eu le temps de pousser un seul cri. Et on ne l'aurait pas perdue de nouveau.

— Ah! Bien entendu, avec le seigneur Éric, tout va toujours parfaitement bien, déclara ironiquement Malek.

— Voulez-vous bien arrêter, tous les deux! ordonna Zyruas. Malek n'avait pas le choix. On ne peut quand même pas risquer notre peau pour l'attraper.

Malek et Éric se dévisagèrent et replongèrent dans leurs sombres pensées. Lilas ne put s'empêcher de sourire à leur mine défaite. C'était bien fait! Elle était dans la chambre de Livianne, assise à ses côtés, sur le lit. Près d'elles, Zyruas marchait de long en large. Kaito était parti avertir les autres. Pour l'instant, ils ne pouvaient qu'attendre le retour d'Eldébäne.

Zyruas lança un rapide coup d'œil à Livianne, qui gardait obstinément les yeux fixés droit devant elle. Assise très droite, les lèvres serrées, elle était décidée à rester murée dans son mutisme. Il savait qu'elle était en colère parce qu'il l'avait emmenée et gardée de force dans ses appartements. Quant à lui, il était en colère contre cette guerrière qui l'avait conduit à se comporter de la sorte avec l'une de ses plus chères amies. À présent, il avait beau chercher, il ne trouvait rien à lui dire. Mais après tout, elle lui avait menti.

La pièce était donc emplie de mauvaises ondes, sauf pour Lilas, qui sifflotait un petit air joyeux en flattant le chat de Livianne, lové sur ses genoux. Elle avait hâte de voir revenir le jeune magicien pour avoir des nouvelles d'Éli. Elle n'avait plus peur. Éli le leur avait dit : ces guerriers n'avaient rien de bien méchant.

Ils attendirent un moment, le silence rompu seulement par le sifflotement de Lilas et le ronronnement du chat. La porte s'ouvrit soudainement sur Eldébäne, qui entra précipitamment. Il alla directement s'asseoir en face de Malek et les observa tous d'un air inquiet.

— Alors ? s'écria Éric avec impatience en se levant pour se rapprocher de la porte, aussitôt imité par Malek.

— Mais pourquoi t'asseoir ? Il faut la retrouver !

Eldébäne se passa une main dans les cheveux et grimaça légèrement.

— Je crains que ce ne soit pas vraiment possible.

Zyruas fronça les sourcils.

— Que veux-tu dire, au juste ?

— Eh bien ! Je ne crois pas que ça va vous enchanter.

— Allez ! Dis-le ! le pressèrent Malek et Éric.

— Qu'a-t-elle fait ? ajouta Zyruas.

Il leur relata ce qu'il avait entendu. Le silence qui suivit son récit fut interrompu par l'éclat de rire de Lilas. Les hommes grinçaient des dents. Éric imita le geste de celui qui tord le cou à quelqu'un. Malek, quant à lui, affichait un sourire en coin.

— Elle est incroyable, marmonna-t-il.

Livianne secoua la tête de découragement et déclara :

— Elle est complètement folle !

— Mais qu'est-ce que tu racontes ? s'exclama Lilas. C'est la plus intelligente de toutes.

— Je n'ai pas dit qu'elle était stupide, répliqua Livianne, j'ai dit qu'elle était folle. Aller se jeter ainsi directement dans la gueule du loup…

— Oh ! Elle va s'en sortir, comme toutes les fois. Tu t'inquiètes toujours pour rien.

Livianne lui fit de gros yeux et Lilas grimaça. Elle en avait trop dit.

— Vous avez l'air de la connaître plutôt bien, intervint Malek en observant Lilas avec un soudain intérêt.

Il n'attendait apparemment pas de réponse. Tout n'était peut-être pas complètement perdu, après tout. Il se tourna vers Zyruas.

— Elles pourraient nous être utiles.

Zyruas vit les pupilles de Livianne se dilater et le rouge lui monter aux joues. Il ne pouvait sûrement pas l'obliger à quitter son établissement.

— À quoi penses-tu, Malek ? s'exclama-t-il. On en a déjà une à s'occuper. Je n'en veux certainement pas deux autres et je suis sûr qu'Eldérick non plus. On aura l'air d'un défilé si ça continue comme ça, marmonna-t-il. On ferait mieux de…

Eldébäne leva brusquement une main pour l'interrompre et pointa l'autre vers un bureau situé contre le mur, à leur gauche. À la stupéfaction de tous, et surtout de l'enfant dissimulé derrière lui dans un trou du mur, le meuble s'écarta. Éric se dirigea rapidement vers lui et l'agrippa par le collet pour le tirer dans la pièce.

Tinné, qui ne comprenait toujours pas comment le meuble avait pu bouger sans que personne ne s'en soit approché, frappa de sa canne le bras qui le tirait, pour se protéger.

— Ne lui faites pas de mal! s'écria Lilas en se précipitant vers eux. Il ne peut pas vous voir, il est aveugle.

Éric observa le petit visage et le lâcha en remarquant les yeux vides d'expression qui roulaient frénétiquement dans les orbites. Le serrant doucement dans ses bras, Lilas l'amena avec elle sur le lit et l'assit près de Livianne, entre elles deux. Éric se pencha dans le trou pour constater qu'il menait à une sorte de penderie qui devait appartenir à la chambre adjacente. Il voulut pousser davantage le bureau afin d'agrandir l'espace et pouvoir passer, mais constata qu'il était beaucoup trop lourd.

Éric se redressa en jetant un regard interrogateur à un Eldébäne souriant, qui fit glisser le meuble jusqu'à dégager complètement l'ouverture. Éric plissa le nez avec dédain et se pencha pour se faufiler vers la pièce voisine. Quelques secondes plus tard, il réapparut en secouant la tête. Le garçon était seul.

— Qu'est-ce qui se passe? demanda Tinné, mais Lilas ne l'écoutait pas, fixant le magicien avec admiration.

Livianne se pencha vers l'enfant pour lui murmurer que tout allait bien, comme s'il n'avait aucune idée de ce qui se passait.

— C'est la première fois que je rencontre un vrai magicien, s'exclama Lilas.

Eldébäne lui sourit plus aimablement qu'à Éric un instant plus tôt, tandis que ce dernier le dévisageait.

— Comment as-tu su? demanda Zyruas, qui connaissait mal les pouvoirs des magiciens.

— J'ai l'ouïe fine, répondit Eldébäne en haussant les épaules. C'est tout. Si vous voulez mon avis, il vaudrait mieux ne pas s'éterniser ici.

— Il faut attendre Eldérick, expliqua Malek. Pour savoir si nous emmenons une des femmes.

Lilas le défia du regard en croisant les bras.

— Il n'est pas question que je vous aide à lui faire du tort, dit-elle fermement. On n'ira nulle part.

— Ah oui ? répliqua Malek presque agressivement. C'est ce qu'on verra.

Nullement effrayée, Lilas se renfrogna davantage en levant le menton. Avec un profond soupir, Eldébäne lança un regard découragé au guerrier. Ils n'arriveraient à rien en se comportant comme des brutes. C'était le moment de prendre la situation en main. Il saisit sa chaise et s'approcha des femmes pour s'asseoir face à elles.

— Écoutez, demoiselles, dit-il doucement en incluant Livianne du regard, j'ignore ce que votre amie vous a dit, mais elle est en danger. Et pas à cause de nous. Un être extrêmement puissant la poursuit et je suis certain qu'il n'a pas de bonnes intentions, contrairement à nous. Je sais que ces hommes, ajouta-t-il en pointant Éric et Malek d'un geste de la main, ne sont pas des exemples de galanterie.

Lilas émit un « hum » approbateur, mais laissa le magicien continuer.

— Mais c'est juste pour lui parler qu'ils sont intervenus. En disant « nous », je parle de l'archimage de la citadelle des magiciens et de moi : nous cherchons la guerrière. L'archimage connaît l'ennemi qui la poursuit. Il l'a déjà combattu il y a des décennies, bien avant notre naissance à tous, et plusieurs magiciens sont morts pour que cet ennemi ne s'abatte pas sur notre monde. Il n'était jamais réapparu, jusqu'à ce jour. Je vous l'ai dit : cet être est un sorcier puissant et s'il poursuit la guerrière, c'est qu'il croit avoir trouvé un moyen de détruire ce qu'il n'a pu la première fois. Et pour le bien de tous les royaumes, nous devons connaître ce moyen.

Lilas se mordit la lèvre et se tourna vers Livianne, qui considérait Eldébäne. Son visage angélique, éclairé d'un regard franc et aimable, incitait à la confiance. Après un moment, Livianne observa Zyruas, appuyé contre une armoire, les bras croisés. Elle repensait à l'histoire qu'Éli leur avait contée ; à l'homme qui flottait dans les airs avec la créature des marais. Éli les connaissait, mais elle ignorait l'identité du sorcier. Zyruas était un homme bon, un peu acariâtre, mais bon. Et elle était certaine que ses compagnons l'étaient tout autant.

Avec tout cela, Livianne croyait sans peine ce que le magicien venait de leur confier et il lui serait également aisé de vérifier si l'illustre archimage se trouvait en ville. Elle regarda Lilas et comprit, à son expression, qu'elle aussi croyait le jeune homme. Elle se tourna à nouveau vers lui en déclarant :

— Je vous crois, magicien, mais je ne pense pas qu'elle se considère comme en danger. D'ailleurs, si c'était le cas, elle ne voudrait pas qu'on l'aide. Elle nous fait confiance et…

— Sait-elle ce qui la poursuit ? demanda Eldébäne.

Elles ne répondirent pas, mais il secoua la tête comme s'il avait deviné leurs pensées.

— Elle n'en sait rien, n'est-ce pas ? dit-il d'un air grave. Elle ne semblait pas le savoir quand elle a interrogé le mercenaire. C'est pour ça que l'archimage doit la rencontrer. Il ne s'agit pas de la garder avec nous…

Lilas, perplexe, lança un regard mauvais à Malek.

— Ce n'est pas ce que j'ai pu voir plus tôt, répliqua-t-elle.

— Bon, admit Eldébäne, disons que pour lui parler, il faut déjà qu'elle reste tranquille avec nous un moment, ce qui n'a pas l'air d'une mince affaire.

— En effet, approuva Livianne. Mais vous devez comprendre, magicien, que même si on voulait vous aider, on ne le pourrait pas. Elle m'a jadis rendu service, c'est vrai, et je lui suis redevable, mais je ne connais pas son identité réelle ni même son vrai physique. On ne l'a jamais vue que sous les traits de plusieurs personnages, justement parce qu'elle voulait nous protéger de situations comme celle-ci.

Eldébäne hocha la tête, mais il ne sembla pas démonté pour autant. Il riva sur elles son regard étrangement pénétrant et demanda :

— Savez-vous ce qu'elle a fait ?

Elles eurent à peine le temps de secouer la tête pour nier qu'il répondait pour elles :

— Oui, vous le savez. Vous savez qu'elle a volé la pierre de la guerre.

Éric et Malek faillirent s'étouffer, mais Eldébäne les ignora, se concentrant sur les deux femmes qui, tant bien que mal, feignaient la surprise.

— Inutile d'essayer de me tromper, continua-t-il de la même voix douce et avenante. D'un côté, je ne suis pas étonnée qu'elle vous ait conté ses exploits. Elle est seule et ce qu'elle a fait est énorme. Vous en parler a dû lui faire du bien, rendre le reste de son voyage moins oppressant, car ce qu'elle transporte doit la rendre anxieuse. Si elle ignore qui la poursuit, elle ne doit pas non plus connaître la nature de l'objet qu'elle a pris. Cette pierre est bien plus qu'une légende, demoiselles, et si le ténébryss la recherche, c'est qu'elle a le pouvoir de l'aider à détruire notre monde. C'est une chance énorme pour nous que cette guerrière ait mis la main sur la pierre avant lui et encore plus grande qu'il n'ait pas réussi à la récupérer. Mais il ne lâchera pas prise et il tuera pour mettre la main sur elle. La dernière guerre nous a montré qu'il n'avait aucune limite ni la moindre pitié. Si je vous le dis, c'est, premièrement, parce que je veux que vous compreniez bien ce qui peut suivre la venue de la guerrière et que vous soyez davantage sur vos gardes. Deuxièmement, dit Eldébäne un ton plus bas, en posant doucement sa main sur le genou de Lilas, parce que je sais que les

hommes derrière moi vous emmèneront de force et je préférerais que vous nous suiviez de votre plein gré.

— Mais je ne pourrai pas vous aider, répondit Lilas sur le
même ton.

— Vous la connaissez plus que nous, demoiselle, c'est
évident. Et si elle vous a raconté ce qu'elle a fait, elle vous a
aussi sûrement parlé de ses quêtes passées et de ceux qui
l'envoient.

— Non, nia Lilas, elle ne m'a jamais…

Elle s'interrompit en voyant le sourire du magicien, qui
devinait de nouveau qu'elle mentait.

— Comment faites-vous pour savoir quand je mens ?
demanda-t-elle.

— Votre voix, votre regard, des détails de votre expression et, peut-être, un peu de magie, répondit-il d'un petit air
taquin auquel Lilas ne put s'empêcher de répondre par un
sourire gêné. Même si vous ne pouvez pas nous aider à la
retrouver, continua-t-il, vous pouvez nous aider à la comprendre. Vous verrez, je suis certain que vous aimerez
l'archimage.

Lilas, hésitante, se tourna vers Livianne qui demanda :

— Et où l'emmènerez-vous exactement ?

— Sur les traces de la guerrière. Et je parie qu'elle ne le
regrettera pas.

Lilas, qui n'avait jamais quitté la ville de sa vie, commençait à se laisser tenter par l'idée. Goûter à l'aventure, à la découverte de l'inconnu… Éli lui avait souvent proposé de
l'accompagner, mais elle se trouvait constamment des excuses,
n'osant admettre qu'elle avait peur. Lilas ressentait encore
cette peur, mais la présence du magicien la réconfortait davantage qu'Éli n'aurait su le faire. De nouveau, elle regarda
Livianne qui promena sa main devant elle, lui faisant comprendre que la décision n'appartenait qu'à elle-même.

— D'accord, dit Lilas au magicien. Mais sachez qu'elle est mon amie et que je resterai de son côté.

— Très bien, répondit Eldébäne avec satisfaction, nous le sommes tous, de toute façon. Même si c'est un peu malgré elle.

Il se leva et tendit la main à Lilas.

— En attendant notre chef, voulez-vous aller chercher les effets que vous voudriez emporter pour le voyage ?

— Oui, bien sûr, répondit Lilas. Mais je n'ai pas grand-chose.

— Tant mieux, s'exclama Éric, mais Eldébäne fit signe à Lilas de ne pas lui prêter attention.

La jeune femme lui lança tout de même un regard noir avant de disparaître par la porte, au bras du magicien. Livianne serra Tinné contre elle ; elle devinait le chagrin de l'enfant à voir partir Lilas.

— Alors, déclara-t-elle à l'adresse de Zyruas, vous n'êtes pas venus ici par pur désir de vengeance ?

— Se lancer sur la route pour près d'un mois, tout ça pour se venger de cette sale gamine ! s'exclama-t-il avec humeur. Sûrement pas ! C'est l'archimage qui nous a persuadés, avec cette histoire de pierre et de sorcier.

Elle hocha la tête et ils restèrent tous deux silencieux et moroses. Plusieurs minutes passèrent avant que Lilas et Eldébäne ne reviennent, mais le silence régnait toujours dans la pièce. Lilas embrassa ses deux amis, non sans verser une larme, et s'accrocha de nouveau au bras d'Eldébäne. Sans en dire plus, les hommes quittèrent la pièce.

— Qu'est-ce qu'on peut faire ? demanda Tinné d'une petite voix chagrine.

— Malheureusement rien, mon chou. Je crois savoir qui a envoyé ces hommes ici et je ne peux pas faire grand-chose contre lui.

— Lilas n'aurait pas dû dire oui comme ça… On dirait que ce magicien peut lui faire dire tout ce qu'il veut. Éli ne sera pas contente.

— Oui, mais je ne crois pas que ce soit un mauvais garçon. Je crois même qu'il est sincère quand il dit que c'est son bien qu'il veut. Et tu verras, mon chou, dans la vie, on n'a jamais trop d'alliés.

CHAPITRE 27

SORCIÈRE OU PAS?

Ils avançaient dans les rues du quartier sud depuis presque une demi-heure. Galator parlait sans cesse : de la ville, des commerçants, des terres alentour, comme s'il ne voulait pas que le silence la rende mal à l'aise. Le soleil disparaissait lentement derrière les remparts de la ville, teintant le ciel et l'air même d'une couleur orangée. Les arbres et les murs des luxueuses demeures jetaient un voile d'ombre sur les rues, tandis que des hommes allumaient une à une les lanternes. Ils croisèrent quelques groupes de soldats qui discutaient aux intersections et dans les parcs. En la voyant avec lui, ils ricanaient bien un peu, mais le regard sévère du lieutenant Lamorie les incitait vite à se taire.

Ces hommes ne remarquaient le grade du militaire que lorsqu'il était près d'eux et Éli en conclut qu'il n'appartenait pas au corps de garde de la ville. Elle en eut la confirmation quand, dans le flot incessant de ses paroles, il indiqua habiter une petite ville plus à l'ouest, parmi les montagnes qui barraient l'accès à l'océan. Il avait été envoyé à la ville tout récemment pour capturer un voleur. Il n'en dit pas plus, mais à son expression, Éli comprit sans équivoque que cette affectation ne l'enchantait pas du tout. Elle aurait aimé pouvoir l'interroger pour savoir ce qui le rendait amer concernant ce voleur de pierre, mais elle se contenta de demander :

— Quelles sont vos tâches habituelles ?

Éli le fixa attentivement et remarqua qu'un léger trouble le traversait. Mentalement, elle répondit pour lui : récolter les taxes, harceler les paysans. Pourtant, Éli ne l'imaginait pas capable d'intimider qui que ce soit.

— Patrouiller sur les routes du sud, répondit-il, et assurer la sécurité dans les villes et villages. Nous jouons également les médiateurs lorsqu'il y a des conflits entre les habitants.

Éli leva une main pour se gratter la joue, tout en dissimulant un sourire. Elle garda ensuite les yeux baissés, l'air triste, comme si elle repensait à ses mésaventures. Galator la regarda gravement, mais n'osa pas non plus s'enquérir sur ces événements. Le silence tomba finalement entre eux, interrompu par les clameurs qui leur parvenaient toujours de la rue principale.

— N'est-il pas dangereux pour des soldats dulciens d'aller en territoire ébrêmien ? demanda Éli qui se posait la question depuis l'auberge.

— Je connais les gardes des postes frontaliers ébrêmiens se situant à l'est de la ville. Nous faisons souvent affaire ensemble afin de nous transmettre les informations sur les groupes de bandits qui sévissent d'un côté et de l'autre de la frontière. S'ils nous croisent, je n'aurai qu'à leur expliquer la situation et ils ne nous causeront aucun problème. Je vous l'ai dit, demoiselle, vous n'avez à vous inquiéter de rien.

Le lieutenant tourna vers l'est et Éli aperçut, au bout de la rue, une large porte en fer forgé, derrière laquelle se dressait un manoir spacieux, mais simple. Il n'avait ni balcon, ni ornement et les fenêtres étaient étroites.

— Notre baraquement, indiqua Galator pour aussitôt spécifier : l'endroit où vivent les soldats.

— Tous les soldats de la ville ? s'étonna Éli.

Le lieutenant sourit et répondit :

— Non, seulement une partie. La plupart de ceux qui sont affectés à la ville à plein temps ont des logements ou des maisons. Cet endroit est surtout réservé aux nouveaux arrivants et à ceux de passage, comme mes hommes et moi. Ne vous inquiétez pas, demoiselle, il y a assez de chambres pour vous accueillir.

Ils s'arrêtèrent devant la grille et les deux gardes s'approchèrent, l'air interrogateur. Les explications de Galator sur la présence de la jeune femme les laissèrent perplexes. L'un d'eux la considéra même sévèrement, tandis que le deuxième déclarait :

— Vous savez, lieutenant, il ne faut pas croire tout ce qu'on vous raconte dans cette ville. Les habitants sont rarement de bonne foi et tous les moyens leur sont bons pour escroquer les autres.

Le lieutenant Lamorie se tourna vers elle et Éli le gratifia d'un air de profond dépit qui semblait dire : je savais que c'était trop beau pour être vrai. Puis, elle baissa tristement le regard sur ses mains, qui serraient les rênes de Kalessyn avec nervosité.

— J'en prends personnellement la responsabilité, soldat.

— Comme vous voulez, lieutenant, répondit l'homme d'un ton peu convaincu. Mais surveillez-la bien.

Galator hocha sèchement la tête et attendit l'ouverture de la grille. Il fit signe à Éli de passer devant et la suivit. L'obscurité s'accentuait et les fenêtres s'illuminaient une à une sur la façade du bâtiment. La cour était spartiate : un chemin dallé et quelques portions de pelouse bien taillée, sans même un banc. Au nord de la bâtisse, l'écurie étendait ses vingt mètres de pierre grise semblable au manoir et qui se fondait dans la pénombre tombante.

Derrière eux, les grilles se refermèrent dans un bruit métallique qui résonna dans la cour déserte. Un certain malaise s'empara d'Éli lorsqu'elle s'arrêta devant les écuries. Elle n'avait pas vraiment réfléchi en déclenchant ces événements. Rester avec Malek et les autres aurait été probablement beaucoup moins risqué. Qu'avait-elle pensé en s'engageant avec ce soldat? Rien. Tout était arrivé trop rapidement. Non, c'était faux. Incroyable! Même à elle-même, elle tentait de mentir.

Elle aurait pu tenter de s'éloigner du soldat pour sortir de l'auberge. Mais, sachant que le magicien écoutait et qu'il en ferait part aux autres, elle avait voulu les impressionner avec son inimitable capacité à jouer la comédie et à monter des plans invraisemblables. Et voici qu'elle se retrouvait coincée dans l'enceinte du baraquement des soldats de Tabem, la pierre de la guerre ballottant sous le ventre de Kalessyn. Téméraire? Le mot était faible!

Le lieutenant Lamorie avait beau lui avoir fait confiance, elle avait vu soudain poindre le doute dans son regard après l'avertissement des soldats en faction. Il agirait probablement ainsi qu'il l'avait prévu, mais il serait plus vigilant et elle n'avait maintenant plus aucun droit à l'erreur. Les vêtements qu'elle dissimulait sous son ample robe orange lui semblaient soudain très lourds. Certes, elle s'était débarrassée, avant de descendre dans la salle à manger de l'auberge, de ses armes volumineuses pour ne garder que quelques petites dagues et elle s'en félicita.

Elle avait donné à Tinné la consigne de laisser ses sacs sur le toit de l'auberge. Lors de ses quêtes, elle avait souvent eu recours à cette méthode. Tinné ignorait comment elle réussissait à les récupérer, mais comme elle n'en avait rien dit, il n'avait pas posé de questions. Le garçon ne l'interrogeait que sur les sujets qu'elle abordait la première.

Même si elle leur contait ses aventures, Éli ne parlait pas de son don avec eux. Elle l'évoquait rarement avec qui que ce soit, y compris avec ses sœurs. Elle aimait énormément cette proximité avec les bêtes et pourtant, parfois, cela lui faisait peur. Peur, car elle était seule. Pas une magicienne, mais plus qu'une guerrière, elle n'appartenait, en fait, à aucun groupe.

Elle était là, face à l'écurie où elle devrait se séparer de Kalessyn et du précieux trésor qu'il transportait ; elle allait devoir se perdre dans un édifice empli de soldats. Oui, seule. Elle se sentait terriblement seule. Éli aurait dû suivre le rebelle, mettre son orgueil de côté et se laisser prendre. Mais il était inutile de s'autoflageller, ça ne pourrait qu'aggraver la situation.

Près d'elle, le lieutenant Lamorie s'était arrêté et l'observait en silence. Se demandait-il s'il s'agissait réellement d'une voleuse comptant s'infiltrer dans leur bâtiment ? Il y avait de fortes chances. Pour expliquer cet air dépité qu'elle devait afficher, Éli murmura, en le regardant à peine :

— J'ai peur. J'ai osé espérer… mais je ne sais plus.

Le regard s'adoucissant légèrement, il demanda :

— Êtes-vous sincère avec moi, demoiselle ?

Non, je suis la voleuse que vous recherchez et je me sers de vous pour quitter cette ville et fuir ces rebelles qui m'ont retrouvée. Mais elle n'était pas sincère. Éli le regarda donc avec innocence et répondit :

— Oui.

Éli jugeait qu'elle n'avait pas besoin d'en ajouter. Parfois, des justifications étaient préférables, mais pas en cet instant : elle n'était qu'une jeune femme désemparée et timide qui ne voyait pas d'autres réponses qu'un simple « oui ». Ils se fixèrent un moment, puis Galator sourit.

— Bien sûr, dit-il en sautant à bas de son cheval.

Éli attendit qu'il vienne l'aider à descendre, ses deux sacoches serrées contre elle. Un palefrenier qui attendait discrètement dans l'entrée de l'écurie vint prendre les rênes et mena les chevaux à l'intérieur.

— Combien de temps resterons-nous ici? demanda-t-elle timidement.

— Cette nuit. Palefrenier! appela-t-il. Ne dessellez pas nos montures, nous partons demain au matin.

Éli, qui se préparait à aviser Kalessyn de ne laisser personne toucher sa selle, fut soulagée.

— Me permettez-vous? demanda-t-il en tendant une main vers les deux sacoches qu'elle tenait contre sa poitrine des deux bras.

— Certes, merci, dit-elle en les lui remettant.

L'une contenait des vêtements masculins cachés parmi une robe et des jupons. Dans l'autre s'entrechoquaient des flacons de maquillage, d'herbes et de quelques denrées alimentaires. Rien de volumineux ni de compromettant. Certes, le maquillage servait à transformer ses traits et non à l'embellir, mais qu'est-ce que les hommes y connaissaient?

Le lieutenant ne fouilla pas les sacoches, mais Éli le vit les soupeser et les prendre au creux de son coude pour en éprouver le contenu, au lieu de les tenir simplement par les ganses. Il n'était pas aussi confiant qu'il le laissait croire, mais restait discret pour ne pas l'effrayer.

Il poussa une petite porte près de l'écurie et elle le suivit dans un couloir aux parois de bois nues sur lesquelles des lanternes jetaient une faible lueur. Ils passèrent le long des sombres pièces du rez-de-chaussée, que la lumière du jour finissant avait fuies. Ils gravirent les marches d'un escalier jusqu'au troisième étage et s'engagèrent dans le corridor. Des voix d'hommes leur parvenaient des chambres, mais le lieutenant ne s'attarda pas et Éli aperçut cinq soldats qui discutaient sur le palier, non loin d'une chambre. Ils les saluèrent, mais leurs yeux restèrent rivés sur Éli qui suivait le lieutenant, le visage dissimulé derrière ses cheveux hirsutes. Elle le suivait de si près que lorsqu'il arrêta au bout du couloir, elle le percuta légèrement.

— Pardonnez-moi, murmura-t-elle aussitôt d'une voix teintée de malaise.

L'homme dut cacher son sourire en se retournant pour ouvrir la porte.

— C'est petit, dit-il, mais le lit est propre et je suis presque sûr d'avoir raison en disant qu'il sera plus confortable que celui que vous aviez à l'auberge.

— Merci, dit-elle en entrant.

Éli s'arrêta au centre de la pièce, qui mesurait à peine trois mètres par quatre mètres. Elle y vit un bureau, une chaise et un lit au-dessus duquel quelques étagères se partageaient le mur. Au centre du plafond pendait une lanterne et une chandelle était posée sur le bureau. À ce mobilier rudimentaire s'ajoutait, au pied du lit, un simple coffre en bois. Sur le matelas, les couvertures étaient si bien tirées qu'on aurait dit une planche. Un petit miroir et pas le moindre ornement, hormis d'humbles rideaux de coton foncé ; la parfaite chambre militaire. Conçue pour ne pas se sentir trop à l'aise et risquer de s'y prendre les pieds.

Le lieutenant Lamorie entra dans la pièce et Éli dut se reculer vers la fenêtre pour lui laisser de la place. Il alluma la chandelle et déclara :

— Je vais vous faire porter un repas et de l'eau pour votre toilette.

— Merci infiniment, souffla-t-elle faiblement.

Puis, comme il sortait de la chambre, elle demanda avec une pointe d'inquiétude :

— Serez-vous loin d'ici ?

Il sourit et indiqua la chambre en face.

— Je serai juste là et mes hommes sont à côté. Mais pour l'instant, je vais être en bas, dans la cafétéria.

— C'est vrai, reconnut-elle, je vous ai fait manquer votre souper. Je ne crois pas que vous aviez été servi, à l'auberge.

— Ne vous inquiétez pas pour moi, demoiselle, je ne suis pas à plaindre, répondit-il avec un sourire.

Et, reprenant son sérieux :

— Pendant votre séjour, je préférerais que vous restiez ici.

Il fit mine de partir, puis se ravisa soudain. Éli se tenait toujours bien droite dans la pièce, les mains jointes devant elle et le regard rivé sur le lit. Dès qu'il aurait quitté la pièce, elle irait s'y asseoir et attendrait en observant la petite chambre. Sourire aux lèvres, il leva les sacs devant lui et tendit le bras.

— J'allais oublier, dit-il.

Éli n'eut qu'à faire deux pas pour récupérer ses sacoches, heureuse de constater qu'elle n'était pas la seule à mentir. Le lieutenant n'avait pas oublié, il voulait vérifier si elle réagirait au fait qu'il conservait ses effets. Il aurait été beaucoup plus simple pour lui de les fouiller, mais il n'osait toujours pas lui faire peur en montrant de la méfiance. Avec un dernier sourire, il s'engagea dans le couloir et Éli entendit, avant de refermer la porte, les murmures des soldats qui l'interrogèrent aussitôt.

Après avoir posé ses sacoches sur le coffre, Éli alla à la fenêtre pour observer les alentours. Il lui serait possible de descendre le long du mur, mais remonter serait, sans ses semelles à crampons, une entreprise fort difficile. Par conséquent, si elle quittait sa chambre, ce serait dans l'intention de ne pas y revenir.

La cour était étroite et quinze mètres à peine la séparaient du mur bordé d'épais buissons qu'elle ne put identifier dans l'obscurité, mais qu'elle supposa très épineux. Des deux côtés, elle ne voyait aucun moyen de franchir cette enceinte et elle n'osait se pencher par la fenêtre afin de voir plus loin.

Avec un soupir, elle referma le rideau et alla s'asseoir sur le lit. La guerrière avait visité plusieurs bâtiments de la ville, mais jamais celui-ci, et elle n'en connaissait pas les secrets, s'il en avait. Habitée par ce sentiment croissant d'avoir été stupide, elle s'adossa au mur, les deux jambes étendues en travers du lit, et se laissa aller à un semi-repos. Ainsi prise au piège, à aucun moment de la nuit elle ne pourrait s'enfoncer dans un sommeil profond. Elle ferait donc aussi bien de commencer à somnoler le plus tôt possible.

— C'est bien toi, ça! s'exclama un soldat en tirant une chaise face au lieutenant Lamorie. Galator, le protecteur de ces dames!

Galator releva la tête de son assiette pour regarder les hommes qui riaient et marmonna :

— Nous devrions tous l'être.

Les soldats se turent et continuèrent à manger.

— Tu as toujours été un idéaliste, reprit le soldat. Si tu travaillais dans cette ville, tu verrais que ça changerait après seulement quelques semaines.

Dans un haussement d'épaules, Galator répliqua :

— Les pires voleurs et bandits ne se trouvent pas dans cette ville, soldats.

Ils durent acquiescer et Galator allait poursuivre lorsque l'un des gardes fit irruption.

— Lieutenant Lamorie, dit-il.

— Oui, soldat, répondit Galator en se levant.

— Un homme demande à voir celui qui a amené la femme.

Sourcils froncés, le lieutenant l'interrogea du regard et le garde ajouta :

— C'est un type bizarre, il n'a pas dit ce qu'il voulait. Il n'est pas de la ville.

Galator lui emboîta le pas à l'extérieur et ils traversèrent la cour jusqu'à la grille derrière laquelle était resté l'individu. Le deuxième garde, qui se tenait à bonne distance, se tourna vers eux, la bouche tordue de dégoût. Sans avoir eu le temps de s'étonner de cette grimace, le lieutenant fut à son tour assailli par l'odeur. Les vagabonds de la ville étaient loin de sentir la rose, mais cela n'était rien, comparé à cette puanteur proche de la charogne. Incapable d'avancer davantage, le lieutenant arrêta à une dizaine de mètres de la grille et observa le visiteur.

De petite taille et voûté comme un vieillard, l'individu était enveloppé dans une large cape, la tête profondément enfoncée dans le capuchon. Et c'était aussi bien, car Galator n'avait pas réellement envie de voir ce qui pouvait répandre une odeur aussi épouvantable.

— Qui êtes-vous ? demanda-t-il. Et que voulez-vous ?

— Je suis un allié de votre royaume et je viens vous aviser que la femme que vous avez conduite ici est la voleuse de la pierre de la guerre.

L'un des gardes poussa une exclamation d'incrédulité plus que de surprise, tandis que le deuxième pouffait tout bonnement de rire. L'air perplexe, Galator croisa les bras et s'exclama :

— Et d'où tenez-vous cette information ?

— De mon maître qui travaille pour le premier conseiller Lelkar.

— Et peut-on parler à ce maître ? demanda Galator.

— Il n'est pas ici pour l'instant, mais il arrivera dans quelques jours.

— Oui, certes. Et savez-vous pourquoi votre maître la soupçonne ?

— C'est une sorcière très puissante. Je vous conseille de l'enfermer le temps que mon maître arrive.

Les soldats ne purent se retenir de rire plus longtemps.

— Une voleuse de vaisselle, ça ne m'aurait pas surpris, s'exclama un des gardes, mais une sorcière très puissante, j'en doute fort.

— Voulez-vous que nous vous débarrassions de ce manant, lieutenant? demanda l'autre soldat.

— Inutile, l'interrompit l'étrange individu. Je vois bien que vous ne me prenez pas au sérieux. Mais ne vous fiez pas trop aux apparences, lieutenant, vous pourriez le regretter. Sur ce, je vous laisse et soyez assurés que le premier conseiller Lelkar ne sera pas satisfait.

— Quel dommage! s'exclama le deuxième garde. Il ne faudrait surtout pas que ce cher premier conseiller ait à sortir de sa tour de cristal pour venir nous botter les fesses.

Son compagnon éclata de rire et Galator sourit. Pourtant, c'est d'un regard songeur qu'il regarda l'individu s'éloigner dans la rue jusqu'à ce qu'il disparaisse dans l'obscurité, emportant sa terrible odeur avec lui. Les soldats se remirent à respirer normalement et l'un d'eux déclara :

— Sacré Tabem! On pense qu'on a tout vu et il nous arrive un fou purulent qui dit travailler pour le premier conseiller.

— Si vous l'aviez connu, soldats, commenta Galator, vous sauriez avec quel genre de vermine peut s'acoquiner le premier conseiller.

— Vous croyez cette chose, lieutenant? s'étonna le deuxième soldat, incapable d'appeler l'étranger un homme.

Les deux gardes le fixèrent avec étonnement.

— Non, répondit-il simplement et il s'éloigna. S'il revient, avisez-moi aussitôt.

Il marcha jusqu'à la porte principale, mais parvenu devant, il resta immobile. L'avertissement de la «chose», comme avait dit le soldat, était absurde et c'est justement ce qui l'intriguait tant. Cette situation était trop incroyable pour qu'il puisse l'ignorer. Il recula, redescendit les marches et pénétra dans l'écurie. Se saisissant d'une lanterne, il s'approcha de Kalessyn et l'examina.

Le cheval le regarda d'un œil noir étrangement expressif, tandis qu'il ouvrait la porte de la stèle. Plus grand que la moyenne et doté d'une puissante musculature, c'était vraiment un magnifique animal. Avec des gestes lents et prudents, Galator lui caressa la tête et jeta un coup d'œil sur son flanc. La selle était toujours sanglée, comme il l'avait demandé, petite, simple et très usée. Il alla de l'autre côté pour constater la même chose : il n'y avait aucun sac ni renflement de tissu près de la selle. Toujours sous le regard perçant de l'animal, il revint vers la porte et examina le cheval une dernière fois.

— Non, mon vieux, dit-il. Toi, tu n'as rien à te reprocher.

Il replaça la lanterne et repartit vers le bâtiment. Toutefois, il n'entra pas encore et contourna l'immeuble jusqu'à se trouver du côté de la chambre de la jeune femme. Il y avait de la lumière, mais le rideau cachait l'intérieur. Il la devinait en train de prendre son repas. Sa raison lui criait qu'il perdait son temps et qu'il devait aller terminer son souper, mais son sixième sens de guerrier restait en alerte.

Pourtant, rien sur elle ni dans ses sacoches ne laissait supposer que la pierre de la guerre s'y trouvait. L'objet, lui avait-on dit, mesurait plus d'une vingtaine de centimètres de diamètre. Puis, si elle s'en était débarrassée en la vendant ou en la cachant, que faisait-elle à travailler dans une auberge comme serveuse ? Cet objet devait valoir une véritable fortune. Non, l'accusation de ce vagabond n'avait absolument aucun sens. Comme il sentait ce raisonnement atténuer lentement sa mauvaise intuition, il fit demi-tour pour regagner l'entrée principale.

Mais alors qu'il pénétrait dans le large hall, son sixième sens se manifestait encore. Ce qui le dérangeait le plus n'était pas qu'elle était peut-être ce fameux voleur, mais plutôt qu'elle lui ait menti, qu'elle l'ait manipulé pour quitter la ville. Le lieutenant marcha d'un pas lent vers la salle à manger en cherchant comment balayer tout soupçon. Il croisa un groupe de soldats qui avaient déjà travaillé sous ses ordres, puis s'immobilisa brusquement. Une sorcière très puissante. Oui, il venait de trouver le moyen de vérifier si cette chose avait dit vrai.

Assise seule dans la petite chambre aux cloisons de bois, Éli promenait sa cuillère dans le bol de ragoût. Ce n'était pas que le repas servi par les soldats n'était pas bon, mais simplement qu'elle n'arrivait pas à avaler. Il fallait dire qu'elle avait très bien mangé à l'Auberge de la flamme bleue. Livianne était une hôte très attentionnée avec ses amis. Éli se força à avaler une cuillère de carottes et de bœuf, sachant que le voyage du lendemain durerait plusieurs jours.

C'était le sentiment d'être coincée qui lui nouait l'estomac. À l'auberge, elle avait pris une mauvaise décision, poussée par son damné orgueil. Si elle avait suivi Malek, peut-être serait-elle déjà hors de la ville. Éli passa une main dans les mèches rousses de sa perruque en soupirant. Depuis quand pensait-elle au conditionnel? D'ailleurs, échapper à Malek n'aurait pas été si simple, puisqu'il y avait le jeune magicien.

Éli laissa tomber la cuillère dans le bol et s'appuya au dossier de la chaise. D'où venait ce magicien et que faisait-il avec le groupe? À voir l'animosité qui régnait entre eux, ils n'étaient sûrement pas amis. Les rebelles avaient-ils, pour augmenter les chances de la retrouver, déniché un magicien en pensant qu'elle était elle-même magicienne? Éli s'avouait déçue. Elle n'aurait pas cru ces hommes capables d'abandonner leur cause si vite pour lui prendre la pierre de la guerre. Peut-être croyaient-ils qu'elle leur permettrait de reprendre le royaume ?

Dans un nouveau soupir, elle étendit les jambes devant elle pour se laisser aller de tout son long sur la chaise. Un sorcier, un magicien, des rebelles, des soldats… Jamais elle n'avait eu tant de poursuivants lors d'une quête. À bien y penser, se joindre aux soldats n'était pas une si mauvaise décision, puisqu'ils ne soupçonnaient pas ses pouvoirs et qu'il n'y avait pas de magie autour d'eux. Il fallait bien qu'elle rehausse son amour propre et qu'elle arrête de se dénigrer.

Il lui fallait plutôt se préparer au lendemain. Qu'allaient faire les rebelles ? Ou plutôt, que pouvaient-ils faire contre les soldats dans cette ville ? Ils ne pouvaient pas vraiment se présenter directement devant eux et…

Aux coups frappés à la porte, elle sursauta et s'assit brusquement sur sa chaise. Ce devait être un soldat apportant la bassine d'eau ou peut-être le lieutenant Lamorie venant s'assurer que tout allait bien et qu'elle avait mangé à sa faim.

Elle porta les mains à sa perruque rousse, unique chose qui pouvait la trahir, pour s'assurer de sa tenue et alla ouvrir la porte. Elle l'ouvrit lentement pour jeter un coup d'œil inquiet à l'extérieur, mais le visiteur poussa le battant pour l'ouvrir en grand. Elle se retrouva face à face avec un jeune homme d'une vingtaine d'années, vêtu d'une chemise beige et d'un pantalon de laine foncé. Ses cheveux blonds étaient coupés court et sa barbe rasée de près. Ses yeux bleu-vert la fixaient avec une étrange acuité.

Éli recula, craintive en apparence et, intérieurement, en alerte. Elle devinait qu'il s'agissait d'un soldat, mais ne saisissait pas ce qu'il voulait. Son regard fixe et pénétrant rappelait celui d'un fou. Sans oser émettre un son, Éli recula encore d'un autre pas et baissa les yeux. Elle regarda le lit, puis à nouveau le jeune homme avec un gémissement craintif, comme si elle redoutait que son intention soit justement le lit. Toutefois, les yeux de l'étranger restaient dardés sur elle, sans même ciller.

Après quelques minutes, il leva brusquement un bras, la paume de la main vers elle. Éli poussa un petit cri de souris et porta ses avant-bras contre sa poitrine, comme si elle la croyait prise pour cible.

Un léger pli barra le front du jeune homme et Éli comprit ce qu'il faisait. Il lui lançait un sort. Était-ce un allié du magicien qui accompagnait Malek? Elle décida, avant de réagir, d'attendre pour connaître ses intentions. S'il tentait d'entrer dans sa tête pour l'hypnotiser ou l'endormir, il aurait tout une surprise. Mais rien de cela ne se produisit. Éli ne sentit qu'une légère pression autour d'elle, puis le jeune homme baissa le bras en secouant la tête.

— Non, dit-il, il n'y a rien, même pas une once d'aura magique.

Il recula, soudain gêné de la peur qu'il avait provoquée chez la jeune femme. Complètement désemparée — et ce n'était pas feint, car elle ne comprenait plus rien —, elle regarda le soldat sortir vers la gauche et le lieutenant Lamorie prendre sa place en le remerciant. Éli le regarda sans comprendre, d'un air anxieux.

— Seigneur? demanda-t-elle d'une voix à peine audible.

— Assoyez-vous, dit-il en entrant dans la chambre.

Éli s'assit aussitôt sur le lit, les yeux rivés sur lui. L'air sérieux sans être trop sévère, il ferma la porte et alla s'asseoir sur la chaise.

— Vous n'avez pas beaucoup mangé, constata-t-il.

Secouant la tête, elle indiqua, comme pour s'excuser :

— Ce n'est pas que ce soit mauvais, c'est mon estomac qui refuse tout.

Elle jeta un coup d'œil inquiet vers la porte, sans oser poser de questions. Le lieutenant la regarda avec attention. Il paraissait chercher quelque chose qu'elle n'arrivait absolument pas à deviner. Elle s'agita, replaçant les plis de sa robe, promenant un regard anxieux autour. Après un moment qui lui sembla interminable, il déclara :

— Je vais être franc avec vous, demoiselle. On vous accuse de vol.

Une expression effarée se peignit sur le visage d'Éli, qui bredouilla :

— Je... je vous jure que je ne suis pas sortie de cette chambre. J'ai fait comme vous m'aviez demandé. Je...

Galator l'interrompit en levant une main devant elle. Un léger sourire parcourut ses lèvres, mais son visage redevint sérieux alors qu'il continuait :

— Pas un vol ici, demoiselle. Dans une autre ville, Yrka.

— Yrka ! répéta Éli de plus en plus démoralisée. Mais... mais je n'y suis jamais allée !

Elle soupira en secouant la tête. Devant le silence de Galator, elle ajouta :

— Je ne sais pas quoi vous dire, seigneur. Je ne comprends pas pourquoi on vous a dit une chose pareille.

Puis, les yeux levés vers lui, elle demanda :

— Qui a dit cela ? Et...

Elle chercha comment formuler sa question, n'osant lui demander directement ce qui avait été volé. Éli comprenait mieux la situation et elle finit par opter pour une question plus large.

— Que vous a-t-on dit ?

Le lieutenant Lamorie appuya ses coudes sur ses cuisses, ses yeux ne la lâchant pas une seconde.

— Quelqu'un disant travailler pour le premier conseiller a indiqué que vous aviez volé quelque chose au roi. Demoiselle, avez-vous des ennemis dans la ville ?

Encore interdite par sa déclaration, Éli marqua un temps avant de répondre.

— Des ennemis? Non.

Elle réfléchit et répéta :

— Non. Je ne crois pas avoir des ennemis.

D'un air triste, elle admit :

— C'est vrai que les filles de l'auberge ne m'aimaient pas beaucoup et voulaient que Livianne me mette à la porte. Mais maintenant que je suis partie, je ne vois pas pourquoi elles voudraient me causer des problèmes.

S'affaissant sur elle-même, Éli pinça les lèvres comme si elle retenait des larmes. Elle secoua de nouveau la tête, leva les mains et les rabaissa sur sa robe dans un soupir désespéré. Ne trouvant rien à ajouter pour se défendre, elle regarda le lieutenant Lamorie. La décision lui revenait. Sans la quitter des yeux, celui-ci demanda :

— Puis-je fouiller vos sacs?

Elle acquiesça d'un hochement de tête, heureuse de pouvoir le satisfaire, et attrapa ses deux sacoches pour les lui tendre. Il ne fallut que quelques minutes à Galator pour faire le tour de leur contenu. Il ne sortit pas les vêtements, ne faisant que vérifier qu'il n'y avait rien d'autre dans la sacoche et ne perdit pas non plus son temps à ouvrir ses pots. Il lui remit ses effets d'un air songeur et Éli les plaça sur le coffre. Ils demeurèrent silencieux, l'homme semblant éprouver le besoin de réfléchir. Éli ne le dérangea pas et resta à fixer ses mains.

Contrairement à lui, elle s'empêchait de réfléchir, pour rester concentrée sur son personnage. Aucune expression autre que le désarroi ne devait se lire sur ses traits. Le temps lui sembla de nouveau interminable, puis on cogna à la porte. Sans changer d'attitude ni même sembler surpris, Galator se leva et sortit de la chambre en refermant la porte derrière lui.

Une fois seule, Éli persista dans sa comédie, chassant toutes les pensées qui l'assaillaient. Elle sentait qu'elle pouvait encore regagner la confiance de l'homme, aussi ne devait-elle pas abandonner.

Les paroles échangées derrière le battant ne parvenaient pas jusqu'à elle et lorsque le lieutenant revint dans la pièce, elle leva sur lui un regard à la fois interrogateur et anxieux. Après s'être rassis, Galator déclara :

— J'ai fait vérifier les informations auprès de la tenancière de l'auberge et elle confirme vos dires.

Les traits d'Éli se détendirent, mais elle continua à triturer les plis de sa robe entre ses doigts. Doucement, Galator posa une main sur les siennes pour la calmer.

— Pardonnez-moi, demoiselle, de vous avoir causé tout ce tracas, mais c'était une accusation trop grave pour que je l'ignore.

— Je comprends, murmura-t-elle. Voler le roi ! Et cette personne qui vous a parlé, est-ce qu'elle peut rentrer ici ? Parce que, si elle a quelque chose contre moi…

— Ne vous inquiétez pas, je ne laisserai pas cet individu vous approcher sans d'abord passer par moi.

Éli soupira de soulagement.

— Bon, maintenant, couchez-vous et dormez bien. Je serai juste de l'autre côté du couloir. Demain, nous partons au lever du soleil, car je veux être de retour en Dulcie le plus tôt possible.

— Je serai prête.

Il lui tapota les mains avec un sourire rassurant, puis se leva et ouvrit la porte. Avant qu'il ne la referme, Éli demanda :

— Seigneur ?

— Si vous ne voulez pas m'appeler Galator, du moins, appelez-moi lieutenant.

— Oui, lieutenant. Je peux vous poser une question ?

— Certainement.

— Cet homme qui est venu juste avant vous, il... il était... bizarre.

— On m'a dit que la voleuse était une sorcière très puissante. Il a vérifié.

— Une sorcière ? s'étonna-t-elle. Et cet homme a vérifié. Je ne comprends pas. Je n'ai même jamais vu de sorcellerie de ma vie. Mais ça veut dire que ce n'est pas quelqu'un qui veut me faire des ennuis. Il s'est juste trompé.

Elle soupira et ses traits se détendirent un peu plus.

— Ça me rassure.

— Tant mieux, vous dormirez plus facilement. Bonne nuit, demoiselle.

— Bonne nuit, lieutenant.

Éli le regarda fermer la porte et, cette fois, son visage se métamorphosa, son regard devenant dur comme la pierre. Tout portait à croire que c'était les guerriers qui avaient informé le soldat, puisqu'ils étaient les seuls à savoir. Pourtant, quelque chose lui disait que non. Quel avantage tireraient-ils à la faire enfermer ? Et puis, il y avait ce jeune magicien qu'elle avait vu à l'auberge. Il devait savoir qu'elle n'avait rien d'une sorcière, quand bien même elle semblait avoir communiqué avec cet ours.

Éli n'avait pas de profondes connaissances en sorcellerie, puisqu'elle n'avait jamais réussi à jeter le moindre sort. Elle avait appris que la sorcellerie ou la magie, pour elle c'était la même chose, provenait de la force des éléments qui nous entourent. Elle l'avait appris, mais de façon inexpliquée, car la sorcellerie ne pouvait s'apprendre sans avoir reçu ce don à la naissance. Le sorcier pouvait manipuler l'air, l'eau, le feu, la terre, la flore et la faune et tout ce qui tournait autour. Comme il en va de toute chose, chaque sorcier excellait dans un ou plusieurs domaines, mais rarement tous.

Éli savait que la plupart des sorciers pouvaient manipuler les quatre éléments de base, peu complexes. Par contre, la flore était plus difficile et la faune, davantage encore. C'est pourquoi on s'étonnait qu'elle ne parvienne pas à manipuler les éléments plus simples, alors qu'elle pouvait faire sans effort ce qu'elle voulait des animaux.

Quant à l'esprit humain, toute tentative d'y pénétrer faisait partie des arts interdits. Éli n'avait donc jamais osé parler de cette autre capacité qu'elle avait, même aux eldéïrs. Par rapport aux autres, elle se trouvait déjà à part et ne voulait pas imaginer la réaction de ses proches s'ils apprenaient qu'elle pouvait pénétrer leur esprit presque aussi aisément que celui des animaux et découvrir tous leurs secrets. De toute façon, elle n'utilisait ce pouvoir que lorsqu'il lui était absolument nécessaire et n'avait donc pas à se reprocher de le cacher.

Une autre particularité la différenciant des sorciers était que son pouvoir n'était jamais perceptible, même lorsqu'elle l'utilisait à plein régime. Les magiciens et les sorciers, quant à eux, se percevaient quelle que fût leur puissance. À ce qu'Éli avait appris, les éléments réagissaient autour du sorcier où qu'il soit et qu'il utilise ou non son pouvoir, à moins qu'il ne soit endormi. Lorsqu'il préparait un sort, celui-ci pouvait être détecté par d'autres sorciers à des kilomètres à la ronde, car il bouleversait les éléments.

Comme tout cela n'était pour elle que de la théorie, l'une de ses sœurs sorcières lui avait expliqué le phénomène en ayant recours à cette image : cela était aussi visible que la lumière dans la nuit, de la lueur d'une simple torche à l'éclat d'un feu de joie, selon la force du sort jeté. S'il était impossible de connaître la nature et l'identité du sorcier, on savait, sans équivoque, où il se trouvait. Néanmoins, un sorcier habile pouvait, s'il se trouvait suffisamment près, deviner la nature du sort au moment même de sa préparation. Le plus puissant des sorciers ou des magiciens lui-même n'était pas en mesure de se cacher de ses semblables. En revanche, il pouvait jeter un sort d'une force supérieure à celle qu'il laissait paraître et empêcher son adversaire d'en connaître la nature.

C'était pour cette raison qu'elle n'aurait pu cacher sa nature de sorcière au jeune homme que lui avait envoyé le lieutenant Lamorie. Mais il n'avait rien senti, ce qui avait permis de chasser les doutes de son supérieur. Cela était une bonne chose, sans pour autant lui apporter la réponse à sa question : qui, hormis les guerriers qu'elle avait écartés des possibilités, pouvait bien l'accuser du vol ?

Après un moment, découragée par de multiples hypothèses, Éli abandonna pour se concentrer sur la journée du lendemain. Elle devrait se montrer vigilante, car l'individu tenterait certainement de la piéger de nouveau. Si seulement elle parvenait à sortir de la ville, elle pourrait ensuite prendre la fuite. Kalessyn distancerait les soldats sans problème et le lieutenant Lamorie s'ajouterait à la liste de ceux dont elle avait trahi la confiance. Mais cela, elle ne l'envisageait qu'en cas d'urgence. En effet, il existait un endroit où pouvait l'amener le soldat sans qu'il ne sache jamais qu'elle lui avait menti. Les habitants des lieux la connaissaient réellement et appuieraient facilement son subterfuge.

Prise de fatigue, Éli se passa une main sur le visage et grimaça en la ramenant grasse de maquillage. Elle alla s'asseoir près de la cuvette d'eau chaude et entreprit de se nettoyer. Pour cette nuit, elle opterait pour un maquillage simple et parsemé : quelques taches de rousseur et grains de beauté sans masquer son véritable teint. Sentir, pour une fois, le vent directement sur la peau, voilà qui l'apaiserait. D'ailleurs, quelque chose lui disait que le lieutenant Lamorie n'aimerait pas la voir de nouveau avec ce maquillage clownesque. Et moins elle l'irriterait, mieux ce serait.

CHAPITRE 28

MALEK À LA RESCOUSSE

Le soleil était couché depuis un bon moment et Mylène commençait à sentir la fatigue l'envahir, son estomac plein n'aidant pas. Elle avait mangé comme quatre au souper. Novalté leur avait fait servir un buffet et, sans mère pour surveiller sa diète, elle s'était laissée aller, d'autant qu'elle avait une faim de loup, car ils avaient peu mangé durant le trajet et elle s'était promenée toute la journée avec les filles du manoir.

Assise parmi les coussins d'un des salons de la demeure, Mylène discutait avec ses nouvelles amies. Ni nobles ni servantes, elles n'avaient aucune raison de la rejeter. Arkiel et Novalté terminaient leur repas, dans la salle à manger tout près. Cependant, à ce qu'elle entendait, ils discutaient plus qu'ils ne mangeaient. Les deux hommes avaient passé toute la journée à s'entretenir de sujets divers, tandis que les guerriers étaient à la recherche de la voleuse. Ils n'étaient même pas venus souper au manoir. Ces hommes semblaient plus pressés de la retrouver que l'archimage lui-même. Mylène, qui n'y avait pas beaucoup réfléchi jusque-là, se dit que ce devait pour eux être une question d'amour-propre, une sorte de défi.

Quant à Éli, Mylène n'avait pas vraiment envie de la revoir et, encore moins, de l'entendre raconter ses histoires. Elle n'y avait d'ailleurs pas pensé de la journée, occupée à deviser de mille et un sujets avec les filles. Elle avait tant craint la solitude que cette soudaine sociabilité lui avait procuré un bien énorme. La ville de Tabem, sujet tabou parmi les nobles, était considérée comme une honte pour le royaume. Mylène n'en avait donc jamais entendu parler et les filles ne se gênaient pas pour mettre ses connaissances à jour. Si elle avait subi le dixième de ce que ses nouvelles amies avaient vécu, Mylène serait morte depuis longtemps et si elle n'en était pas morte, elle n'aurait jamais été capable de savourer la vie comme elles le faisaient.

Elle accueillait cet inébranlable optimisme comme une douche rafraîchissante dont elle ne se lassait pas. Depuis son retour après son enlèvement, Mylène avait pataugé dans la morosité et la rancœur envers elle-même, furieuse d'avoir vécu dans la richesse en ignorant la souffrance des gens du peuple, sans presque savoir ce que signifiait le mot «compassion».

Elle s'en était confiée à l'une des plus âgées, qui lui avait tout simplement répondu :

— Mais c'est du passé, ça! Tu ne devrais pas dépenser d'énergie pour ce que tu ne peux pas changer. Tiens, prends-moi, si je passais mon temps à pleurer, mon passé resterait à jamais un endroit sombre et humide. Dis-toi une chose, Mylène, c'est avec ton présent et ton futur que tu bâtiras un nouveau passé. Que veux-tu voir dans un mois, quand tu regarderas derrière? De la colère et de l'apitoiement? Ou des gestes et des décisions dont tu seras fière et qui te rendront heureuse? La deuxième réponse, n'est-ce pas? Alors, tu devrais t'y mettre immédiatement et cesser de t'accrocher à quelque chose que tu ne peux plus changer.

Mylène avait observé cette femme sans éducation qui savait à peine lire, puis avait hoché gravement la tête. Elle avait raison et Mylène était bien décidée à suivre son conseil.

Son présent : discuter avec ces filles sans les juger. Et son futur : le musée d'Härguilazeste où la conduisait l'archimage, à la condition qu'elle reste sage. Communiquer son nouveau message d'égalité à travers ses œuvres. Qui sait ? Peut-être réussirait-elle à sensibiliser les autres nobles plus jeunes, comme elle ? Il y avait sûrement moyen de changer les choses en Dulcie. Mais en premier lieu, il lui fallait s'informer sur l'histoire de son royaume et l'université lui en fournirait sûrement les possibilités.

Toutes ces idées l'avaient épuisée — elle qui avait l'habitude de n'être occupée qu'à s'amuser et à bien paraître — et ses paupières se fermaient lentement. Les paroles de ses amies lui parvenaient de moins en moins nettement et elle eut vaguement conscience que les jeunes filles se retiraient tout en murmurant.

Dans le confort des coussins, Mylène était sur le point de s'endormir lorsque la porte du couloir sur lequel donnait le salon alla voler contre le mur. Elle se redressa brusquement et se tourna vers l'entrée. Elle vit Eldérick passer à toute vitesse, le visage en feu et les traits empreints de frustration. Curieuse d'apprendre ce qui était arrivé, elle se leva et s'approcha de la double porte, le sommeil qui l'avait gagnée un peu plus tôt s'étant totalement dissipé. Elle entendit deux mains s'abattre sur la table, faisant tinter quelques-uns des plateaux disposés non loin.

— Elle n'est pas croyable, cette petite démone, s'écria Eldérick en claquant une deuxième fois les mains sur la table.

Arkiel et Novalté se regardèrent, un sourcil haussé, tandis que le chef des rebelles faisait les cent pas devant la table.

— Auriez-vous l'obligeance de nous fournir quelques explications, seigneur Desmonts ? lui demanda Arkiel en prenant une gorgée de vin.

Le vieux magicien ne semblait nullement bouleversé par l'attitude de son ami. Il se doutait que la jeune guerrière leur avait encore faussé compagnie.

— Haaa! Vous ne devinerez jamais ce qu'elle a fait! éructa Eldérick. On la tenait, vous rendez-vous compte? Et elle nous a encore tous ri au nez. Hooo! Si je pouvais lui mettre la main au collet, marmonna-t-il en se tordant les mains.

— Tu ne ferais rien de bon, c'est certain, finit Arkiel pour lui. N'oublie pas que ce n'est pas pour lui tordre le cou que nous la cherchons, au contraire.

Novalté sourit et dit :

— Eldérick, cessez de vous triturer les mains de manière aussi démoniaque et expliquez-nous donc ce qui s'est passé.

Le guerrier se tourna vers la double porte où Mylène les observait. Elle sursauta au regard furieux que le chef des rebelles braqua sur elle.

— Ferme la porte! lui ordonna-t-il.

Mylène s'exécuta et vint s'asseoir à la table, heureuse qu'il ne lui ait pas dit de sortir. Eldérick leur raconta tout ce qu'ils avaient fait et entendu. Arkiel ne put s'empêcher de ricaner dans sa barbe, ce qui accentua la colère de l'homme.

— Je ne vois vraiment pas ce qu'il y a de drôle là-dedans! Elle est seule contre tout le monde et elle arrive à rire de nous tous.

— Elle n'est pas si seule, à ce que j'ai compris, répliqua Arkiel. Cette dame, Livianne, risque-t-elle de nous apporter des ennuis?

— Peu probable, nous sommes partis avec la blonde.

— Dites-moi, Eldérick, commencez-vous une collection? demanda ironiquement Novalté en regardant Mylène avec un large sourire.

Eldérick lui lança un regard peu avenant.

— Ce n'est pas drôle ! Vous croyez que si j'avais eu le choix, je l'aurais emmenée ?

Deux coups rapides furent frappés à la porte et Karok entra, un large sourire aux lèvres.

— Tu as entendu ça, Arkiel. Cette petite est dix fois plus précieuse que ce qu'elle transporte, moi, je vous le dis.

Le vieux magicien hocha la tête.

— Tu ne m'apprends rien, Karok. Et j'espère que d'autres ne l'apprendront pas, continua-t-il pour lui-même.

Elle était encore jeune et pouvait se laisser influencer par les mauvaises personnes. Arkiel savait quels genres de dommages elle pourrait alors provoquer. C'est ce qu'il fallait éviter au plus vite en s'assurant que ceux pour qui elle travaillait n'étaient pas mal intentionnés. Karok alla s'appuyer sur le dossier de la chaise, à côté de Mylène.

— Eh bien, très chère ! Vous ne serez plus seule à représenter votre groupe.

Il se redressa et vit Arkiel secouer la tête en signe de désapprobation.

— Oh ! Ne sois pas si découragé, Arkiel, elle va sûrement nous être d'une grande aide. Apparemment, c'est une vraie source d'informations. Elle ne se gêne même pas pour répondre à nos questions, car elle dit ne rien savoir qui peut nous aider à retrouver cette merveilleuse guerrière. Elle n'a jamais vu son visage et elle ignore qui elle est, d'où elle vient et où elle demeure, mais…

— Alors peux-tu m'expliquer en quoi elle est une véritable source d'informations ? demanda Arkiel.

— Parce qu'elle leur a raconté presque toutes ses aventures ! s'exclama Karok. Tu te rends compte de tout ce qu'on peut retirer de ces récits ? En plus, on n'a que ça à faire quand on voyage. Et tu sais quand une personne ment, n'est-ce pas ? En tout cas, ton élève le sait.

Arkiel hocha la tête.

— Comment s'appelle-t-elle?

— Lilas.

— Eh bien! Allons la trouver, dit l'archimage en se levant.

Les bras croisés, le menton dressé, Lilas boudait. Elle était assise sur un divan entre Éric et Malek, qui ne semblaient pas vouloir la lâcher. Eldébäne, debout devant la fenêtre, les fixait d'un air désapprobateur. Après l'effort de persuasion qu'il avait fait pour gagner la confiance de la jeune femme, dès qu'ils étaient sortis de l'auberge, les deux guerriers l'avaient écarté pour la surveiller de près. Comme il pouvait difficilement les pousser pour reprendre sa place près de la jeune femme, il avait dû les laisser faire.

Il était magicien, pas batailleur, et il n'utilisait pas sa magie sans bonne raison. Or, corriger ces deux hommes sans manières n'en était malheureusement pas une. Heureusement, contrairement à leur autre prisonnière, Lilas n'avait pas l'air d'une jeune que l'on intimide facilement.

Durant tout le trajet entre l'Auberge de la flamme bleue et le manoir de Novalté, Lilas avait marché entre les deux brutes, la tête haute, l'air arrogant. Eldébäne se doutait même que s'ils l'avaient bousculée, elle n'aurait pas pour autant quitté cette attitude. Lilas était une femme de caractère et ne se laisserait pas mener aisément. Eldébäne espérait seulement qu'elle ne leur créerait pas d'embarras. Leurs regards se croisèrent et il vit nettement qu'elle retenait un sourire pour conserver son air hautain.

Lilas dut détourner ses yeux du jeune magicien pour fixer un point devant elle. Elle prenait des airs indignés contre les deux hommes, mais, au fond d'elle-même, Lilas n'avait jamais été aussi heureuse de toute sa vie. Elle pourrait enfin en apprendre plus sur Éli.

De plus, se trouver entourée d'hommes aussi beaux n'était pas du tout désagréable. Toutefois, elle ne voulait pas qu'en le sachant, ils s'en enorgueillissent. Elle aurait facilement pu les courtiser jusqu'à les rendre mal à l'aise, mais elle préférait leur laisser croire qu'elle les méprisait et venger le magicien. Certaine qu'il aurait pu les battre sans difficulté en levant tout juste le petit doigt, Lilas se disait, du même coup, qu'il était beaucoup trop gentil et intelligent pour ça. Elle était résolue à ne leur livrer aucune information, à moins que les questions ne viennent de la bouche d'Eldébäne.

Jusqu'à présent, les guerriers s'étaient contentés de dire à leur chef, Eldérick, ce que Livianne et elle leur avaient dit à l'auberge. À l'inverse de ses compagnons, Eldérick avait semblé sceptique sur la nécessité de l'amener avec eux. Selon lui, elle n'en savait pas assez pour que cela vaille le risque d'être pris avec elle. Mais, finalement, Malek l'avait convaincu que le dernier mot reviendrait à l'archimage.

Le chef des rebelles était celui qui avait réagi le plus violemment à l'évasion d'Éli. Il avait poussé les pires jurons en se promettant qu'elle ne s'en sortirait certainement pas de la sorte la prochaine fois.

Avec lui, il y avait deux autres hommes. Un petit trapu qu'ils appelaient Karok, aux cheveux noirs et aux vêtements de cuir épais. Lilas l'avait tout d'abord pris pour le genre d'homme pour qui les femmes ne sont bonnes qu'à faire la cuisine et des enfants. Mais elle s'était apparemment trompée, car il avait été le seul à s'esclaffer en apprenant l'exploit d'Éli. Il avait répété au moins une dizaine de fois que cette jeune femme était extraordinaire et qu'il aurait donné un bras pour l'avoir comme élève.

Le second était un homme du désert nommé Dowan et dont la haute stature était servie par une musculature bien dessinée. Sur un large pantalon de toile, il portait, attachée à la taille par une ceinture de tissu, une chemise dont la couleur pâle contrastait avec sa peau sombre. Plus tempéré que les autres, il avait tenté de calmer Eldérick, sans pourtant se départir d'un léger sourire.

Eldérick avait envoyé Zyruas, qui connaissait le mieux la ville, vérifier où le soldat avait conduit Éli et ils avaient attendu le retour de celui-ci près de la rue principale. Finalement, les guerriers l'avaient emmenée dans ce manoir et Lilas avait été surprise de reconnaître celui de Novalté. Elle connaissait ce fervent religieux, car il venait souvent prêcher la bonté du Créateur dans leur auberge. Plus d'une fois, il avait tenté de la faire sortir de cet endroit, mais Lilas aimait Livianne et les filles et elle savait qu'elle ne gagnerait jamais autant d'argent en venant travailler pour Novalté.

L'homme offrait gîte et couvert, mais ne pouvait pas rémunérer ses gens, alors que Lilas avait déjà une bonne somme d'amassée à l'auberge. Livianne et elle avaient d'ailleurs en tête plusieurs projets à réaliser avec leurs économies mutuelles.

Novalté avait beau essayer de lui dire que ce qu'elle faisait était un péché, Lilas n'en avait cure. Pécher, pour elle, constituait à blesser quelqu'un, dans sa personne ou ses biens. Voler, c'était pécher et elle ne l'avait fait que dans des cas d'extrêmes nécessités, qui ne s'étaient d'ailleurs plus présentés depuis qu'elle travaillait pour Livianne. Sans mari, elle ne s'était jamais considérée comme responsable de l'infidélité des autres, malgré tout ce que Novalté avait pu lui dire. Lilas se sentait donc tout à fait en accord avec sa vie actuelle. Sa seule grande inquiétude était de tomber enceinte et, jusqu'à présent, la chance avait été de son côté. Elle prenait rarement des risques, mais elle avait souvent constaté autour d'elle que la nature pouvait se montrer très imprévisible.

Lilas reporta son attention sur les hommes, dont les yeux étaient braqués sur sa poitrine à demi dévoilée, et croisa les bras afin de la mettre plus en valeur et les déconcentrer davantage. Elle constata avec satisfaction que même le taciturne Malek ne pouvait s'empêcher de s'y intéresser. Feignant de ne pas s'en rendre compte, elle se mit à observer le salon où les hommes l'avaient conduite.

L'endroit était à l'image de l'excentricité de Novalté. La pièce avait beau n'être éclairée que par deux grands candélabres, elle abondait de couleurs vives ainsi que de meubles et tableaux aux formes non traditionnelles qui finissaient par étourdir les sens si l'on s'y attardait. Pourtant, et en dépit du manque total d'agencement, l'ambiance était agréable ; emprunte d'une joie de vivre qui ne manquait pas de toucher le visiteur.

Soudain, Lilas entendit des pas dans le couloir et la large porte s'ouvrit sur quatre hommes et une femme. Elle reconnut Karok, Eldérick et Novalté et supposa que le vieil homme était l'archimage Arkiel dont il avait été question plus tôt. Ses cheveux et sa courte barbe étaient d'un blanc immaculé, mais il était robuste et de haute stature. Le groupe s'arrêta, les hommes au milieu de la pièce, face au divan, et la jeune femme à côté d'Eldébäne. Un peu plus jeune, semblait-il, que Lilas, elle n'était sûrement pas de basse condition. Certaines de ces manières étaient celles de la noblesse. Il s'agissait sans doute de l'autre captive évoquée par Eldérick.

Celle-ci la regarda et Lilas intercepta le coup d'œil discret qu'elle lança ensuite vers Éric, qui se tenait juste à côté. Elle se tourna et regarda Éric, qu'elle surprit à regarder également l'autre captive. Était-ce celle qui occupait ses pensées et l'éloignait des autres femmes ? Elle fronça les sourcils en se souvenant du récit d'Éli. Avec ses cheveux blonds et ses yeux gris, la jeune femme correspondait parfaitement à celle qui avait été enlevée avec elle.

Novalté regarda autour de lui et déclara :

— C'est une belle petite famille que vous avez là, Eldérick.

Celui-ci se tourna vers l'ancien pirate d'un air mauvais, mais Arkiel passa entre les deux. En gratifiant Lilas d'une révérence, il démontra une souplesse peu commune chez les gens de son âge.

— Permettez-moi de me présenter, Arkiel Lilmïar, archimage de la citadelle des magiciens. Et voici Novalté Brawm, notre hôte.

— Nous nous sommes déjà rencontrés, remarqua ce dernier.

— Vous parlez d'un homme de foi, s'exclama-t-elle. Qui participe à l'enlèvement d'une jeune femme sans défense !

— Je ne suis nullement responsable des actes de ces hommes, se défendit-il. Je ne fais qu'héberger un vieil ami.

Pensif, Arkiel regardait, en se grattant le menton, les deux guerriers qui entouraient la jeune femme. Il finit par leur demander :

— Êtes-vous obligés de vous montrer si intimidants, jeunes hommes ? Cette demoiselle ne semble pas vouloir opposer de résistance.

Eldébäne poussa une exclamation et déclara :

— J'ai moi-même convaincu la demoiselle de nous aider pour le bien de son amie, mais ces hommes-là n'ont pas pu s'empêcher d'employer le seul moyen qu'ils connaissent.

— Et le seul moyen de l'empêcher de fuir si elle le tentait, continua Éric, irrité par la condescendance du magicien. Ce brûleur de sauterelles oublie que nous sommes à Tabem et qu'à Tabem, il ne faut faire confiance à personne. C'est un moyen de prévention, au cas où lui prendrait l'envie de nous fausser compagnie.

Éric croisa les bras, faisant saillir ses muscles. Lilas lui lança un regard dédaigneux et leva encore plus haut le menton.

— Han! Des gros tas sans cervelle dans ton genre, j'en ai vu pas mal, tu sauras, et c'est pas ce qui m'impressionne.

Éric leva une main pour l'agripper par le cou, mais Lilas, prévoyant son geste, lui attrapa le pouce et le tordit violemment jusqu'à le faire craquer. Avec un grognement, Éric récupéra sa main et grommela, en se gardant bien de réessayer. Lilas ne put s'empêcher d'adresser un rapide clin d'œil à Eldébäne qui lui sourit.

— Selon moi, dit Malek qui ne pouvait s'empêcher de sourire aussi, elle a reçu des cours d'une certaine personne de notre connaissance.

Éric lui lança aussitôt un regard taquin et ajouta :

— C'est vrai qu'elle a l'air d'aimer donner des cours : des cours de combat, des cours de langue…

Il laissa sa phrase en suspens, tandis que des ricanements fusèrent parmi les hommes. Vif comme l'éclair, Malek le saisit entre le cou et l'attache de l'épaule, à l'endroit où ce dernier voulait agripper Lilas, et lui enfonça les doigts dans la chair. Éric lui enserra le poignet pour se délivrer de cette étreinte douloureuse et tenta de le saisir de son autre main. Lilas se recroquevilla entre les deux guerriers pour se protéger des coups perdus, jusqu'à ce qu'Arkiel lui prenne la main et la tire hors de ce piège humain.

— Bon sang! s'exclama-t-elle, furieuse. En voilà des gamins!

Puis, en se tournant vers l'autre jeune femme qui les observait, un sourire aux lèvres :

— Dis-moi, ma belle, tu les endures depuis longtemps, comme ça?

Mylène, peu habituée à se faire appeler «ma belle» par une autre femme, resta coite. Puis, une remarque lui échappa avant qu'elle n'ait pu la retenir :

— On finit par s'habituer à leurs enfantillages.

Lilas éclata de rire, mais Mylène resta sérieuse, tandis que les deux jeunes guerriers cessaient de se chamailler et que tous les yeux se tournaient vers elle.

— Eh bien! On dirait que Suzie nous a suivis jusqu'ici, lança Kaito avec amusement.

— Ouais? Ben ça m'en fera juste une de plus à dompter, déclara Éric en se levant dans une attitude faussement menaçante. Y a-t-il une fontaine dans les parages, seigneur Brawm?

Novalté n'eut pas le temps de répondre que Mylène poussa un petit cri et se plaça derrière Arkiel. Eldérick, qui était resté appuyé contre le battant de la porte fermée, se massait l'os nasal d'un air exaspéré. Il avait l'impression d'être dans une garderie.

— Bon! Ça suffit! s'exclama-t-il. Nous devrions tous aller nous coucher, ça a été une longue journée.

— Et la guerrière? demanda Malek.

— Inutile d'essayer de pénétrer dans le baraquement des soldats, déclara Eldérick, l'endroit est beaucoup trop gardé. Nous nous ferions repérer soit par les soldats, soit par les membres de la guilde.

Malek grimaça, sur le point de l'interrompre, mais Eldérick continua:

— Nous savons qu'elle quittera la ville avec eux demain. Ils ne seront certes pas difficiles à manquer, nous les suivrons donc de loin. Les soldats ne verront aucun lien entre l'archimage et elle et n'auront aucune raison de nous soupçonner, tant qu'ils ne reconnaîtront pas Malek. Elle seule saura qui nous sommes et je ne crois pas qu'elle leur en fasse part plus qu'elle ne l'a fait à l'auberge.

— Le soldat a mené son cheval dans l'écurie et elle n'a aucun moyen de sortir de cette bâtisse, l'appuya Zyruas.

— Nous irons près du baraquement demain avant le lever du soleil pour être certains de ne pas les manquer, dit Eldérick, et s'il y a quelque chose d'étrange, je demanderai de l'aide à Wiltor. Mais pour l'instant, je préfère qu'il ignore que nous avons trouvé la personne que nous recherchions et où elle se trouve. Avec la pierre de la guerre en jeu, nous ne pouvons faire entièrement confiance à personne.

Malek et Éric échangèrent un regard interrogateur et finirent par hocher la tête de mauvaise grâce. Ils auraient préféré agir immédiatement, mais attendre jusqu'au lendemain n'était pas si difficile. Eldérick, soulagé de voir les deux jeunes hommes se plier à son raisonnement, se tourna vers Arkiel.

— Voudrais-tu t'occuper de cette demoiselle? Contrairement à Mylène, rien ne la retient parmi nous et je ne veux pas la laisser sous la garde de ces deux là.

Novalté ne put s'empêcher d'émettre un rire sec.

— Ce ne serait pas très bon pour eux, en effet. Malgré toutes leurs bravades, je crains que cette jeune femme réussisse à les ensorceler pour en faire ce qu'elle veut.

Lilas lui lança un regard outré et croisa les bras en levant le menton d'un air hautain.

— Je ne courtise que les hommes dont j'ai envie et ces deux rustauds n'en font pas partie. Et je me fous bien de ton opinion, ajouta-t-elle devant l'air sceptique de Novalté.

— Je prendrai soin d'elle, assura Arkiel.

D'un bras, il lui entoura les épaules et la conduisit en dehors de la salle, en compagnie de Novalté.

— Eldébäne, Mylène! Venez avec nous, ordonna-t-il.

Ils le suivirent et Éric se pencha vers Mylène lorsqu'elle passa près de lui.

— Je n'ai pas fini avec toi, dit-il tout bas.

En se redressant, il aperçut Kaito qui le fixait avec un large sourire.

— Qu'y a-t-il ? lui demanda Éric.

Kaito haussa les épaules.

— Rien, répondit-il sans se départir de son sourire.

Il ne pouvait pas encore agacer Éric sur l'attirance manifeste qu'il éprouvait pour Mylène, car celui-ci était capable de se rebeller contre ses propres sentiments. Éric lui lança un regard soupçonneux et lui frappa l'épaule en passant près de lui.

— Ne cherche pas la bagarre, Éric, le prévint Kaito en le suivant.

Malek les regarda sortir, toujours assis dans le fauteuil. Lorsqu'il fut seul, il tourna la tête vers les lumières encore allumées de la ville, laissant ses pensées s'envoler vers une jeune femme qui s'apprêtait sans doute à dormir, si elle ne dormait pas déjà. Il se demandait comment elle ferait pour se sortir du pétrin dans lequel elle s'était elle-même mise.

Malek sourit. Enlevée par des voleurs de grand chemin pour être ensuite vendue ! Quelle imagination ! Puis, son sourire disparut. Que savaient-ils, au juste, de ce qui était arrivé à la jeune guerrière ? Rien, sauf que sa mère était morte. C'était vrai ! Quels genres d'épreuves cette femme si jeune avait-elle pu vivre pour que ses yeux semblent si âgés ? Une odeur de mort entourait cette guerrière. Une odeur qu'il connaissait trop bien, car elle l'entourait, lui, depuis son enfance.

Il fronça soudain les sourcils et renifla l'air ambiant. L'odeur de mort ne venait pas de son esprit, mais bien du jardin extérieur. Il s'écarta de la fenêtre et souffla les chandelles, comme s'il quittait la pièce, puis se rapprocha lentement, dissimulé par l'obscurité des lieux. Tout d'abord, il ne vit rien. Puis, une silhouette sortit de derrière un buisson et s'éloigna, suivie rapidement d'une deuxième. L'odeur s'éloigna avec elles. Malek se dirigea vers la fenêtre, jeta un coup d'œil au-dehors et sortit rapidement, ne voulant pas perdre de vue les deux intrus. Ce fut davantage l'odorat que la vue qui l'aida à les suivre. Ça empestait vraiment la charogne.

Les intrus sortirent du jardin et traversèrent quelques rues avant de s'arrêter dans une ruelle. Ils discutèrent un moment et il s'approcha encore, mais la conversation était terminée. Il les laissa s'éloigner et continua de les suivre, toujours guidé par l'odeur. Il se demandait s'ils étaient ce qu'on appelait des créatures des marais.

Il avait entendu de nombreuses histoires horribles sur ces monstres. Celle revenant le plus souvent étant qu'ils capturaient les hommes tentant de traverser les marais et les dévoraient vivants. Mais il avait de la difficulté à voir quelque danger dans ces êtres boitillants. Toutefois, en grand nombre, ces créatures devaient se révéler dangereuses. Il resta tout de même sur ses gardes. Karok lui avait toujours répété de ne jamais sous-estimer un ennemi, quelle qu'en soit l'apparence.

Les créatures traversèrent plusieurs ruelles, évitant les rues commerciales qui, à Tabem, étaient achalandées, même aux heures les plus avancées de la nuit. Elles ne quittèrent cependant pas le quartier sud de la ville. Après une bonne demi-heure, elles s'arrêtèrent devant une grosse bâtisse de quatre étages, entourée d'une palissade derrière laquelle Malek pouvait apercevoir quelques fenêtres encore allumées. Ce devait être un hôtel.

Malek soupira. Les deux espions étaient probablement des membres de la guilde qui, comme toujours, se mêlaient de ce qui n'était pas leurs affaires. Eldérick les avait prévenus que Wiltor tenterait d'en savoir plus sur la situation et les ferait surveiller. Ils avaient donc pris des précautions, apparemment insuffisantes. Il se détendit et regarda les deux silhouettes disparaître, emportant avec elles l'odeur nauséabonde. Les voleurs étaient souvent d'une hygiène douteuse. Éric avait raison, après tout. Son imagination était beaucoup trop fertile.

Malek suivit la palissade, dans l'intention de rejoindre une rue principale pour se changer les idées. Il frappait les galets se trouvant sur sa route en maugréant. Si Éric avait été là, il se serait moqué de lui. Pourtant, il avait raison de se méfier, alors que des êtres surnaturels rôdaient dans les parages. Malek, qui avançait toujours dans la ruelle, aperçut soudain un homme appuyé contre un mur, dans l'ombre. Les mains dans les poches, immobile, il semblait observer l'hôtel. Plus par curiosité que par intérêt, Malek s'approcha. Il devait espionner une cliente en train de se dévêtir. Il était à quelques mètres de lui lorsqu'une voix grave résonna dans la ruelle :

— Cesse de te rapprocher ainsi de moi, étranger, car ta vie ne sera plus qu'un souvenir.

Wiltor ! S'immobilisant, Malek fronça les sourcils. Pourquoi le chef de la guilde s'intéressait-il également à cette bâtisse ?

— Tu as toujours l'oreille aussi fine, Wilt, déclara-t-il.

Le brigand se tourna vers lui, surpris.

— Eh bien ! Si c'est pas un des gamins d'Eldérick !

Ils se donnèrent l'accolade et Wiltor continua, un petit sourire aux lèvres :

— Qu'est-ce qui peut amener un jeune homme à sortir aussi tard la nuit ?

Sans lui laisser le temps de répondre, il ajouta en lui frappant l'épaule :

— Une femme, n'est-ce pas ?

Malek resta sans voix, ne sachant trop quoi répliquer, car c'était effectivement une femme qui était la cause de tout ceci. Il haussa les épaules et finit par répondre :

— Non, l'action.

Dans un éclat de rire, Wiltor lui passa un bras autour des épaules et le pressa contre lui.

— Toi, t'es un jeune comme je les aime. Les femmes, c'est plus le genre à ton frère. Toi, tu sais où mettre tes priorités. Les femmes finissent toujours par te transformer en lavette avec leurs sermons contre la violence et…

— Pourquoi fixais-tu cet hôtel, au juste ? demanda Malek, pour changer de sujet.

— Un hôtel ! s'exclama Wiltor. Cette bâtisse n'est pas un hôtel, c'est le baraquement des soldats du roi en visite dans la ville.

— Ah ! s'étrangla Malek en se retournant brusquement vers lui. Quoi ? Tu veux dire que c'est là qu'ils dorment ?

Wiltor lui lança un regard amusé.

— Ouais ! Tu veux peut-être que je te fasse un dessin dans la terre pour t'aider à comprendre ?

Mais Malek ne tint pas compte du sarcasme, il ne l'avait, semblait-il, même pas entendu. Il regardait la bâtisse d'un air furieux.

— Quel idiot je fais, bon sang ! se dit-il.

Il commença à se diriger vers la bâtisse, mais une main lui saisit le bras.

— Attends ! Où comptes-tu aller comme ça, fiston ? Ce bâtiment est aussi bien gardé qu'une prison. On n'y entre pas aussi facilement que dans une auberge.

Mais Malek restait les yeux braqués sur les fenêtres encore illuminées. L'occupante d'une des chambres était probablement en danger et ce n'était certainement pas cette palissade et les quelques soldats qui logeaient là qui allaient l'empêcher de la trouver. Il se retourna vers Wiltor dans l'intention de lui dire de se mêler de ses affaires, mais ce dernier lui cloua le bec avant même qu'il ait fait mine de parler.

— Il se passe quelque chose avec la rouquine ? avança-t-il.

Malek ouvrit la bouche sans rien dire, ignorant ce que le brigand savait.

— Ne me regarde pas avec ces yeux ronds, il n'y a rien qui se passe dans ma ville que j'ignore. J'ai des yeux partout, petit. Alors, j'avais raison, c'est bien une femme qui t'a attiré dehors à cette heure.

— Sais-tu où elle se trouve exactement ? demanda Malek, sans plus.

Wiltor lui indiqua, au troisième étage, une fenêtre située à l'extrémité sud et où brillait une faible lumière derrière le rideau.

— Elle ne doit pas encore être couchée, car j'ai vu du mouvement il y a quelques minutes. Mais seulement une ombre. Je ne l'ai physiquement vue que quand elle est entrée avec le lieutenant Lamorie, celui qui te l'a ravie à l'auberge. Ensuite, elle a regardé un peu dehors, elle avait l'air d'examiner le mur. Mais comme je l'ai dit, ce n'est pas un endroit où il est facile d'entrer ou de sortir.

Il se tourna vers Malek qui observait la fenêtre et aperçut son sourire en coin qui disparut aussitôt que le jeune homme reporta son attention sur lui. Wiltor comprenait de moins en moins. Il avait deviné que cette jeune femme était en fait le supposé jeune homme que les rebelles recherchaient, mais il n'arrivait pas à saisir la relation qui existait entre elle et eux. Il avait tout d'abord cru qu'Eldérick voulait lui faire payer quelque chose, par la façon dont il s'était adressé à lui. Puis, Malek qui lui avait littéralement sauté dessus à l'auberge. Alors, pourquoi ce sourire ? Wiltor se tourna vers la fenêtre et termina :

— Finalement, elle a fermé le rideau, puis plus rien.

— Connais-tu un moyen facile de s'y rendre ?

Wiltor faillit protester, mais abandonna devant l'air déterminé de Malek. Il le connaissait assez bien pour savoir qu'il était impossible de l'empêcher de faire ce qu'il voulait, sauf peut-être en lui tranchant la gorge. Et encore là, fallait-il réussir.

— Suis-moi.

Les deux hommes longèrent la muraille jusqu'à ce que Wiltor disparaisse dans un buisson. Malek le vit tourner un manche de bois et un pan du mur s'ouvrit, laissant un trou juste suffisant pour laisser passer un homme couché. Le brigand lui fit signe d'entrer. Le trou donnait dans un parterre de ronces et Malek ne put réussir à s'en sortir sans pousser quelques grognements. Wiltor le suivit et referma le mur en tournant une seconde manivelle.

— Il y en a beaucoup, des trucs comme ça ? demanda Malek, intéressé.

Mais Wiltor ne lui répondit que par un clin d'œil. Il passa devant et tous deux se rapprochèrent prudemment, mais le plus vite possible, de la bâtisse. Ils durent se cacher quelquefois pour ne pas être surpris par les patrouilles et les soldats qui venaient prendre l'air dans le jardin. Wiltor lui dit d'attendre et il disparut pour revenir quelques secondes plus tard avec une longue échelle. Ils coururent jusqu'au bas de la chambre et Malek lui demanda de rester.

— Si tu as besoin de moi, appelle, lui dit Wiltor en installant l'échelle. Tu connais le signal. Je vais devoir l'enlever et aller me cacher.

Le jeune homme acquiesça et se mit rapidement à monter.

CHAPITRE 29
LE COMPROMIS

Les boucles rousses retombaient sur sa cuisse alors qu'elle coiffait la perruque. Éli était assise sur la chaise du bureau, un pied sur celui-ci. Sa chemise de nuit lui arrivait à mi-cuisse, laissant paraître une paire de pantalons de cuir serrés. À cette heure, elle ne craignait pas que le lieutenant Lamorie vienne cogner à sa porte. Afin de préparer une coiffure convenable pour le lendemain, elle avait replié son autre jambe contre elle et installé la perruque sur son genou. Malgré l'aspect rêche des faux cheveux, Éli réussissait à en faire quelque chose de joli. Elle avait eu beaucoup d'exercices et d'exemples de coiffure durant son séjour parmi les nobles et elle était devenue plutôt adroite. C'était quand même bien pour une fille pour qui se coiffer s'était toujours limité à se démêler les cheveux avec les doigts, dans le seul but qu'ils ne la gênent pas.

Elle frisait une mèche lorsqu'un écureuil poussa un petit cri aigu. Ses doigts s'immobilisèrent et une fraction de seconde plus tard, elle était debout. Éli faillit lancer la perruque, mais retint son geste et alla la déposer sur son oreiller. Elle étendit rapidement des coussins sur le matelas et les recouvrit de la couverture. Elle souffla la chandelle et retira sa chemise de nuit, dont le blanc jetait presque une lueur dans la pièce, et ne garda que le bustier noir. Elle saisit ensuite une dague qu'elle avait retirée des plis de sa robe et alla se plaquer contre le mur, près de la fenêtre, accroupie pour mieux se dissimuler.

Tous les bruits de la nuit s'étaient tus et seul son souffle troublait le silence. Les animaux, tout comme elle, étaient aux aguets. Les pans du rideau ondulaient doucement près d'elle, dessinant des ombres sur le plancher que le quartier de lune éclairait.

Elle perçut soudain de légers grattements, comme si des griffes s'accrochaient aux pierres de la bâtisse. Ils se rapprochaient rapidement, cessaient, puis reprenaient aussi vite. Éli grimaça. Peu d'êtres vivants étaient capables d'escalader un mur de cette façon.

Les créatures étaient maintenant tout près de la fenêtre. Elle pouvait en compter deux en mouvements. Deux craquements secs résonnèrent lorsque l'une d'elles atterrit sur le bord de la fenêtre. Éli retint partiellement son souffle, alors que la créature restait immobile à examiner l'intérieur de la chambre. Les lambeaux noir et brun de ses vêtements se mêlaient aux rideaux, répandant des relents de pourriture.

Cette odeur ne l'incommodait plus depuis longtemps, car elle l'avait sentie plus d'une fois lors de ses séjours dans les marais de l'ouest. C'était celle d'un mélange d'eau croupie, de décomposition de végétaux et... d'autre chose. Éli ignorait ce qu'était exactement cette autre chose, car elle ne s'arrêtait pas pour examiner ces créatures. Elle les tuait et continuait son chemin. S'il y en avait un grand nombre, alors ses sœurs et elle les entassaient et les brûlaient.

Une fois, elle s'était risquée à soulever les pans de tissu dans lesquels se dissimulaient les créatures et elle avait tout lâché en voyant que la peau collée par le pus de leurs plaies se détachait du corps dans un bruit de déchirure humide. Une odeur épouvantable s'en était échappée et elle avait à peine eu le temps de s'éloigner pour vomir sous le regard amusé de ses sœurs aînées. Cette expérience lui avait fait passer l'envie de voir à quoi les créatures ressemblaient sous leurs haillons.

Elle n'avait plus tenté de les toucher et se contentait de les occire, comme le faisaient ses sœurs. Si ces créatures avaient des objets intéressants à prendre, elle préférait ne jamais le savoir et les brûler avec le corps. De toute façon, avait-elle vraiment envie de toucher quelque chose qui s'était trouvé près du corps hideux de ces monstres ?

La tête dissimulée sous l'ample capuche noire pivota pour examiner la pièce. Éli se désintéressa de ses pensées et retint son souffle en se plaquant le plus possible au mur. Elle ne voyait pas les yeux de la créature, mais elle entendait sa faible respiration qui se perdait sous les couches de tissu. Ce son l'amenait toujours à se demander si les créatures des marais avaient un nez ou simplement deux trous au centre du visage. Elle chassa cette image et se concentra sur ses muscles prêts à l'attaque et sur sa dague qui devrait tuer du premier coup.

La créature des marais descendit doucement sur le plancher et s'approcha du lit. Elle tenait une massue des deux mains. La deuxième surgit juste derrière et rejoignit l'autre en traînant un large sac derrière elle.

Éli se retint de rire. Ces stupides bestioles croyaient-elles vraiment pouvoir l'emmener en vie ?

Sa dague maintenue devant elle, Éli s'éloigna du mur pour s'approcher lentement d'elles en prenant soin de ne pas se laisser trahir par son ombre. La première créature leva sa massue, tandis que sa compagne préparait le sac. Éli s'arrêta juste derrière elle, en position de combat, tenant la dague de manière à placer la lame contre son avant-bras. La créature abattit sa massue à deux reprises sur les cheveux roux et l'autre se jeta sur leur victime pour l'empêcher de crier, si elle était toujours consciente.

Elles restèrent quelques secondes à regarder la perruque que l'une tenait dans sa main, avant de se rendre compte que c'était un piège. Elles relevèrent la tête et en apercevant Éli, la première lança un mot bref dans cette langue grinçante qui était la leur. Celle qui tenait le sac se retourna aussitôt en fauchant l'air de l'épais tissu, mais Éli avait prévu son geste et se baissa rapidement pour l'éviter. Le sac siffla au-dessus de sa tête. Sitôt qu'il fut passé, la guerrière se releva d'un bond et fendit l'air de son bras. La créature recula, tandis qu'un sang noir imbibait le tissu au niveau de sa gorge tranchée. Le corps n'avait pas touché le sol que l'autre se jetait sur Éli en brandissant sa massue. Elle bloqua vivement le coup de l'avant-bras, lui planta la dague dans le cœur et la retira alors que le monstre s'écroulait sur le dos.

Elle se pencha en grimaçant à l'odeur de leur sang et planta de nouveau sa dague dans le torse de la créature pour s'assurer de sa mort. Cette dernière sursauta et tenta de bouger, mais ses bras retombèrent et elle finit par s'immobiliser.

Avec ces vêtements sombres, il était toujours difficile de voir si les créatures des marais étaient bien mortes et parfois, elles se servaient de cet atout pour feindre et attaquer leur adversaire par surprise. Lorsqu'elle fut assurée qu'elles ne se relèveraient plus jamais, Éli se redressa en fixant les cadavres.

Elle était satisfaite de ne pas avoir trop perdu la main, même si elle n'avait aucun mérite dans ce combat. Elle connaissait par cœur les créatures des marais pour avoir, durant les dix dernières années, combattu ces êtres qui étaient l'un de leurs principaux ennemis. Par contre, elles avaient tout de même réussi à lui apporter un problème de taille. Qu'allait-elle faire de ces deux cadavres qui puaient déjà la charogne avant de mourir ?

La jeune femme se grattait la nuque en observant les deux corps. Elle pouvait inventer plusieurs histoires, mais quelle que soit la version qu'elle choisirait, le doute renaîtrait dans l'esprit du lieutenant Lamorie, probablement plus fort que précédemment. Elle pouvait toujours cacher les corps. Même s'ils étaient retrouvés plus tard, elles seraient déjà loin avec les autres soldats. Toutefois, cette odeur l'obligeait à les porter dehors.

Éli soupira. La nuit s'annonçait très longue, car elle n'avait aucune idée du moyen de descendre ces deux corps, à part en les lançant par la fenêtre.

Elle se concentra un moment sur ce problème, puis, soudain, le silence la frappa. Les animaux auraient dû reprendre leurs activités. À moins qu'une troisième créature... Éli se raidit. Elle n'était plus seule dans la pièce.

Tout en feignant d'être toujours préoccupée par les deux tas de loques, elle abaissa les yeux et aperçut l'ombre du nouvel intrus. Elle tourna subtilement sa dague pour la tenir par la lame.

L'ombre, trop large pour être celle d'une créature, semblait immobile. C'était celle d'un homme, un membre de la guilde des voleurs, peut-être. S'il avait voulu l'attaquer, il l'aurait déjà fait. Ne voulant pas le tuer, elle refit tourner la dague dans sa main afin de seulement l'assommer avec le manche.

D'un mouvement vif, elle se retourna et son corps n'avait pas fini sa rotation que la dague atteignait déjà sa cible. Tout aussi rapide, l'homme se lança sur le côté et le manche le percuta à l'épaule pour ensuite tomber par la fenêtre. Éli fit un saut en arrière et saisit la massue de la créature des marais.

L'intrus se redressa, l'épée à la main, sans se presser et s'éloigna de la fenêtre, mais en gardant le plus de distance entre elle et lui, ce qui n'était pas supérieur à trois mètres, vu l'étroitesse de la pièce. De sa main libre, elle récupéra sa chemise de nuit qu'elle mit rapidement, sans prendre le temps de l'attacher.

C'était un homme de grande taille, mais il faisait trop sombre pour qu'elle puisse voir son visage. Il s'approcha des deux créatures mortes et les toucha de la pointe de son épée. Il se pencha ensuite pour récupérer la perruque et la promena dans sa main. Éli voyait à peine ses gestes, mais elle devina qu'il la regardait. Aussi silencieuse, elle attendait qu'il fasse un geste menaçant pour l'attaquer.

Au contraire, il rengaina son arme dans un léger bruit de métal et alla écarter un des pans du rideau. Un rayon de lune pénétra dans la pièce et Éli s'étrangla en reconnaissant l'homme. Il ne manquait plus que le lieutenant Lamorie vienne ouvrir la porte pour que tous les représentants de ses poursuivants soient présents autour d'elle.

Éli serra davantage le manche de la massue et recula de nouveau d'un pas, laissant juste assez de place entre elle et la porte pour se déplacer.

— Si tu crois encore pouvoir m'emmener par la force, ça me fera juste un cadavre de plus à m'occuper.

Il fit tourner la perruque sur son doigt et murmura d'un ton amusé :

— Ma chère petite biche, avec ce que je tiens dans ma main, je n'ai pas besoin d'user de la force pour t'emmener.

Il garda un moment le silence, sans cesser de faire tourner la perruque, qui semblait d'un gris pâle dans la pénombre. Éli savait bien qu'il avait raison. Sans ses faux cheveux, Éthanie mourait et son plan tombait à l'eau.

— Étrange, n'est-ce pas ! continua de la narguer Malek à voix basse. Qui aurait pu croire qu'une simple touffe de cheveux serait plus puissante qu'une massue ?

— Cesse tes moqueries, l'interrompit Éli. Tu peux toujours essayer de te défendre avec ma perruque, si tu veux. Tu verras vite que ma massue sera la plus forte. Je voulais sortir de la ville sans blesser personne, mais si je dois le faire, je le ferai, et tu ne seras que le premier.

Malek soupira, flatta les cheveux sur sa main pour les replacer et les déposa sur la tête du lit.

— Ce n'est pas ce que je veux.

— Alors, que veux-tu ? Pourquoi es-tu ici, si ce n'est pas pour me faire endurer ton piètre humour ?

Malek eut un bref rire et, du menton, pointa les deux créatures mortes.

— J'étais venu te secourir, mais… je crois que cette notion n'a pas vraiment de sens, avec toi, continua-t-il.

— En effet, j'ai tendance à être la plus rapide dans de nombreuses circonstances, approuva-t-elle.

Il leva les yeux vers elle et arqua un sourcil.

— Ça, c'est encore à déterminer, répliqua-t-il.

Ses yeux restèrent rivés sur elle et un sourire apparut lentement à ses lèvres. D'un bras, il écarta le second pan du rideau pour laisser entrer davantage de lumière et son sourire s'accentua. Éli, qui se préparait à parer une ruse devant cet air confiant, leva sa massue, mais il ne semblait pas vouloir faire un geste.

La jeune femme regarda autour d'elle sans le quitter des yeux, tentant de découvrir ce qu'il avait aperçu pour sembler si joyeux. Il n'y avait pourtant rien près d'elle, à part le bureau et le lit. Ses yeux s'arrêtèrent soudain sur son bustier et sa gorge qu'il dévoilait. Son cuir et celui de son pantalon moulaient ses formes et ne laissaient plus grand place à l'imagination.

Éli oubliait parfois que les hommes de certains royaumes n'étaient pas habitués à voir des femmes légèrement vêtues. Habituellement, elle profitait de cette distraction, mais l'expression de Malek la rendait mal à l'aise. Elle ne pouvait pas lâcher sa massue pour serrer sa chemise autour d'elle et l'endroit était trop restreint pour qu'elle s'éloigne davantage ou se cache dans l'ombre. Sans s'en rendre compte, elle recula et avança d'un pas à quelques reprises.

Le jeune homme croisa les bras sur sa poitrine et la suivit des yeux, admirant le mouvement de ses hanches. Malek n'avait jamais vu de femme aussi athlétique et il devait admettre qu'elle était encore plus séduisante qu'il se l'était imaginé. Il fixa le visage au teint hâlé. Elle semblait gênée de se voir ainsi observée. Malek hocha légèrement la tête. Il venait peut-être de trouver un point faible à cette guerrière insaisissable.

— Et maintenant, prince charmant, que comptes-tu faire? demanda-t-elle, afin de tenter de détourner ses pensées de son état vestimentaire.

— C'est plutôt à toi que revient cette question, ma petite biche, car j'ai bien peur que ces deux cadavres, dit-il en les montrant du doigt, provoquent plusieurs réflexions dans les caboches de tes nouveaux amis, les soldats. Tu as l'imagination fertile, mais il y a des limites aux couleuvres que peuvent avaler les gens.

— Non, pas avec moi, justement, répliqua-t-elle. Et cesse de m'appeler ainsi!

Il alla s'asseoir sur le coin du bureau en riant. Éli bouillait intérieurement. Il était inutile qu'elle le menace encore, car de toute évidence, il savait qu'elle ne pouvait pas mettre ses menaces à exécution. Une lutte contre ce brigand serait probablement beaucoup plus bruyante et longue que cette ridicule bataille contre les deux créatures.

De plus, elle ne voulait pas vraiment se l'avouer, mais l'efficacité dont faisait preuve le jeune homme commençait à la préoccuper gravement. Elle craignait que le résultat d'une bataille entre eux deux ne se termine pas tout à fait en sa faveur. Malek était un homme réfléchi et Éli savait à quel point un guerrier qui se servait de sa tête était dangereux.

Assis sur le coin du meuble, une jambe se balançant dans le vide, il s'amusait à la voir se creuser la tête pour trouver une solution.

— Le choix est pourtant simple, avança-t-il. C'est nous ou les soldats.

Éli hoqueta.

— C'est ce que tu crois.

D'un geste rapide, elle feinta une frappe avec la massue, mais dévia la trajectoire au dernier moment et attrapa la perruque. Malek, qui s'était penché pour éviter le coup, se redressa, mais Éli avait déjà rejoint la porte. Elle avait coiffé la perruque avec une habileté due aux années d'expérience. D'une main, elle saisit la poignée et commença à la tourner, mais Malek la saisit par la taille. Éli envoya la massue vers l'arrière pour ne rencontrer que le vide. Le jeune homme, qui avait prévu le coup, s'était penché au milieu de son dos, hors de portée. Le temps qu'elle réfléchisse à la manière de l'atteindre, il avait tourné sur lui-même, inversant leur position. Éli leva sa massue pour parer une attaque, mais il semblait n'avoir voulu que l'éloigner de la porte, car il ne bougeait plus. Elle resta également immobile, sachant que se battre dans un endroit restreint contre un adversaire plus fort était dangereux, même armé, et Malek était plus fort. Plus fort et tout aussi rapide.

Heureusement, leur bref combat s'était déroulé dans un silence total et aucun bruit ne leur parvenait du couloir. Devant elle, Malek se tenait légèrement penché vers l'avant, dos à la porte, et les bras devant lui, prêts à repousser toute tentative de la franchir.

— Croyais-tu vraiment me battre de vitesse ? déclara-t-il avec amusement.

Bouillant littéralement, elle jeta de brefs coups d'œil sur les objets qui l'entouraient. Elle pouvait toujours tenter de franchir la fenêtre, mais elle hésitait à abandonner ses sacoches, qui se trouvaient au pied du lit, tout près de lui. Comme s'il devinait ses pensées, il ajouta, sérieusement cette fois :

— Oublie la fenêtre, tu ne peux pas t'enfuir, j'ai un gars qui surveille en bas.

— J'en fais mon affaire.

Malek soupira en secouant la tête.

— Sais-tu que la témérité est un grave défaut ? demanda-t-il.

— Oui. Si la personne est un combattant peu habile.

— Ce qui n'est pas ton cas, n'est-ce pas ?

— Je fais confiance au Créateur pour m'aider à me tirer des mauvais pas dans lesquels je me mets.

Malek la regarda d'un air peu convaincu et réfléchit un moment. Elle était sérieuse en disant qu'elle partirait et il ne pouvait pas courir le risque qu'elle lui échappe. Sinon, elle ne le laisserait plus approcher aussi près sans disparaître aussitôt. Il décida d'essayer de l'amadouer.

— Bon ! déclara-t-il. Apparemment, tu as une tête aussi dure que la mienne. Je n'ai aucune envie que les soldats te prennent et que tu t'enlises plus que tu ne l'es déjà. Alors… Que dirais-tu d'un compromis ?

Éli se détourna de la fenêtre et le regarda, intéressée.

— Quel compromis ?

— Comme toutes nos tentatives pour te prendre échouent et qu'il n'a donc jamais été possible de discuter avec toi…

— Discuter ! l'interrompit Éli avec sarcasme. Ne me prends pas pour une idiote. C'est la pierre que vous voulez, comme tous les autres.

Malek se redressa vivement et se rapprocha d'elle, l'air irrité. Éli sursauta et se tut. Elle recula vers la fenêtre, croyant qu'il avait décidé de lui sauter dessus, mais le jeune homme s'immobilisa à un mètre d'elle. Il pointa un doigt à quelques centimètres de son visage et déclara avec humeur :

— Dis-moi ! Crois-tu sincèrement que c'est pour ce stupide caillou que je suis ici, ce soir, ou pour la sécurité de son possesseur ?

Éli ouvrit la bouche, mais il ne lui laissa pas le temps de répliquer. Il commençait à en avoir plus qu'assez de ce petit air supérieur ; genre je sais tout et je ne crains personne.

— Tu ne sais rien de nous et de ce que nous voulons. Tu ne crois pas que si je voulais vraiment cette pierre, je me serais tout simplement attaqué à toi, comme ces monstres ? Mais tu ne vois pas ça, n'est-ce pas ? Trop aveuglée par ton orgueil ! Tu te crois très forte et au-dessus de tout, mais tu ignores complètement l'ampleur des pouvoirs de ceux qui te poursuivent et ce qu'ils veulent. Nous, nous le savons et nous voulons t'aider contre eux : ils sont aussi nos ennemis.

— Ce qui fait de toi mon allié, c'est ça ? conclut-elle avec sarcasme.

Il faillit perdre patience et enjamber les deux cadavres pour l'attraper, mais se força au calme. Elle avait raison d'être méfiante et il ne devait pas laisser son mauvais caractère l'emporter. Faire comme Eldébäne et persévérer, malgré la non-coopération de l'interlocuteur.

— Oui, répondit-il. Pas nous directement, mais celui qui nous a demandé de te retrouver : l'archimage de la citadelle des magiciens.

Il fit une pause en la voyant froncer les sourcils. Éli savait que l'illustre personnage était dans la ville, mais jamais elle n'avait songé qu'elle y était pour quelque chose.

— Il y a une centaine d'années, continua Malek, il a combattu le sorcier qui te pourchasse. Ils ne sont pas humains et leur race est dangereuse. Ils ont exterminé des dizaines de villages. L'archimage et les magiciens de la citadelle les ont battus et les survivants ne sont jamais réapparus, jusqu'à aujourd'hui. Je comprends que tu aies une quête à accomplir et ta personnalité démontre que ce n'est pas avec de mauvaises intentions. Sans cet ennemi, l'attention de l'archimage n'aurait pas été attirée sur cette pierre et tu aurais disparu avec elle. Je ne pense pas qu'il croyait à la légende de la pierre de la guerre, mais avec la soudaine apparition de ce sorcier qui semble très intéressé par elle, il a décidé de partir, lui aussi, à ta recherche.

— Et que me veut-il, si ce n'est pas mettre la main sur la pierre ?

— Discuter, répéta-t-il.

— Vraiment ? Juste discuter !

Éli émit un « hum » sarcastique et examina Malek qui hochait la tête sans rien ajouter. Elle resta un moment à réfléchir. L'archimage... Eldérick était donc bien plus qu'un seigneur. Probablement avait-il été raconter les événements à l'archimage à cause de leur nature surnaturelle et il était tout à fait plausible que le vieil homme connaisse le sorcier. Mais qu'il pense que la pierre n'était qu'une légende ? Elle en doutait.

Toutefois, l'archimage était réputé pour être un homme bon et le jeune magicien qu'elle avait vu dans l'auberge devait être l'un de ses protégés. Il ne serait peut-être pas mauvais qu'elle les garde dans son entourage au cas où le sorcier réapparaîtrait. Car Éli était maintenant persuadée que ce n'était pas les guerriers qui avaient parlé au lieutenant Lamorie, mais le maître des deux créatures qui l'avaient attaquée. Elle avait laissé son orgueil la mener à l'auberge et il était préférable qu'elle ne fasse pas la même erreur à cet instant, surtout avec le sorcier dans les parages.

Certes, elle ne pouvait pas quitter cette bâtisse pour aller voir l'archimage sans que le lieutenant Lamorie se mette aussitôt à sa poursuite et fasse même barrer les portes de la ville. Et elle ne voulait pas non plus être trop à la merci de l'archimage. Il ne lui ferait pas de mal, mais elle ne voulait pas le rencontrer tant que la pierre n'était pas en sûreté, loin de sa portée.

— Discuter, répéta-t-elle plus sérieusement. Peut-être. Mais pas ici ni maintenant. Je suis parfaitement consciente que vous n'êtes pas comme ces monstres ni leur maître. Mais je ne vous fais pas confiance. Alors, pour me prouver ta bonne foi, laisse-moi décider des conditions de ton compromis.

— Dis.

— Tu me débarrasses de ces deux monstres et tu me laisses sortir de la ville avec les soldats sans faire de problème et, aussitôt que je me serai séparée d'eux et que je serai libre, je rencontrerai l'archimage. Sur la route et au moment que je déciderai.

Malek croisa les bras et réfléchit à son tour. Il aurait pu marchander un peu plus, mais il ne voulait pas risquer de la perdre.

— Et je peux compter sur toi?

— Je te le jure sur la tête de mon destrier, mon plus fidèle compagnon.

Malek rit et se pencha vers l'un des corps pour le déplacer et évaluer son poids. Grimaçant sous l'assaut de la puanteur, il demanda :

— Combien de temps environ, après ta sortie de la ville?

— Disons environ quatre à cinq jours. Tout dépend de la vitesse à laquelle ils avanceront. Je dois aussi m'arrêter chez quelqu'un, avant. Mais seulement pour quelques heures. De toute façon, je crois que vous nous suivrez, n'est-ce pas?

Malek se redressa et enjamba les deux créatures en lui souriant.

— On ne peut rien te cacher, ma petite biche.

Éli envoya la massue vers lui avec une grimace irritée, mais il évita le coup avec aisance et se pencha à la fenêtre. Sans la quitter des yeux, il siffla et se redressa.

— Ces choses sont des créatures des marais, supposa-t-il.

Éli le fixa sans répondre et il ajouta :

— Ce qui veut dire que le sorcier est peut-être dans la ville.

Elle continua à le fixer sérieusement. Il jeta un coup d'œil par la fenêtre et continua :

— Mais ne crains rien, comme tu dis, nous ne serons pas loin.

Un sourire taquin aux lèvres, Éli répliqua en pointant les créatures :

— Certes, et tu arriveras probablement encore une fois que j'aurai fait tout le travail.

Elle lui fit face sans tenir compte de leur grande proximité et ajouta, sans sourire cette fois :

— J'ai accepté de parler avec l'archimage et je le ferai quand je serai sortie de la ville. Jusque-là, ne te mêle plus de mes affaires et ne va surtout pas croire que j'ai besoin de ton aide. J'avoue souffrir d'un léger excès d'amour propre, mais je suis aussi consciente de mes limites. C'est à cause de votre acharnement sur ma personne que j'ai autant de problèmes. Sans vous, j'aurais terminé cette quête depuis longtemps.

— Peut-être, répliqua-t-il, son souffle lui caressant le visage, mais tout porte à croire que ce n'est pas ce que ton Créateur voulait.

Éli lui lança un regard mauvais sans trouver quoi répondre. Satisfait, il tendit une main ouverte, paume vers le haut, et ajouta :

— Cache ton visage, il y a quelqu'un qui vient m'aider.

Éli se concentra sur la fenêtre et écouta, mais n'entendit aucun bruit.

— Un ami à moi, expliqua Malek. De confiance, mais de mauvaise compagnie et je ne crois pas que tu aies envie qu'il puisse te reconnaître. Il a surpris notre amical échange de caresses à l'auberge, mais tu n'as rien à craindre, nous ne lui avons rien dit de compromettant. Allez, donne-moi ton arme. As-tu une cape ?

Après avoir lancé un regard suspicieux vers sa main tendue, Éli hésita, puis finit par y déposer sa massue avec force. Elle enjamba les cadavres et tira d'une de ses sacoches la cape qu'elle avait volée au mercenaire. La jeune femme rabattit sa capuche d'un geste brusque et s'adossa à la porte, les bras croisés.

— N'oublie pas de fermer les pans, conseilla Malek en glissant la massue dans sa ceinture. Je ne voudrais pas qu'un autre que moi ait droit à ce spectacle.

Un grognement lui répondit et il rit en la voyant resserrer la cape autour d'elle. Malek épongea, avec le pan du manteau d'un des cadavres, le gros du sang répandu sur le plancher, sans pouvoir retenir une grimace de dégoût. Un homme apparut à la fenêtre et observa la pièce. Ses yeux s'arrêtèrent un instant sur Éli, puis il fixa les deux créatures mortes.

— Des créatures des marais ! s'exclama-t-il avec étonnement. Alors ça ! Ça fait au moins quinze ans que j'en ai pas vu dans les parages. Qu'est-ce qui se passe ici, Malek ?

— Je t'expliquerai cela plus tard. Pour l'instant, aide-moi à les emmener loin d'ici.

Malek en souleva une et la posa sur son épaule en grognant sous la puanteur. Wiltor l'imita, non sans grommeler également quelques jurons. Il regarda de nouveau la silhouette appuyée à la porte, mais Malek répéta :

— Plus tard.

Il se tourna vers la jeune femme.

— Je ne peux rien pour le sang qui a giclé sur le lit.

— Oh! J'ai une bonne excuse pour ça. Je suis une femme, n'oublie pas.

— Je dois avouer que c'est plutôt difficile à oublier après ce que tu m'as montré.

— Quoi! Je ne t'ai rien mon… mais Éli se tut en pensant à l'autre homme qui les écoutait.

Avec un petit rire, Malek se dirigea vers la fenêtre et fit signe à Wiltor d'y aller. Ce dernier regarda encore un peu celle qui devait être la jeune femme rousse qui se faisait passer pour un jeune homme et se dirigea à contrecœur vers la fenêtre. D'une main, il retint la bestiole sur son épaule et de l'autre, il s'agrippa au cadre. Éli l'entendit jurer encore un moment.

Elle avait déjà vu cet homme à plusieurs reprises, dans des endroits très disparates de la ville. Sans en être certaine, jusqu'à maintenant, Éli l'avait toujours fortement soupçonné d'être membre de la guilde des voleurs.

Elle soupira. Un autre individu influant qui savait qu'elle se faisait passer pour Éthanie. Pauvre Livianne. Éli pria pour que les membres de la guilde ne lui causent pas trop de problèmes. Sinon, elle lui en voudrait certainement jusqu'à la fin de ses jours.

— Donc, murmura Malek qui se tenait sur le rebord de la fenêtre, son fardeau puant sur l'épaule, nous nous reverrons sur une route d'Ébrême, ma petite biche.

Tirée de ses pensées, Éli grogna un assentiment et il disparut dans la nuit, avec un sourire satisfait. La jeune femme alla jeter un coup d'œil à l'extérieur et hocha la tête en apercevant l'échelle. Les voleurs avaient réellement des ressources partout. Elle les regarda s'éloigner avec leur fardeau et referma les rideaux. Du mieux qu'elle put, Éli nettoya le reste du sang et cacha le tissu dans ses bagages. La jeune femme changea également les draps. Pour une fois, ces assommantes pertes de sang mensuelles allaient lui être utiles. À l'aide d'un parfum, elle camoufla l'odeur et lorsque tout fut plus ou moins en ordre, elle se remit au travail sur la perruque.

Il lui restait peu de temps pour dormir, mais, de toute façon, elle serait probablement incapable de fermer l'œil. L'archimage ! Un des magiciens les plus puissants du monde connu. Avait-elle bien fait d'accepter ? Ou avait-elle encore pris une décision trop hâtive ? Éli n'avait pas l'habitude d'avoir autant de personnes qui participaient à ses quêtes et la situation lui échappait. Qu'allait-elle bien pouvoir raconter à l'archimage ? Ce n'était certes pas le genre d'homme que l'on pouvait tromper et manipuler aisément.

En soupirant, Éli plaça la perruque sur sa tête et en lissa les cheveux. Elle garda une main derrière la nuque pour ne pas mêler les mèches et s'étendit sur le dos en se couvrant de sa cape. Elle se permit de fermer les yeux et chassa ses préoccupations pour se concentrer sur son repos. Au moins trois jours de chevauchée l'attendaient, pendant lesquels elle aurait tout le loisir de réfléchir au problème que constituait sa rencontre avec un magicien fort de plus de cent ans d'expérience.

© *Robert Provencher*

REMERCIEMENTS

Je voudrais remercier mon *ti-chum*, ma chère amie Rosalie, ma mère, mon frère et ma sœur, qui m'ont encouragée depuis le début de mon rêve en écoutant mes idées et en lisant, souvent au compte-goutte, mon histoire ;

Angélique, « LaTiteMongole Créations », pour la carte de Melbïane ;

Monique Gravel, qui s'est plongée pour la première fois dans la fantaisie afin de m'apporter ses conseils ;

Julie, Patrick, Suzanne, Lucette, Johanne et Francis, mes premiers lecteurs qui, par leur intérêt, ont nourri mon enthousiasme pour continuer ;

Et un merci particulier à Carole Saint-Père (Écritures CSP) pour les travaux de révision et ses nombreux conseils linguistiques.

CHAPITRE 1

LA POURSUITE CONTINUE

L e soleil apparut entre les épais nuages gris, réchauffant
légèrement les guerriers trempés.

— Si cela pouvait durer, marmonna Éric.

Malek l'appuya, mais il en doutait quelque peu. Ce ne
devait être qu'une accalmie. Il pleuvait dru depuis le matin et,
d'après le ciel, cela n'était pas près de s'arrêter. Arkiel avait fait
relever la toile de la calèche et Malek les regarda d'un air
envieux.

Sa cape l'avait protégé au début, mais l'eau l'avait traversée
depuis un bon moment déjà. Elle lui coulait le long du corps,
s'infiltrant dans chacun des interstices de son armure. La pluie
n'était certes pas très froide, mais le vent, prenant de la force

dans les plaines qu'il fouettait, la rendait glacée. Le sud d'Ébrème n'était que terres plates s'étendant à perte de vue, sillonnés de quelques collines rocheuses que la route contournait en interminables courbes.

Il y avait trois jours qu'ils avaient quitté Tabem, à la suite des hommes du lieutenant Galator Lamorie. Arkiel avait préféré attendre une trentaine de minutes avant de prendre la route. Non par crainte d'éveiller leurs soupçons, mais pour éviter que les soldats viennent le saluer et lui proposer de l'accompagner. La guerrière aurait pu croire à une ruse et se serait à nouveau volatilisée. Ils les avaient donc suivis de loin.

C'était aisé, puisqu'on pouvait voir à plusieurs kilomètres à la ronde. La pluie rendait la tâche plus ardue, mais Dowan, grâce à sa vue perçante, pouvait leur confirmer que la troupe était toujours devant eux, sur la même route.

Tout le long de la première journée, Éric n'avait cessé de lui dire tout ce qu'il aurait dû faire lorsqu'ils avaient trouvé la guerrière à l'Auberge de la flamme bleue, au lieu de parler. Il n'aurait eu qu'à se saisir d'elle et la traîner jusqu'à eux. Au pire, il n'avait qu'à l'assommer. Malek l'avait laissé parler. C'était vrai : il aurait pu l'emmener de force. Or, il avait préféré s'abstenir. La contraindre lui aurait donné raison de penser que récupérer la pierre était tout ce qui les intéressait. De plus, c'eût été détruire toute possibilité d'entente ultérieure et ils n'auraient pas pu obtenir d'elle la moindre information sur sa provenance. Quoi qu'Éric pût dire, il avait imaginé la meilleure solution et avait bon espoir que la guerrière tiendrait parole.

Malek regarda une carriole plus légère les dépasser. Le cocher et le passager leur lancèrent un regard curieux et impressionné, mais ne ralentirent pas. Avec cette pluie, tous les voyageurs étaient pressés de se mettre à l'abri, d'autant que la lumière du jour déclinait lentement. Arkiel leur avait indiqué qu'ils croiseraient un village dans quelques heures et qu'ils pourraient y passer la nuit au sec. Ils ne craignaient pas que les soldats dulciens s'y arrêtent également, puisqu'ils évitaient les villages, probablement pour ne pas attirer l'attention sur leur présence en Ébrême.

Une bourrasque de pluie vint s'engouffrer sous sa cape. Il grogna et se tourna de nouveau vers leur calèche avec envie en se demandant ce qui se passait à l'intérieur. La dernière fois qu'il avait pu écouter ce qui s'y disait, il avait entendu Mylène et Lilas argumenter furieusement. Les deux jeunes femmes n'avaient pas du tout la même éducation. L'une suivait les règles de morale depuis son enfance, tandis que l'autre n'en avait jamais eu.

Lilas, qui était aussi bavarde qu'Eldébäne, s'était rapidement mise à conter des histoires à faire rougir un homme. Tous les hommes riaient, mais Mylène s'indignait davantage à chaque histoire. Elle qui s'était montrée réservée depuis leur départ de la citadelle avait fini par se mettre en colère contre sa voisine de banc. La noble avait tenté de lui faire la morale, mais Lilas avait répliqué par des propos si vulgaires qu'une dispute avait aussitôt éclaté. Les guerriers avaient alors ironisé sur le sort de Kaito et d'Eldébäne, contraints d'endurer les deux voix suraiguës, mais, à cet instant, il aurait volontiers échangé sa place contre la leur.

Il reporta son attention sur ses compagnons qui serraient leur cape sur eux et Malek fit de même, baissant la tête pour affronter la pluie qui avait recommencé de plus belle.

— Arkiel ne pourrait pas chasser tous ces stupides nuages ? demanda Éric en lançant un regard vers son compagnon.

— Pourquoi ? Il est au sec, lui, répondit Malek.

— Je suis certain que si tu vas lui demander, il finira par accepter.

— Tu sais bien que c'est mauvais pour la nature de jouer avec les éléments sans raison. Cela pourrait provoquer une tempête encore pire dans les jours à venir.

— Ouais ! Ben la seule chose que je sais, là, c'est que je suis gelé et que c'est une méchante bonne raison.

— Tu parles d'une grosse lavette. Que je te voie encore me traiter de lâche à cause de cette guerrière !

Éric se mit à marmonner en se dissimulant le plus possible sous sa cape. Malgré sa réponse, Malek aurait bien aimé aussi demander au vieux magicien de faire cesser la pluie. Il se demanda comment s'en sortait la guerrière avec sa perruque rousse. Un sourire s'immisça sur ses lèvres au souvenir de sa fine silhouette et il glissa la main dans son sac pour caresser une tresse noire. Elle provenait des cheveux que la guerrière s'était coupés dans la grotte de l'ours afin de prendre l'aspect d'un soldat. Il y avait déjà tant de jours de cela. Il regarda le chemin qui se perdait derrière le voile d'eau et son sourire s'accentua. Peu importait cette averse, il était vraiment heureux de s'être lancé dans cette aventure et il lui pressait qu'elle vienne les rencontrer.